DE VERBORGEN GESCHIEDENIS VAN DE ROZE ANJER

LAUREN WILLIG

De verborgen geschiedenis van de Roze Anjer

DE KERN

Oorspronkelijke titel: *The Secret History of the Pink Carnation*
Oorspronkelijke uitgever: Dutton, a member of Penguin Group (USA) Inc.
Copyright © 2005 by Lauren Willig
Copyright © 2006 voor deze uitgave:
Uitgeverij De Kern, De Fontein bv, Postbus 1, 3740 AA Baarn
Vertaling: Hanneke Nutbey
Omslagillustratie: Agentur Schlück/Franco Accornero
Typografie omslag: Hans Gordijn
Opmaak binnenwerk: v3-Services, Baarn
ISBN-10: 90 325 0992 6
ISBN-13: 978 90 325 0992 7
NUR 302

www.uitgeverijdefontein.nl

Voor mijn ouders

PROLOOG

Met een schok kwam de metro tot stilstand. Pech. Alweer!

Balancerend op het uiterste puntje van mijn tenen klampte ik me vast aan de stang boven mijn hoofd. Mijn neus dook het armgat binnen van de kerel naast me, een Fransman, te oordelen naar de zwarte coltrui en het feit dat zijn oksel een deodorantvrije zone was. In mijn beste Engelse nepaccent mompelde ik een excuus en wurmde me onder zijn arm uit, struikelde over een uitstekende paraplu en belandde met een plof op de denimschoot van de man die voor me zat.

'*Cheers*,' zei hij met een knipoog, terwijl ik me kronkelend uit zijn schoot hees.

O, *cheers*, dat kostelijke Engelse woordje dat alles kon betekenen van 'hallo' tot 'dank je' tot 'lekker kontje heb jij'. Met een hoofd als een biet (een kleur die mijn kastanjebruine haren niet ten goede komt) zocht ik een plekje om me te verstoppen. Maar de metro zat stampvol vermoeide, humeurige Londenaren op weg van hun werk naar huis. Er was nog geen plaats voor een redelijk uitgeteerde slang om zich een weg door de menigte te kronkelen, laat staan voor een gezonde Amerikaanse meid die de afgelopen twee maanden een portie *fish and chips* te veel gegeten had.

Of laten we eerlijk zijn, vijftig porties *fish and chips*. Wonen in een souterrain met een keukentje als een peulenschil is niet bevorderlijk voor culinaire hoogstandjes.

Ik nam mijn plaats weer in naast de grijnzende Fransman en vroeg me voor de vijfhonderdste keer af wat me toch bezield had om naar Londen te gaan.

Toen ik vanuit mijn studienis in de Widener Library van de Universiteit van Harvard door mijn kleine stukje raam op de studenten neerkeek die onder de overkapping, gebogen onder hun rugzakken, als even zovele werkmieren door elkaar heen krioelden, leek het me nog zo'n briljant idee om een beurs aan te vragen voor een jaar onderzoek in de British Library. Geen scripties meer nakijken! Niet meer uren zitten turen naar een microfilm! Geen Grant meer.

Grant.

Mijn gedachten beroerden even de naam en vluchtten toen weer schichtig weg. Grant. Grant was de andere reden waarom ik hier op een kluitje in de Londense metro stond in plaats van lekker in het souterrain van Widener te zitten om door een microfilm heen te spoelen.

Ik had hem de bons gegeven. Nou ja, min of meer. Het feit dat ik hem op een kerstborrel van de afdeling geschiedenis in de garderobe van de faculteitsvereniging in innige omhelzing aantrof met een giechelende eerstejaarsstudente had er natuurlijk wel wat mee te maken, dus een zekere rol in de breuk kon ik hem niet ontzeggen. Maar *ik* was het die de ring van mijn vinger wurmde en hem die gelijk een furie volgens eeuwenoude vrouwelijke traditie door de garderobe heen naar zijn hoofd slingerde.

En voor het geval iemand zich dat mocht afvragen: nee, het was *geen* verlovingsring.

Met een schok kwam de metro weer tot leven en ontlokte een rafelig gejuich aan de overige passagiers. Ik had het te druk met zorgen dat ik niet weer op de schoot van de man voor me plofte. Eenmaal op iemands schoot belanden is slordig; tweemaal zou opgevat kunnen worden als een invitatie.

Op dit moment had ik alleen maar interesse in mannen die allang dood waren.

De Rode Pimpernel, de Paarse Gentiaan, de Roze Anjer... De muzikale klank van hun namen riep een vergeten tijdperk bij me op, een tijdperk van mannen in kniebroeken en getailleerde jassen, die duelleerden met slagvaardige geestigheden die nog scherper waren dan het puntje van hun zwaard. Een tijdperk waarin mannen nog helden waren.

De Rode Pimpernel, die talloze mannen van de guillotine redde; de Paarse Gentiaan, die het Franse ministerie van Politie tot waanzin dreef met zijn escapades en die minstens twee pogingen verijdelde om Koning George III te vermoorden; en de Roze Anjer... ik denk niet dat er ook maar één krant in Londen was die tussen 1803 en 1814 niet minstens één stukje artikel wijdde aan de Roze Anjer, de meest onvindbare spion van allemaal.

De andere twee, de Rode Pimpernel en de Paarse Gentiaan, waren door de Fransen ontmaskerd als Sir Percy Blakeney en Lord Richard Selwick. Ze hadden zich teruggetrokken op hun buitens in Engeland om vroegwijze kinderen groot te brengen en 's avonds na het eten, bij een glaasje port, lange verhalen te vertellen over hun belevenissen in Frankrijk. Maar de Roze Anjer was nooit gepakt.

Tenminste, nog niet.

Ik had namelijk het plan opgevat om in de archieven van Engeland op jacht te gaan naar die ongrijpbare Roze Anjer. Ik zou gaan speuren naar flarden van lang vergane roddels, die me op het spoor moesten brengen van datgene wat de knapste koppen van de Franse regering niet was gelukt.

Natuurlijk verwoordde ik het anders toen ik het idee voor mijn dissertatie aan mijn professor voorlegde.

Ik braakte wetenschappelijke klanken uit over het invullen van een hiaat in de historiografie en de diepgaande sociologische betekenis van spionage als middel om de mannelijkheid te bewijzen, en nog meer van dat soort dwaze ideeën verpakt in intellectuele wolligheid. Ik noemde het 'Aristocratische spionage gedurende de oorlogen met Frankrijk: 1789-1815'.

Een wat droge titel, dat geef ik toe, maar ik betwijfel of de dissertatiecommissie 'Waarom ik van mannen met zwarte maskers houd' geaccepteerd zou hebben.

Toen ik nog in Cambridge was leek het allemaal zo simpel: de drie aristocraten die zwarte maskers hadden opgezet om de Fransen te slim af te zijn moesten elkaar gekend hebben; de wereld van de *upper class* in Engeland aan het begin van de negentiende eeuw was klein en ik kon me niet voorstellen dat drie mannen die in Frankrijk spioneerden hun expertise niet met elkaar zouden delen. Ik kende de identiteit van Sir Percy Blakeney en Lord Richard Selwick, en tussen die twee mannen had een lijvige correspondentie plaatsgevonden. Er *moest* iets in hun paperassen te vinden zijn, een kleine verspreking die me zou leiden naar de Roze Anjer.

Maar nee, in de archieven was niets te vinden. Helemaal niets. Ik had eindeloze reeksen boekhoudverslagen van huize Blakeney en waslijsten van huize Selwick doorgenomen. Ik was zelfs naar het enorme Rijksarchief in Kew getogen, waar ik me had laten fouilleren in de kleedkamer en de tas van mijn laptop ondersteboven had laten halen om toegang te krijgen tot de archieven van het ministerie van Oorlog van begin negentiende eeuw. Ik had me moeten bedenken dat ze het niet zomaar de *geheime dienst* noemen. Niets, niets, niets. Zelfs geen cryptische verwijzing naar 'onze bloemetjesvriend' in een officieel rapport.

Lichtelijk in paniek bij de gedachte dat ik toch zou moeten schrijven over spionage als een allegorie voor de mannelijkheid, nam ik mijn toevlucht tot een noodplan: ik installeerde me op de vloer bij Waterstones, een gerenommeerde boekhandel, met een exemplaar van *Debrett's Peerage*[1] op schoot en schreef brieven aan alle nog levende afstammelingen van Sir Percy Blakeney en Lord Richard Selwick. Het kon me niet eens schelen of ze toegang hadden tot de familiearchieven (zo wanhopig was ik!). Ik nam al genoegen met familieverhalen en flarden van herinneringen aan verhalen die grootpapa vertelde over die getikte voorvader die in de jaren 1800 spion was geweest. Kortom, alles wat me mogelijkerwijs een aanwijzing kon geven waar ik verder moest zoeken was welkom.

Ik verstuurde twintig brieven. Ik kreeg drie antwoorden.

De eigenaars van het buiten van de familie Blakeney stuurden me een onpersoonlijk formulier met de vermelding van de dagen waarop het buiten was opengesteld voor publiek. Ook sloten ze, heel behulpzaam, het programma bij van voorstellingen van *De Rode Pimpernel* in de herfst van 2003. Ik kon me nauwelijks iets deprimerenders voorstellen dan te moeten kijken naar uitsloverige toeristen in zwarte capes die elkaar, friemelend aan hun monocles, 'Jeetje!' toeriepen.

De huidige eigenaar van Selwick Hall was zo mogelijk nog minder bemoedigend. Hij stuurde me een getypte brief op geschept postpapier dat ontworpen was om te intimideren, met de mededeling dat Selwick nog altijd een privédomein was dat op geen enkele manier was opengesteld voor publiek en dat alle documenten die de familie had vrijgegeven te vinden waren in de British Library. Hoewel meneer Colin Selwick niet letterlijk zei dat ik op kon rotten, was de boodschap overduidelijk.

---

1 Een boek waarin iedereen die van adel is vermeld staat, met wapen en stamboom.

Maar ik had er maar één nodig, nietwaar?

En die ene, mevrouw Arabella Selwick-Alderly, zat nu op me te wachten, en wel op – ik viste het vodje papier uit mijn zak terwijl ik de trap van het metrostation van South Kensington op jakkerde – Onslow Square 43.

Het regende, natuurlijk. Het regent altijd als je je paraplu vergeten bent.

Op de stoep van Onslow Square 43 stond ik stil; ik kamde mijn nat-geregende haren met mijn vingers en nam mezelf in ogenschouw. De bruine suède Jimmy Choo-laarsjes die er zo chique hadden uitgezien in de etalage op Harvard Square waren grondig verpest door de regen en de modder. Mijn knielange visgraatrok zat helemaal gedraaid, zodat de rits niet plat tegen mijn rug lag maar stijf naar voren stak op mijn buik. En er zat een grote bruine vlek op de boord van mijn dikke beige trui – het droevige resultaat van een onvoorziene botsing met iemands koffiekop vanmiddag in de cafetaria van de British Library.

Van mijn beschaafde voorkomen en mijn charme moest ik het van-daag dus niet hebben.

Ik trok mijn rok recht en drukte op de zoemer. Een krakerig stem-metje beefde: 'Hallo?'

Ik zette mijn vinger op de antwoordknop. 'Ik ben het, Eloïse,' riep ik in het metalen roostertje. Ik haatte intercoms; ik ben altijd bang dat ik op de verkeerde knop druk of in het verkeerde roostertje praat, of dat ik opgestraald zal worden door buitenaardse wezens. 'Eloïse Kelly. Ik kom voor de Paarse Gentiaan.'

Ik speelde het net klaar de deurknop te pakken voordat de buzzer ophield.

'Hier ben ik,' riep de stem zonder lichaam.

Ik legde mijn hoofd in mijn nek en keek langs de trap naar boven. Ik zag niemand, maar ik wist precies hoe mevrouw Selwick-Alderly eruit zou zien. Ze had een gerimpeld gezicht onder een hoofd vol sneeuw-witte krulletjes, ging gekleed in een klassieke tweed rok en liep gebo-gen over een stok die even knoestig was als haar handen. Volgens de aanwijzingen van boven beklom ik de trap, het toespraakje dat ik de avond tevoren in gedachten had voorbereid repeterend. Ik zou iets charmants zeggen in de trant van hoe aardig het van haar was om me te ontvangen. Ik zou bescheiden glimlachen en haar laten weten dat ik zo hoopte dat ik er op mijn eigen kleine wijze toe kon bijdragen haar hooggeachte voorvader te bevrijden uit zijn historische vergetelheid. En ik zou rekening houden met haar oude oren door vooral goed hard te praten.

'Arm kind, je ziet er helemaal verpieterd uit.'

Een elegante vrouw in een marineblauw pakje van ruwe wol, met een rood-met-gouden sjaal om haar hals geknoopt, glimlachte me meelevend toe. Haar sneeuwwitte haar – dat stukje van mijn voorstelling klopte tenminste – zat om haar hoofd gewikkeld in een ingewikkeld vlechtpatroon, dat ouderwets had moeten zijn maar dat haar koninklijk stond. Misschien leek ze groter door haar rechte rug en haar gezagwekkende uitstraling, maar naast haar voelde ik me (met mijn één meter vijfenzeventig inclusief de broodnodige naaldhakken) klein. Dit was geen vrouw met osteoporose.

Mijn opgepoetste toespraakje druppelde uit mijn hoofd als de regen van de zoom van mijn regenjas.

'Eh, dag,' stamelde ik.

'Wat een hondenweer, hè?' Mevrouw Selwinck-Alderly loodste me door een crèmekleurige vestibule naar de hal en wees me een stoel waarover ik mijn doorweekte regenjas kon leggen. 'Lief van je om dat hele eind van eh – de British Library, toch? – hier naartoe te komen op zo'n miezerige dag.'

Ik liep achter haar aan de vrolijke huiskamer binnen; mijn geruïneerde laarsjes maakten soppende geluiden die weinig goeds betekenden voor het verbleekte Perzische tapijt. Een chintz bank en twee stoelen waren dicht om het vuur geschoven, dat gezellig knetterde onder een marmeren schoorsteen. Op de lage tafel lag een grote variëteit aan boeken, nu terzijde geschoven om plaats te maken voor een volgeladen theeblad.

Mevrouw Selwick-Alderly wierp een blik op het theeblad en zei, wat geërgerd: 'Hè, wat suf. Ik ben de biscuitjes vergeten. Ga maar lekker zitten, ik ben zo terug.'

Lekker zitten? Vergeet het maar. Mevrouw Selwick-Alderly mocht dan charmant zijn, ik voelde me net een onzeker schoolmeisje dat wachtte op de terugkomst van de directrice.

Met mijn handen op mijn rug geklemd ging ik voor de schoorsteenmantel staan, waarop in willekeurige volgorde een bonte verzameling familiefoto's prijkte. Helemaal rechts torende een grote sepiakleurige portretfoto van een gloedvol omhoogkijkende debutante met de golvende haren uit eind jaren 1930 en een enkel snoer parels om haar hals. De rest van de foto's was moderner, minder geposeerd. Het was een ratjetoe van familiefoto's, in smoking en in spijkerbroek, binnen en buiten, mensen die rare gezichten trokken naar de camera of naar elkaar; zo te zien een grote, hechte clan.

Eén foto in het bijzonder trok mijn aandacht. Hij stond min of meer in het midden van de schoorsteenmantel, half verscholen achter een foto van twee kleine meisjes, verkleed als bloemenmeisjes. Op deze foto stond maar één figuur, het paard niet meegerekend. Zijn ene arm rustte nonchalant op de flank van een paard. Zijn donkerblonde haren zaten in de war door de wind en de snelle rit. Iets in de combinatie van zijn krullende lippen en de zuivere schoonheid van de jukbeenderen deed me denken aan mevrouw Selwick-Alderly. Maar waar haar schoonheid berustte op elegantie, als een delicaat uitgehouwen ivoren beeld, was deze man even zinderend als de zon op zijn haar of het paard onder zijn arm. Zijn vrolijke glimlach had zoiets medeplichtigs – alsof hij een kostelijke grap met de kijker deelde – dat het onmogelijk was om niet terug te glimlachen.

En dat stond ik dan ook net te doen toen mijn gastvrouw terugkeerde met een schaal vol chocoladekoekjes.

Schuldig keek ik op, alsof ze me betrapt had op een beschamende intimiteit.

Mevrouw Selwick-Alderly zette de biscuitjes naast het theeblad en zei: 'Je bent de foto's aan het bekijken, zie ik. Foto's van andere mensen hebben altijd iets onweerstaanbaars, vind je niet?'

Ik liet mijn vochtige visgraatderrière voorzichtig op het uiterste randje van een gebloemd kussen naast haar op de bank zakken. 'Het is zoveel makkelijker om verhalen te verzinnen over mensen die je niet kent', zei ik weifelend, nog niet op mijn gemak. 'Vooral bij oudere foto's. Je vraagt je af wat voor levens ze leidden, wat er van hen geworden is...'

'Tja, dat is het fascinerende van geschiedenis, nietwaar?' zei ze, druk in de weer met de theepot. Onder de rituelen van de theetafel, de keuze van melk of citroen, het doorgeven van biscuitjes en het snijden van cake maakte de gedwongen sfeer plaats voor een geanimeerd gesprek over de Engelse geschiedenis.

Onder zachte drang van mevrouw Selwick-Alderly ratelde ik maar door over hoe ik geïnteresseerd was geraakt in geschiedenis (te veel historische romans op een gevoelige leeftijd), de politiek van de geschiedenisfaculteit van Harvard (veel te ingewikkeld om uit te leggen) en waarom ik besloten had naar Engeland te gaan. Toen het gesprek in de buurt begon te komen van wat er misgegaan was met Grant (alles!) schakelde ik snel over op een ander onderwerp: ik vroeg mevrouw Selwick-Alderly of ze als kind ooit verhalen had gehoord over negentiende-eeuwse spionnen.

'Hemeltjelief, ja!' zei mevrouw Selwick-Alderly met een nostalgische glimlach in haar theekopje. 'Een groot deel van mijn jeugd heb ik spionnetje gespeeld met mijn neefjes en nichtjes. We waren om de beurt de Paarse Gentiaan en de Roze Anjer. Mijn neef Charles wilde altijd Delaroche zijn, de gemene Franse speurder. Zoals die jongen een Frans accent kon opzetten! Daar viel Maurice Chevalier nog bij in het niet. Na al die jaren moet ik nog steeds lachen als ik daaraan denk. Hij schilderde een enorme snor op zijn gezicht – in die tijd hadden alle boeven snorren – en hulde zich in een cape die hij gemaakt had van een van moeders oude omslagdoeken. En dan stormde hij over het grasveld heen en weer, schuddend met zijn vuist en wraak zwerend aan de Roze Anjer.'

'Wie was uw held?' vroeg ik, geamuseerd door het beeld dat zij schetste.

'De Roze Anjer, natuurlijk!'

We glimlachten over de rand van onze theekopjes, als echte samenzweerders.

'Maar jouw interesse in de Roze Anjer heeft nog een andere reden,' zei mevrouw Selwick-Alderly veelbetekenend. 'Je bent met je proefschrift bezig, toch?'

'O! Ja! Mijn proefschrift!' Ik schetste het werk dat ik tot nu toe gedaan had: de hoofdstukken over de missies van de Rode Pimpernel, de vermommingen van de Paarse Gentiaan, het kleine beetje dat ik te weten was gekomen over de manier waarop ze samenspanden.

'Maar over de Roze Anjer heb ik helemaal niets kunnen vinden,' besloot ik. 'Ik heb de oude krantenverslagen gelezen, natuurlijk, dus ik ben wel op de hoogte van de spectaculairdere missies van de Roze Anjer, maar daar houdt het mee op.'

'Wat had je gehoopt te vinden?'

Schaapachtig tuurde ik in mijn thee. 'Ach, de droom van elke geschiedkundige. Een over het hoofd gezien manuscript dat heet: *Hoe ik de Roze Anjer werd en waarom*. Maar ik zou ook al heel blij zijn met een verwijzing naar zijn identiteit, in een brief of een rapport van het ministerie van Oorlog of zo. Maakt niet uit wat, als het me maar op zijn spoor zet.'

'Ik denk dat ik je misschien wel kan helpen.' Een flauw glimlachje speelde om de lippen van mevrouw Selwick-Alderly.

'Echt waar?' Ik schoot recht overeind – letterlijk. Ik zat zo kaarsrecht dat mijn theekopje bijna van mijn schoot tuimelde. 'Hebt u familieverhalen?'

Mevrouw Selwick-Alderly's fletse blauwe ogen twinkelden. Ze boog zich naar me toe en zei samenzweerderig: 'Beter nog.'

De mogelijkheden flitsten door mijn hoofd. Een oude brief, wellicht, of een geheime boodschap vanaf zijn sterfbed die van Selwick op Selwick was overgegaan en waarvan mevrouw Selwick-Alderly de huidige bewaarster was. Maar als de Selwicks een familiegeheim hadden, zou ze dat toch niet aan mij verklappen? Ik liet mijn verbeelding varen voor de hoop van de realiteit. 'Wat dan?' vroeg ik ademloos.

Mevrouw Selwick-Alderly kwam met soepele gratie overeind van de bank. Ze zette haar theekopje op de lage tafel en wenkte me haar te volgen. 'Kom maar eens kijken.'

Met veel gekletter plantte ik mijn kopje op tafel en liep gretig achter haar aan naar het dubbele raam, dat uitkeek over het plein. Tussen de ramen hingen twee miniatuurportretjes, en even dacht ik teleurgesteld dat ze me die alleen maar wilde laten zien – iets anders wat de moeite waard was viel er niet te bekennen. Rechts van de ramen stond een achthoekig tafeltje met een roze schemerlampje en een porseleinen bonbonschaaltje, en links stonden boekenkasten tegen de muur, maar daar was het mevrouw Selwick-Alderly duidelijk niet om begonnen. Ze knielde neer voor de grote kist die onder de portretjes stond. Ik heb weinig verstand van huiskamerkunst en antieke meubels, maar ik heb vaak genoeg rondgehangen in de Britse galerieën van het Victoria and Albert Museum om deze kist te kunnen plaatsen als vroeg achttiende-eeuws, of een buitengewoon goede reproductie. Het deksel was ingelegd met mozaïeken van bloemen en vogels in verschillende kleuren hout, met middenin een grote, paradijselijke boom.

15

Mevrouw Selwick-Alderly viste een rijkelijk versierde sleutel uit haar zak.

'In deze kist,' zei ze, met de sleutel voor het slot, 'bevindt zich de ware identiteit van de Roze Anjer.'

Ze boog zich voorover en stak de sleutel – die al haast net zo uitbundig bewerkt was als de kist zelf, met een gedraaide steel uitlopend in sierlijke krullen – in het koperen slot. Het deksel sprong met goedgeolied gemak open. Tot mijn eigen verbazing zat ik plotseling op mijn hurken naast mevrouw Selwick-Alderly.

De eerste blik in de kist was teleurstellend. Geen spoor van paperassen, nog geen snippertje van een vergeten liefdesbrief. Wel zag ik in de gauwigheid het verbleekte ivoor van een oude waaier, een vergeeld restje van een merklap, een gedroogd boeket – nog bijeengebonden met een verweerd lint – en meer van dat soort kleine schatten, maar daar was ik niet voor gekomen.

Maar mevrouw Selwick-Alderly was nog niet klaar. Bedachtzaam liet ze aan weerszijden van de kist een blauwgeaderde hand achter de fluwelen voering glijden en maakte een trekkende beweging. Soepel gleed een bovenlade tevoorschijn, en daarin... Ik liet me op mijn knieen vallen voor de kist, met mijn handen om de rand geklemd.

'Dit... dit is niet te geloven!' stamelde ik. 'Zijn dit allemaal... ?'

'Allemaal uit het begin van de negentiende eeuw,' zei mevrouw Selwick-Alderly bevestigend, met een innige blik op de inhoud van de kist. 'Ze liggen op chronologische volgorde, dus je zult er weinig moeite mee hebben.' Ze stak haar hand in de kist, pakte er een map uit en legde die terzijde met de woorden: 'Deze niet.' Ze liet haar ogen over de inhoud dwalen, klikte af en toe met haar tong en pakte toen een rechthoekig pakket uit de kist, zo'n speciale zuurvrije kartonnen doos die gebruikt wordt om oude bibliotheekboeken in te bewaren.

'Begin hier maar eens mee,' raadde ze me aan. 'Met Amy.'

'Amy?' vroeg ik, peuterend aan het stuk touw dat om de doos geknoopt zat.

Mevrouw Selwick-Alderly maakte aanstalten om te reageren, maar bedacht zich. Ze hees zich overeind aan de rand van de kist.

'Deze brieven vertellen je het verhaal veel beter dan ik dat ooit zou kunnen.' Ze ging niet in op mijn onsamenhangende vragen en zei vriendelijk: 'Als je iets nodig hebt, ik ben in mijn studeerkamer, aan het eind van de gang rechts.' Ze liep naar de deur.

'Maar wie is hij?' smeekte ik. Ik draaide me om en keek haar na. 'Wie is de Roze Anjer?'

'Lees maar, dan kom je er vanzelf achter...' De stem van mevrouw Selwick-Alderly zweefde achter haar aan de studeerkamer in.

Grrr. Bijtend op mijn onderlip staarde ik naar de doos in mijn handen. Het grijze karton voelde glad en schoon aan onder mijn vingers, in tegenstelling tot de verweerde, stoffige oude dozen die opeengestapeld in de Widener Library stonden. Iemand zorgde goed voor deze paperassen. De identiteit van de Roze Anjer! Meende ze dat heus?

Ik was geneigd aan het touw om de doos te rukken, maar iets in de wachtende stilte van de kamer, alleen verbroken door het onregelmatige geknapper van brandende schors in de open haard, weerhield mij van abrupte bewegingen. Ik kon de miniatuurportretten aan de muur haast over mijn schouder voelen gluren.

Bovendien, adviseerde ik mezelf terwijl ik de knoop netjes lospeuterde, moest ik voorkomen dat ik te opgewonden werd. Stel je voor dat mevrouw Selwick-Alderly overdreef. Of dat ze getikt was. Goed, daar zag ze niet naar uit, maar ze leed misschien wel aan de waan dat zij de sleutel bezat tot de identiteit van de Roze Anjer. Met een beetje pech zaten er songteksten van de Beatles in de doos, of amateurgedichten.

De laatste lus schoot los, de kartonnen flap viel open en onthulde een stapel vergeelde papieren. De datum op de eerste brief, in een ongelijkmatige krabbelpoot, was: 4 maart 1803.

Geen amateurgedichten, dus.

Duizelig van opwinding bladerde ik door het dikke pak papieren. Sommige verkeerden in betere conditie dan andere; hier en daar was de inkt doorgelopen, of waren regels onleesbaar geworden in vouwen. Sommige brieven droegen sporen van rode zegellak, van andere waren hoekjes afgeknabbeld door de tand des tijds en de grijpgrage vingers van gretige lezers. Enkele brieven waren geschreven in een fors zwart handschrift, andere in een dunne blokletter en vele in een nauwelijks leesbaar kriebelpootje. Maar ze hadden één ding gemeen: ze droegen allemaal het jaartal 1803. Ik bladerde erdoorheen. Zinnetjes rezen op uit de zee van golvende lijntjes: 'een provocerende man...', 'broer zou nooit...'

Ik dwong mezelf bij de eerste pagina te beginnen. Ik liet me op het kleed voor de haard zakken, streek mijn rok glad, schonk mezelf een verse kop thee in en begon de eerste brief te lezen. Hij was geschreven in ongrammaticaal Frans, en ik vertaalde hem al lezend.

'4 maart 1803. Lieve Zuster – Nu de laatste vijandigheden voorbij zijn, bevind ik mij eindelijk in een positie u met klem te verzoeken terug te keren naar de plaats die u toekomt in huize De Balcourt...'

1

'... De stad waar u geboren bent wacht op uw terugkeer. Laat ons alsjeblieft zo spoedig mogelijk per koerier weten wanneer u verwacht hier aan te komen. Uw toegewijde broer, Edouard.'

'De stad waar u geboren bent wacht op uw terugkeer.' Amy sprak de woorden fluisterend uit.

Eindelijk! Haar vingers klemden zich om het papier in haar handen; in vervoering keek ze naar de lucht. Bij een dergelijke grote gebeurtenis verwachtte ze bliksemflitsen, of toch op z'n minst donderwolken. Maar de hemel van Shropshire keek kalm op haar neer, totaal niet verstoord door de gewichtige gebeurtenissen die daar beneden plaatsvonden.

Wat kon ze ook anders verwachten van Shropshire!

Amy liet zich in het gras zakken en peinsde over de plaats waar ze het grootste deel van haar leven had doorgebracht. Achter haar, boven de glooiende velden uit, lag het grote huis van rode baksteen vredig op de heuvel. Oom Bertrand zat daar nu vast en zeker, achter het derde raam van links, in zijn craquelé leren stoel de nieuwste bevindingen van de Koninklijke Landbouwvereniging te bestuderen, zoals elke dag. En Tante Prudence zat nu in de geel-met-crème ochtendkamer te turen op haar borduurwerkje, zoals elke dag. Allemaal heel vredig en landelijk en saai. Het uitzicht vóór haar was al niet veel opwindender, slechts langgerekte vlakken groen, alleen verlevendigd door wollen balletjes schaap.

Maar nu zou het dan eindelijk afgelopen zijn met de jarenlange verveling. In haar hand hield ze de mogelijkheid om huize Wooliston met zijn verwende kudde voor eeuwig achter zich te laten. Ze zou niet langer gewoon Amy Balcourt zijn, het nichtje van de zeer ambitieuze schapenfokker uit Shropshire, maar Aimée, Burggravin de Balcourt. Amy ging voor het gemak maar even voorbij aan het feit dat het revolutionaire Frankrijk de adel een kopje kleiner had gemaakt en alle titels had afgeschaft.

Ze was zes jaar toen de revolutie haar naar het Engelse platteland verbande. Eind mei 1789 was ze met haar moeder Het Kanaal overgestoken voor een familiebezoek van twee maanden, waarin Mama haar zusjes terug kon zien en haar dochter iets van de Engelse manieren kon bijbrengen. Mama mocht dan jarenlang in Frankrijk gewoond hebben, ze bleef een Engelse in hart en nieren.

Oom Bertrand, met zijn pruik enigszins scheef op zijn hoofd, was naar buiten gekomen om hen tegemoet te treden. Achter hem stond Tante Prudence, met de borduurhoepel in haar hand geklemd. Op een kluitje in de deuropening stonden drie kleine meisjes in identieke mousselinen jurkjes, Amy's nichtjes Sophia, Jane en Agnes. 'Kijk, liefje,' fluisterde Mama. 'Er zijn hier ook andere meisjes om mee te spelen. Leuk, hè?'

Het was niet leuk. Agnes, die nog nauwelijks kon lopen en praten, was te jong om mee te spelen, Sophia zat de hele dag braaf over haar merklap gebogen en Jane was stil en verlegen en in Amy's ogen een bangerik. Zelfs van de schapen was de lol snel af. Binnen een maand wilde Amy maar één ding: terug naar Frankrijk. Ze pakte haar hutkoffertje, zeulde en duwde het de gang door naar haar moeders kamer en kondigde aan dat ze klaar was om te vertrekken.

Haar aankondiging ontlokte Mama een flauwe glimlach, maar die ging al snel over in een snik. Ze plukte haar dochter van de hutkoffer en klemde haar dicht, heel dicht tegen zich aan.

'*Mais, maman, qu'est-ce que se passe?*' vroeg Amy, die in die tijd nog in het Frans dacht.

'We kunnen niet terug, liefje. Nu nog niet. Ik weet niet of we ooit... O, die arme vader van u! Arme wij! En Edouard, wat zullen ze met hem doen?'

Amy wist niet wie 'ze' waren, maar ze herinnerde zich hoe Edouard haar aan haar haren had getrokken en in haar arm had geknepen toen hij zogenaamd afscheid van haar nam en ze vond dat haar broer zijn verdiende loon kreeg. En dat zei ze tegen Mama.

Ontdaan keek Mama op haar neer. 'O nee, lieveling, niet dit. Niemand verdient dit.' Heel langzaam, tussen diepe zuchten door, had ze Amy uitgelegd dat het gewone volk Parijs had overgenomen, dat de koning en de koningin gevangengenomen waren en dat Papa en Edouard in groot gevaar verkeerden.

In de maanden die volgden werd huize Wooliston het onwaarschijnlijke centrum van een antirevolutionaire beweging. Iedereen boog zich over de weekbladen en huiverde bij het nieuws van de wreedheden aan de overkant van Het Kanaal. Mama versleet de ene ganzenveer na de andere met het schrijven van wanhopige brieven naar haar connecties in Frankrijk, Londen en Oostenrijk. Toen de Rode Pimpernel ten tonele verscheen en aristocraten aan de scherpe omhelzing van Madame la Guillotine ontrukte, liep Mama over van nieuwe hoop. Ze bestookte alle kranten binnen een straal van honderd mijl van Londen met advertenties waarin ze de Rode Pimpernel smeekte haar zoon en haar echtgenoot te redden.

Te midden van al dat kabaal lag Amy 's nachts wakker in de kinderkamer en wenste dat ze oud genoeg was om zelf terug te gaan naar Frankrijk en haar Papa te redden. Ze zou zich vermommen, natuurlijk, want iedereen wist dat je alleen maar vermomd een behoorlijke redding tot stand kon brengen. Als er niemand in de buurt was, sloop Amy naar de kamers van de bedienden om hun kleren aan te trekken en het ruige boeren-Frans van het platteland te oefenen. Als iemand haar betrapte, legde Amy uit dat ze een toneelstukje aan het voorbereiden was. De volwassenen hadden zoveel aan hun hoofd dat ze alleen maar afwezig zeiden 'Leuk hoor, lieve kind', en haar over de bol aaiden en zich geen moment afvroegen waarom de beloofde voorstelling nooit plaatsvond.

Behalve Jane. Toen Jane Amy tegen het lijf liep, gekleed in een assortiment oude petticoats uit de voddenzak en een afgedankte pruik van Oom Bertrand, zei Amy kortaf dat ze aan het repeteren was voor een eenvrouwsproductie van *Two gentlemen of Verona*.

Jane keek haar bedachtzaam aan en zei toen, enigszins verontschuldigend: 'Ik geloof niet dat u de waarheid spreekt.'

Amy, die zo snel geen verpletterend antwoord kon bedenken, keek haar alleen maar vernietigend aan. Jane klampte zich nog steviger vast aan haar lappenpop maar durfde toch te vragen: 'Wilt u mij alstublieft vertellen wat u aan het doen bent?'

'Zult u het niet aan Mama of een van de anderen vertellen?' Amy probeerde uit alle macht er streng genoeg uit te zien, maar het effect werd tenietgedaan door de afzakkende pruik, die aan één oor hing.

Jane knikte haastig.

'Ik,' verklaarde Amy gewichtig, 'ga me aansluiten bij het Verbond van de Rode Pimpernel en Papa bevrijden.'

Jane dacht na over deze nieuwe informatie, haar pop bungelde vergeten aan één hand.

'Mag ik meedoen?' vroeg ze.

De onverwachte hulp van haar nichtje legde Amy geen windeieren. Jane ontdekte hoe je roet op je tandvlees en tanden moest smeren om ze te laten lijken op die van een uitgedroogd oud wijf, en het er weer af te krijgen voordat Nanny het zag. Jane zette een route uit naar Frankrijk op de globe in de kinderkamer en Jane vond uit hoe je de achtertrap af moest sluipen zonder de treden te laten kraken.

Ze kregen de kans niet om hun plan ten uitvoer te brengen. De Rode Pimpernel, die niet wist dat de twee kleine meisjes zich erop voorbereidden hem te komen helpen, was zo dwaas de bevrijding van de Burggraaf de Balcourt in zijn eentje te willen klaren. Amy las in de kranten dat de Pimpernel Papa, vermomd als een vat goedkope rode wijn, de gevangenis uit had willen smokkelen. De bevrijding had vlekkeloos kunnen verlopen als een dorstige wachter aan de stadspoort het maar uit zijn hoofd gelaten had om op het vat te kloppen. Toen hij Papa ontdekte in plaats van Beaujolais, sloeg de wachter boos alarm. Volgens de kranten had Papa zich moedig verzet, maar tegen een hele troep revolutionaire soldaten was hij niet opgewassen. Een week later had Mama een kaartje ontvangen met de eenvoudige boodschap: *Het spijt me.* Het kaartje was ondertekend met een rode bloem.

Het nieuws maakte Mama wanhopig en Amy woedend. Met Jane als haar getuige zwoer ze Papa en Mama te wreken zodra ze oud genoeg was om naar Frankrijk terug te keren. Maar om dat te kunnen doen moest ze uitstekend Frans spreken, en Amy voelde nu al dat haar moedertaal begon te verwateren onder de constante druk van de Engelse conversatie. Ze deed een poging om Frans te praten met haar gouvernantes, maar het vocabulaire van die waardige dames beperkte zich tot de tinten van lappen stof en de laatste mode op het gebied van dameshoeden. Dus haalde Amy haar Molière tevoorschijn en las de schapen daaruit voor.

Aan Latijn en Grieks zou ze op haar missie niets hebben, maar Amy las toch in die talen, ter nagedachtenis van Papa. Papa had haar voor het slapengaan verhalen verteld over grillige goden en wraakzuchtige godinnen; Amy zocht al zijn verhalen op in de boeken uit de in onbruik geraakte bibliotheek van huize Wooliston. Oom Bertrands smaak ging meer uit naar handleidingen voor het fokken van dieren, maar *iemand* van de familie moest ooit gelezen hebben, want er stond een behoorlijke verzameling klassieken in de kast. Amy las Ovidius en Vergilius en Aristophanes en Homerus. Ze las droge geschiedenisverhalen en schandalige liefdesgedichten (haar gouvernantes, wier Grieks en Latijn minimaal waren, dachten heel naïef dat alles wat in een klassieke taal geschreven was respectabel moest zijn), maar telkens weer keerde ze terug naar de *Odyssee*. Odysseus had gevochten om naar huis te gaan en Amy zou hetzelfde doen.

Toen Amy tien was, kondigden de geïllustreerde nieuwsbladen aan dat de Rode Pimpernel zich, nadat zijn identiteit aan het licht was gekomen, had teruggetrokken – al deden de kranten er nogal vaag over of dit nieuwtje afkomstig was van de Franse regering of van de pers. RODE PIMPERNEL ONTMASKERD! kopte de *Shropshire Intelligencer*. En het damesblad *Cosmopolitan* bracht een artikel van tien pagina's over 'De mode volgens de Rode Pimpernel: kostuumtips van de man die u de Franse aristocratie bracht'.

Amy was ontreddered. Goed, de Pimpernel had haar vaders bevrijding verknald, maar over het geheel genomen was het aantal aristocraten dat hij gered had heel indrukwekkend, en aan wie moest ze haar Franse taalvaardigheden aanbieden als de Rode Pimpernel het bijltje erbij neergooide? Amy overwoog net om dan maar haar eigen bende op te richten toen haar blik viel op een regel in het artikel in de *Shropshire Intelligencer*. 'Ik heb er alle vertrouwen in dat de Paarse Gentiaan het werk dat ik noodgedwongen neerleg zal voortzetten,' had Sir Percy volgens de krant gezegd.

Verbaasd schoof Amy Jane de krant toe. 'Wie is de Paarse Gentiaan?'

En dat was de vraag die iedereen zich stelde. Algauw werd er regelmatig melding gemaakt van de Paarse Gentiaan in de nieuwsbladen. Zo zou hij vijftien aristocraten uit Parijs gesmokkeld hebben, vermomd als een reizend circus. De Paarse Gentiaan, zo fluisterde men, speelde de dansende beer. Het gerucht ging zelfs dat Robespierre in hoogst eigen persoon het beest een klopje op zijn hoofd had gegeven, geen moment beseffend dat het zijn grootste vijand was! Toen Frankrijk een punt zette achter het afslachten van de aristocraten en de volle aandacht richtte op de oorlog met Engeland werd de Paarse Gentiaan de betrouwbaarste spion van het ministerie van Oorlog.

'Deze overwinning had nooit plaatsgevonden zonder de moed van één man – één man, vertegenwoordigd door een klein paars bloemetje,' verkondigde admiraal Nelson nadat hij de Franse vloot in Egypte verslagen had.

Zowel de Engelsen als de Fransen brandden van nieuwsgierigheid om de identiteit van de Paarse Gentiaan te achterhalen. Aan beide kanten van Het Kanaal werd naar hartenlust gespeculeerd. Sommigen beweerden dat de Paarse Gentiaan een Engelse aristocraat was, net zo'n lieveling van de Londense *ton* als Sir Percy Blakeney. Volgens sommigen *was* hij zelfs Sir Percy Blakeney, die de dwaze Fransen een rad voor ogen draaide door terug te keren onder een andere naam. In het Londense roddelcircuit gingen alle grote namen rond, van Beau Brummel (op grond van het feit dat niemand oprecht *zo* geïnteresseerd kon zijn in mode) tot en met de Hertog van York, de liederlijke broer van de Prins van Wales. Anderen verklaarden dat de Paarse Gentiaan een verbannen Franse edelman moest zijn die vocht voor zijn vaderland. Volgens sommigen was hij een soldaat; anderen hielden het op een afvallige priester. De Fransen zeiden dat hij gewoon *a damned nuisance* was. Tenminste, dat zouden ze gezegd hebben als ze de Engelse taal machtig geweest waren. Maar omdat ze Frans waren, moesten ze het in hun eigen taal zeggen.

Voor Amy was hij een held.

Natuurlijk zei ze dat alleen tegen Jane. Ze bliezen alle oude plannen nieuw leven in, alleen was het ditmaal het Verbond van de Paarse Gentiaan waaraan Amy haar diensten zou gaan aanbieden.

Maar de jaren verstreken. Amy bleef in Shropshire en de enige gemaskerde man die ze te zien kreeg was haar neefje Ned als hij struikrovertje speelde. Soms overwoog Amy weg te lopen naar Parijs, maar hoe moest ze daar in vredesnaam komen? Door de oorlog die woedde tussen Engeland en Frankrijk lag het normale verkeer over Het Kanaal plat. Amy begon te wanhopen of ze Frankrijk ooit nog eens zou bereiken, laat staan dat ze de Paarse Gentiaan zou vinden. Ze zag een saaie toekomst van pastorale vrede voor zich.

Tot de brief van Edouard arriveerde.

'Ik dacht wel dat ik u hier zou vinden.'

Een blauwe jurk streek langs haar arm. Amy schrok op uit haar gelukzalige gepeins over de brief van Edouard. 'Wat?'

Een mand wilde bloemen aan Janes arm getuigde van een wandeling over de landerijen, maar ze vertoonde geen spoor van enige lichamelijke inspanning. Geen kreukels durfden zich te vormen in de plooien van haar mousselinen jurk; haar lichtbruine haar bleef gehoorzaam in een wrong in haar nek liggen, en zelfs de lussen van de strik die haar hoedje op zijn plaats hield waren opmerkelijk glad. Als de wind geen lichte blos geschilderd had op haar bleke wangen, had ze net zo goed de hele middag in de salon kunnen zitten.

'Mama heeft overal naar u gezocht. Ze wil weten waar u haar strengetje rozenrode borduurzijde gelaten hebt.'

'Waarom denkt ze dat ik dat heb? En bovendien,' snoerde ze Jane, die daar heel serieus op in wilde gaan, de mond met een wuif van Edouards brief, 'wat zal ik me druk maken om borduurzijde als ik net *dit* ontvangen heb?'

'Een brief? Toch niet weer een liefdesgedicht van Derek?'

'Jasses!' Amy huiverde veelzeggend. 'Hou op, Jane! Het idee alleen al!' Ze boog zich naar Jane en fluisterde haar op bezwerende toon toe: 'Nee, het is een brief van Edouard.'

'Edward?' Jane zou Jane niet zijn als ze zijn naam niet op z'n Engels zou uitspreken. 'Zo, dus Edward verwaardigt zich eindelijk na al die jaren uw bestaan te erkennen?'

'O, Jane, wees niet zo hard! Hij wil dat ik bij hem kom wonen!'

Jane liet haar bloemenmand vallen.

'Dat meent u niet, Amy!'

'Jawel! Geweldig, toch?' Amy hielp haar nichtje met het oprapen van de bloemen en mikte ze, enthousiast maar weinig gracieus, op een kluitje in de mand.

'Wat staat er *precies* in Edwards brief?'

'Fantastisch nieuws, Jane! Hij zegt dat het nu weer veilig is om terug te keren, want de oorlog is voorbij. Hij wil graag dat ik als zijn gastvrouw ga fungeren.'

'Maar weet u wel zeker dat het veilig is?' Janes grijze ogen werden donker van bezorgdheid.

Amy lachte. 'Het is heus niet één schreeuwende menigte, Jane. Bonaparte is tenslotte al een hele tijd – hoe lang al? Een jaar of drie? – Consul. En dat is nu net de reden dat Edouard wil dat ik kom. Bonaparte probeert wanhopig zijn omhooggevallen, moordzuchtige, uitbuitende regering de schijn van wettigheid te geven...'

'Nee hoor, u bent helemaal niet bevooroordeeld,' mompelde Jane.

'... dus probeert hij zich in te likken bij de oude adel,' ging Amy door, nadrukkelijk het commentaar van haar nichtje negerend. 'Maar daar zet hij vooral zijn vrouw Josephine voor in – ze houdt *salon* voor de dames van het oude regime – dus heeft Edouard me nodig als zijn *entrée*.'

'Tot die omhooggevallen, moordzuchtige, uitbuitende regering?' Janes stem klonk beleefd verwonderd.

Amy wierp haar geërgerd een madeliefje naar haar hoofd. 'Lacht u maar, Jane! Ziet u dan niet dat dit precies de gelegenheid is die ik nodig heb?'

'Om de *belle* te worden van het hof van Bonaparte?'

Amy had geen zin om nog meer bloemen aan haar te verspillen. 'Nee,' zei ze handenwringend, en haar ogen glansden. 'Om me aan te sluiten bij het Verbond van de Paarse Gentiaan!'

2

DE PAARSE GENTIAAN had zijn dag niet. Lord Richard Selwick, de tweede zoon van de Markies van Uppington, lievelingsobject van huwelijksbeluste mama's en topverijdelaar van Napoleontische ambities, stond als een knorrige puber in het voorportaal van zijn ouderlijk huis in Londen zijn laarzen te poetsen.

'Nou, zo is het wel goed,' zei zijn moeder hoofdschuddend, met een liefdevolle doch geërgerde blik op haar zoon. De aigretteveertjes die vervaarlijk op haar kapsel balanceerden wuifden mee in de stille lucht van het portaal. 'Het is maar voor een soireetje bij Almack's, niet voor het vuurpeloton.'

'Maar moeder...' Richard hoorde zelf hoe dreinerig dat klonk en trok een gezicht. Verdorie, waarom gedroeg hij zich zodra hij thuis was toch altijd als een lastig kind?

Richard haalde diep adem om te zorgen dat zijn stemgeluid in het juiste register uit zijn mond kwam. 'Hoor eens hier, moeder, ik heb het op het ogenblik razend druk. Ik blijf nog maar twee weken in Londen en er zijn bepaalde dingen die ik...'

Zijn moeder maakte een geluid dat bij iedereen die niet van adel was platweg 'de keel schrapen' genoemd zou worden. Zoals een intimiderend lid van de *ton* eens had opgemerkt: 'Niemand hurrumft zo beschaafd als de Markiezin van Uppington.'

'Nonsens!' wuifde zijn moeder zijn woorden weg met een zwieper van haar veren waaier. 'U mag dan honderdmaal geheim agent zijn, maar dat betekent nog niet dat het geen tijd wordt om eens aan uw toekomst te gaan denken. Werkelijk, Richard,' zei ze met een snelle blik door de gang om zich ervan te vergewissen dat er geen bedienden in de buurt waren. Het zou immers niet goed zijn als haar zoons geheime identiteit bekend werd en bovendien roddelden bedienden altijd zo. Toen ze gezien had dat de kust vrij was sprak ze vol vuur: 'U bent al bijna dertig! Alleen omdat u de Paarse Gentiaan bent – belachelijke naam – hoeft u nog niet te denken dat u geen *verantwoordelijkheden* hebt!'

'Ik vind Europa verlossen van een tiran toch wel een hele verant-woordelijkheid,' mompelde Richard, meer tegen zichzelf dan tegen zijn moeder. Maar helaas had de marmeren hal een uitstekende akoes-tiek.

'Ik bedoelde verantwoordelijkheden jegens uw familie. Stelt u zich eens voor dat de Uppington-titel helemaal uitsterft omdat u het te druk hebt om één avond bij Almack's door te brengen om een aardig meisje te ontmoeten! Hmmm?' Ze hield haar hoofd scheef en kneep haar groene ogen samen. Groene ogen – dacht Richard zuur – die ge-wiekster waren dan goed was voor hem en voor haar. Pijnlijke erva-ringen in het verleden hadden hem geleerd dat zijn moeder behept was met de retorische gladheid van Cicero, het vocale uithoudings-vermogen van een operazangeres en de pure wreedheid van Napoleon Bonaparte. Soms had Richard het beklemmende gevoel dat hij meer kans had Napoleon ervan te weerhouden Europa te veroveren dan zijn moeder te dwarsbomen in haar plannen om hem liefst nog dit seizoen aan de vrouw te brengen.

Toch streed Richard dapper door. 'Moeder, Charles heeft sinds hij getrouwd is elk jaar een kind op de wereld gezet. Ik denk waarachtig niet dat de titel in gevaar is.'

Zijn moeder fronste haar wenkbrauwen. 'Er kan altijd een ongeluk gebeuren. Maar daar moet ik niet aan denken!' Lady Uppington begon door de hal te ijsberen, op zoek naar een andere tactiek; haar brons-kleurige zijden rok ruiste op de maat van haar stappen. 'Wat ik wilde zeggen was dat u toch *eens* zult moeten ophouden met dat spionnetje spelen.'

Richards mond viel open. *Spionnetje spelen?* Hij wierp zijn moeder een blik toe die zowel verontwaardigd als ongelovig was. Wie had Nel-son genoeg inlichtingen verschaft om Napoleons vloot bij Aboukir in de pan te hakken? En wie had kunnen voorkomen dat vier vastbera-den Franse moordenaars de koning vermoordden in zijn tuin in Kew? Lord Richard Selwick, alias de Paarse Gentiaan! Als het immense respect en de liefde van Richard voor zijn moeder hem er niet van weerhouden hadden, zou hij nu een hurrumf hebben laten horen waar de markiezin nog wat van had kunnen leren.

Maar aangezien Richard zijn gedachten niet omzette in woorden, ging zijn moeder vrolijk door met haar preek. 'U zwerft daar maar rond op het vasteland – dat doet u nu toch al zo'n jaar of tien, Richard. Zelfs Percy trok zich terug toen hij zijn Marguerite had leren kennen.'

'Percy trok zich terug omdat de Fransen ontdekten dat hij de Rode Pimpernel was,' gromde Richard onnadenkend. Getroffen door een plotseling, vreselijk vermoeden keek hij zijn moeder aan. 'Moeder, u zou toch zeker niet...'

Lady Uppington staakte haar geijsbeer. 'Nee, dat zou ik niet doen,' sprak ze spijtig. Even keek ze dromerig naar een boeket bloemen in een van de nissen in de muur. 'Jammer. Het zou wel heel effectief zijn.'

Hoofdschuddend, alsof ze de verleiding van die gedachte van zich af wilde zetten, begon ze weer met kwieke pas door de kamer te lopen. 'Lieverd, u weet heel goed dat ik u nooit zou saboteren. En u weet dat uw vader en ik allebei vreselijk trots op u zijn. Denk vooral niet dat we het niet waarderen dat u ons in vertrouwen genomen hebt. Kijk eens naar die arme Lady Falconstone: zij kwam er pas achter dat haar zoon geheim agent was voor het ministerie van Oorlog toen die Franse spion hem gevangennam en ze haar allemaal van die akelige losgeldbrieven in het Frans begonnen te sturen. En haar zoon had niet eens een speciale naam en haalde de geïllustreerde nieuwsbladen niet.' De markiezin verlustigde zich in een moederlijke grijns.

'We willen u alleen maar *gelukkig* zien,' besloot ze ernstig.

Richard voelde een nieuwe moederlijke oratie aankomen, een van die ik-heb-u-gebaard-en-dus-weet-ik-wat-het-beste-voor-u-is-lezing, en zette koers naar de deur. 'Zullen we het hier maar even bij laten, moeder? Ik moet er nu echt vandoor. Het ministerie van Oorlog...'

De markiezin liet haar beruchte hurrumf horen. 'Veel plezier bij White's, lieverd,' zei ze nadrukkelijk.

Richard bleef in de deuropening staan en wierp haar een ongelovige blik toe. 'Hoe weet u dat ik naar mijn club ga?'

Lady Uppington keek hem zelfingenomen aan. 'Ik ben toch uw moeder? Nou, maak nu maar dat u wegkomt!'

Net voor de deur achter hem dichtviel hoorde Richard zijn moeder vrolijk roepen: 'Om negen uur bij Almack's! En vergeet niet een kniebroek aan te trekken!'

Richards hartgrondige gekreun ging verloren in het geluid van de dichtslaande deur. Een kniebroek! Vervloekt nog aan toe! Het was al zo lang geleden dat hij aan zijn oor de gevreesde deuren van de aula van Almack's binnengesleurd was, dat hij totaal vergeten was dat men daar in een kniebroek diende te verschijnen. Met een begrijpelijk norse blik op zijn gezicht liep Richard door Upper Brook Street naar St. James Street. Het vooruitzicht alleen al deed hem verlangen naar een vroegtijdige staat van verval waartegen de teringlijder Keats en de drugsverslaafde Coleridge nog zouden afsteken als toonbeelden van Britse mannelijkheid. Het ministerie van Buitenlandse Zaken had beter zijn moeder op Frankrijk los kunnen laten... dan was het hele land waarschijnlijk binnen een maand veilig en wel getrouwd.

'Goedemiddag, Selwick!'

Richard knikte afwezig naar een kennis in een voorbijrijdende karikel. Het was vijf uur, tijd voor de dagelijkse flirtpartijtjes te paard, dus een gestage stroom modieus geklede mensen in rijtuig of te paard passeerde Richard op weg naar Hyde Park. Richard glimlachte en knikte automatisch, maar zijn gedachten glipten alweer weg naar de overkant van Het Kanaal, naar zijn werk in Frankrijk.

Toen hij nog maar een jongetje was, had Richard al besloten een held te worden. Mogelijk kwam dat omdat zijn moeder hem op veel te jonge leeftijd de heftigste passages uit Hendrik v voorlas, waardoor Richard zich in de kinderkamer overgaf aan duels op leven en dood met onzichtbare Fransen. Of misschien kwam het omdat hij 's middags met zijn vader Koning Arthur en zijn ridders van de Ronde Tafel speelde in de tuin. Richard was er jarenlang van overtuigd dat de Heilige Graal onder de vloer lag van de overdadige Griekse tempel waarin zijn moeder haar theevisites hield. Toen Richard eens kwam aanzetten met een schep en een pikhouweel terwijl de douairière van Dovedale op theevisite was, verklaarde zijn moeder dat het nu maar eens afgelopen moest zijn met dat gezoek naar de Heilige Graal.

Richard werd naar Eton gestuurd om Latijn en Grieks te leren. Hij vloog door de avonturen van Odysseus en Aeneas heen en verwierf zich daarmee de volkomen onverdiende reputatie van wetenschapper. Richard brandde van verlangen om zelf op avontuur uit te gaan.

Er was echter één probleem: helden waren tegenwoordig niet meer zo in trek. Hij had de pech te leven in een tijdperk van uitzonderlijke vrede en beleefdheid. Dus moest hij een ander tijdverdrijf zoeken.

Hij besloot zich te gaan wijden aan het beheren van zijn landgoed. Maar zijn rentmeester was een hartelijke man van middelbare leeftijd, alom bemind en uitzonderlijk bekwaam, waardoor er voor Richard niet veel meer te doen overbleef dan wat rond te rijden op zijn paard, een beleefd praatje te maken met zijn huurders en hier en daar een baby te knuffelen. Dat bood hem wel een zekere bevrediging, maar Richard wist dat de rol van herenboer hem al snel verveeld en rusteloos zou maken.

Dus deed hij wat elke jongeman in zijn positie zou doen: hij gaf zich over aan een losbandig leven. Reeds op zijn zestiende was de tweede zoon van de Markies van Uppington een bekende figuur in alle modieuze speelholen en huizen van lichte zeden in Londen. Hij speelde faro met enorme inzetten, draafde zijn paarden af en veranderde net zo vaak van minnares als van schoon ondergoed. Maar hij verveelde zich nog steeds.

Maar net toen Richard zich verzoend had met het vooruitzicht van een leven van lege liederlijkheid, lachte het geluk hem toe in de vorm van de Franse Revolutie. Al eeuwen lang grensden het landgoed van de Uppingtons aan dat van de Blakeneys. Richard had talloze middagen gejaagd met Sir Percy, zijn keukens geplunderd op zoek naar taartjes en zich in zijn bibliotheek verdiept in Sir Percy's uitgebreide collectie klassieke werken, die alle een ex-libris bevatten met het wapen van de Blakeneys, waarin een kleine rode bloem was verwerkt. Toen de Rode Pimpernel de kranten begon te halen, kostte het Richard weinig moeite om te concluderen dat zijn buurman de grootste held was die Engeland sinds Hendrik v gekend had.

Richard bad en smeekte net zo lang tot Percy hem mee wilde nemen op een missie. Die ene missie ging goed en werd gevolgd door een tweede, en toen een derde, tot Richard, met zijn gave voor het heldendom, volkomen onmisbaar werd voor het Verbond van de Rode Pimpernel. Zo onmisbaar, dat Percy en de anderen het hem vergaven toen hij... Nee, Richard verdrong de gedachte voordat deze kon uitgroeien tot een herinnering en stampte overdreven energiek de trappen op naar zijn club.

Richard voelde de spanning van zich afglijden toen hij het mannelijke bolwerk van White's binnenstapte. De geur van tabak en alcohol bezwangerde de lucht, en uit een kamer aan zijn rechterhand hoorde hij het zware gebonk van dartpijlen die tegen een dartboard ketsten – en hun doel misten, te oordelen naar de vloeken die uit de kamer klonken. Op de eerste verdieping liep hij tussen de tafels met kaartspelers door maar zag geen enkel spel waaraan hij wilde deelnemen. Een van de vele aanbidders van zijn zuster maakte een verwelkomend gebaar naar Richard vanaf het tafeltje waaraan hij zich met twee vrienden rond een fles port had geïnstalleerd. Helaas pakte zijn welkomstgroet iets te enthousiast uit. Hij tuimelde over de zijleuning van zijn stoel heen en trok de tafel, de karaf port en de drie glazen mee in zijn val. 'Nou, dat is er alvast één die we vanavond niet bij Almack's zullen zien,' mompelde Richard in zichzelf terwijl hij de maaiende knul en zijn met port doordrenkte makkers in het voorbijgaan toeknikte.

Richard vond het gezelschap dat hij zocht in de bibliotheek.

'Selwick!' riep de Edelachtbare Miles Dorrington en smeet de krant die hij had zitten lezen terzijde. Hij sprong op uit zijn stoel en gaf zijn vriend een stevige klap op zijn rug. Toen liet hij zich snel weer in zijn stoel zakken, een beetje gegeneerd over een dergelijk onbehoorlijk vertoon van affectie.

In een woede-uitbarsting had Richards zusje Henriëtta Miles eens geërgerd 'die aanhankelijke schaapshond' genoemd, en er viel wel wat te zeggen voor die beschrijving. Met zijn asblonde haren die in zijn gezicht vielen en zijn bruine ogen die glansden van goedigheid had Miles opvallend veel weg van een aimabel soort trouwe viervoeter. Miles was Richards beste vriend. Ze waren al vanaf hun eerste dagen op Eton bevriend.

'Sinds wanneer bent u terug in Londen?' vroeg Miles.

Richard plofte neer in de stoel naast hem en zakte tevreden weg in de versleten leren stoel. Hij strekte zijn lange benen behaaglijk voor zich uit. 'Sinds gisteravond laat. Ik ben donderdag uit Parijs vertrokken, heb een paar nachten op Uppington Hall gelogeerd en ben vannacht rond middernacht in Londen aangekomen.' Hij grinnikte naar zijn vriend. 'Ik ben me aan het verstoppen.'

Miles verstijfde onmiddellijk. Bezorgd wierp hij een blik naar links en naar rechts, boog zich toen naar voren en siste: 'Voor wie? Zijn ze u hierheen gevolgd?'

Richard bulderde van het lachen. 'Grote God, nee, man! Ik ben op de vlucht voor mijn moeder!'

Miles ontspande zich weer. 'Had dat dan meteen gezegd,' zei hij nijdig. 'U moet toch begrijpen dat we allemaal een beetje gespannen zijn.'

'Spijt me, beste kerel,' zei Richard. Hij bedankte met een glimlach voor het glas van zijn lievelingsmerk whisky dat hem in de handen werd gedrukt. O, wat heerlijk om terug te zijn op de club!

Miles nam een whisky aan en leunde achterover in zijn stoel. 'Wat nu weer? Wil ze u weer een verre nicht door uw strot duwen?'

'Erger,' zei Richard. Hij nam een lange teug uit zijn glas. 'Een avondje Almack's.'

Miles trok een begrijpende grimas. 'Toch niet met kniebroek?'
'Met kniebroek en al.'

Er viel een kameraadschappelijke stilte, waarin de mannen, beiden modieus gekleed in een strakke bruine broek, peinsden over de verschrikking van de kniebroek. Miles leegde zijn glas en zette het op een bijzettafeltje naast zijn stoel. Hij liet zijn blikken speurend door de kamer glijden en vroeg toen zachtjes aan Richard: 'En, hoe is het in Parijs?'

Miles was niet alleen Richards oudste en beste vriend, hij was tevens zijn contact bij het ministerie van Oorlog. Toen Richard was overgeschakeld van het redden van aristocraten naar het verzamelen van geheimen had de minister van Oorlog wijs vastgesteld dat de contacten met Richard het beste via de jonge Miles Dorrington konden lopen. De twee mannen bewogen zich tenslotte in dezelfde kringen, hadden dezelfde vrienden en werden vaak samen herinneringen ophalend aangetroffen aan een tafeltje bij White's. Niemand zou er iets van denken als ze die twee oude vrienden samen zagen smoezen. Als excuus voor zijn vele bezoeken aan huize Uppington voerde Miles tegenover de buitenwereld aan dat hij Richards zusje het hof maakte. Henriëtta had zich, naar de mening van haar oudere broer, wel wat al te enthousiast in dat bedrog laten meesleuren.

Richard keek de kamer rond en zag de achterkant van een wit hoofd boven de rug van een leunstoel uitsteken. Hij trok vragend een wenkbrauw op naar Miles.

Miles haalde zijn schouders op. 'Dat is de ouwe Falconstone maar. Zo doof als een kwartel en bovendien vast in slaap.'

'En zijn zoon is een van de onzen. Nou, goed dan. Het was... druk in Parijs.'

Miles trok zijn kravat wat losser. 'Hoezo, druk?'

'Als u daar niet mee ophoudt, krijgt u slaande ruzie met uw lijf-knecht.'

Met een schaapachtige blik probeerde Miles de plooien van zijn kravat, die van een volmaakte waterval veranderd waren in een rommelig vod, te herschikken.

'Het was een komen en gaan van en naar de Tuilerieën – meer dan anders,' vervolgde Richard. 'Ik heb een volledig rapport naar het ministerie gestuurd, samen met wat informatie die onze gemeenschappelijke vriend Monsieur Delaroche hulpvaardig voor ons heeft samengesteld op het ministerie van Politie.' Zijn lippen kromden zich tot een grijns van pure blijdschap.

'Goed van u! Ik wist wel dat u het in u had! Een lijst van al hun agenten in Londen – en dan nog wel pal onder de neus van Delaroche! U hebt duivels veel geluk.' Richards rug was te ver weg voor Miles, dus gaf hij maar een waarderend klopje op de armleuning van zijn stoel. 'En uw connecties met de Eerste Consul?'

'Beter dan ooit,' zei Richard. 'Hij heeft de verzameling Egyptische kunstvoorwerpen het paleis in gebracht.'

Men zou verwachten dat het ministerie van Oorlog zich niet wenste bezig te houden met Egyptische kunstvoorwerpen, maar aangezien hun belangrijkste agent de rol speelde van de lievelingswetenschapper van Bonaparte was dit niet het geval.

Toen Richard de Paarse Gentiaan in het leven riep, was zijn talent voor klassieke talen waarmee hij zijn schoolmeesters op Eton zo versteld had doen staan hem wederom goed van pas gekomen. Sir Percy had zich de pose aangemeten van een dandy, en Richard draaide de Fransen een rad voor ogen met zijn eindeloze beschouwingen over de oudheid. Als Fransen van hem wilden horen wat hij in Frankrijk deed en Engelsen hem verweten dat hij met de vijand heulde zette Richard grote ogen op en verkondigde: 'Maar een wetenschapper is een wereldburger!' Vervolgens sloeg hij hen om de oren met een Grieks citaat. Meestal lieten ze het daar dan maar bij. Zelfs Gaston Delaroche, de onderminister van Politie, die plechtig gezworen had zich te zullen wreken op de Paarse Gentiaan en die zo vasthoudend was als een... nou ja, als Richards moeder, liep Richard niet meer voor de voeten nadat hij twee bijzonder lastige passages uit de *Odyssee* over zich heen had gekregen.

Bonapartes beslissing om Egypte binnen te vallen was een ramp voor Frankrijk geweest, maar een triomf voor Richard. Hij had al een reputatie als wetenschapper en oudheidkundige, dus wie konden ze beter aan de groep academici toevoegen die Bonaparte met zich meenam naar Egypte? Onder het mom van oudheidkundige bevlogenheid had Richard meer informatie over Franse activiteiten weten te bemachtigen dan over Egyptische oudheden. Met de rapporten van Richard waren de Engelsen in staat geweest de Franse vloot te verslaan en Bonaparte maandenlang in Egypte te laten zitten.

In die lange maanden in Egypte was Richard snel bevriend geraakt met de stiefzoon van Bonaparte, Eugène de Beauharnais, een zonnige, goedgehumeurde jongen die makkelijk vrienden maakte. Toen Eugène Richard voorstelde aan Bonaparte en hem vertelde dat hij oudheidkundige was, was Bonaparte onmiddellijk een lang debat met hem aangegaan over *Keizers van Rome* van Suetonius. Onder de indruk van Richards koele argumentatie en immense voorraad citaten had hij hem uitgenodigd om, wanneer hij maar wilde, langs te komen bij zijn tent voor een gesprek over de klassieke oudheid. Binnen een maand had hij Richard aangesteld tot zijn directeur van Egyptische oudheden. Midden in de woestijn in het Franse kamp in Egypte was dat een vrij loze titel. Maar bij hun terugkeer in Parijs kreeg Richard twee zalen vol kunstvoorwerpen toegewezen, plus vrije toegang tot het paleis. Wat wilde een spion nog meer? En nu waren zijn kunstvoorwerpen verhuisd naar het paleis, het nest van Bonaparte...

Miles keek alsof hij net een stapel kerstcadeautjes had gekregen in juli. 'En uw kantoor ook?'

'Mijn kantoor ook.'

'Verduiveld, Richard, dat is briljant! Briljant!' In zijn opwinding vergat Miles zelfs dat hij zijn stem niet mocht verheffen en overschreed hij ruimschoots het fluisterniveau.

Aan het andere eind van de kamer kwam de ouwe Falconstone in beweging. 'Watte? Eh, wat?'

'Helemaal mee eens,' zei Richard op luide toon. 'De poëzie van Wordsworth is beslist geniaal, maar toch geef ik de voorkeur aan Catullus.'

Miles wierp hem een dubieuze blik toe. 'Wordsworth en Catullus?' fluisterde hij.

'Ja, hoor eens hier,' diende Richard hem van repliek. 'U schreeuwde! Ik moest toch *wat* zeggen?'

'Als het bekend wordt dat ik Wordsworth heb zitten lezen word ik mijn clubs uitgepest. Mijn minnares kijkt me niet meer aan, mijn hele reputatie naar de bliksem!' siste Miles met een overdreven snik in zijn stem.

Ondertussen was Falconstone overeind gekrabbeld en maakte een bizar dansje met zijn stok in een poging zijn evenwicht te bewaren. Toen hij Richard ontwaarde nam zijn gezicht de kleur aan van zijn wijnrode vest.

'Verdoemd brutaal van u om u hier te vertonen, terwijl u met de fransozen heult!' brulde Falconstone met het totale gebrek aan gêne van de buitengemeen doven en het totale gebrek aan grammatica van de buitengemeen ingeteelden. 'Verdoemd brutaal, zeg!' Hij probeerde Richard een por te geven met zijn stok, maar die poging bleek te veel voor hem, en hij zou omgetuimeld zijn als Richard hem niet bij zijn arm had gepakt.

Met een woedende blik rukte Falconstone zich los en schuifelde er mompelend vandoor.

Miles was opgesprongen toen Falconstone wilde uithalen naar Richard. Hij keek zijn vriend bezorgd aan. 'Overkomt dit u vaak?'

'Alleen met Falconstone. Ik moet zijn zoon nu toch echt maar eens gaan bevrijden uit de Bastille.' Richard ging weer zitten en sloeg het restje van zijn whisky in één teug achterover. 'Wees toch niet zo'n oud wijf, Miles. Ik zit er niet mee. Weet u, ik heb liever dat Falconstone tegen me tekeergaat dan dat al die debutantes me gek maken met hun gekwetter over de Paarse Gentiaan. Ik moet er niet aan denken wat mij te wachten staat als de waarheid bekend zou worden!'

Miles hield bedachtzaam zijn hoofd schuin, zodat zijn ogen verdwenen achter een lok sluike blonde haren. 'Hmmm, lieftallige debutantes...'

'Denk u eens in hoe jaloers uw minnares zou zijn,' zei Richard droog.

Miles huiverde. Zijn huidige minnares was een operazangeres die even bekendstond om de reikwijdte van haar armen als van haar stem. Hij had al eens bijna een hersenschudding opgelopen door openlijk te flirten met een balletdanseresje en was niet van zins die ervaring te herhalen. 'Goed, goed, zeg maar niets meer,' zei hij. 'O verdoemenis! Ik heb haar beloofd dat ik bij haar zou komen eten voor de opera. Ze slaat vast het halve servies aan stukken als ik te laat ben.'

'Vooral op uw hoofd,' merkte Richard behulpzaam op. 'En aangezien ik u liever zie met een heel hoofd, kunt u me nu maar beter meteen mijn opdracht geven.'

'Groot gelijk!' antwoordde Miles met klem. Het kostte hem moeite de ernst te herwinnen die paste bij een vertegenwoordiger van het ministerie van Oorlog. 'Goed. Uw opdracht. We weten vrijwel zeker dat Bonaparte de vrede benut om een invasie van Engeland voor te bereiden.'

Richard knikte grimmig. 'Dat dacht ik al.'

'U moet zoveel mogelijk te weten zien te komen over zijn voorbereidingen. Wij zetten een reeks koeriers in tussen Parijs en Calais om de informatie die u vindt door te geven. Dat is het, Richard!' Miles' ogen glommen alert, als van een hond die een vos op het spoor is. '*De* opdracht. Aan u de schone taak om Bonaparte uit Engeland weg te houden!'

Een bekende verwachtingsvolle tinteling joeg door Richard heen. Hoe had Percy dit op kunnen geven? De spanning, de opwinding, de uitdaging! Het was niet niks, te weten dat de veiligheid van Engeland van hem afhing. Natuurlijk wist Richard best dat hij niet 's lands enige hoop was. Het ministerie van Oorlog had nog zeker tien andere goede spionnen in de Franse hoofdstad geïnstalleerd, die allemaal hun best deden dezelfde informatie te bemachtigen. Maar hij wist ook, zonder valse bescheidenheid, dat hij de beste was.

'De gebruikelijke code, neem ik aan?' Ze hadden de code in hun eerste jaar op Eton ontwikkeld als onderdeel van een uitgebreid plan om die bullebak van een surveillant te slim af te zijn.

Miles knikte. 'Over twee weken vertrekt u naar Parijs?'

Richard wreef over zijn voorhoofd. 'Ja. Ik heb nog wat persoonlijke dingen te doen, en ik heb mijn moeder beloofd Hen te chaperonneren om de fortuinjagers af te schrikken. Bonaparte is het grootste deel van de volgende week nog wel in Malmaison, en ik heb Geoff achtergelaten om een oogje in het zeil te houden zolang ik weg ben.'

'Goede vent, die Geoff.' Miles stond op en rekte zich uit. 'Als die hier was, konden we weer eens met z'n drieën de stad in, net als vroeger. Maar dat zal dus nog even moeten wachten tot we Bonaparte eens en voor altijd hebben uitgeschakeld. *Cry God for England, Harry and St. George* en zo.'[2] Miles probeerde koortsachtig zijn kravat in orde te brengen en zijn haren glad te strijken. 'Verdoemenis. Geen tijd om naar huis te gaan om me door mijn lijfknecht te laten opdoffen. Nou ja, het moet maar zo. Geef Hen een zoen van me.'

Richard wierp hem een scherpe blik toe.

'Op haar wang, man, op haar wang. God weet dat ik me nooit zou misdragen tegenover uw zuster. Niet dat ze niet mooi is of zo, maar ja, het is nu eenmaal uw *zuster*.'

Richard gaf zijn vriend een goedkeurend klopje op zijn schouder. 'Goed gezegd! Dat is precies zoals ik wil dat u over haar denkt.'

Miles mompelde dat hij blij was dat zijn zusters een stuk ouder waren. 'U verandert in een ontzettende saaie kerel als u Hen chaperonneert, weet u,' mopperde hij.

Richard trok één wenkbrauw op, een vaardigheid waarop hij maanden voor de spiegel had geoefend toen hij twaalf was, maar het was de moeite dubbel en dwars waard geweest. '*Ik* heb me tenminste geen petticoat aan laten trekken toen ik vijf was.'

Miles' mond viel open. 'Wie heeft u dat verteld?' vroeg hij verontwaardigd.

Richard grinnikte. 'Ik heb zo mijn bronnen,' zei hij luchtig.

Miles, niet voor niets een topagent van het ministerie van Oorlog, dacht even na en kneep zijn ogen samen. 'U kunt tegen uw bron zeggen dat ze maar iemand anders moet zoeken om limonade te halen op het bal van de Alsworthys, tenzij ze haar excuses aanbiedt. U kunt haar ook vertellen dat ik genoegen neem met een mondelinge of een geschreven verontschuldiging, zolang deze maar onderdanig genoeg is. En dat wil zeggen heel, heel onderdanig,' voegde hij er duister aan toe. Miles graaide zijn hoed en zijn handschoenen van een bijzettafeltje. 'O, hou op met dat stomme gegrinnik! Zo grappig was het nu ook weer niet.'

---

2 De slotwoorden die Shakespeare Koning Henry v laat zeggen voordat deze zijn leger de strijd in stuurt.

Richard wreef over zijn kin alsof hij diep nadacht. 'Zeg eens, Miles, was het een petticoat met kant?'

Met een grom van ergernis keerde Miles zich op zijn hielen om en stoof de kamer uit.

Richard nam de krant op die Miles had laten liggen en liet zich weer in de comfortabele leren stoel zakken.

Twee weken, dacht hij. Over twee weken was hij terug in Frankrijk, waar hij het risico liep ontdekt en gedood te worden.

Richard popelde om terug te gaan.

3

'HOE DENKT U in vredesnaam de Paarse Gentiaan te vinden?' Gejaagd liep Jane achter Amy de ruime wit-met-blauw behangen kamer binnen die ze al deelden sinds ze oud genoeg waren om de kinderkamer te verlaten. 'De Fransen proberen dat al jaren!'

Hun slaapkamer begon te lijken op een naaiatelier waar een orkaan had gewoed. Aan de klok op de schoorsteenmantel bungelde een kousenband, Amy's bed was ondergesneeuwd door een stapel wufte petticoats en Amy had het zelfs klaargespeeld om met een woeste zwieper een hoedje boven op de baldakijn van Janes bed te gooien. Jane kon nog net de uiteinden van de roze linten over de rand zien hangen.

Amy had zich ingeprent dat ze misschien morgen al weg kon als ze nu meteen ging pakken. Jane vond dat een typische Amy-reactie. Als Amy in de buurt was geweest toen Onze-Lieve-Heer de wereld schiep, had ze Hem vast zo opgejut dat hij het in twee dagen gedaan had in plaats van in zeven.

Enkele paren kousen vlogen Janes kant op. 'Weet u nog die herberg waar de Rode Pimpernel volgens de kranten altijd logeerde? Die in Dover?'

'The Fisherman's Rest, ja,' zei Jane.

'Nou, de *Shropshire Intelligencer* zei dat ze dachten dat de Paarse Gentiaan die traditie best eens voort kon zetten. Dus... wat dacht u ervan om een bezoekje te brengen aan de Fisherman's Rest voordat we uitvaren? Als we ons oor goed te luisteren leggen...?'

'De *Shropshire Intelligencer* had ook een artikel over de geboorte van een geit met twee koppen in Nottingham. En vorige maand beweerden ze dat Zijne Majesteit weer gek was geworden en Koningin Charlotte tot regentes had benoemd.'

'Nou ja, goed, ik wil best toegeven dat het niet de meest betrouwbare bron is...'

'Niet de *meest* betrouwbare?'

'Hebt u de koppen vandaag gezien, Jane? In de *Spectator*, niet in de *Shropshire Intelligencer*.' Amy griste de beduimelde krant van tafel en las in vervoering: '*Engelands favoriete bloem gapt Franse dossiers bij vermetele overval*.'

Amy werd onderbroken door de deur, die met een schurend geluid een stukje openging. Verder ging de deur niet, want Amy's koffer, die ze onder het bed uit had gesleept, stond ervoor.

'Neem me niet kwalijk, juffrouw Jane, juffrouw Amy,' stak Mary, de bovenmeid, haar neus door de kier en maakte een knicks, 'maar mevrouw zei dat ik moest gaan kijken of ik u kon helpen bij het kleden voor het diner.'

'O lieve hemel! Het is donderdag!' riep Amy met een gezicht zo verwrongen van afschuw als dat van mevrouw Siddons[3] in de scène waarin Lady Macbeth krankzinnig wordt.

'Ja, juffrouw, en morgen is het vrijdag,' zei Mary behulpzaam.

'O stik, stik, stik,' mompelde Amy in zichzelf. Het was dus aan Jane om aanvallig te glimlachen en te zeggen: 'We hebben geen hulp nodig, Mary. Zeg maar tegen Mama dat juffrouw Amy en ik zo dadelijk beneden komen.'

'Jawel, juffrouw.' De meid maakte weer een knicks en trok de deur voorzichtig achter zich dicht.

'Stik, stik, stik,' zei Amy.

'Doe uw perzikkleurige mousselinen jurk aan,' opperde Jane.

'Zeg maar dat ik hoofdpijn heb – nee, de pest! Iets wat lekker besmettelijk is.'

'Minstens vijf mensen hebben u nog geen halfuur geleden kerngezond over het grasveld zien rennen.'

'Zeg dan maar dat het heel plotseling is opgekomen.' Jane schudde haar hoofd en overhandigde Amy de perzikkleurige jurk. Amy draaide Jane gehoorzaam haar rug toe om haar knoopjes los te laten maken. 'Ik moet er niet aan denken dat ik vanavond naar Derek moet luisteren! Uitgerekend vanavond! Ik moet voorbereidingen treffen!' Haar

---

3 Actrice Sarah Siddons (1755-1831).

stem klonk wat onderdrukt toen Jane de schone jurk over haar hoofd trok. 'Waarom moet het nu net donderdag zijn?'

Jane gaf Amy een meelevend klopje op haar rug terwijl ze haar jurk begon dicht te knopen.

Ze zouden met z'n twaalven zijn voor het diner, net als elke donderdag. Want op donderdagavond kwam, met dezelfde onvermijdelijke regelmaat als het scheren van de schapen, een ouderwets rijtuig met een verbleekt wapen op de zijkant de oprijlaan opgerammeld. En elke donderdag dromden daar hun naaste buren uit: meneer Henry Meadows en zijn vrouw met hun zoon Derek, en de ongetrouwde zuster van meneer Henry.

Amy plofte neer op de lage stoel voor de toilettafel en begon haar korte krullen zo heftig te borstelen dat ze knisperden en om haar gezicht kroesden. 'Ik geloof niet dat ik dit nog veel langer volhoud, Jane. Derek is moeilijker te verdragen dan een normaal mens op kan brengen!'

'Er zijn eenvoudiger manieren om aan Derek te ontsnappen dan op jacht gaan naar de Paarse Gentiaan.' Jane boog zich over Amy heen om een medaillon aan een blauw lint van de toilettafel te pakken.

'Hoe durft u hun namen zelfs maar in één zin te noemen?' protesteerde Amy met een grimas. Ze legde haar kin op haar gevouwen handen en keek grinnikend op naar Jane in de spiegel. 'Geef het maar toe. U wilt net zo graag op de Paarse Gentiaan gaan jagen als ik. Doe maar niet net of u niet opgewonden bent.'

'Ik neem aan dat er iemand met u mee zal moeten om te zorgen dat u zich niet in de nesten werkt.' Het viel niet te ontkennen dat Janes grijze ogen glommen.

Amy sprong op van haar kruk en sloeg haar armen om haar nichtje heen. 'Eindelijk!' kraaide ze. 'Na al die jaren!'

'En na al onze voorbereidingen.' Jane omhelsde Amy opgetogen. Ze voegde eraan toe: 'Maar ik vertik het om roet op mijn tanden te smeren en Papa's oude pruik op te zetten.'

'Akkoord. Ik weet zeker dat ik iets veel, veel knappers kan bedenken...'

Jane trok zich plotseling terug met een diepe rimpel in haar voorhoofd. 'Maar wat doen we als Papa nee zegt?'

'O Jane! Dat kan hij ons toch onmogelijk weigeren?'

* * *

'Geen sprake van,' zei Oom Bertrand.

Amy brieste van verontwaardiging. 'Maar...'

Oom Bertrand legde haar met een zwaai van zijn vork het zwijgen op; spetters jus vlogen alle kanten op. 'Ik laat geen nicht van mij naar die moordzuchtige Fransen gaan. Stelletje schurken, dat zijn het, allemaal! Nietwaar, dominee?'

Oom Bertrand gaf de dominee zo'n harde por in zijn zwarte buik dat hij tegen de lakei aan botste, die op zijn beurt een halve karaf rode wijn op het Aubusson-tapijt uitschonk.

Amy legde haar zwaar gegraveerde zilveren vork neer. 'Mag ik u eraan herinneren, Oom Bertrand, dat ik zelf half Frans ben?'

Oom Bertrand had weinig gevoel voor toon of nuance. 'Dat hindert niet, hoor, lieve kind,' antwoordde hij joviaal. 'Uw vader was een goede kerel, ook al was hij Frans. Daar kunt u toch ook niks aan doen? Wat jij, Derek?'

Derek keek Amy over de tafel meesmuilend aan. In zijn Nijlgroene getailleerde jas zag hij eruit als een fatterige opgeblazen kikker, dacht Amy vol walging.

'Als u er graag wat meer uit wilt, lieve kind, dan bent u altijd welkom bij ons, hoor!' tjilpte Dereks moeder vanaf de rechterzijde van Oom Bertrand. Haar dubbele kinnen wiebelden enthousiast mee. 'Ik weet zeker dat Derek zich maar al te graag vrij zal maken voor een wandeling door de rozentuin – netjes met een chaperonne, natuurlijk!'

Ze wuifde met een plompe hand in de richting van de chaperonne bij uitstek, de ongetrouwde zuster van meneer Meadows, alom bekend als juffrouw Gwen. Juffrouw Gwen reageerde zoals gebruikelijk met een woedende blik. Amy bedacht dat zij vast ook zo zou kijken als ze door het leven moest met mevrouw Meadows en Derek.

'O, mijn liefde is als een rode, rode roos...'

Hij werd overstemd door zijn vader. 'Niks geen rozentuinen! Ze gaan paardrijden,' blafte meneer Meadows vanaf het andere eind van de tafel, naast Tante Prudence. 'Het land inspecteren. Twee vliegen in één klap. Derek, morgen haalt u het meisje op, en dan gaat u de omheiningen bij Scraggle Corner bekijken.'

43

'Ik weet zeker dat ze veel liever mijn rozen komt bekijken, nietwaar, liefje?' Mevrouw Meadows wierp haar man een zogenaamd veelzeggende blik toe. 'Dat is toch veel... romantischer.'

Amy draaide haar hoofd naar links, trok een gezicht naar Jane en keek smekend naar Tante Prudence aan het eind van de tafel, maar er kwam geen hulp uit die hoek. Tante Prudence had maar één passie in het leven: alle oppervlaktes in huize Wooliston moesten voorzien worden van kilometers borduurwerk, de rest liet haar koud.

Amy stapte over op plan B. Ze rechtte haar rug en keek haar oom strak aan. 'Oom Bertrand, ik ga naar Frankrijk. Als het niet met uw goedkeuring is, dan moet het maar zonder.' Ze bereidde zich voor op een ruzie.

'Wat een opgewonden standje is het toch!' verklaarde meneer Meadows goedkeurend.

'Je zou toch denken dat de Franse lijn het bloed verzwakt zou hebben,' vervolgde meneer Meadows, die Amy bekeek alsof ze een ooi op de markt was.

'De vrouwelijke lijn is altijd sterker! Dat is bij mijn meisjes net zo, hè, Marcus? Goed Hereford-gebroed.' Het was volkomen onduidelijk of Oom Bertrand het had over zijn nichtje, zijn schapen, zijn dochters of alle drie.

'Ik heb eens een Hereford-ram gekocht...'

'Ha! Dat is niets vergeleken bij de ooi die ik van de ouwe Ticklepenny heb. Annabelle, noemde hij haar. Ze had een blik in haar ogen...' Oom Bertrand werd steeds lyrischer in het kaarslicht.

Het gesprek leek te gaan verzanden in een nostalgische lijst van schapen die ze gekend en bemind hadden. In gedachten pakte Amy haar koffer al in voor een middernachtelijke vlucht in de postkoets naar Dover (plan C), toen Janes zachte stem dwars door de opsomming van stamboekschapen drong.

'Wat jammer nou van die wandkleden,' was het enige wat ze zei. Haar stem, die laag was, slaagde er op de een of andere manier in de schreeuwende mannen te overstemmen.

Amy wierp Jane een scherpe blik toe en kreeg als antwoord onmiddellijk een trap tegen haar enkel. Was dat een 'zeg-nou-wat!'-trap of een 'zwijg-en-zit-stil!'-trap? Amy schopte vragend terug, waarop Jane haar voet hard op die van Amy zette. Amy besloot even af te wachten, omdat dit zowel 'zwijg-en-zit-stil' als 'hou-op-met-dat-getrap!' kon betekenen.

Tante Prudence was met een bijna hoorbare klik opgeschrokken uit haar droom. 'Wandkleden?' informeerde ze gretig.

'Maar natuurlijk, Mama,' antwoordde Jane zedig. 'Ik had gehoopt dat Amy en ik, als we in Frankrijk waren, toegang zouden krijgen tot de wandtapijten in de Tuilerieën.'

Janes kalme woorden brachten de tafel in een staat van gespannen verwachting. Vorken bleven halverwege het bord in de lucht hangen; wijnglazen kantelden op weg naar de mond; de kleine Ned hield de erwt in de lucht die hij net achter in Agnes' jurk had willen laten glijden. Zelfs juffrouw Gwen staakte haar gemor lang genoeg om Jane aan te kijken met een blik die eerder speculatie uitdrukte dan rancune.

'Toch niet de gobelins van Daphne en Apollo!' riep Tante Prudence uit.

'Maar natuurlijk wel, Tante Prudence,' droeg Amy haar steentje bij. Amy kon zich er slechts met moeite van weerhouden om haar nichtje te omhelzen. Tante Prudence had eindeloos zitten lamenteren dat ze voor de oorlog nooit de tijd genomen had om het patroon van de wandtapijten die in het paleis van de Tuilerieën hingen over te nemen. 'Jane en ik hadden ze juist zo graag voor u willen natekenen, hè Jane?'

'Ja,' bevestigde Jane. Haar bevallige hals neeg instemmend. 'Maar als Papa Frankrijk nog te onveilig vindt, zullen we ons daarbij neerleggen.'

Aan het andere eind van de tafel wankelde Tante Prudence. Letterlijk. In tweestrijd tussen haar vertrouwen in haar echtgenoot en haar brandende verlangen naar borduurpatronen zwaaide ze lichtelijk heen en weer op haar stoel, terwijl de veer in haar kleine zijden tulband beefde van opwinding. 'Zo onveilig zal het toch zeker niet zijn, Bertrand?' Ze boog zich over de tafel om naar haar man te turen met ogen die bijziend waren geworden van de vele uren boven haar borduurraam. 'Als Edouard bereid is de verantwoordelijkheid op zich te nemen voor de meisjes, dan moet het toch...'

'Natuurlijk zal Edouard goed op ons passen, Tante Prudence! Leest u zijn brief maar, dan zult u zien... Au!' Jane had haar weer getrapt.

'U weet dat ik niets moet hebben van al dat rondhangen met vreemdelingen,' zei Oom Bertrand met een dreigende ruk aan zijn wijnglas. 'Waarom uw zuster zich ooit...'

'Ja, ja, lieverd, ik weet het wel, maar dat is allemaal verleden tijd, en Edouard is wel onze neef.'

Amy balde haar handen in haar schoot. Ze moest zichzelf geweld aandoen om niet te spreken; haar borst zwoegde op en neer van de moeite die het haar kostte om de boze woorden binnen te houden. Jane zag het en schudde heel even waarschuwend haar hoofd. Derek zag iets heel anders: hij hield zijn wellustige blikken gericht op Amy's decolleté. Amy keek woedend naar Derek, maar Derek merkte het niet eens. Zijn ogen keken tenslotte niet naar haar gezicht.

'... voor een paar weekjes maar,' dreven de woorden van Tante Prudence langs haar heen. Met een schok besefte Amy dat ze een paar rondes van het gesprek gemist had. 'Het is niet zo heel erg ver, dus we kunnen ze altijd terughalen als het misgaat.'

Oom Bertrand, zag Amy met ontwakende verrukking, verzwakte zichtbaar. Met een enigszins verbijsterde blik keek hij over de tafel Tante Prudence aan. Bij een jongere man zou Amy het woord smoorverliefd in de mond hebben genomen. En wat Tante Prudence betreft: als zij een jongere vrouw was geweest, had Amy haar gelaatsuitdrukking ronduit koket genoemd! Ze hield haar hoofd aanvallig schuin en schonk Oom Bertrand een liefdevolle glimlach. Amy's twaalfjarige neefje Ned keek geschokt.

En Derek ook. Zijn hoofd schoot bezorgd heen en weer, van de een naar de ander. Hij zeurde: 'Dat kunt u toch niet menen, dat u ze laat gaan!' Toen Oom Bertrand zijn ogen van Tante Prudence losweekte, voegde hij er nog haastig 'meneer' aan toe.

Mevrouw Meadows kneep haar lippen tot een smal streepje samen. Ze zei tegen Tante Prudence: 'U zult de meisjes voorlopig toch niet kunnen laten gaan, want het kan maanden duren voordat u een behoorlijke chaperonne gevonden hebt. Goede dueña's zijn tegenwoordig dun gezaaid.'

'Ik weet zeker dat Edouard wel een chaperonne voor ons heeft in Parijs,' zei Amy haastig. 'Als we meteen vertrekken...'

'Maar wie reist er met u mee?' Mevrouw Meadows richtte zich op en wierp Amy over de tafel heen een kritische blik toe. 'U en Jane kunnen toch niet alleen reizen! Twee keurige jongedames, overgeleverd aan de genade van schurken en struikrovers!'

'U kunt ons toch een bediende mee geven, Oom Bertrand?' vroeg Amy aan haar oom. 'Om alle struikrovers van ons af te slaan?'

46

Derek stak zijn dikke lippen vooruit en zakte pruilend onderuit in zijn stoel.

Mevrouw Meadows verdubbelde haar pogingen. 'Denk eens aan uw reputatie!' jammerde ze.

'Ik denk dat ik maar een advertentie ga zetten,' zuchtte Tante Prudence.

'Dat zal wel moeten,' verklaarde mevrouw Meadows bemoeiziek. 'Er is geen alternatief.'

Amy vroeg zich af of ze de postkoets van middernacht nog zou halen als ze om elf uur haar kamer uitsloop.

'*Ik* zal de meisjes wel chaperonneren.'

Tien hoofden (Ned was nog druk bezig de restjes van zijn groente in Agnes' jurk te laten glijden) draaiden zich naar juffrouw Gwen en keken haar met open mond aan.

'Wanneer kunnen we dan vertrekken?' Ik kan morgenochtend klaar zijn met pakken!' schreeuwde Amy vrolijk boven de herrie uit.

In alle drukte merkte geen mens op dat Agnes een hand tegen haar nek sloeg, het op een krijsen zette, Ned bij zijn kraag pakte en hem net zo lang heen en weer schudde tot hij pimpelpaars aanliep. Ze vluchtte de kamer uit en liet een spoor van groene kloddertjes achter.

Juffrouw Gwen, die onverstoorbaar haar vlees zat te snijden, keek de diverse sprekers een voor een aan. 'U kunt gerust zijn, Prudence, ik zal heel goed op de meisjes passen. En wat dat pakken betreft, juffrouw Amy, u mag dan wel klaar zijn, maar *ik* niet.'

Juffrouw Gwen spietste met militaire precisie een erwt aan haar vork.

'We vertrekken over twee weken.'

4

Bij het geluid van de deur die tegen de muur sloeg draaide Richard zich met een ruk om naar de ingang, met elke vezel van zijn lichaam bedacht op moeilijkheden. Verdoemenis nog aan toe, hij zou toch de enige passagier zijn op de pakketboot van Dover naar Calais? Hij had de wat sluw aandoende kapitein tien gienjes in de hand gedrukt, tien goede Engelse gienjes, en hem er nog eens vijf extra beloofd bij aankomst. De kapitein had hem ervan verzekerd dat hij de boot voor zich alleen zou hebben en dat ze zouden uitvaren zodra de wind gunstig was in plaats van aan de kade te blijven wachten op passagiers.

Dus wie sloeg daar dan nu met deuren? Hij wist uit ervaring dat het geluid van hout tegen hout meestal een voorbode was van rondvliegende stoelen, omvallende kandelaars, ingehouden vloeken in drie talen en, als je echt pech had, de bijtende rook van de poeder uit een pistool. Je kon je geen ergere hinderlaag bedenken dan de kajuit van een Kanaalboot: het plafond was zo laag dat je er niet eens behoorlijk rechtop kon staan, laat staan vechten. En als de boot begon te schommelen... De gedachte alleen al deed Richard huiveren. Dat zou schermen tot een geheel nieuwe ervaring maken! Grimmig wendde hij zich naar de deur.

De figuur die, met haar rug naar hem toe, midden in de deuropening stond verraste Richard zo dat hij bijna zijn stoel omtrapte. In plaats van de forse kerels die hij verwacht had stond daar een verontwaardigde en nogal opgewonden jongedame. 'Maar waarom dan niet?' vroeg ze aan iemand die voor haar stond.

'Hurrumf,' zei Richard. De rug van het meisje, gekleed in een nauwsluitende gele jurk, was bepaald zo plezierig als hij zich wensen kon, maar dit was *zijn* boot, verdoemenis, en niemand anders had daar iets te zoeken, zelfs geen jongedames met aantrekkelijke ruggen.

De jongedame in kwestie reageerde niet.

'Toe nou, juffrouw Gwen! De kapitein zei dat het nog *uren* kan duren voordat de wind uit de goede hoek waait! We kunnen toch nog best even een glaasje limonade gaan drinken in de Fisherman's Rest? Daar is toch zeker niets onbehoorlijks aan?'

Richard hurrumfte nogmaals. Heel luid. Het meisje in het geel draaide zich half om zodat Richard in de gauwigheid een brutaal neusje, een vastberaden kin en één groot blauw oog te zien kreeg. Het oog rustte even op Richard en liet hem meteen weer los. Met een zwaai van haar mahoniekleurige krullen zette ze haar smeekbede aan haar onzichtbare chaperonne voort.

'En Jane is het met me eens, toch, Jane?' vervolgde het meisje. 'Eén glaasje limonade maar, juffrouw Gwen!'

Was het mogelijk dat iemand zo'n dorst had? Het wereldschokkende belang van een glas limonade ging Richards begrip te boven, tenzij het meisje in een hachelijke medische toestand verkeerde die alleen verholpen kon worden door een constante toevoer van limonade. Maar te oordelen naar de energie waarmee ze haar zaak bepleitte en de vurigheid waarmee ze stampvoette – als een bokser die wacht tot hij de ring in mag – kreeg Richard nu niet direct het idee dat ze leed aan een uitputtende, verterende ziekte.

Richard luisterde nog een minuut of wat naar het belachelijke, eenzijdige dispuut en besloot toen dat het tijd werd om in te grijpen, hoe leuk hij het ook vond om te speculeren over haar beweegredenen en te kijken naar haar rokken die bij elk heftig woord op en neer deinden. Hij moest krijgsverslagen lezen, en als hij te lang wachtte liep hij het risico dat de boot uitvoer met deze luidruchtige indringers aan boord.

'Zeg, u daar,' zei Richard gemaakt lijzig, zo hard dat ze hem in Londen hadden kunnen horen.

Dat trok eindelijk haar aandacht. Het meisje draaide zich om. Haar gezicht vervulde de belofte die haar profiel had gewekt. Het was niet het gezicht van een klassieke schoonheid; de gelaatstrekken misten de gebeeldhouwde waardigheid die je van een marmeren beeld verwachtte. Haar gezicht had meer weg van een ets van een getalenteerd graveur, klein en daadkrachtig, met een cupidoboogmond die constant in beweging was, uitriep, praatte, lachte. Nee, toch niet, dacht Richard, beslist geen ets. Haar kleuren waren te levendig voor het starre zwart-wit van een afdruk. Door het diepe bruin van haar haren glansden verborgen legeringen rood goud, als vuur dat oplaait door een scherm van mahonie. Tussen haar donkere wimpers en blozende wangen glommen haar ogen verrassend blauw.

Haar gezicht drukte ontsteltenis uit, alsof ze Richard pas net had opgemerkt en niet wist wat ze met hem aan moest. Om haar op weg te helpen, trok Richard sardonisch een wenkbrauw op, een kunstje dat hem in het verleden had opgeleverd dat broodkaarters hun azen op tafel smeten en de geheimste geheime agenten ertoe had verleid te babbelen als baby's. Even bleef de verwarring in de toegeknepen blauwe ogen van het meisje zweven. Toen keek ze Richard stralend aan en stoof op hem af, zijn kamer in.

'U ziet eruit alsof u veel gereisd hebt! Vindt u ook niet dat we nog tijd genoeg hebben om een glaasje limonade te gaan drinken bij de herberg?'

Voordat Richard had kunnen zeggen dat ze dat vooral moest doen – en dat ze net zo lang over haar limonade moest doen tot de boot was uitgevaren – dook er achter haar een andere figuur op. Daar hebben we de chaperonne, dacht Richard. Na vele saaie avonden bij Almack's was hij tot de conclusie gekomen dat er twee soorten chaperonnes bestonden. Gezien het grote aantal evenementen waarheen hij Hen had moeten chaperonneren, beschouwde Richard het onderzoek dat hij verricht had naar chaperonnes als uitputtend.

Beide soorten waren ongetrouwd (Richard telde de jonge weduwen die hun jongere, debuterende zusjes in de gaten moesten houden niet mee, want die hadden zelf meestal harder een chaperonne nodig dan de jongedames die zij zo ostentatief begeleidden), maar dat was dan ook het enige wat ze gemeen hadden. De eerste soort was het warrige leeghoofd. Ze was van onbestemde leeftijd maar tooide zich met de toefjes en kantjes van een zeventienjarig meisje. Heur haar, hoe dun of grijs dan ook, was net zo lang met de krultang bewerkt tot het leek op het nest van een extreem ongetalenteerde Vlaamse gaai. Ze kwetterde en meesmuilde als je haar aansprak, las in haar vrije tijd de sappigste romannetjes en slaagde er veelal in haar protegeetje minstens tweemaal per dag kwijt te raken. Schurken en verleiders waren dol op deze eerste soort; ze maakte hun het toeslaan er een stuk gemakkelijker op.

En de tweede soort was de grimmige draak. De soort die eruitzag alsof haar ruggengraat versterkt was met een paar Dorische zuilen. Chaperonne nummer twee moest niets hebben van toefjes en kantjes. Ze was pas tevreden als ze kon grauwen, las alleen godvrezende preken van zeventiende-eeuwse puriteinen en hield haar protegee bij wijze van spreken aan haar pols geketend.

Terwijl de jonge vrouw op hem afvloog zag Richard, met zijn briljante deductietechniek, in één oogopslag dat deze chaperonne tot de tweede categorie behoorde. Grijs, strak naar achteren getrokken haar en een grimmig samengeknepen mondje. Het enige wat niet paste in het geheel was de bos alarmerend paarse bloemen op haar verder zo strenge grijze hoedje. Maar misschien had de hoedenmaakster haar bestellingen verward met die van een ander en had ze geen tijd meer gehad dat nog te veranderen, dacht Richard ruimhartig.

Hoe dan ook, dit was iemand met wie hij zaken kon doen, besloot Richard. Een van de voordelen van de tweede soort was dat die bijna altijd buitengewoon praktisch waren. Richard wierp een snelle blik op haar voeten. Onder de grijze zoom van haar rok ontwaarde hij de neuzen van stevige, zwarte laarzen met dikke zolen. Zoals hij al dacht: een praktisch mens.

Richard wilde net wat gaan zeggen, toen hij de punt van een parasol tussen zijn ribben voelde.

'Wie bent u, jongeman, en wat doet u op onze boot?'

'Wat zegt u daar, mevrouw?' De woorden kwamen er minder gestroomlijnd uit dan Richard lief was, maar het viel niet mee om de juiste toon aan te slaan als je adem net op ruwe wijze uit je longen was geperst. '*Uw* boot?'

'Ik heb een idee! Jane en ik gaan even wat drinken in de herberg terwijl u alles regelt met deze meneer...' begon het meisje in de gele jurk vrolijk, maar de dueña snoerde haar op onverbiddelijke toon de mond.

'En u, juffrouw, blijft waar u bent.' De dragonder speelde het klaar om het meisje bij de arm te pakken zonder haar kraalogen van Richards gezicht af te nemen. 'Jazeker, meneer, *onze* boot. Die sluwerik die zich kapitein noemt heeft ons ervan verzekerd dat we de enige passagiers zouden zijn. Als u tot de bemanning behoort – wat mij, te oordelen naar uw kleding en spraak, niet het geval lijkt – ga dan doen wat u doen moet. Zo niet, vertrekt u dan meteen.'

Ze keek alsof ze haar woorden kracht zou gaan bijzetten met de punt van haar parasol. Het leek Richard verstandig wat afstand te nemen. Wie had er ooit gehoord van een parasol met een zo'n scherpe ijzeren punt? Parasols behoorden tere, vrouwelijke gevalletjes te zijn, geen dodelijke wapens!

Richard stond op uit zijn stoel, ontweek de glimmende punt van de parasol en voerde een klein maar elegant buiginkje uit. 'Vergeeft u mij, mevrouw, ik heb nagelaten me te kwijten van mijn sociale verplichtingen. Ik ben Lord Richard Selwick.'

De chaperonne keek nog steeds alsof ze hem liever in zijn ribben porde dan hem te woord te staan, maar ze wist kennelijk wel hoe het hoorde. Met een lichte kniebuiging, die ternauwernood voor een knicks kon doorgaan, boog ze haar hoofd en zei: 'Ik, meneer, ben juffrouw Gwendolyn Meadows. Mag ik u voorstellen aan mijn twee protegeetjes: juffrouw Jane Wooliston' – een meisje dat Richard nog niet opgevallen was kwam uit de schaduw achter juffrouw Meadows naar voren en maakte een knicks – 'en juffrouw Amy Balcourt.'

Het stille meisje in het blauw pakte Amy subtiel bij de arm en probeerde haar weg te voeren. Amy gaf haar een hartelijk kneepje in de hand, schudde haar hoofd en bleef staan waar ze stond. Richard was zo gefascineerd door dit stille spel dat hij geen woord meer hoorde van het verhaal dat de chaperonne tegen hem afstak tot de punt van haar parasol wederom in zijn vest prikte.

'Meneer! Hebt u naar mij geluisterd?'

Richard had uit zijn jeugdige ontmoetingen met de douairière de Gravin van Dovedale geleerd, dat je vertoornde dames van een bepaalde leeftijd het beste kunt ontwapenen door eerlijk te zijn.

'Nee, mevrouw, ik ben bang van niet.'

'Hmf. Ik zei dat het ons, nu we alle beleefdheden in acht hebben genomen, zou plezieren als u nu van boord gaat.'

'Ik vermoedde al zoiets,' zei Richard met een innemende glimlach en hij maakte dat hij uit de buurt van de parasol kwam. 'Maar weet u, ik heb de kapitein er ook voor betaald om de enige passagier te zijn.'

Juffrouw Gwens gezicht liep alarmerend rood aan. Gefascineerd keek Richard toe hoe de bloemen op haar hoed begonnen te trillen van woede. Als ze een man was geweest, zou ze ongetwijfeld gevloekt hebben. Nu leek ze, te oordelen naar de dreigende manier waarop ze met haar parasol zwaaide, eerder van plan de kapitein, Richard of allebei ernstig lichamelijk letsel toe te brengen.

Het rustige meisje, Jane, kwam naar voren en legde een geruststellende hand op de arm van haar chaperonne. 'Dit is natuurlijk een vergissing,' zei ze kalmerend. 'Ik weet zeker dat we hier samen een vreedzame oplossing voor kunnen vinden.'

Juffrouw Gwen keek ongeveer net zo vreedzaam als Attila de Hun.

'De enig mogelijke oplossing is dat deze meneer zich verwijdert van ons vervoermiddel.'

Richard voelde zich nijdig worden. Hij had het wel even amusant gevonden om naar het gebekvecht tussen de chaperonne en haar protegeetje te kijken, maar nu had hij verdorie wel wat anders te doen! Er lag belangrijk werk op hem te wachten. Werk van het ministerie van Oorlog. En bovendien, hij was hier toch het eerst?

Dat feit leek Richard behoorlijk doorslaggevend, dus besloot hij haar daarop te wijzen.

'Wie was hier het eerst, mevrouw?'

Dat argument had de Saksen niet geholpen in 1066, en het miste ook nu zijn uitwerking op juffrouw Gwen, die Richard bekeek met alle heerszucht van Willem de Veroveraar. 'U mag hier dan het eerst geweest zijn, meneer, maar wij zijn *dames*,' antwoordde juffrouw Gwen met een zeer ondamesachtige frons. 'En wij zijn met meer. Dus u moet uw plaats afstaan.'

'Waarom gaan we niet met z'n allen naar de herberg om erover te praten bij een glas limonade?' opperde Amy hoopvol.

Geen van de twee strijders schonk haar enige aandacht.

Met haar armen gevouwen over haar borst – niet bepaald damesachtig, maar juffrouw Gwen keek toch niet – aanschouwde Amy het debacle met dezelfde levendige interesse als waarmee ze naar een duel gekeken zou hebben. De tegenstanders beten elkaar stekelige zinnen toe die eindigden in uit de toon vallende beleefdheden, als beschermdopjes aan een degen.

Lord Richard deed een stap voorwaarts en stond nu zo pal voor juffrouw Gwen dat deze haar hoofd in haar nek moest leggen om hem te zien. Juffrouw Gwen was redelijk lang voor een vrouw, maar Lord Richard Selwick stak met kop en schouders boven haar uit. Zijn blonde hoofd doemde, glimmend in het duister van de kajuit, op boven de wuivende paarse bloemen op haar hoedje. In tegenstelling tot de mannen die Amy kende uit Shropshire, die hun haren met een lint samengebonden in een staart droegen, had Sir Richard kortgeknipt haar, volgens de nieuwe Franse mode. Lord Richard had een vlotte, zelfverzekerde manier van doen die oneindig veel overtuigender was dan de branieachtige houding van Derek. Zijn kleding had, vanaf de glanzend gepoetste laarzen tot het fijntjes met zilverdraad geborduurde vest aan toe, een nonchalante élégance die Derek en zijn slag bombardeerde tot uitsloverige dandy's. Hij had duidelijk geen gezelschap verwacht aan boord, want zijn zwarte jas lag over een stoel, zijn vest hing open en zijn kravat was losgetrokken. Waar zijn kraag openstond, zag Amy de krachtige lijnen van zijn keel. Hij leek, vond Amy, op een illustratie die ze eens had gezien van Horatius die voor de paalbrug Rome verdedigde tegen alle invallers.

Haar wangen bloosden een diep, beschaamd rood toen ze besefte dat de lijnen van zijn hals niet meer bewogen, dat het stil was geworden in de kamer en dat Lord Richard haar starende blikken in zich op stond te nemen.

Amy probeerde haar verwarring te verbergen door snel te zeggen: 'Dit is volkomen belachelijk! Er is geen enkele reden waarom iemand gedwongen zou zijn te wachten op de volgende boot. Er is toch best ruimte voor ons allemaal?' Met een weids gebaar wees ze naar de vier muren van de kajuit.

'Geen sprake van,' snauwde juffrouw Gwen.

Amy schudde haar donkere krullen in een onbewust gebaar van verzet. 'Waarom niet?'

'Omdat,' verkondigde juffrouw Gwen op vernietigende toon, 'u niet de nacht kunt doorbrengen in dezelfde ruimte als een heer.'

'O.' Amy keek snel op het horloge dat tegen juffrouw Gwens benige borst gepind zat. Voorzover ze kon zien was het net vier uur geweest. Edouards rijtuig zou hen pas de volgende ochtend komen ophalen, dus zouden ze logeren in een herberg in Calais. Het kon toch zeker niet zo lang duren om zo'n smal water als Het Kanaal over te steken? Als ze Frankrijk maar voor middernacht bereikten, was er toch helemaal geen sprake van de nacht doorbrengen in dezelfde ruimte als een man? Tenslotte, redeneerde Amy briljant onlogisch, als er niemand naar bed ging, kon je het moeilijk 'de nacht doorbrengen' noemen.

'Hoe lang duurt de reis naar Calais, meneer?'

'Dat hangt van het weer af. Ergens tussen de twee uur en drie dagen.'

'Drie dagen?'

'Alleen bij noodweer,' zei Richard.

'O. Maar kijk eens! Het is prachtig weer buiten. Wat maakt het nu uit of we de ruimte voor die paar uurtjes met elkaar moeten delen?'

Verwachtingsvol keek Amy de kleine kring rond. Jane wendde zich plotseling naar het raam en stak haar hand op om hen tot stilte te manen. 'Luister,' zei ze.

Amy luisterde. Ze hoorde het gestage gekabbel van golven tegen de kiel van de boot, de weeklagende roep van een zeemeeuw en het geschraap van hun tassen op de houten vloer, die door de beweging van de boot heen en weer geschoven werden. Verder niets.

'Wat is er dan te horen?' vroeg ze nieuwsgierig. 'Ik hoor niks. Alleen maar... o.'

Aan de norse blik op Lord Richards gezicht zag ze dat hij tot eenzelfde conclusie was gekomen.

Juffrouw Gwen roffelde ongeduldig met haar parasol tegen de grond. 'Wat is er dan? Zeg op, meisje!'

Amy keek van Jane naar Lord Richard, op zoek naar bevestiging. 'Ik hoor de geluiden van de mensen op de kade niet meer.'

'Dat klopt,' knikte Lord Richard grimmig. 'We varen.'

Amy's gezicht betrok even. 'Daar gaat plan A,' mompelde ze. Limonade in de herberg zat er niet meer in. Ze moest zich maar troosten met de gedachte dat de kans dat ze daar de Paarse Gentiaan tegen het lijf gelopen zou zijn uiterst gering was geweest. Het kon best zijn dat hij allang in Frankrijk was, dat hij op dit moment zijn bende van toegewijde mannen instructies stond te geven of vlak onder de neus van Franse ambtenaren papieren aan het gappen was... Bij nader inzien was het eigenlijk veel beter dat ze zo snel mogelijk naar Frankrijk overstaken.

'Nou ja, het zij zo!' verklaarde Amy vrolijk en liep naar de patrijspoort om naar buiten te kijken. 'Dan hoeven we dus ook geen ruzie meer te maken. Over twee uur zijn we in Frankrijk! Kom eens kijken, Jane, die mensen op de kade zijn toch net poppetjes?'

Juffrouw Gwen bleef staan waar ze stond, stram rechtop in het midden van de kamer. Richard liet zich weer in de stoel zakken waarin hij gezeten had toen de dames de rust waren komen verstoren. 'Ik vind dit net zo min leuk als u,' zei hij zachtjes. 'Maar ik zal proberen u niet voor de voeten te lopen als u zorgt dat uw protegeetjes mij met rust laten.'

Juffrouw Gwen knikte nors. 'Laten we hopen dat het niet gaat regenen,' zei ze pinnig en liep weg om zich bij de jongedames aan het raam te voegen.

Precies drie kwartier later sloegen de eerste druppels tegen de patrijspoort. Richard werd erop opmerkzaam gemaakt door Amy's luide wanhoopskreet.

'Het kan niet regenen, het kan niet regenen, het kan gewoonweg niet regenen,' mompelde ze, als een bezwering.

'Jawel, dat kan het best,' zei Richard.

Amy's gelaatsuitdrukking gaf te kennen dat ze dat geen leuke opmerking vond. Ze wierp hem een verachtelijke blik toe die enigszins werd afgezwakt door het feit dat de boot plotseling begon te schommelen en ze wankelend moest proberen om in evenwicht te blijven. 'Dat kan ik zelf ook heus wel zien!' Ze keerde terug naar haar treurige wake aan het raam, maar kon zich er niet van weerhouden zich om te draaien en bezorgd te vragen: 'Hoe lang denkt u dat de reis gaat duren?'

'Dat heb ik u toch al verteld, ergens tussen...'

'Ja, dat weet ik wel, ergens tussen de twee uur en drie dagen.' Ze keek net zo gefrustreerd als de kat van zijn moeder wanneer iemand een stoffen muis voor haar neus liet bungelen en hem dan wegtrok.

'Het hangt ervan af hoe hard het gaat stormen.'

'Hoe hard denkt u dat het...?' Een laag dondergegrom snoerde haar de mond. 'Laat maar,' zei ze, net toen Richard haar onafgemaakte vraag beantwoordde met: 'Zo hard.'

Ondanks haar ergernis moest Amy lachen. Haar lach klonk als een onverwachte noot van vrolijkheid in de duistere ruimte. De patrijspoorten waren hoe dan ook te klein om veel licht binnen te laten, maar toen de zon achter de wolken verdwenen was kroop nog slechts de onheilspellende grauwe gloed van een stormachtige lucht de kamer binnen. De duisternis creëerde een Doornroosje-effect: Jane was op een kooi aan de overzijde van de kajuit ingedommeld, met haar borduurwerk stil in haar hand en haar voeten netjes opgetrokken onder de zoom van haar jurk. Miss Gwen tartte de wetten der natuur door rechtop in een gammele houten stoel te zitten knikkebollen. Zelfs de gezamenlijke krachten van de slaap en de deinende beweging van de boot vermochten het niet juffrouw Gwens ijzeren ruggengraat te ontspannen: ze zat even kaarsrecht overeind als wanneer ze wakker was.

De enige andere persoon die wakker was, was Lord Richard Selwick.

Amy onderdrukte de egoïstische impuls om Jane wakker te schudden. Ze moest met iemand praten, maakte niet uit waarover, om haar gedachten af te leiden van de verwachtingsvolle spanning die haar handen deed tintelen. Als ze niet snel iets ondernam, zou ze waarschijnlijk als een idioot door de kamer gaan rennen of op en neer gaan springen of woest in kringetjes rond gaan lopen om iets van haar overmaat aan energie kwijt te raken. Zelfs een lezing van Oom Bertrand over het kruisen van schapen zou haar nu welkom zijn.

Aan de andere kant van de kamer zat Lord Richard op een rechte houten stoel die te klein was voor zijn forse gestalte, met zijn linkerenkel op zijn rechterknie, te lezen in iets wat eruitzag als een soort journaal. Amy tuurde er onbeschaamd naar, maar ze kon de titel niet lezen. Maar wat het ook was, het kon onmogelijk saaier zijn dan de handleidingen over veeteelt van Oom Bertrand. Tenzij... ze had weleens gehoord van een tijdschrift dat geheel gewijd was aan het planten van knolgewassen. Maar Lord Richard leek haar de man er niet naar om bezeten te zijn van knollen. Amy voelde hoe de elektrische tintelingen van haar handen naar haar voeten oversprongen en haar vooruit duwden.

Haar gele rokken bewogen als een gekleurde vlek door de snel invallende duisternis.

'Wat leest u?'

Richard duwde haar het dikke pamflet over de tafel toe. Antiquarische literatuur was meestal net zo geschikt voor het ontmoedigen van nieuwsgierige jongedames als het was voor Franse spionnen.

Amy moest zich inspannen om de titel te ontcijferen in het schaarse licht. '*Voortgangsverslag van het Koninklijk Egyptologisch Genootschap*? Ik wist niet eens dat we dat hadden.'

'Dat hebben we,' zei Richard droog.

Amy wierp hem een geërgerde blik toe. 'Ja, dat begrijp ik ook wel.' Ze hield het journaal schuin omhoog om het licht op te vangen en bladerde het door. 'Is er al enige vooruitgang geboekt met de Steen van Rosetta?'

'U hebt van de Steen van Rosetta gehoord?' Richard wist dat dit on-beleefd klonk, maar hij kon het niet helpen. De laatste keer dat hij tegen een jongedame over de Steen van Rosetta was begonnen, had deze gevraagd of dat een nieuw soort edelsteen was, en zo ja, wat voor kleur die dan had en of Richard dacht dat die beter zou staan bij haar blauwe zijde dan saffieren.

Amy trok een gezicht. 'Zelfs in de rimboe van Shropshire lezen we kranten, hoor.'

'Bent u geïnteresseerd in de oudheid?'

Hij wist zelf niet waarom hij in vredesnaam de moeite nam om een gesprek aan te knopen met dit kind. Ten eerste had hij belangrijker dingen te doen, zoals het beramen van de volgende escapade van de Paarse Gentiaan; gewaagde plannen ontstonden echt niet zo één twee drie, die vergden tijd, en bezinning, en verbeelding. Ten tweede was het vrijwillig aangaan van gesprekken met jongedames van goeden huize onvermijdelijk een riskante aangelegenheid. Dat bracht hen maar op ideeën, afschrikwekkende ideeën omtrent bruidssluiers en meterslange slepen en boeketten oranje bloemen.

En desondanks zat hij dit meisje aan te moedigen. Absurd, gewoon-weg.

'Ik weet er niet zoveel vanaf,' zei Amy eerlijk. 'Maar ik ben gek op die oude verhalen! Penelope die al haar vrijers om de tuin leidt, Aeneas die zich een weg naar de onderwereld baant...'

Richard besloot dat het te donker werd om te lezen. En het meisje leek er niet op uit om met hem te flirten, dus een gesprek met haar was niet meer dan een onschuldig en plezierig tijdverdrijf. Daar was toch niets absurds aan?

'Maar ik heb nooit klassieke Egyptische literatuur gelezen. Bestaat die eigenlijk? Het enige wat ik over het Oude Egypte weet is wat ik in Herodotus gelezen heb,' ging Amy door. 'En eerlijk gezegd heb ik sterk het idee dat de helft van wat hij over de Egyptenaren schrijft pure sensatie is. Al die flauwekul over het door de neus uitzuigen van men-senhersenen en die in potjes doen. Hij is nog erger dan de *Shropshire Intelligencer*!'

Richard moest zich inhouden om niet te vragen of ze Herodotus werkelijk in de oorspronkelijke Griekse versie gelezen had; zo vlak na zijn commentaar op de Steen van Rosetta leek dat nogal beledigend.

'Nou, toch denken wij dat Herodotus daarover misschien wel de waarheid heeft gesproken. In de grafkamers van de tombes hebben we urnen gevonden met de overblijfselen van menselijke organen.' Als het meisje niet werkelijk geïnteresseerd was, was ze een betere actrice dan Richard voor mogelijk had gehouden.

'Wij? Bent u daar echt zelf geweest, meneer?'

'Ja, een paar jaar geleden.'

De vragen tuimelden zo snel uit Amy's mond dat Richard nauwelijks de tijd had om de ene te beantwoorden voordat de andere alweer zijn kant op rolde. Ze hing over de tafel op een manier die juffrouw Gwen als ze wakker was geweest om het te signaleren, zou hebben doen blaffen: 'Houding!' Ze luisterde gretig naar Richards beschrijving van het oude Egyptische godendom en onderbrak hem slechts af en toe om de goden te vergelijken met die van de oude Grieken.

'Er moet toch een soort van communicatie geweest zijn tussen de Grieken en de Egyptenaren,' opperde ze. 'Herodotus kan toch niet de enige zijn geweest! Kijk eens naar Antigone – dat verhaal speelt zich af in Thebe. En de mythen van Jason ook, toch? Of denkt u dat de Griekse schrijvers Egypte net zo gebruikten als Shakespeare Italië? Als een soort wonderbaarlijke sprookjeswereld waar alles kon?'

Buiten sloeg de storm nog tegen de ramen en slingerde de kleine boot heen en weer over de golven, ver van de bestemming vandaan, maar Amy noch Richard had dat in de gaten. 'Ik kan u niet zeggen,' biechtte Amy eerlijk op, 'hoe fijn het is om eindelijk eens een echt *interessant* gesprek te hebben met iemand! Thuis wordt er alleen maar over schapen en borduurwerk gepraat. Nee, heus, ik overdrijf niet! En als ik eens mensen tegenkom die iets interessants gedaan hebben, veranderen ze van onderwerp en beginnen ze over het weer!'

Amy's gezicht stond zo ontstemd dat Richard erom moest lachen. 'Maar het weer is toch ook best belangrijk?' plaagde hij. 'Kijk maar eens hoe het van invloed geweest is op ons.'

'Jawel, maar als u erover begint te praten, zal ik me acuut herinneren dat ik nog iets te doen heb aan de andere kant van de kamer, of hartstochtelijke zin krijgen in een dutje.'

'Denkt u dat het morgen mooi weer zal zijn?'

'O, dus dat is uw tactiek, meneer! U wilt in alle rust uw journaal lezen, dus hebt u besloten me zo te vervelen dat ik vertrek! Wat een slinkse manieren! Maar als ik niet gewenst ben...' Met ruisende rokken verhief Amy zich van haar stoel.

Het plan dat ze omschreef leek nogal op zijn bedoelingen van een uur geleden, maar nu zei Richard grinnikend, zonder er ook maar één moment over na te denken: 'Blijf zitten. Ik beloof u met mijn hand op mijn hart dat ik niet over het weer zal praten als u mij zweert dat u het niet over jurken, juwelen of de meest recente roddelrubrieken zult hebben.'

'Is dat alles waar jongedames uit uw kennissenkring over praten?'

'Op een paar opmerkelijke uitzonderingen na, ja.'

Amy vroeg zich af wie die opmerkelijke uitzonderingen zouden zijn. Een verloofde, misschien? 'Dan hebt u nog geluk gehad, meneer. Ze praten tenminste niet over schapen.'

'Maar ze gedragen zich wel als schapen.'

Hun gezamenlijke lach rolde zachtjes door de slecht verlichte ruimte.

Richard leunde achterover en bekeek Amy aandachtig. Amy's lach bleef steken in haar keel. Op de een of andere manier sneed zijn blik door de duisternis, alsof al het licht in de kajuit zich had samengebundeld in zijn ogen. Amy voelde zich plotseling duizelig worden. Ze bracht haar handen naar de zijleuningen van haar stoel en klampte zich eraan vast. Dat komt natuurlijk omdat de boot zo deint in de storm, dacht ze vaag. Dat moet het zijn.

Richard bekeek Amy met verrast plezier. Natuurlijk kende hij nog wel meer intelligente vrouwen: Henriëtta, bijvoorbeeld, en een paar vriendinnen van zijn zusje. Dat waren vrolijke, intelligente vrouwen die er veel te goed uitzagen om blauwkousen genoemd te worden. Hij had zelfs, uit eigen vrije wil, af en toe de salon bezocht om deel te nemen aan hun gesprekken. Maar het was ondenkbaar dat hij met een van de vriendinnen van Hen zulke grapjes zou maken.

Misschien was het de intimiteit van de duisternis, of de kleine ruimte, maar hij voelde zich, vreemd genoeg, net zo op zijn gemak in het gezelschap van Amy Balcourt als in dat van Miles of Geoff. Alleen had Miles niet van die enorme blauwe ogen met volle, donkere wimpers. En Geoff had al helemaal niet zo'n slanke blanke hals met van die aanbiddelijke kuiltjes bij de sleutelbeenderen...

Hoe dan ook, de schikgodinnen hadden geweten wat ze deden toen ze Amy bij hem aan boord zetten, besloot Richard.

'Ik ben oprecht blij dat ik u heb leren kennen, juffrouw Balcourt. En ik beloof dat ik noch over het weer, noch over schapen zal praten, tenzij het echt niet anders kan.'

'In dat geval...' Amy vouwde haar handen onder haar kin en vervolgde haar vurige kruisverhoor.

Pas toen ze haar nieuwsgierigheid omtrent belangrijke onderwerpen als graftombes, mummies en vervloekingen had bevredigd vroeg Amy: 'Maar wemelde het in Egypte dan niet van de Franse soldaten? Hoe bent u daar binnengekomen?'

'Ik hoorde bij de Fransen.'

Even bleven de woorden in de lucht hangen. Met gefronste wenkbrauwen probeerde Amy te begrijpen wat hij zojuist gezegd had. 'Was u dan krijgsgevangene?' vroeg ze aarzelend.

'Nee. Ik ging erheen op uitnodiging van Bonaparte, als een van zijn geleerden.'

Amy's rug rechtte zich met een schok. Met opgeheven hoofd, de schouders naar achteren, keek ze Richard aan, en haar houding verstarde tot een stalen stramheid waarover zelfs juffrouw Gwen te spreken zou zijn geweest. 'U werd betaald door Bonaparte?'

'Om precies te zijn,' zei Richard terwijl hij zich achterover in zijn stoel liet zakken, 'betaalde hij mij niet, maar ging ik op eigen kosten.'

'U werd niet gedwongen? U ging uit eigen vrije wil?'

'U klinkt ontzet, juffrouw Balcourt. U moet toch toegeven dat zoiets de kans van je leven is voor een wetenschapper.'

Amy's mond ging open, maar er kwam geen geluid uit.

Richard had gelijk: ze *was* ontzet.

Een Engelsman die de vijand van zijn land begeleidde... Die alles wat te maken had met plicht en eer overboord zette om wetenschap te kunnen bedrijven... Had hij niet kunnen wachten met het bestuderen van de piramides tot de Engelsen Egypte in handen hadden gekregen? En hoe kon enige weldenkende, intelligente man met ook maar een greintje gevoel in zijn lijf iets te maken willen hebben met een regering die zo wreed en zinloos zoveel landgenoten met hun hoofd onder de guillotine had gelegd! En dat allemaal voor een zootje tombes! Dat was een teken van minachting voor zijn land en voor de gehele mensheid.

Maar, als ze heel, heel eerlijk was, vond ze niet die minachting voor de mensheid het pijnlijkst, maar het gevoel van verraad dat zijn woorden bij haar opriep. Het was volkomen belachelijk. Ze kende die man pas twee uur. Na zo'n korte tijd kon je toch niet van verraad spreken. En hij had er in die twee uur ook niet om gelogen, hij had niet net gedaan alsof hij voor de Engelsen vocht en zich toen per ongeluk had laten ontvallen dat het de Fransen waren.

Hij was geestig en interessant en charmant geweest. Hij had met Amy over de oudheid gediscussieerd alsof ze een gelijke was in plaats van een jong meisje dat haar land nog nooit uit was geweest en dat niet meer wist dan wat ze toevallig in de bibliotheek van haar oom was tegengekomen. Lieve hemel, hij had haar zelfs op uiterst oprechte toon gezegd dat hij het een eer vond haar te kennen. Kortom, hij had de misdaad begaan dat hij gepretendeerd had dat hij haar mocht en de nog grotere misdaad dat hij haar met zijn charme voor zich gewonnen had. Om vervolgens doodleuk te vertellen dat hij was overgelopen naar de Fransen...

Plotseling nam de man die tegenover haar zat allerlei sinistere eigenschappen aan. De glimlach die nog geen halfuur geleden zo hartelijk had geleken was nu spottend. De glans in zijn groene ogen die goedgehumeurd was geweest werd luguber. Zelfs de donkere tinten van zijn kleding veranderden van elegant in gevaarlijk, de sluwe camouflage van een panter die loert op zijn prooi. Hij was waarschijnlijk heel bedreven in het voor zich winnen van nietsvermoedende brave burgers. Misschien was hij wel een Franse spion, wist zij veel! Waarom zou hij anders teruggekomen zijn naar Engeland? Het logische deel van haar hersenen, het deel dat altijd klonk als Jane, herinnerde haar eraan dat hij heel goed in Engeland op familiebezoek geweest kon zijn. Amy legde dit hersendeel het zwijgen op.

Aan de overkant van de tafel trok Richard in een onuitgesproken vraag een wenkbrauw naar haar op. Het gebaar maakte dat Amy hem een smak op zijn hoofd wilde geven met het *Voortgangsverslag van het Koninklijk Egyptologisch Genootschap*.

Koortsachtig zocht ze naar woorden om haar weerzin kenbaar te maken. 'Wetenschap is allemaal heel mooi en aardig, maar na wat de Fransen gedaan hebben – terwijl uw eigen land met hen in oorlog was! Om dan bij het Franse leger te gaan!'

'Ik was niet bij het Franse leger,' verbeterde Richard haar. 'Ik reisde alleen met ze mee.'

Amy hervond haar stem en haar woordenschat. 'Egypte was in de eerste plaats een militaire actie en pas in de tweede plaats een wetenschappelijke expeditie! U kunt niet net doen alsof u dat niet wist. Ik weet zeker dat zelfs de wilden in de binnenlanden van Amerika dat wisten!'

'Prioriteiten, mijn lieve kind, prioriteiten.' Richard besefte dat hij haar provoceerde, maar iets in de manier waarop Amy naar hem keek, alsof ze net negen vrouwen met afgehakte armen en benen in een kast in zijn slaapkamer had ontdekt, haalde het slechtste in hem boven. Het feit dat hij het eens was met alles wat ze zei ergerde hem nog meer. Hij plukte een denkbeeldig pluisje van zijn mouw. 'Ik verkies me te concentreren op de tweede.'

'U verkiest de duizenden onschuldige mensen te negeren wier hoofden worden afgehakt onder de guillotine. U verkiest het u met dat zootje moordenaars tegen uw eigen land te keren!' diende Amy hem van repliek.

Hoeveel mensen had hij van de guillotine gered sinds hij zich bij Percy en het Verbond van de Rode Pimpernel had gevoegd? Vijftig? Honderd? Na de eerste paar tientallen raakte je de tel kwijt. Richard probeerde kalm en hoffelijk te blijven, maar hij voelde de ergernis in zich opwellen als de hitte die opstijgt uit het Egyptische zand.

'En wat,' vroeg hij tartend lijzig, in een heel geloofwaardige imitatie van een oppervlakkige Londense dandy, 'heeft de guillotine met mijn wetenschappelijk onderzoek te maken?' Amy reageerde precies zoals hij verwacht had. Ze spuugde vuur.

Richard wist dat hij in haar positie hetzelfde gedaan zou hebben omdat hij versteld zou staan van zoveel zelfzuchtige ongevoeligheid. Rationeel wist hij dat zijn gedrag absoluut weerzinwekkend was. Rationeel. Maar natuurlijk voelde Richard zich nu irrationeel razend en dus genoot hij van haar pijn. De vijfjarige in hem verkeerde in de stellige overtuiging dat het net goed voor haar was. *Waarom* het net goed voor haar was wist hij niet, maar hij was niet van plan zich druk te maken over onbenulligheden.

'Dat leger werd geleid door dezelfde mensen die koelbloedig duizenden van hun landgenoten afslachtten! De grond van de Place de la Guillotine zag nog rood van het bloed van de slachtoffers toen u naar Egypte vertrok. Door het loutere feit dat u met hen mee bent gegaan hebt u hun schurkenstreken gedoogd!' Amy's stem klonk harder en sloeg over door de heftigheid van haar emoties.

'Daar ben ik het helemaal mee eens, lieve kind. Wat de Fransen deden was verwerpelijk. *Deden*. Verleden tijd. U loopt een beetje achter. Ze zijn al een paar jaar geleden gestopt met het vermoorden van hun aristocraten.'

'U kunt net zo goed zeggen dat een kannibaal geen kannibaal meer is als hij een paar jaar groenten eet,' brieste Amy. 'Het feit blijft dat hij zich ooit te goed heeft gedaan aan mensenvlees en daar zal hij voor moeten boeten!'

Van deze wonderlijke vergelijking had Richard even niet terug. Het kostte hem moeite een afschuwelijk beeld te verjagen van Bonaparte die zich in de vergulde eetkamer van de Tuilerieën te goed deed aan een mensenbeen, terwijl zijn elegante vrouw Josephine aan een arm knabbelde. Richard trok een vies gezicht. 'Laten we de kannibalen hierbuiten houden. Ik kan u ervan verzekeren dat de Fransen wel paarden eten, maar ze zijn nog niet zo diep gezonken dat ze mensen eten.'

'Ik heb geen zin om de eetgewoonten van de Fransen te bespreken!'

'U begon erover.'

'Niet waar – ach stik! Dat was een metafoor!'

'Dus metaforisch gezien heb ik door naar Egypte te gaan metaforisch mensenvlees gegeten met de metaforische kannibalen?'

'Ja!'

'U zit op een pakketboot naar Calais.'

Amy knipperde. 'Als u dan zo nodig het gesprek op iets anders wilt brengen, dan had het wel wat subtieler gekund, lijkt me zo.'

'Ik wil het gesprek niet op iets anders brengen. Ik wijs u er alleen maar op dat u, o gesel van metaforische kannibalen, op een boot zit die naar Frankrijk vaart.'

Amy kronkelde wat in haar stoel, stil van ingehouden woede. Ze had een onprettig vermoeden waar hij heen wilde met die verklaring.

'Zeg eens, wat zei u ook weer over schuld voortkomend uit samenwerking?' Hoogdravend ging Richard door: 'Iets over hun kwaad gedogen door met hen mee te gaan? Dat is allemaal heel mooi, maar bestaat er niet een oud gezegde dat mensen die in glazen huizen wonen geen stenen gooien naar hun buren? En die jurk die u draagt.' Amy's handen gleden automatisch over het lijfje van haar jurk. 'Is die niet gemaakt volgens de Franse stijl? De revolutionaire stijl? Als meedoen met de revolutionairen een misdaad is die met de galg bestraft wordt, hoe zit het dan met het na-apen van hun mode? Wie had het ook weer over gedogen?'

Amy stond zo plotseling op dat haar stoel achter haar omviel. 'Dat is helemaal niet hetzelfde! Het is al vijf jaar geleden...'

'Maar een kannibaal blijft toch een kannibaal, juffrouw Balcourt?'

'... en Engeland verkeert niet langer in oorlog met Frankrijk... en...'

Amy kon geen logische argumenten meer bedenken, maar ze wist, ze wist gewoon dat ze gelijk had en hij absoluut volkomen *ongelijk*. Hij kon barsten met zijn akelige, geniepige, spitsvondige drogredenen! Het was nu wel mooi geweest. Ze had al meteen op moeten staan toen hij haar vertelde dat hij met de Fransen meegereisd was, ze had nooit als een idealistische dwaas met hem in debat moeten gaan.

'En?' Richard keek op van het kant van zijn manchetten, waarmee hij wat had zitten spelen.

Amy vocht tegen de tranen van pure woede. Ze zou er wat voor geven om nu een man te zijn, om er gewoon op te kunnen rammen als ze niet meer wist wat ze zeggen moest! 'En hoe durft u over me te oordelen als u niets af weet van mijn redenen! *Niets!*'

Met een zwaai van haar rokken liep ze weg, alsof ze iets besmettelijks moest ontwijken, en hervatte haar post bij de patrijspoort, met haar rug naar Lord Richard toe.

Richard, aan de kleine tafel achtergelaten in zalige eenzaamheid, besefte dat hij eindelijk de stilte had waarnaar hij zo verlangd had. Dat wilde hij toch zo graag: ongestoord kunnen werken? Hij stak een van de afgeschermde lampen aan, liep naar een kooi aan het eind van de kamer en haalde de nieuwste rapporten van het ministerie van Oorlog tevoorschijn. Hij ging zelfs zo ver om een pagina tegen zijn knie te zetten en naar de woorden te staren. Maar het enige wat hij zag was een paar boze blauwe ogen.

5

'Waar haalt ze het recht vandaan,' *flats*, 'om over me te oordelen? Ze heeft geen idee waarover ze praat.' *Flats!* Richard beukte het bijna platte kussen onder zijn hoofd in een wat gastvrijere vorm. 'En waarom trek ik het me in godsnaam nog aan ook?' *Flats!* 'Ik moet het me niet aantrekken. Het laat me koud!' Richard gaf weer een stomp tegen het kussen. Hij had niet de illusie dat zijn gebeuk het kussen comfortabeler zou maken, maar het deed hem goed om ergens tegen te stompen, en tegen Amy kon hij dat moeilijk doen.

Na de kibbelpartij met Amy was Richard krampachtig aan zijn kant van de kajuit gebleven, alsof er een lijn getrokken was op de verweerde houten vloer. Toen de regenachtige grauwe somberheid van de dag had plaatsgemaakt voor een diepe duisternis had juffrouw Gwen erop gestaan een heuse barrière op te werpen in het midden van de kamer. 'Ik laat u geen slaapkamer delen met iemand van de andere sekse,' had ze verklaard tegen de twee meisjes, en ze was bij de kapitein gaan zeuren om een oud zeil. De kapitein had haar zonder zeil teruggestuurd, maar juffrouw Gwen, niet voor één gat te vangen, had Richards cape geconfisqueerd en deze, met de hare en die van Amy en Jane, aan een touw dwars door de kajuit gehangen, als een ongelijkmatige maar redelijk doeltreffende afscheiding.

Helaas kon die afscheiding het beeld van Amy's woedende gezicht niet buitensluiten.

Richard gaf nog een por in het kussen. Dus het meisje had hem veroordeeld omdat hij geheuld had met de Fransen. Hij had gedacht dat hij daar zo zoetjes aan wel aan gewend was. De oude Falconstone was niet de enige die aanstoot nam aan Richards activiteiten. De afgelopen paar jaar had Richard een heel scala aan afkeuringen over zich heen gekregen, van kwetsende opmerkingen achter zijn rug tot regelrechte preken recht in zijn gezicht. Vergeleken bij het verbale pak slaag dat de douairière de Gravin van Dovedale hem gegeven had midden in de balzaal van Alsworthys, was het protest van Amy nog mild.

En toch... hij had de nacht niet wakend en vechtend met zijn kussen doorgebracht na de aanval van de douairière.

'Je bent een rasidioot,' mompelde hij tegen zichzelf. Hij zou dolblij moeten zijn dat hij zich had weten te verlossen van het saaie gezelschap van een onnozel lachende jonge vrouw. Gewoonlijk kostte het hem elk grammetje van zijn vernuft om zich van hen te ontdoen. Maar eerlijk is eerlijk, Amy's gezelschap was niet saai geweest en ze had niet onnozel gelachen. Ze had op en neer gewipt, gegiecheld en af en toe gekermd, maar ze had niet onnozel gelachen. En ze had Herodotus in de oorspronkelijke versie gelezen. Hij vroeg zich af of ze de toneelstukken van Sophocles toevallig ook gelezen had en wat ze vond van... Richard smoorde die gedachtegang in de kiem. Hoeveel klassieken het meisje ook gelezen had, jonge dames waren een onverschrokken spion een blok aan het been, en dat kon hij zich niet veroorloven. Dat lesje had Richard vijf jaar geleden wel geleerd.

Hij duwde de herinnering weg. Aan sommige dingen kon je maar beter niet terugdenken. Maar het laatste wat hij in Parijs kon gebruiken was een Engelse debutante die zich aan hem vastklampte terwijl hij het plan van Napoleon voor de invasie van Engeland moest onderscheppen. Richard had jaren op deze opdracht gewacht. Ze hadden allemaal geweten dat er een moment zou komen dat Bonaparte Engeland wilde binnenvallen. Engeland was immers een van de weinige landen waar hij nog niet geweest was. Italië, Nederland, Oostenrijk, Spanje waren allemaal al gevallen. Engeland had het voordeel van een slotgracht, maar hoe lang kon het zich nog staande houden tegen Bonapartes geniale krijgskunst?

Het zat hem dwars dat ze hem veroordeelde.

Richard probeerde het onbehaaglijke vermoeden dat zijn schuldgevoelens hem uit zijn slaap hielden te verdringen. Hij had zich immers als een pummel gedragen. En daar kwam nog bij dat het meisje gelijk had. Misschien was ze wat naïef, een tikkeltje te overtuigd van zichzelf, maar in wezen had ze gelijk. Als hun posities net andersom waren geweest zou hij precies hetzelfde gezegd hebben, zij het logischer en minder emotioneel. Hij was niet alleen onbeleefd geweest, maar zelfs buitengewoon onaardig.

Hel en verdoemenis, dit kon hij niet gebruiken! Engeland moest gered worden, en dat kreeg hij echt niet voor elkaar als hij niet kon *slapen*. Richard trok zijn deken op tot over zijn oren en maakte zich klaar voor zijn broodnodige rust.

Maar helaas was de deken net zo dun en plat als het kussen. Zelfs met de volkomen versleten lap half over zijn hoofd hoorde Richards geoefende oor de zacht plof van iemand die haar benen uit bed zwaaide. En meteen daarop een reeks trage, zachte voetstappen. Dat moest Amy zijn, dacht Richard gelaten. Noch de chaperonne, noch het andere meisje leken er het type naar om 's nachts rond te gaan spoken. Hij stak zijn hoofd uit zijn dekennest (dat jammerlijk naar zijn laatste gebruiker rook, die weinig op had gehad met baden), en hoorde een plof en een omfloerste kreet. Aha, concludeerde hij wijs, iemand heeft haar teen gestoten. De voetstappen werden, enigszins mank, hervat. Richard vertrok zijn mond tot een grijns.

Maar zijn grijns verdween toen de middernachtelijke sluipster de deur van de kajuit uitglipte en die met een voorzichtige klik achter zich dichttrok. Richard zat rechtop in bed, totaal niet meer geamuseerd. Hoe haalde ze het in haar hoofd? Besefte het onnozele kind dan niet dat het dek vergeven was van de ruwe kerels? Als ze op dit uur van de nacht een dronken matroos tegen het lijf liep... Richard vloekte en gooide zijn benen over de rand van het bed.

Wacht! Half overeind bleef Richard staan. Waar bemoeide hij zich eigenlijk mee? Hij was op geen enkele manier verantwoordelijk voor haar. Ze had hem toch overduidelijk laten weten dat ze niets met hem te maken wilde hebben? En dat was maar goed ook, want hij wilde ook niets met haar te maken hebben, ze moest verdorie maar voor zichzelf zorgen.

Richard liet zich weer met zoveel kracht op zijn bed vallen dat hij zijn hoofd stootte tegen de muur. Hard. Misschien vertroebelde de bult op zijn hoofd zijn oordeel – tenminste, daar hield Richard het maar op – maar terwijl hij zich over zijn pijnlijke schedel wreef kreeg Richard allerlei verontrustende beelden voor ogen van Amy alleen aan dek. Amy die, hangend over de reling naar de sterren keek en uitgleed en in het hongerige water tuimelde. Of die door een dronken matroos een hoek in gedreven werd waar niemand haar kon horen schreeuwen.

Met één sprong stond Richard van zijn bed bij de deur.

Amy kon niet slapen. Alle patrijspoorten zaten dicht, en de lucht in de kajuit was zwaar en bedompt en gehavend door het raspende gesnurk van juffrouw Gwen. Het zachte deinen van het schip had Amy in slaap moeten wiegen, zoals het ook Jane in slaap gewiegd had. Als Amy zich optrok en over de rand keek – wat ze het afgelopen kwartier al minstens tweemaal gedaan had – zag ze Janes dekens in de kooi boven de hare lichtjes op en neer gaan van haar regelmatige ademhaling. Maar Amy bleef afschuwelijk, hinderlijk wakker.

Nijdig rolde ze zich op haar andere zij. 'Ik moet slapen, ik zal slapen,' mompelde ze. Het geluid ontlokte juffrouw Gwen een nieuw snurkcrescendo. Amy draaide zich weer op haar rug. Ze probeerde schapen te tellen, maar dat bracht alleen maar herinneringen aan Shropshire bij haar boven. Shropshire, dat haar de laatste tien jaar zo afschuwelijke geleken had, nam nu ze erop terugblikte een veel aantrekkelijker gestalte aan. Ze zag de blauw-met-witte kamer die ze met Jane deelde; de zwarte trap waar ze zo vaak langs naar beneden geslopen was; haar lievelingsklimboom in de boomgaard... Waar was ze nu in godsnaam mee bezig?

Het had allemaal zo vreselijk simpel geleken, daar in Shropshire. Ze zouden voor ze uitvoeren een glas limonade gaan drinken bij de Fisherman's Rest, en dan zou Jane juffrouw Gwen afleiden terwijl Amy deed alsof ze naar het privaat ging. Het zou haar zoveel moeite kosten om die te vinden dat ze een hele tijd in de gelagkamer rond moest hangen, met een vage blik om zich heen kijkend alsof ze zocht naar de juiste deur. Ondertussen zou ze ongemerkt de kant van twee mannen die in een diep gesprek verwikkeld waren opdrijven (er zaten geheid twee mannen die in een diep gesprek verwikkeld waren) en dan zou ze de een iets horen fluisteren tegen de ander waaruit ze kon opmaken dat hij de Paarse Gentiaan was. (Amy kon zich niet zomaar uit haar blote hoofd zo'n zin bedenken, maar als ze hem hoorde zou ze hem zeker herkennen.)

Maar dat was niet gebeurd. En plan A was nog wel zo'n gemakkelijk plan geweest! Goed, Amy had plan B tot en met G als reserve, maar die waren allemaal veel ingewikkelder en vereisten een bewegingsvrijheid die Amy onder de waakzame blikken van juffrouw Gwen vast niet had. Voor plan B bijvoorbeeld – zich vermommen als staljongen om in de stallen van mogelijke verdachten luistervinkje te spelen – moest ze jongenskleren zien te vinden en lang genoeg aan juffrouw Gwen zien te ontsnappen en, nou ja, ook nog verdachten zien te vinden. En plan C werd nog een heel stuk lastiger...

Als Jane nu eens gelijk had? Als ze hen nu eens allemaal Het Kanaal over sleepte op een onderneming die geen enkele kans van slagen had?

Ze voelde zich ingesloten door de beklemmende duisternis. Plotseling kon ze het niet langer verdragen: het broeierige zwart van de kajuit, juffrouw Gwens gesnurk, Janes rustige ademhaling. Ze moest *alleen* zijn. Amy krabbelde haar bed uit, zocht in het donker naar haar sjaal. Haar pantoffels liet ze onder haar bed staan; blote voeten maakten minder lawaai. In de duisternis baande ze zich – met de stille gratie van een ervaren spion – een weg langs de afscheiding.

'Au!' Amy sloeg dubbel en nam haar teen in haar handen. Lieve hemel, wat bezielde juffrouw Gwen om haar koffer hier neer te zetten, waar iedereen erover kon vallen! Met een boos gezicht masseerde ze haar pijnlijke teen. En waarom had ze het onding zo nodig met bakstenen moeten vullen?

Gegriefd hinkte Amy naar de deur. Het viel bepaald niet mee om zachtjes te hinken! Bij de deur bleef ze staan om nog even te luisteren. Alles was stil. De storm was al een paar uur geleden gaan liggen en het kalme water klotste zachtjes tegen de boot. Amy tilde haar rokken op en liep op haar tenen de trap op naar het dek.

Ongeveer halverwege de smalle trap werd ze plotseling getroffen door een gedachte. Peinzend stond ze stil. Al die twijfels, die angsten, die zorgen... allemaal dingen waar ze vóór haar confrontatie met Lord Richard nooit last van had gehad! Hij had haar motieven in twijfel getrokken, haar een hypocriet genoemd; het was duidelijk de schuld van Lord Richard dat ze niet kon slapen.

'Ik begrijp niet dat ik me zo door die man van mijn stuk laat brengen,' mompelde Amy terwijl ze verder klom. Buitengekomen ademde ze de koele nachtlucht in met een diepe zucht van opluchting en tevredenheid. 'Het komt allemaal goed. Ik weet het zeker.'

Wat jammer dat ze hem vanmiddag niet wat meer op zijn nummer had gezet!

Toen haar ogen gewend waren aan de duisternis liep Amy voorzichtig naar de rand van het dek en legde haar armen op de reling. Na de bedompte lucht van de kajuit vond ze zelfs de lucht van teer en vocht die opsteeg van het dek naar vrijheid ruiken. Een lichte mist had de regen opgevolgd. De maan, verborgen achter de wolken, spande fijne zilveren draden langs de hemel. Hun bovennatuurlijke gloed deed Amy denken aan de drie schikgodinnen uit de Griekse mythologie die het lot van mensen spinden op hun spinnenwiel. Even beeldde ze zich in dat ze hier, alleen op het maanverlichte dek, als ze maar lang genoeg keek haar eigen glinsterende draad zou kunnen ontwaren, en dat ze die los zou kunnen maken van de rest om hem te volgen naar haar lotsbestemming.

'Doe toch niet zo raar,' vermaande Amy zichzelf hoofdschuddend. Ze wist toch allang wat haar lot was? Ze hoefde de wolken niet af te zoeken om dat te ontdekken. Ze zou de Paarse Gentiaan opsporen, zich onmisbaar maken in zijn verbond en dan, natuurlijk, de monarchie herstellen. Er was meer voor nodig dan één landverrader van een geleerde met spottende groene ogen om haar te ontmoedigen!

Amy leunde over de reling. Was ze vijftien jaar geleden met net zo'n boot als deze naar Engeland gevaren? Amy kon zich die reis nog maar heel vaag herinneren. Ze wist nog wel dat Mama haar omkocht met suikerboontjes om niet te gaan huilen omdat ze haar lievelingspop vergeten was. Amy vroeg zich af of Mama haar had opgetild aan net zo'n reling als deze om Frankrijk vaarwel te wuiven. In haar verbeelding zag ze Papa staan, lang en elegant, vanaf de kade zwaaiend met zijn zakdoek, en Mama die Amy neerzette om haar man een kushand toe te werpen, terwijl Amy op en neer sprong en riep *Au revoir, Papa! Au revoir!'* tot Mama haar weer optilde voor ze in het water kon vallen. Amy had zich die scène zo vaak voor de geest gehaald dat ze verdichtsel en herinnering niet meer uit elkaar kon houden. Misschien was het zo gegaan. Amy wilde graag denken dat het zo gegaan was.

Turend in de mist kon ze Papa bijna zien glimlachen op de kade en Mama's lavendelgeur naast zich ruiken.

Ik zal je spoedig wreken, beloofde ze hem in stilte.

Amy was zo in gepeins verzonken dat ze de zachte voetstappen op het dek niet hoorde. Ze zag de schaduwen om haar heen niet langer worden. Ze voelde de zachte adem in haar nek niet. Maar wat ze wel hoorde was de stem die, vlak bij haar oor, denderde: 'U moet niet alleen naar buiten gaan.'

6

Bij het onverwachte geluid van een stem achter haar, te dicht achter haar, maakte Amy een sprong van schrik en viel bijna overboord. De schaduwen van haar ouders verdwenen abrupt in de zilveren nacht. De betovering was verbroken.

Met haar handen om de houten reling geklemd snauwde ze, zonder om te kijken: 'En u moet mensen niet zo stiekem besluipen!'

'En u moet niet zo over die reling hangen,' vervolgde de tergende stem achter haar doodkalm. 'Deze schepen zijn meestal niet al te best onderhouden.'

'Deze reling is heel... Oei!' Amy wankelde achteruit toen de reling gedienstig wiebelde.

'Stevig?' maakte hij haar zin voor haar af. 'Volgens mij niet.'

Amy schudde de hand die werd uitgestoken om haar steun te bieden van zich af. 'Dank u voor de waarschuwing, maar ik red me wel.'

Richard volgde haar toen ze hem de rug toekeerde en het dek overstak op zoek naar stilte en een steviger stuk reling. Ondanks zijn eerdere wrevel moest hij een grijns onderdrukken om de manier waarop ze haar ellebogen op de houten plank neerpootte, alsof ze die tartte om te wiebelen.

'Zo krijgt u splinters,' waarschuwde hij.

Amy negeerde hem. Balancerend op de voorsteven van de boot, met de schouders naar achteren en de kin naar voren, zag ze eruit als een bijzonder strijdlustig boegbeeld. Ze deed duidelijk haar uiterste best hem te negeren. Nou, ze ging haar gang maar. Richard keek ongegeneerd toe hoe het maanlicht haar huid wit deed opglanzen tegen haar donkere haar. Toen hij het dek opkwam had ze, met haar gezicht opgeheven naar de nachtelijke hemel, geleken op Jeanne d'Arc die een visioen had.

Richard schudde dit beeld van zich af en herinnerde zich weer waarom hij aan dek was gekomen. 'Kom mee naar binnen,' adviseerde hij Amy's rug.

'Ik voel me hier prima.' Alsof ze dit wilde illustreren, liet Amy zich op het vochtige dek zakken en sloeg haar armen om haar knieën.

Richard ging naast haar zitten.

Amy keek hem verbaasd aan. Derek zou nooit van zijn leven bruine strepen op zijn beige broek geriskeerd hebben. Of grasvlekken of roestvlekken of wat voor vlekken dan ook. Amy had zijn onhandige avances vaak kunnen omzeilen door over een hek te klimmen of naar plekjes te vluchten waar dandy's niet durfden te komen.

'U krijgt vlekken op uw broek.'

'U krijgt vlekken op uw rok,' retourneerde Richard haar opmerking.

'Dit is een volkomen zinloos gesprek!'

'Hebt u het misschien liever over het weer?'

'Ik heb het liever nergens over.'

'Goed.' Richard stond op en reikte haar de hand om haar overeind te helpen. 'Dan kunnen we weer naar binnen.'

Amy sloeg naar de hand als een kat die een ondermaats bolletje wol afwijst. 'Nee, *u* kunt weer naar binnen.'

'Juffrouw Balcourt, u moet hier niet alleen blijven zitten.'

Amy griezelde van zijn toon, maar ze hield haar mond.

'Iemand zou u in het donker kunnen lastigvallen.'

'Iemand heeft dat al gedaan.'

'Dat bedoel ik niet. *Ik* kwam alleen maar kijken of u hier veilig was.'

'Nou, dat ben ik. U hebt het gezien. Dus ga *weg*.'

'U kunt er niet goed tegen gered te worden, hè? Nou, goed dan.' Richard maakte een buiging die zo formeel was dat hij alleen beledigend bedoeld kon zijn. 'Goedenacht, juffrouw Balcourt. Geniet van uw eenzame verblijf op het dek. En als u belaagd wordt door matrozen, roep dan niet om mij.'

Amy snoof.

Richard draaide zich op zijn hielen om en liep naar de trap. Maar hij was nog maar twee meter van haar verwijderd of hij keerde zich om en kwam terug. Hoofdschuddend zei hij tegen Amy, die hem met een mengeling van afkeer en verbijstering (de verbijstering won het van de afkeer) zat aan te kijken: 'Nee, het spijt me. Ik kan het niet.'

'Wat kunt u niet, meneer? Lopen? Dat is echt niet zo moeilijk, hoor. U zet gewoon de ene voet voor de andere en blijft daar net zo lang mee doorgaan tot u de trap af bent en weer in uw eigen kooi ligt.'

'Nee.' Richard liet zich weer naast haar op het dek zakken. 'Ik kan u hier niet achterlaten. Helaas voor ons allebei ben ik opgevoed met een eergevoel dat me niet toestaat een jongedame midden in de nacht alleen te laten in de onmiddellijke nabijheid van een stelletje boeven. Mijn plicht staat mij duidelijk voor ogen: als u erop staat buiten te blijven, zal ik dat ook moeten doen. Bovendien,' voegde hij eraan toe voordat Amy de kans kreeg hem er fel op te wijzen dat zijn eergevoel zich kennelijk niet uitstrekte tot het mijden van de vijanden van zijn land, 'is het makkelijker voor mij om hier te blijven dan om aan te komen rennen als u begint te gillen.'

'Ik ga niet gillen.'

'Zullen we het daar maar niet op aan laten komen? Ga maar verder met uw gedachten. U zult niet eens merken dat ik er ben.' Om zijn woorden kracht bij te zetten draaide Richard zijn hoofd af en keek ostentatief uit over de oceaan.

Amy probeerde de herinnering aan haar ouders weer tot leven te wekken, maar de kwaliteit van de beelden was zo plat geworden als een stelletje kartonnen poppen tegen een klungelig geschilderd decor. Het loutere feit dat die man naast haar zat maakte haar dagdroom zwak en onwezenlijk. Zijn aanwezigheid nam haar gedachten in beslag. Hij zat wel een meter van haar vandaan, ver genoeg om betamelijk te zijn, ver genoeg om de lastigste chaperonne (met ander woorden: juffrouw Gwen) tevreden te stellen, maar nog veel te dichtbij naar Amy's zin. Ze kon de citrusgeur van zijn reukwater ruiken, zijn gelijkmatige ademhaling horen, de warmte voelen die zijn lichaam afgaf in de kilte van de nacht. Telkens als hij verschoof op het harde dek verstarde ze. Telkens als ze zijn haren hoorde fluisteren tegen zijn hoge kraag bij het draaien van zijn hoofd vroeg ze zich af of hij naar haar zat te kijken.

U zult niet eens merken dat ik er ben? dacht Amy. Was dat maar waar!

Ze liet haar kin op haar knieën rusten en kneep haar ogen dicht. Ze probeerde het beeld op te roepen van de Paarse Gentiaan (haar allerliefste dagdroom, de droom waarin hij haar hand in de zijne klemde en haar vertelde dat hij zonder haar niets waard was) maar het beeld

75

bleef zo plat als een schilderij van een amateur en de stem van de Paarse Gentiaan nam steeds dezelfde stembuigingen aan als die van Lord Richard Selwick.

Amy wierp een stiekeme blik zijwaarts en vroeg zich af of ze hem die middag misschien te hard had aangepakt. Ze vond het weliswaar uitermate weerzinwekkend dat hij voor de Fransen gewerkt had, maar dat was al meer dan vijf jaar geleden. Hij moest toen nog heel jong geweest zijn, en ze had mevrouw Meadows al zo vaak horen zeggen dat jonge mensen dwaze, ondoordachte dingen deden. Misschien had hij echt niet stilgestaan bij de situatie in Frankrijk toen hij naar Egypte toog. Misschien had hij later wel spijt gekregen van zijn daden.

Misschien moest ze echt maar naar binnen gaan, voordat ze door zijn aanwezigheid aangezet werd tot nog belachelijker ideeën.

Het zou Amy goed gedaan hebben te weten dat het onderwerp van haar gedachten zich net zo moeilijk kon concentreren als zij. Richard had geprobeerd strategieën uit te denken om Bonapartes plannen voor de invasie van Engeland te weten te komen, maar Amy wist zijn concentratie doeltreffender te veroveren dan een heel leger.

Onzichtbaar in de duisternis verschoof hij zodanig dat hij recht tegenover Amy kwam te zitten en vroeg zachtjes: 'Waarom gaat u naar Frankrijk?'

Amy's hoofd schoot omhoog, onmiddellijk in de verdediging. Richard stak zijn hand uit alsof hij zich wilde verweren. 'Trek uw klauwen in! Ik heb vanmiddag genoeg schrammen opgelopen. Zullen we vrede sluiten, op z'n minst voor vannacht?'

Amy keek hem schuin aan.

'Beschouw het maar als uw eigen, persoonlijke vrede van Amiens. Ik zal Frankrijk zijn, dan bent u Engeland.'

Amy liet iets van haar waakzaamheid varen. 'Weest u maar Engeland, dan ben ik wel het Frankrijk van vóór de revolutie,' bood ze aan.

'Het spijt me, maar ik vrees dat u zich aan het heden moet houden.'

'Goed dan, maar alleen als u aan uw kant van Het Kanaal blijft, dan.' Amy wees naar de reep dek die hen scheidde.

'Wat zou u doen als ik uw gebied probeerde binnen te vallen?' Richard wiebelde zogenaamd flirterig met zijn wenkbrauwen.

'Dan zette ik zwaar geschut in.' Ze wees naar het luik dat naar de kajuit leidde.

'Het spijt me. U kunt geen draken inzetten in deze strijd. Dat is niet toegestaan. En ik kan u verzekeren dat een draak in de hedendaagse oorlogsvoering geen acceptabel wapen is.'

'Waarom niet? Draken en geweren spugen allebei vuur.'

'Jawel, maar...' Richard zocht naar een antwoord, maar het enige wat hij kon bedenken was: 'maar draken zijn *eng!*' en dat klonk nu niet bepaald stoer en mannelijk.

'Ik heb gewonnen!' kraaide Amy.

'Maar draken zijn *obsoleet*,' eindigde Richard met een zelfingenomen glimlach. 'Als overwinnaar van deze ronde verlang ik een gunst.'

'Ik geloof niet dat u die verdient, heer ridder. Tenslotte hebt u geen enkele draak verslagen.'

Richard hief autoritair zijn hand op. 'Desalniettemin verlang ik een gunst. U verslaan is toch zo knap als draken verslaan.'

'Ik weet niet of u mij wel verslagen hebt,' protesteerde Amy.

'Het was bedoeld als compliment.'

'U maakt niet vaak complimentjes, hè? Dit was tenminste wel een zeer armzalige poging. Als u wilt, kan ik u wel wat op weg helpen. We zouden kunnen beginnen met iets heel simpels, in de trant van: 'Allemachtig, juffrouw Balcourt, wat bent u toch slim!' Daar zou u dan op kunnen voortborduren.'

'Toch vind ik dat ik een gunst verdiend heb.' Richard boog zich voorover; zijn donkerblonde haar glansde in het maanlicht.

Amy's hartslag nam een roekeloze snelheid aan. 'Wat voor soort gunst had u in gedachten?'

'Ik zou willen,' klonk zijn stem laag en intiem, 'dat u me vertelde waarom u naar Frankrijk gaat.'

'O.'

'Is dat zo'n groot geheim?' plaagde Richard.

Amy vocht tegen een onredelijk gevoel van teleurstelling. 'Nee, nee, natuurlijk niet. Maar het is weinig opwindend. Ik ga bij mijn broer wonen, in Parijs.'

'U stelt me teleur, juffrouw Balcourt. Hoe kan iemand die zo neerkijkt op de Fransen daar een broer hebben?'

Amy krabbelde overeind. Haar rok bleef haken achter haar blote tenen, en dus zocht ze houvast aan de reling. Ze torende boven Richard uit. 'Mijn broer is half Frans, ik ben half Frans; lieve hemel, wat bent u toch een irritante kerel! Wilde u nog iets weten of kan ik nu teruggaan naar de kajuit?'

Richard nam Amy's hand en trok haar weer naar beneden. 'Als uw broer in Frankrijk is en u was in Engeland, waar zijn uw ouders dan?'

Amy liet zich naar beneden trekken maar bleef op haar hurken zitten, klaar om elk moment op te springen. 'Die zijn omhelsd door Madame Guillotine,' zei ze kort.

Richard, die haar hand nog vast had, kneep er even in, om haar te troosten.

'Of tenminste, alleen Papa is werkelijk vermoord, maar Mama hadden ze net zo goed kunnen vermoorden. Ze hield zoveel van Papa; ze hebben wel dertig keer afscheid van elkaar genomen toen we vertrokken. Toen ze Papa doodmaakten, hebben ze haar ook doodgemaakt. Ze waren uit liefde met elkaar getrouwd, snapt u.'

Vreemd genoeg – voor iemand die tot dan toe het huwelijk had gemeden als de pest – snapte Richard dat maar al te goed. Zijn eigen ouders waren uit liefde met elkaar getrouwd en waren verliefd gebleven, nogal hinderlijk zelfs. Tenminste, het was hinderlijk geweest voor de arme puber die aan moest zien hoe zijn ouders onder tafel elkaars hand vasthielden. Om het maar niet te hebben over de talloze keren dat Richard zijn ouders zoenend in de gang betrapte. Maar hoewel hij gezichten trok en af en toe een onverstaanbaar geluid maakte van extreme walging (omdat iedereen wist dat *ouders* zich toch vooral moesten onthouden van intimiteiten) vond Richard het diep in zijn hart eigenlijk wel aandoenlijk. Hij vond het aandoenlijk zoals zijn ontembare moeder bloosde en giechelde wanneer zijn vader haar iets in het oor fluisterde, en hij vond het aandoenlijk zoals zijn waardige vader abrupt een einde maakte aan zijn debatten in het House of Lords om thee te gaan drinken met Richards moeder. Maar natuurlijk zou hij dat nooit tegen iemand zeggen.

Pas toen hij zich als een losbol in het Londense sociale leven gestort had, vers uit de onschuldige wereld van Eton, had Richard beseft hoe ongewoon de soort verbintenis die zijn ouders hadden eigenlijk was. Tot dan toe had hij naïef verondersteld dat alle getrouwde stellen elkaars hand vasthielden onder tafel en zoenden in de gang. Maar ineens zag hij getrouwde mannen in bordelen, ontving geurende uitnodigingen van getrouwde vrouwen en aanschouwde huwelijken die gesloten werden met niet meer gevoel aan weerszijden dan... nou ja, met een totaal gebrek aan gevoel. In al zijn omzwervingen van balzaal naar balzaal had Richard misschien bij één op de tien paren een zekere mate van affectie gezien, en slechts bij één op de honderd oprechte verliefdheid. Toen pas had hij voor het eerst beseft dat wat zijn ouders hadden zeldzaam was en prachtig, en dat hij nooit met minder genoegen zou nemen.

En Amy had dat ook gehad, en ze had moeten toezien hoe het haar werd ontrukt.

'Het spijt me,' zei hij zachtjes.

'Waarom? U hebt de bijl toch niet gehanteerd?'

'Als ik het geweten had, zou ik u niet zo geplaagd hebben. Ik had niet in de gaten dat het iets persoonlijks was.'

Amy keek niet-begrijpend naar hem op en vroeg zich af waar die plotselinge gedaanteverandering vandaan kwam. Ze kon zijn gezicht niet zien omdat de maan achter een wolk verdwenen was; geen glimpje licht onthulde of hij het meende of niet. Ze wou dat de maan weer tevoorschijn kwam en ze kon zien, al wist ze niet goed wat ze hoopte te zien. Iets waaruit ze kon opmaken of hij een eerlijk man was of een doorgewinterde schurk.

'Het spijt me oprecht,' zei hij weer, en toen ze zijn diepe stem in haar oren voelde trillen wist Amy gewoon dat hij oprecht was, net zoals ze wist dat Jane goed was en dat schapen stom waren en dat ze de Paarse Gentiaan zou vinden.

En op de een of andere manier leek het de meest natuurlijke zaak van de wereld dat hij haar vrije hand in de zijne nam, en nog natuurlijker dat hij zich naar haar over boog, en zij naar hem. Hun verstrengelde handen vormden een brug over de reep dek die ze voor de grap hun Kanaal hadden genoemd. Amy kon niet zeggen of hij haar naar zich toetrok of zij hem: er leek niet langer een plek te zijn waar haar armen eindigden en de zijne begonnen. En wat maakte het ook uit? Amy sloot haar ogen en voelde zijn warme adem op haar lippen.

7

KRAK!

Het stuk reling waarop Amy eerder had geleund maakte zich los van het dek en tuimelde in het water. Plotseling waren Amy's handen weer helemaal van haar. Ze opende haar ogen en zag, verblind knipperend, dat hun eigen persoonlijke Kanaal zich weer tussen hen in bevond en dat Richard zijn eigen handen stevig aan weerskanten van zijn lichaam op het dek had geplant. Ze zou haast gaan denken dat ze zich de afgelopen paar minuten had verbeeld, als ze niet nog steeds de tinteling voelde die Richards adem op haar gezicht had achtergelaten.

'De kapitein moet zorgen dat dat gerepareerd wordt,' zei Richard, met enigszins onvaste stem. 'Ik zal hem er morgenochtend op aanspreken.'

Amy knikte. Ze zat zowaar met haar mond vol tanden, en dat was iets wat haar niet vaak overkwam. 'Neemt u me niet kwalijk, maar stond u soms op het punt me te gaan zoenen?' leek nu niet direct een vraag die een jongedame zomaar kon stellen, zelfs al was die jongedame zo ondamesachtig om zich ongechaperonneerd midden in de nacht met een man aan dek te bevinden. En stel je toch eens voor dat hij nee zei? Die verdoemde reling!

Amy beet op haar onderlip, helemaal uit het veld geslagen. Plannen, plannen... ze zat toch altijd vol plannen? Nou ja goed, het was wel vreselijk moeilijk om plannen te maken als je niet wist wat je wilde. Wilde ze dat hij haar zoende? Of zelfs dat hij alleen maar toegaf dat hij haar had willen zoenen? En waarom was dat zo belangrijk? O lieve hemel! Amy schuifelde heen en weer op het harde dek. Het was zoveel makkelijker om het herstel van de monarchie te plannen dan om in het reine te komen met de kater van een gemiste zoen!

En, hielp Amy zichzelf herinneren, ze moest zich toch werkelijk helemaal concentreren op haar plannen om de Paarse Gentiaan te vinden en de monarchie te herstellen, in plaats van te piekeren over een man van twijfelachtige moraal. Ook al had die man dan jukbeenderen die een beeldhouwer aan het huilen zouden maken en een uiterst intrigerend stelsel van rugspieren... Amy begon weer te bijten op haar onderlip.

Richard leunde achterover op zijn handen en liet zich door het ruwe hout tegen zijn handpalmen terugslepen naar de harde werkelijkheid. Amy zoenen was geen goed idee. Hoe haalde hij het in zijn hoofd? Maar dat was nou net het probleem: zijn hoofd had hier niets mee te maken. Hij was gewoon niet meer in staat geweest om logisch na te denken. De logica had hem in de steek gelaten. Richard schraapte zijn handen tegen het ruwe dek en probeerde de situatie logisch te benaderen. Logisch bezien was het een ontzettend slecht idee om Amy te zoenen; dit herhaalde hij een paar maal bij zichzelf. Zoenen zou verplichtingen scheppen, en in dit geval zou het betekenen dat hij tijd met haar moest doorbrengen als ze eenmaal in Frankrijk waren.

Niet dat hij er bezwaar tegen zou hebben om tijd met haar door te brengen, natuurlijk... Richard zette die gedachte onmiddellijk uit zijn hoofd. Hoezeer hij het ook zou toejuichen om tijd met Amy door te brengen, hij kon het niet. Die tijd had hij gewoonweg niet. Hij moest Bonapartes invasieplannen zien te achterhalen voordat de Franse troepen voet op Engelse bodem zetten. Niemand wist beter dan Richard hoe snel Bonaparte zich kon bewegen (behalve misschien de Italianen en de Oostenrijkers en de Hollanders), en wat Amy betreft... Richard had het gevoel dat zij nogal een forse afleiding kon worden.

Maar als hij haar niet zoende had hij ook geen verplichtingen tegenover haar en dus zou ze hem niet afleiden. Zo klaar als een klontje allemaal. Logisch bezien.

Richard keek naar Amy die, voor haar doen ongebruikelijk, stilletjes naast hem zat. Ze had haar knieën opgetrokken tot aan haar borst en staarde over het donkere water, bijtend op haar lip. Het was te donker om de kleur van haar lippen te onderscheiden, maar Richard herinnerde zich die nog maar al te goed: een verrassend dieproze tegen haar bleke huid, zacht en uitnodigend. Hij herinnerde zich ook hoe hij ge-keken had naar de manier waarop haar lippen bewogen als ze praatte, als ze glimlachte. Bijten maakte ze waarschijnlijk rood en gezwollen, net als zoenen. Houd je hoofd koel, gebruik je verstand! peperde Richard zichzelf in. Hij legde zijn hoofd in zijn nek en staarde naar de hemel. Toen hij weer naar Amy keek, zat ze nog steeds op haar lip te bijten.

Haastig keek Richard weer weg.

'Hoe heet je broer?' vroeg Richard, om maar iets te vragen. Ze kon tenslotte niet tegelijkertijd op haar lip bijten en praten.

'Edouard,' antwoordde Amy afwezig. 'Hij is een paar jaar ouder dan ik.'

'Edouard.' Richard schoot zo snel overeind dat zijn hoofd suisde. 'Toch niet Edouard de Balcourt?'

'Ja! Kent u...'

'Edouard de Balcourt is uw *broer*?'

'Dus u kent hem echt?' vroeg Amy gretig.

'Nou ja, we kennen elkaar zijdelings,' antwoordde Richard voorzich-tig. In zekere zin was dat waar: Richard had er alles aan gedaan om de relatie zijdelings te houden.

'Vertel me eens over hem? Alstublieft? Alles wat u weet. Ik heb hem sinds mijn vijfde al niet meer gezien. Hij schrijft bijna nooit,' biechtte ze op. De Balcourt kennende geloofde Richard dat graag. 'Hij is waar-schijnlijk bang dat de brieven naar Engeland worden gecensureerd. Wat kunt u me over hem vertellen?'

'Eh...' Richard trommelde met zijn vingers op het dek. Aan de ge-animeerde uitdrukking op Amy's gezicht was te zien dat ze hoge ver-wachtingen koesterde van haar broer. Verdoemenis, waarom moest nu uitgerekend hij haar vertellen dat haar broer een van de lachertjes was van het hof van Bonaparte? Edouard de Balcourt was een dandy, een vleier, een man zonder enige smaak, mores of scrupules. En dat was dan nog zacht gezegd!

Hoe bestond het dat De Balcourt Amy's *broer* was? Misschien was hij een wisselkind? Een van de twee moest dat zijn!

Amy tikte ongeduldig met haar voet. 'Nou?' zei ze afwachtend.

'Hij lijkt niet op u.' Dat was de enige onschuldige opmerking die Richard te binnen schoot.

'Vroeger wel een beetje,' zei Amy peinzend. Ze glimlachte droevig. 'Mama zei altijd dat het niet eerlijk was dat we allebei op Papa's familie leken. In Mama's familie waren ze allemaal lang en statig, zoals Jane, maar Edouard en ik waren allebei klein en donker. Papa was wel lang. Als hij me op zijn schouders zette, dacht ik dat ik de sterren aan kon raken.'

Even reed Amy in gedachten weer paardje op Papa's schouders, reikend naar de sterren. Hij had haar zelfs een piepklein diamanten armbandje gegeven; aaneengeregen sterretjes, bezwoer hij, die hij voor haar geplukt had toen ze een dutje deed in de kinderkamer.

'Hij beloofde me dat hij me, als ik groter was, zou optillen naar de nachtelijke hemel zodat ik een ketting voor mezelf kon rijgen. Een ketting van sterren.' Amy knipperde haar tranen weg en staarde verlangend naar de hemel.

Er waren vannacht geen sterren.

Maar er zat wel een uiterst zwijgende man naast haar die haar aandachtig bekeek, en met een schok keerde Amy terug naar het heden, als Icarus die uit de hemel viel, in de war en een beetje beteuterd. Wat had haar bezield om hem zoveel te vertellen? Haar herinneringen aan Mama en Papa waren van haar alleen, haar verborgen schat, dierbaarder dan om het even hoeveel kettingen van sterren. Ze praatte er nooit met iemand over, zelfs niet met Jane, die de zuster van haar hart was, haar enige vertrouwelinge, en de persoon die haar beter kende dan wie dan ook ter wereld. Toch was het haar zo makkelijk gevallen om er met Lord Richard over te praten. Ze was kennelijk helemaal van haar stuk gebracht door de gemiste zoen en het maanlicht. Mensen deden rare dingen bij maanlicht. Het maakte niet uit dat de maan al een poosje geleden achter de wolken verdwenen was; hij was er nog steeds, hij beïnvloedde haar handelen, zelfs al kon ze hem niet zien.

Maar toch... er was ook iets aan Lord Richard. Iets waardoor je hem heel makkelijk en vanzelfsprekend in vertrouwen nam. Iets waar ze de maan niet de schuld van kon geven. Iets wat Amy het gevoel gaf heel kwetsbaar te zijn, en ze wist helemaal niet of ze dat wel prettig vond.

Amy verbrak de tere stilte door geforceerd stoer te zeggen: 'Nou, nu weet u alles over mij, vertel nu maar eens wat over uzelf. Waarom gaat u naar Frankrijk?'

Richard had het zo druk met het bewonderen van Amy's moed dat hij zonder na te denken zei: 'Ik ben de directeur van oudheden van de Eerste Consul.' Het was een antwoord dat hij al zo vaak en aan zoveel mensen gegeven had, dat het er vanzelf uitkwam.

Amy knipperde. 'De directeur van oudheden van de Eerste Consul?'

'Ja, toen we terugkeerden uit Egypte nodigde de Eerste Consul me uit om...' Richards stem stierf weg toen Amy onhandig overeind krabbelde. 'Is er iets?'

'U had er dus helemaal geen spijt van, hè?' fluisterde ze.

'Wat zeg je?'

'U zat mij helemaal niet te plagen, u zei gewoon wat u vond, en daar had u *geen spijt van!*'

'Ik wou...' Richard maakte aanstalten om Amy's handen te pakken, maar ze schoof van hem weg en veegde haar handen woedend af aan haar rok, alsof ze zijn aanraking wilde uitbannen.

'Ik begrijp het niet.' Haar stem was omfloerst door tranen, en dat trof hem veel harder dan haar geschreeuw van die middag. 'U bent al die tijd bij de Fransen geweest. U bent nooit vertrokken. U bent steeds bij *hen* geweest. Als u bij hen gebleven bent, kunt u nooit vinden dat het zo erg was wat ze gedaan hebben. Waarom deed u net alsof u mee-leefde terwijl dat helemaal niet zo was? O, wat ben ik dwaas geweest!'

'U bent niet dwaas. Amy...'

'Waar haalt u het lef vandaan mij te vertellen dat ik niet dwaas ben! Denkt u maar niet dat ik me door u ooit nog iets laat vertellen! Van mijn leven niet!'

Verbijsterd over haar uitbarsting staarde Richard naar Amy, die als een kleine derwisj boos in kringetjes over het dek danste.

'Ik mocht u. Ik vertrouwde u. Mijn God, ik heb u zelfs over mijn *ouders* verteld!'

Richard, behoorlijk geïrriteerd over al die verleden tijden, snauwde: 'Wat heeft *dat* er in godsnaam mee te maken?'

Hij greep de reling vast en hees zich met een ruk overeind.

'Niets. Helemaal niets!' Amy wuifde woest met haar armen. 'Het heeft niets te maken met het feit dat u een smiecht bent en een dandy en een ploert en een landverrader en...'

Een smiecht en een dandy en een ploert waren al erg genoeg, maar een landverrader? Richard was vaag van plan geweest haar beledigingen maar geduldig zwijgend te ondergaan, maar dit kon hij toch echt niet over zijn kant laten gaan.

'O ja?' Richard kwam met de steelse sluipgang van een panter op haar af; zijn diep snorrende stem klonk dreigender dan welk gegrom dan ook. 'Vertel mij dan maar eens wat u onder verraad verstaat, juffrouw Balcourt.'

Amy zag het gevaarlijke groene licht in Lord Richards groene ogen, maar om de een of andere reden maakte die jade gloed haar alleen nog maar razender. In plaats van achteruit te deinzen stampte ze hem tegemoet. 'Verraad,' verklaarde ze woedend, met haar hoofd in haar nek zodat haar opgeheven neus bijna tegen zijn kin wreef, 'is als een man zich uit eigen vrije wil aansluit bij de vijanden van zijn land!'

Amy deed een stap achteruit, niet uit angst – stel je voor! – maar omdat ze pijn in haar nek kreeg. Ze vervloekte het voordeel van zijn lengte. Het was zo oneerlijk dat hij zo belachelijk verwaand op haar neer kon kijken, alleen omdat er een goede fee aan zijn wieg had gestaan die hem met haar toverstokje een totaal onverdiende verzameling centimeters had toegezwaaid. Als zijn lichaam een evenbeeld moest zijn van zijn karakter, dan had hij toch zeker een gemene, verschrompelde, kromme gnoom van een man moeten zijn in plaats van een gouden Adonis, gemaakt om onschuldige vrouwen tot onbezonnenheden te verlokken. Het was allemaal zo onrechtvaardig dat Amy nog nijdiger werd.

'Verraad,' herhaalde ze schel, 'is als een man zonder scrupules onschuldige jongedames laat geloven dat hij een verstandig, gevoelig mens is! Terwijl hij ondertussen de hele tijd...'

'Onschuldig?' brulde Richard. 'Onschuldig? U zoekt voortdurend ruzie met mij! Noemt u zichzelf onschuldig? *Ik* zat vanmiddag heel onschuldig over Egyptologie te praten toen u me zomaar ineens begon te beledigen!'

'Misschien kwam dat wel omdat u in dienst van Bonaparte bent!'

'*Ik* gooi tenminste geen stenen naar de glazen huizen van mijn medemensen!'

'O nee, u legt uw medemensen gewoon onder de guillotine, toch?'

Richard greep Amy bij de schouders en schudde haar door elkaar. 'U,' *schud,* 'bent helemaal,' *schud,* 'stapel!'

Amy stampte hard met haar voet op die van Richard.

'Zo! Dat is omdat u me stapel noemt!'

'Aaaaaaaau!' Richard liet Amy wat abrupter los dan zijn bedoeling was. Hoe kon zo'n klein voetje zo hard trappen? Hij was wel aangevallen door volwassen mannen die het niet klaargespeeld hadden om hem zo'n pijn te doen!

Ziedend van woede deinsde Amy achteruit. 'Raak me niet aan; praat niet tegen me; volg me niet!' spuwde ze terwijl ze op de trap afstevende. 'Ik ga naar bed!'

'Dat is de eerste zinnige opmerking die u vanavond gemaakt heeft!' beet Richard haar, achter haar aan hinkend, toe.

Amy draaide zich om op één – zoals Richard nu wist – heel gevaarlijk voetje. Richard deinsde achteruit, een onwillekeurige beweging die een flikkering van kwaadaardig plezier in Amy's blauwe ogen toverde. Mogelijk was het niet meer geweest dan een verdwaald sprankje maanlicht, maar Richard en zijn pijnlijke wreef hielden het op het eerste.

'Ik dacht dat ik u gezegd had dat u mij niet moest volgen!'

'Moet ik dan op het dek slapen?' informeerde Richard zuur.

Amy mompelde iets onverstaanbaars en zette haar voet op de eerste tree van de korte trap.

Richard gaf haar een por tussen haar schouderbladen, net onder de wirwar van donkere krullen, die reageerden met een bevredigende ruk. 'Wat zei u?' vroeg hij.

Amy's handen balden zich tot vuisten langs haar lichaam, maar ze bleef doorlopen. 'Ik zei dat ik niet met u wens te spreken!'

'O, nee, dat hoor ik,' zette Richard zijn lijzige stemmetje op.

Amy slaakte een onverstaanbare kreet vol heftige emotie.

'Vertel me eens, valt dat nu onder spreken of niet?'

Amy, met één hand op de deur van de kajuit, maakte een geagiteerd sprongetje dat eruitzag alsof het een woede-uitbarsting wilde worden als het groot was. 'Laat me met rust!' fluisterde ze woest en rukte de deur open. 'Blijf aan uw kant van de kamer en laat me met rust!'

'Uw wens is mijn bevel,' zei Richard met een spottende buiging en verdween geluidloos achter de muur van capes.

Amy schoot achter haar kant van de afscheiding, struikelde pardoes over de koffer van juffrouw Gwen waar ze al eerder een aanvaring mee had gehad en overtuigde zichzelf er moeiteloos van dat het allemaal de schuld van Lord Richard was. Ze sprong in haar kooi en begon haar pijnlijke tenen te masseren. Ze twijfelde er niet aan dat de storm die hen op deze rotschuit had vastgehouden op de een of andere onnavolgbare manier ook Lord Richards schuld was. Waarschijnlijk was het de wraak van een of ander godje dat hij beledigd had.

'Ik haat hem, ik haat hem, ik haat hem,' mompelde Amy terwijl ze wegdoezelde. In een mum van tijd bevond ze zich op een balkon voor een balzaal. Door de openslaande deuren klonk het geluid van gelach en muziek. Het kaarslicht wierp intrigerende patronen op Amy's voeten, die haar aandacht echter niet konden vasthouden.

Ze keek uit over een tuin; een uitgestrekte, goed verzorgde, traditionele tuin met rozenpoortjes, een nepklassieke tempel op een verre heuvel en een grote, verrassend woeste doolhof van ligusterhagen pal tussen de keurige paden en bloembedden. En daar zag ze hem: hij glipte, nauwelijks meer dan een schaduw in een donkere cape met capuchon, tevoorschijn uit de doolhof en zwaaide een been over de rand van haar balkon. Gretig stak Amy haar hand uit om hem te helpen.

'Ik wist dat u zou komen!' Door zijn geitenleren handschoen heen voelde ze de zegelring aan zijn vinger, een zegelring met een kleine, paarse bloem.

'Hoe kon ik wegblijven?' mompelde hij.

Amy klampte zich vast aan zijn hand. 'Ik wil u zo graag helpen! Er is niets wat ik liever zou willen! Wilt u me niet vertellen wie u bent?'

De Paarse Gentiaan streek met een gehandschoende vinger over haar wang op een manier die Amy deed huiveren van verrukking. 'Zal ik het u laten zien?'

Op dat moment in haar droom werd Amy – die deze droom al tientallen malen had gedroomd, precies zo, tot aan de kleuren van de bloemen in de tuin toe – meestal wakker, angstig, wanhopig en meer dan ooit van plan de echte Gentiaan op te sporen in zijn hol.

Maar vannacht keek ze trillend van gespannen verwachting toe hoe de Gentiaan zorgvuldig de knoop in zijn hals, die zijn cape bij elkaar hield, losmaakte. Vervolgens duwde hij zijn capuchon naar achteren en er kwam een gouden hoofd tevoorschijn dat oplichtte in het kaarslucht. Twee intelligente, spottend lachende groene ogen keken haar aan.

'Ik durf te wedden dat je niet verwacht had mij te zien,' sprak Lord Selwick lijzig.

Met een schok van angst werd Amy wakker.

'Moge hij barsten!' Die ellendeling zou haar toch op z'n minst in vrede kunnen laten dromen! Amy stompte tegen haar kussen, draaide zich op haar buik en viel weer in slaap.

Lord Richard drong nog eenmaal haar dromen binnen, maar ditmaal vond Amy het niet erg. Ze droomde met een intens gevoel van genoegdoening dat ze Lord Richard van het dek afduwde en dat ze haar tong naar hem uitstak toen hij met een smak in het koude water van Het Kanaal plonsde.

Aan de andere kant van de kajuit droomde Richard al net zo ongemakkelijk – zelfs al had hij er geen idee van dat Amy hem in haar droom Het Kanaal induwde. Hij had een poosje wakker gelegen, nu eens ziedend over zijn eigen gedrag en dan weer over dat van Amy. Hij had een belachelijke stem in zijn hoofd de mond gesnoerd (een stem die verdacht veel leek op die van Henriëtta) die hem bijtend meedeelde dat er doeltreffender manieren waren om Amy's aandacht te krijgen dan je te gedragen als een jongetje van zeven. 'Maar zij is begonnen,' mompelde Richard, en toen voelde hij zich nog beroerder omdat hij, verduiveld, zo diep gezonken was dat hij ruzie maakte met mensen die er niet eens waren. Als hij zo doorging was hij eerder rijp voor het gekkenhuis dan voor spionage.

Richard viel in slaap terwijl hij in gedachten een instructiepamflet samenstelde voor het ministerie van Oorlog, getiteld: 'Een praktische gids met enige gedachten omtrent de noodzaak tot het vermijden van de andere sekse gedurende het spioneren.' Het kostte hem nogal wat moeite om tot deze pakkende titel te komen, en tegen de tijd dat hij punt een – laat je onder geen voorwaarde verleiden tot een gesprek, hoe belezen de jongedame in kwestie ook is en hoe mooi haar ogen ook zijn mogen – geformuleerd had, zakte Richard naadloos weg in een bekende nachtmerrie.

Hij bevond zich even buiten Parijs, op weg naar het bos van Vincennes waar hij een afspraak had met Andrew, Tony en de Markies de

Sommelier. Percy zou hem samen met de Graaf en Gravin de St. Antoine in Calais opwachten met zijn jacht, voor de zoveelste succesvolle werkweek van het Verbond van de Rode Pimpernel.

Richard voelde zich nu niet bepaald het toppunt van succes; zijn meest recente bezoek aan Deirdre zat hem dwars. Toen hij arriveerde zette ze net de bloemen in een vaas die ze gekregen had van Baron Jerard. Baron Jerard! Wat een rivaal! Veertig, op z'n minst! Richard durfde te wedden dat die man niet eens een hele jachtpartij op de rug van een paard kon zitten, laat staan dat hij daadkrachtige bevrijdingen kon realiseren met de halve militaire krijgsmacht van revolutionair Frankijk op zijn hielen.

De manier waarop Deirdre zijn naam had uitgesproken had Richard razend gemaakt. 'Baron Jerard was hier,' had ze gezegd, met een zweem van geheimzinnigheid, hij zou bijna zeggen zelfingenomenheid, in haar stem, al was het natuurlijk onmogelijk dat zijn Deirdre, zijn mooie, volmaakte Deirdre ooit zelfingenomen kon zijn. En toen was Richard zo onbezonnen geweest om haar *zijn* geheim te verklappen.

Maar toen hij haar verteld had wat... nou ja, wat hij haar niet had mogen vertellen, ging ze gewoon verder met het schikken van die verdoemde bloemen van Jerard en zei met trillende stem: 'Wat een grappenmaker bent u toch, mijn Heer!'

'Moet ik u, om u te overtuigen, soms het hoofd van een Fransman op een dienblad brengen?' had Richard gekweld uitgeroepen en was vervolgens de salon uitgestormd.

Geoff porde Richard in zijn ribben. 'Richard, er is iets mis.'

Richard knipperde met zijn ogen en besefte dat ze al bij het hutje waren waar ze altijd hun rendez-vous hielden. En Geoff had gelijk – er was iets helemaal mis. In een van de ruwe rechthoeken die voor ramen doorgingen had een rood lapje te zien moeten zijn. De deur van de hut hing onheilspellend open.

De twee oude vrienden wisselden een lange blik en slopen toen stilletjes langs de zijkant van de hut. 'Klaar?' fluisterde Richard. Geoff knikte, en ze vielen het krot binnen. Ze troffen slechts één man aan, die wonderlijk verdraaid op de vloer lag. Zijn kleren waren doordrenkt van zijn eigen bloed.

Tony.

En toen sprak Geoff de woorden die Richard niet uit zijn brein kon wissen, nog niet met honderd flessen port. 'Iemand moet ze een tip gegeven hebben.'

'Verdoemd zij ze!' vloekte Richard, woest om zich heen slaand in zijn slaap. 'Verdoemd!'

8

HET GELUID VAN stemmen in de hal rukte me weg uit Amy's wereld.

Ik verwachtte niet anders dan golven te horen kabbelen tegen de kiel van een boot, maar door het gelach in de ruimte naast me werd ik tegen mijn wil pardoes de eenentwintigste eeuw weer in geslingerd. Ik knipperde met mijn ogen om de laatste spookbeelden van geteerde dekken en canvas zeilen te verjagen. Even wist ik niet meer waar ik was; ik had een wazig gevoel in mijn hoofd, net alsof ik een dubbele dosis antigrieptabletten had geslikt. Een snelle blik om me heen vertelde me dat ik me nog altijd uitgestrekt op het Perzische tapijt in de huiskamer van mevrouw Selwick-Alderly bevond en dat het verwaarloosde vuur in de haard was opgebrand tot een hoopje as. Ik had geen idee hoe laat het was of hoe lang ik had gelezen, maar mijn ene been was gevoelloos en ik had een zeurende pijn in mijn schouders.

Ik strekte net voorzichtig een van mijn stijve benen – gewoon om te kijken of het nog werkte – toen hij plotseling in de deuropening stond.

Het was Goudhaan. De man van de foto op mevrouw Selwick-Alderly's schoorsteenmantel. In mijn benevelde staat, gevangen tussen heden en verleden, dacht ik zowaar even dat hij uit de foto gestapt was. Goed, ik weet best dat zoiets niet kan, maar ik wierp toch even een snelle blik op de foto om me ervan te vergewissen dat hij nog, bevroren in een eeuwige lach, naast zijn paard stond. En jawel hoor, hij stond er nog. Bij een tweede blik op de man in de deuropening zag ik nu verschillen die ik de eerste keer gemist had. De man op de foto droeg geen grijze broek met blazer, en had blonde haren die niet donker waren van de regen maar sprankelend in de zon.

En hij had ook geen onzegbaar chique vrouw aan zijn arm.

Ze was ongeveer net zo groot als ik, maar daar hield de vergelijking dan ook mee op. Haar lange, glanzende donkerbruine haar zweefde om haar gezicht alsof het auditie deed voor een shampooreclame. Haar bruine suède laarsjes waren zo smetteloos alsof ze net van de schoenenafdeling van Harrods kwam, en haar nauwsluitende bruine wollen jurkje schreeuwde: boutique in Notting Hill. Wat een prachtig stel! Ze konden zo uit de *Town and Country* zijn gestapt: de heer en mevrouw Super Geweldig tonen hun charmante huis.

Ineens voelde ik me een ongelooflijk grijze muis. Ik zakte zo diep weg in grijzemuizenland dat het even duurde voordat ik besefte dat de glimlachende goudhaan van de foto helemaal niet glimlachte, en dat de uitdrukking op zijn gezicht regelrecht explosief was. En gericht tegen mij.

'Hoi!' zei ik, met moeite overeind krabbelend: met de ene hand duwde ik me omhoog, in de andere hield ik de brieven geklemd. Enige vergeelde pagina's dwarrelden van mijn schoot. 'Ik ben Elo...'

Goudhaan stapte met grote passen door de salon op me af, griste de paperassen die nog op de vloer lagen bij elkaar, smeet ze in de openstaande kist en sloeg de deksel met een klap dicht.

'Wie heeft u toestemming gegeven om aan die papieren te komen?'

Ik was zo geschokt door de transformatie van de vriendelijke man van de foto dat mijn hersenen en mijn mond gezamenlijk dienst weigerden.

'Wie heeft mij...?' Met stomheid geslagen keek ik naar de papieren in mijn hand. 'O, die! Mevrouw Selwick-Alderly zei...'

Goudhaan brulde: 'Tante Arabella!'

'Mevrouw Selwick-Alderly zei dat ik mocht...'

'Serena, ga tante Arabella eens even roepen, wil je?'

Chique Meid beet op haar lip. 'Ik ga wel even kijken of ze al klaar is,' mompelde ze en spoedde zich door de gang.

Goudhaan plofte neer op de kist, alsof hij me wilde tarten die onder hem vandaan te trekken, en keek me woedend aan.

Ik staarde hem in onthutste verwarring aan en drukte Amy's brieven dichter aan mijn met koffievlekken bezaaide boezem. Zou hij mijn intenties ten aanzien van zijn familie verkeerd uitgelegd hebben? Dacht hij misschien dat ik een taxatrice was van het Britse equivalent van de IRS[4], die zijn tante grote sommen geld afhandig kwam maken omdat

4 Amerikaanse belastingdienst.

zij in het bezit was van een nationale schat, of een schurkachtige bibliothecaresse die de paperassen kwam stelen voor een bibliotheek? Want ja, als er kunstroof bestond, waarom zou er dan ook geen documentenroof bestaan? Ik had zelf nu niet direct het idee dat ik er erg geniepig uitzag, hoogstens wat in de war – het valt niet mee om er geniepig uit te zien als je grote blauwe ogen hebt en onmiddellijk bloost – maar misschien heb je wel documentdieven in alle soorten en maten.

'Mevrouw Selwick-Alderly zei dat ik de papieren mocht bestuderen voor mijn proefschrift,' probeerde ik hem gerust te stellen.

Hij bleef me aankijken alsof ik een Victoriaanse keukenmeid was die betrapt wordt terwijl ze door de kamer paradeert met de mooiste diamanten tiara van haar meesteres op haar hoofd.

'Ik studeer binnenkort af,' voegde ik eraan toe. 'Aan Harvard.'

Waarom had ik dat in godsnaam gezegd? Ik klonk nu net als een van die onuitstaanbare academische types met leren stukken op de mouw van hun tweed jasjes en aanstellerige hoornen brilletjes, die Hahvahd zeiden in plaats van Harvard.

Goudhaan vond dat kennelijk ook. 'Al was je verdomme professor,' snauwde hij. 'Die papieren staan niet ter beschikking van het publiek.'

Niks Goudhaan. In mijn ogen kelderde hij naar brons. Dof brons.

'Ik ben het publiek niet,' wees ik hem terecht, net op het moment dat Chique Meid onopvallend de kamer weer binnenkwam. 'Uw tante heeft me hier uitgenodigd en me aangeboden deze papieren te gebruiken.'

'Godsklere...' vloekte hij explosief.

'Rustig nou, Colin,' mengde zij van de benijdenswaardige laarsjes zich in het gesprek. 'Ik denk niet...'

Colin? Ik deed een stap naar voren; mijn ogen knepen zich tot spleetjes terwijl een akelig vermoeden me bij de keel greep. 'Toch niet meneer Colin Selwick van Selwick Hall?'

Ineens vielen alle puzzelstukjes op hun plaats.

Ik liet de betwiste bundel paperassen op een propvolle stoel vallen. 'Toch niet die meneer Colin Selwick die zo graag misselijke brieven schrijft aan Amerikaanse wetenschappers?'

'Ik vind niet...' begon hij, met een pijnlijke blik op zijn gezicht. Maar ik gaf hem niet de kans zijn zin af te maken. Als ik toch het huis uitgesmeten werd als een ongehoorzame Victoriaanse keukenmeid, dan kon ik maar beter zwierig gaan.

'Is het aan uw kant van de Atlantische Oceaan dan wel betamelijk om mensen te beschuldigen van het lastigvallen van privépersonen met impertinente verzoeken om persoonlijke papieren?' citeerde ik triomfantelijk.

Chique Meid keek hem vol afschuw aan. 'Colin, heb je dat geschreven?'

Ik begon zowaar te denken dat ik haar de laarzen vergeven kon. 'Ja hoor, dat heeft-ie geschreven.'

'Ik had een rotbui,' mompelde Colin Selwick, en hij schoof ongemakkelijk heen en weer op de houten kist. Ik hoopte dat hij op een splinter zat. Of liever nog: op een paar splinters. 'Ach, zo erg was het toch helemaal niet.'

'Ik vind van wel,' zei ik liefjes. 'U wond er bepaald geen doekjes om, meneer Selwick. Als ik me goed herinner stond er ook nog iets in over academici die niets beters te doen hebben dan onze belastingcenten verspillen aan bezigheden waar het publiek net zo weinig aan heeft als aan een beschimmeld broodje ham.'

'Dat heb ik nooit...'

'Het beschimmelde broodje ham heb ik er zelf bij verzonnen,' zei ik ter verheldering tegen Chique Meid, 'want ik weet helaas niet meer precies welke opwindende analogie meneer Selwick gebruikte om mijn absolute nutteloosheid voor het menselijk bestaan te beschrijven.'

'Leert u uw correspondentie altijd uit uw hoofd?' vroeg hij geërgerd terwijl hij overeind kwam.

'Alleen als die zo gedenkwaardig is als deze was. U hebt er echt slag van om met de gifpen om te gaan.'

'En u hebt echt een overspannen verbeelding.' Met twee lange passen overbrugde hij het stuk kleed dat ons scheidde.

'Wilt u soms beweren dat ik dit verzin?'

Colin Selwick haalde zijn schouders op. 'Ik zeg alleen maar dat u schromelijk overdrijft.'

'Juist. Dan weet ik zeker dat ik het me ook maar verbeeld heb dat u zich daarnet als een boerenpummel gedroeg.' Ik moest mijn hoofd in mijn nek leggen om hem boos aan te kunnen kijken.

Vanuit mijn gezichtspunt net onder zijn kin zag ik hoe de spieren van zijn keel zich aanspanden. Om wat welgekozen Angelsaksische woorden in te slikken, zeker.

'Hoor eens hier,' zei hij met verstikte stem, 'hoe zou u het vinden als u een volkomen vreemde in uw privébezittingen zag graaien?'

'Nou ja, dit is toch niet bepaald uw la met onderbroeken. En als ik het goed begrepen heb zijn het niet eens uw papieren.'

Dat kon meneer Colin Selwick niet waarderen. Onder zijn sportieve bruine gelaatskleur liep hij gespikkeld rood aan. 'Ze zijn van mijn familie.'

Een trage glimlach gleed over mijn gezicht. 'U hebt niets te zeggen over die documenten, toch?'

'Die papieren zijn privébezit.'

Ik had nog nooit iemand in werkelijkheid door opeengeklemde kaken zien spreken. Geen wonder dat de Engelse tandheelkunde in zo'n deplorabele staat verkeerde.

'Waarom?' vroeg ik overmoedig. 'Wat staat erin dat ik niet zien mag. Waar bent u zo bang voor?'

'Colin...' Chique Meid trok hem bezorgd aan zijn arm. We negeerden haar allebei.

'Heeft de Paarse Gentiaan zich laten omkopen door de Fransen? Is hij een slipjesfetisjist? Of mag ik misschien iets niet te weten komen over de Roze Anjer? Aha!' Een onwillekeurige beweging – een onderdrukte poging om me te wurgen? – gaf me de aanwijzing die ik zocht.

Ik streek mijn haren achter mijn oren en boog me naar voren om toe te slaan. Mijn ogen lieten hem geen moment los. 'Ik heb het al! De Roze Anjer was... *Frans!*'

Op dat ongelukkige moment kwam mevrouw Selwick-Alderly de kamer binnensnellen, gekleed in het zwart met parels, klaar om uit te gaan. We stonden alle drie stokstijf stil, als ondeugende kinderen die betrapt worden tijdens een vechtpartijtje op de speelplaats.

'Het spijt me dat ik jullie heb laten wachten, lieverds! Colin, ik zie dat je Eloïse ontmoet hebt?'

Ja, zo kon je het wel noemen.

Colin mompelde iets in de richting van het vloerkleed.

Mevrouw Selwick-Alderly ging onverstoorbaar door: 'Eloïse werkt aan een fascinerend project over de Roze Anjer. Je moet Colin daar eens wat over vertellen, Eloïse. Hij is altijd weg geweest van de Roze Anjer.'

'Dat idee had ik al.' Mijn toon was zo droog als oude sherry.

Colin wierp me een scherpe blik toe.

Ik veroorloofde me een klein, sardonisch grijnslachje.

Colin beantwoordde mijn grijns met rente. 'Jammer dat ze nu weg moet.'

Weg moet. Mijn grijns verdween sneller dan de as van het dovende vuur. Wie het laatst grijnst... Ik kon niet ontkennen dat Colin Selwick deze ronde gewonnen had. Natuurlijk had ik moeten beseffen dat ik naar huis moest als mevrouw Selwick-Alderly uitging. Terug naar mijn eenzame souterrainappartement en mijn bevroren kant-en-klare maaltijd en de dartkampioenschappen op alle kanalen van de televisie. En als Colin Selwick zijn zin kreeg, werd ik nooit meer teruggevraagd.

Hoe laat was het? *Laat*, zei de inktzwarte hemel achter de crèmekleurige gordijnen. Ik schatte het op etenstijd, op z'n vroegst, waarschijnlijk later. Ik wierp een smartelijke blik op de halfgelezen papieren op de stoel; niet alleen omdat ik niet dichter bij de identiteit van de Roze Anjer gekomen was, maar ook omdat ik ernaar hunkerde te weten of Lord Richard juffrouw Amy Balcourt wel of niet zou zoenen. Zou hij in het holst van de nacht op zijn tenen naar haar kant van de boot sluipen, zich vooroverbuigen en... juffrouw Gwen per ongeluk met zoenen overladen? Het was net of ik halverwege uit een aflevering van *The Bachelor* was weggerukt.

Maar mevrouw Selwick-Alderly had haar stola om haar schouders geslagen en stond duidelijk klaar om te vertrekken.

'Het spijt me.' Schuldbewust wendde ik me tot mevrouw Selwick-Alderly. 'Ik had natuurlijk allang weg moeten zijn, maar ik heb me zo laten meeslepen door Amy's brieven dat ik er geen idee van had hoe laat het was. Ik dank u heel hartelijk voor uw vriendelijkheid en uw gastvrijheid.'

'We willen u nu echt niet langer ophouden,' kwam Colin Selwick ongeduldig tussenbeide.

'Maakt u zich geen zorgen, ik hoef helemaal nergens heen.'

'In dat geval...' begon mevrouw Selwick-Alderly.

'Nou, maar wij wel,' zei Colin onbeleefd. 'Goedenavond.'

'In dat geval,' herhaalde mevrouw Selwick-Alderly, met een blik van licht verwijt richting haar onbehouwen neef, 'zie ik geen reden waarom je niet kunt blijven.'

Het was alsof Santa Claus en de tandenfee en de paashaas samensmolten tot één grote weldoener. 'Meent u dat werkelijk? Weet u zeker dat u dat niet vervelend vindt?'

'Geen reden?'

'Ik heb er toch helemaal geen last van? Serena, laat jij Eloïse de logeerkamer even zien voordat we gaan? Er hangen genoeg oude nachtjaponnen in de kast.'

Colin maakte een laag, grommend geluid. 'Tante Arabella, weet u wel zeker dat u daar goed aan doet?'

Sereen beantwoordde ze zijn opgewonden blik. 'Je kent de inhoud van die kist.'

'Maar de Roze...'

Nauwelijks merkbaar schudde ze haar hoofd. 'Het een leidt niet noodzakelijkerwijs tot het ander, jongen,' zei ze, en haar stem klonk tegelijkertijd geruststellend en waarschuwend.

Toen werd ze snel weer praktisch. 'Welnu, Eloïse, de badkamer is de derde deur rechts, en de keuken is rechtdoor en aan het eind links. Kijk maar in de kastjes en neem vooral waar je zin in hebt. En de afwas laat je maar staan; Consuela ruimt alles morgenochtend wel op. Ben ik nog iets vergeten?'

Colin mompelde iets dat klonk als: 'Uw gezonde verstand.'

Mevrouw Selwick-Alderly negeerde hem. Ik ook.

'Ik zal heel voorzichtig zijn met de paperassen,' beloofde ik. Mijn ogen gleden naar de schatkist in de hoek van de kamer. Al die heerlijke brieven die ik mocht lezen...

'Doe dat vooral,' zei Colin Selwick kortaf. 'Zullen we gaan, tante?'

Op waardige wijze blies hij de aftocht, met zijn rug recht en zijn kin in de lucht. Maar hij bedierf het effect met een blik over zijn schouder. Zijn gezicht stond stijf van ingehouden woede; zijn blik vertelde me dat hij niets liever wilde dan me over zijn schouder slaan en me de deur uit smijten. Of het raam. Hij leek me niet in de stemming om met zorg een uitgang te kiezen.

Ik wou dat ik zeggen kon dat ik zijn blik met gelijke waardigheid beantwoordde. Dat was niet zo.

Ik grijnsde – een simpele, tandvleesonthullende speelplaatsgrijns.

Colin Selwick draaide zich op zijn hielen om en trok de deur met een klap achter zich dicht. Even later hoorde ik de voordeur dichtgaan – net niet nadrukkelijk genoeg om het dichtslaan te noemen, maar energiek genoeg om te horen dat iemand de pest in had, en niet zo'n beetje ook.

Nog steeds grijnzend liet ik me weer op het Perzische tapijt zakken. De tweede ronde was voor Eloïse. Misschien niet erg waardig, maar o wat een genot om meneer Colin Selwick tandenknarsend en hulpeloos te zien. Nog afgezien van zijn onvergeeflijke onbeschoftheid jegens een gast koesterde ik al wraak sinds ik die onuitstaanbare brief van hem geopend had. Had ik al verteld dat de envelop me een snee in mijn vinger bezorgde? Hij had me dus niet alleen beledigd, maar me ook nog verwond.

Ik graaide de papieren die ik op de leunstoel had laten vallen bij elkaar en vroeg me af waarom hij in godsnaam zo gefixeerd was op de privacy van zijn familie. Je zou haast denken dat hij me betrapt had op het lezen van zijn dagboek!

Het was wel vreemd dat hij het nodig had gevonden zich in te houden tegenover zijn tante. Misschien stond hij te boek als haar erfgenaam en wilde hij voorkomen dat hij haar toorn over zich zou afroepen? Het was de klassieke plot van een televisiedrama: een oude, excentrieke dame en haar slechtgehumeurde jonge neef. Dat kon wel eens een heel nieuw licht werpen op Colin Selwicks explosieve reactie ten aanzien van mij. Misschien ging het helemaal niet om de papieren van de Roze Anjer. Misschien was hij gewoon bang dat ik zijn tante zo voor me zou winnen met mijn interesse in de familiegeschiedenis dat ze hem uit haar testament schrapte.

Dat was een amusant idee. Ik zag het al helemaal voor me. Ik die, gekleed in een chique, nauwsluitende zwarte jurk en een hoedje met voile uit de jaren 1920, op een verguld crapeautje zat terwijl een grauwe notaris op vlakke toon voorlas: 'En het merendeel van mijn bezittingen laat ik na aan juffrouw Eloïse Kelly.' Colin Selwick, met slobkousen en een flambard, stormde luid vloekend de kamer uit, aangezien op dat moment zijn verwachtingen in rook opgingen. Dat zou hem leren, met zijn arrogante brieven! Een amusant idee, maar Colin Selwick zou wel helemaal gek moeten zijn om een potentiële rivale te zien in elke Amerikaanse studente die zijn tantes flat binnen kwam vallen. En de erfenistheorie verklaarde niet de onverdraaglijke grofheid van zijn brief aan mij lang voordat hij me zo knus in zijn tantes salon had aangetroffen.

Niet dat het wat uitmaakte. De psychoses van Colin Selwick – en ik wist zeker dat een goede psychiater er heel wat bij hem zou constateren – waren *zijn* probleem. Ondertussen had ik de kist met papieren helemaal voor mezelf alleen, en een hele avond om ze te lezen. Waarom zou ik mijn kostbare tijd verspillen aan speculaties omtrent onuitstaanbare, moderne mannen als ik kon lezen over ijzervreters in capes en kniebroeken?

Zelfs al was, zoals bleek uit Amy's brieven, Lord Richard Selwick net zo'n onhebbelijke vlerk als zijn etterbak van een afstammeling. Maar Lord Richard had tenminste een goed excuus, besloot ik mild. Het vergde natuurlijk nogal wat van een man om een geheime identiteit verborgen te moeten houden.

Ik vlijde de kostbare bundel paperassen naast me neer, trok mijn uitgebeten laarzen uit en ging in kleermakerszit op de vloer zitten, met mijn rug tegen de zijkant van de leunstoel. Ik bladerde door de documenten in mijn handen, viste er een uit van Lord Richard Selwick aan zijn vriend Miles Dorrington en begon weer te lezen.

Ik zou Lord Richard een kans geven te bewijzen dat hij aardiger was dan zijn irritante afstammeling.

9

EDOUARDS RIJTUIG STOND er niet.

Amy keek voor de vijfde keer in even zovele minuten de straat af. Nog altijd geen teken van een rijtuig met het wapen van De Balcourt. Op de kade van Calais ontbraken de drukte en de gejaagdheid die juffrouw Gwen in Dover zo onwelgevallig waren geweest. Op deze doordeweekse dag lag de kade er in het vroege ochtendlicht bijna griezelig verlaten bij. Slecht één rijtuig had de ochtendkilte getrotseerd, een verweerde zwarte koets met een gebroken zijlantaarn en een sterrenregen van modderspatten tegen de zijkanten. Toen ze een uur geleden bij het krieken van de dag van het schip af hobbelden, had Amy de vage omtrekken van een rijtuig gezien en aangenomen dat het van Edouard moest zijn. De koetsier die met grote stappen langs hen heen op de lading in het ruim af beende had die blije verwachting de kop ingedrukt. Amy trok haar sjaal strakker om zich heen en keek, bij gebrek aan ander vertier, toe hoe drie mannen in ruwe werkkleren over de loopplank heen en weer sjouwden met allerlei dozen en pakken, die ze in de koets laadden. Edouard zou nu toch zeker wel snel komen?

Amy schrok op van het geluid van hoeven die tegen de kasseien kletsten. Vier zwarte paarden kwamen in zicht, gevolgd door een glimmende zwarte koets. De koetsier ging rechtop staan op de bok en schreeuwde met zijn onbetwist Engelse stem een weinig onderdanige groet, die werd beantwoord door het overbekende stemgeluid van Lord Richard Selwick. Wat oneerlijk, dacht Amy, dat de koets van een eerloos man als Lord Richard op tijd kwam terwijl de hunne nog in geen velden of wegen te bekennen was. Dat was wat je noemt onrechtvaardig! Hij zou toch juist boven aan de lijst voor goddelijke vergelding moeten staan vanwege zijn landverraad? Ze wenste hem toe dat het wiel van zijn rijtuig eraf zou lopen en dat hij in een greppel zou belanden.

'Hallo, Robbins!' Richard verliet zijn zitplaats op een stapel koffers en beende op zijn rijtuig af. 'Goeie rit gehad?'

'Voorzover zoiets mogelijk is op die verdoemde Franse wegen, milord – o, neemt u me niet kwalijk, dames,' voegde de koetsier er haastig aan toe toen het verontwaardigde gesnuif van juffrouw Gwen hem opmerkzaam maakte op de aanwezigheid van drie nogal verfomfaaide vrouwelijke personen op de kade. 'Vol hobbels en kuilen, die wegen,' legde hij ernstig uit aan juffrouw Gwen.

Juffrouw Gwen snoof andermaal.

Robbins vond dat hij nu wel genoeg gedaan had om zijn grove taalgebruik goed te maken; hij haalde zijn schouders op en draaide die oude harpij met die rare hoed zijn rug toe. 'Wanneer mag ik weer eens op goede Engelse wegen rijden, milord?'

'Als Bonaparte zijn oudhedenverzameling aan het British Museum schenkt,' zei Richard droog. Hij en Robbins hadden dit gesprek al zo vaak gevoerd dat hij er niet bij na hoefde te denken. Richards aandacht ging dan ook uit naar de verwaaide verzameling vrouwen die kleumend op de winderige kade stonden.

Zodra Amy zijn blikken op zich gericht voelde keek ze hem dreigend aan.

Het zou een doeltreffende blik zijn geweest als de wind haar krullen niet in haar gezicht had geblazen. Richard moest grinniken toen hij Amy haar haren uit haar mond zag plukken. Ze leek wel een verzopen katje dat de klitten uit haar vacht likte.

Hij koesterde uiteraard geen speciale gevoelens voor het meisje. Nou ja, goed, hij voelde wel dat zijn broek zich onbehaaglijk spande als de wind haar rokken tegen haar benen plette, zoals nu, en haar figuur goed deed uitkomen. Richards adem kwam gejaagd. Hij kon er maar beter niet te veel bij stilstaan welke lijnen de wind accentueerde. Maar hoe het ook zij, behalve lust – een fysieke reactie die elke vrouw met bevallige cupidobooglippen en intrigerende welvingen in fijne gele mousseline bij hem kon oproepen, haastte hij zichzelf gerust te stellen – voelde hij niets voor haar. Ze was gewoon een toevallige kennis, en als ze hem niet mocht dan was dat haar probleem. Hij kende haar nauwelijks.

Maar Edouard de Balcourt kende hij wel. Die zou zijn vrouwelijke familieleden rustig een hele week in Calais op zich laten wachten als het hem toevallig niet uitkwam hun zijn rijtuig te sturen. Het zou Richard niets verbazen als De Balcourt zo in beslag werd genomen door het passen van een nieuwe broek volgens de laatste mode dat hij er geen moment meer aan gedacht had. Het idee dat die drie keurige jongedames hier alleen op de kade achter zouden blijven stond hem helemaal niet aan. Natuurlijk, er waren wel herbergen in Calais, maar die waren voor een heel ander soort clientèle. Er was ongetwijfeld wel ergens een respectabel etablissement te vinden, maar de havens trokken nu eenmaal altijd tuig van de richel aan, dat wist hij met al zijn heen en weer gereis over Het Kanaal uit eigen ervaring. Juffrouw Gwen mocht dan een geduchte oppasser zijn – degenen die haar hadden uitgekozen om over Amy en Jane te waken wisten van wanten – maar zelfs dan... Richard stelde zich voor dat Henriëtta een week alleen in Calais moest doorbrengen en kneep zijn lippen grimmig samen. Hij moest de vrouwen meenemen naar Parijs, er zat gewoonweg niets anders op.

Amy ving Richards blik op, bloosde en keek snel een andere kant op. 'Onuitstaanbare vent!' mompelde ze.

'Amy, ik wou echt dat je me vertelde wat er tussen jou en Lord Richard gebeurd is.'

'Ssssjt! Hij komt deze kant op.'

Achteloos zwaaiend met de hoed in zijn hand kwam Lord Richard op hen afgelopen... maar hij liep hen voorbij en maakte een buiging voor juffrouw Gwen.

'Madame, uw rijtuig schijnt... opgehouden te zijn. Mag ik zo vrij zijn u het gebruik van het mijne aan te bieden?'

O nee, dacht Amy. O nee, nee, nee.

Amy richtte zich in haar volle lengte op en stak haar kin naar voren. 'Dat is werkelijk niet nodig! Edouards rijtuig komt er zo aan, dat weet ik zeker. Er kunnen zoveel redenen zijn waarom het verlaat is, gebroken wielen of bandieten of...' Amy's stem stierf weg. Juffrouw Gwen en Lord Richard keken van weerskanten op haar neer met een gemeenschappelijke blik van beleefde ongelovigheid. 'Nou, ik weet zeker dat er hier wel bandieten zitten, en een gebroken wiel kan toch iedereen overkomen!'

'Inderdaad.' Lord Richard ademde, hoogst onplezierig, een sfeer van regelrechte scepsis uit.

Richard *voelde* zich ook hoogst onplezierig. Verdoemenis! Hij sloofde zich uit om iets aardigs voor het meisje te doen, ondanks alle buitengewoon onheuse dingen die ze gisteravond tegen hem gezegd had, en ze behandelde hem alsof hij had aangeboden haar naar een leprakolonie te brengen! Ze kon toch op z'n minst proberen om zelf ook een beetje beleefd te zijn. Je zou haast denken dat *hij* haar ouders vermoord had...

Amy haalde diep adem en weerstond de aandrang om te gaan stampvoeten. Het liefst op de tenen van Lord Richard. Voor de tweede keer. 'Het zou bovendien vreselijk onbeleefd zijn als we al weg waren als Edouards rijtuig kwam – en dat komt natuurlijk – na alle moeite die zijn koetsier voor ons gedaan heeft. Stel je voor dat de koetsier denkt dat we er nog niet zijn en op ons blijft wachten? Dan kan de arme man hier wel dagen staan!'

'Het siert u dat u zich zo druk maakt om de koetsier van uw broer, juffrouw Balcourt,' zei Lord Richard droog, met een wrange trek om de lippen die aangaf dat hij wist dat het niet Edouards koetsier was om wie ze zich druk maakte, 'maar vooralsnog bent u degene die hier moet wachten, niet hij.'

Amy zette zich schrap om hier tegenin te gaan, maar juffrouw Gwen snoerde haar de mond met een autoritaire bons van haar parasol. 'Ik accepteer geen verder debat van u, juffrouw Amy! Uw broers rijtuig had hier vanochtend moeten zijn, en het is er niet. Daarom nemen we Lord Richards vriendelijke aanbod graag aan, en ik vertrouw erop dat uw broers koetsier, *als* hij op komt dagen, zo verstandig zal zijn om terug te keren naar Parijs. Hebt u dat begrepen? Mijn Heer, u mag uw koetsier opdragen onze bagage op te laden.'

'Juffrouw Meadows, ik sta geheel tot uw beschikking. Juffrouw Balcourt, u zult het vast en zeker met me eens zijn dat het een onverwacht genoegen is dat wij de gelegenheid krijgen om onze kennismaking te verlengen.'

'*Inderdaad.*' Amy slingerde zijn eigen woord naar hem terug met tweemaal zoveel scepsis.

En hij lachte. De pummel had het lef om te lachen.

Amy stampte naar de havenkant terwijl Richards koetsier de twee matrozen hielp al hun koffers boven op de koets te laden. Tenminste, ze probeerde te stampen. Haar geitenleren laarzen maakten teleurstellend weinig geluid op de houten planken. Amy snakte naar lawaai – stampende laarzen, slaande deuren, brekend porselein – om haar ongenoegen te luchten. O, had ze maar een parasol om mee op de grond te bonzen, net als juffrouw Gwen. 'Misschien draagt ze die daarom wel bij zich,' mompelde Amy tegen de golven. De golven bevestigden die gedachte door instemmend tegen de kade te slaan.

Jane stak haar arm door die van Amy. 'Het is wel heel erg aardig van hem.'

'Hij doet alleen maar alsof hij aardig is,' verbeterde Amy haar boos. Ze wierp een blik op Richard, die ernstig stond te praten met juffrouw Gwen. 'Om zijn verdorven ziel te verbergen.'

Janes blonde wenkbrauwen trokken zich bezorgd samen. 'Wat heeft hij toch gedaan dat je zo over hem praat? Amy, hij heeft je toch niet lastiggevallen?'

'Nee,' zei Amy nors. Ze voelde zich, voorzover dat kon, nog bozer dan daarnet. De herinnering aan de gemiste zoen – was het dat eigenlijk wel geweest? – danste spottend aan de rand van haar geheugen en jouwde haar uit om haar eigen dwaasheid. Lieve hemel, hoe had ze er zelfs maar aan kunnen denken om zo'n minne schurk te zoenen? Amy wist niet goed of ze zo razend was op Richard omdat hij haar betoverd had of op zichzelf omdat ze zich door hem had laten betoveren terwijl ze beter had moeten weten. Maar hoe dan ook, razend was ze.

Jane keek haar nog altijd vol verwachting aan. Amy besloot dat ze haar niet kon vertellen van de gemiste zoen. 'Nee,' herhaalde Amy. 'Het zijn niet zozeer zijn daden als wel zijn principes waar ik aanstoot aan neem. Wil je wel geloven dat die man in dienst van Bonaparte is! Een Engelsman, een man van adel, nota bene, die werkt voor die...'

'Misschien moet je daar niet te snel over oordelen,' viel Jane Amy in de rede omdat haar stem gevaarlijk uitkwam boven het slaan van de golven.

'Geloof me, Jane, mijn oordeel is *uitermate* weloverwogen!'

'Amy, je kent hem net een dag.'

'Dat is meer dan lang genoeg,' verklaarde Amy koppig. 'O stik, de koffers worden al opgeladen. Ik hoopte zo dat Edouards rijtuig zou verschijnen voordat we met *hem* mee moesten.'

Lord Richard begroette de beide meisjes met een diepe buiging toen ze naast juffrouw Gwen kwamen staan. Een dergelijke overdaad aan beleefdheid, dacht Amy grimmig, kon alleen beledigend bedoeld zijn. Haar somberste vermoedens kwamen uit toen Richard zijn buiging liet volgen door een: 'Goedemorgen, juffrouw Wooliston, juffrouw Balcourt. Ik hoop dat u goed geslapen hebt?' Hij sprak op luchtige toon en zijn blik rustte onpersoonlijk eerst op Jane en toen op Amy.

'Uitstekend, dank u,' zei Jane.

Amy keek hem boos aan. 'Ik ben uit mijn slaap gehouden door iemand die op het dek rond liep te stampen.'

Richard glimlachte minzaam. 'Het is maar goed dat u niet op onderzoek uit bent gegaan. Je weet maar nooit wat voor boeventuig er op een pakketboot uit Dover rondloopt.'

'Ik geloof dat ik daar wel een idee van heb, meneer.'

Janes hoofd ging heen en weer, van de een naar de ander. Ze keek Amy doordringend aan vanonder de strooien rand van haar hoedje. 'Er is iets wat je me niet verteld hebt,' fluisterde ze.

'Later,' fluisterde Amy terug.

Richard bekeek hen met die furieus makende vriendelijke blik vol neerbuigendheid die mannen aannemen als vrouwen in hun aanwezigheid staan te fluisteren.

Juffrouw Gwen was minder vriendelijk; ze roffelde met haar parasol tegen de grond als een tot wanhoop gedreven dirigent. 'Blijven we hier nog lang in de kou staan of zullen we gaan? Meneer?' Ze greep Richards uitgestoken hand en klom koninklijk de koets in. Jane volgde; ze mompelde een bedankje en ging naast juffrouw Gwen zitten. Amy vermeed nadrukkelijk haar vingers te laten rusten op de arm die Richard haar aanbood en gluurde naar binnen. O stik, ze moest naast Lord Richard zitten.

Amy kroop weg in het verste hoekje van de bank. Richard schonk haar een enigszins sardonische blik toen hij zich naast haar liet zakken. Hij riep een bevel naar de koetsier, en de koets zette zich in beweging. Onder het voorwendsel van een gevallen handschoen boog Richard zich in de richting van Amy.

'Het is niet besmettelijk, hoor.'

Amy opende haar mond om hem van repliek te dienen, maar juffrouw Gwen loerde op haar als een valk op zijn prooi. Met alle waardigheid die ze in zich had keerde Amy Richard haar rug toe en staarde uit het raam.

Amy staarde een hele poos uit het raam. Ze staarde net zo lang uit het raam tot er niets meer van de kust te zien was. Ze staarde uit het raam tot haar nek er pijn van deed. Na een uur begon ze zich af te vragen of ze ooit nog haar hoofd zou kunnen bewegen. Naast haar voerden Lord Richard en Jane op zachte, plezierige toon een gesprek. 'Vergeleken bij de werken van Mozart was Herr von Beethoven...' hoorde ze Jane ernstig opmerken. Ze hoorde Richards zware stem antwoorden, maar het geluid werd zachter en zachter en zachter... Amy kon zich er nog net vol verwarring over verbazen dat zijn stem zo plezierig klonk terwijl hijzelf toch zo onplezierig was, voordat ze in slaap viel.

Amy sliep gedurende het hele debat over de verdiensten van de nieuwe romantische muziek; Jane leunde vervaarlijk voorover om een sjaal in te stoppen om haar slapende gestalte.

'Laat mij maar,' bood Richard aan toen Jane bijna van haar bankje viel. Hij nam de sjaal over van Jane, die hem dankbaar aankeek en terugzakte in de fluwelen kussens. Robbins had de neiging zijn gevoelens voor de Fransen te etaleren door met volle vaart door alle hobbels en kuilen in de weg te rijden, zodat de koets heftiger heen en weer zwaaide dan de boot vannacht in de storm gedaan had.

Richard viel haastiger achterover in zijn stoel dan zijn bedoeling was en wendde zich naar Amy. Ze lag opgerold tegen het raam, met één hand onder haar wang en haar rug nogal demonstratief naar Richard toegekeerd. Haar gelaarsde voeten bungelden net boven de grond, en ze zag er heel klein en kwetsbaar uit. Gek dat hij haar tot nu toe helemaal niet klein had gevonden. Waarschijnlijk, dacht Richard spijtig, kwam dat omdat ze nooit lang genoeg stilstond om zich goed te laten bekijken. Wakker straalde ze de energie uit van een heel leger amazones, en deelde ze net zulke woedende klappen uit. Of bedoelde hij schoppen? Richard glimlachte fijntjes. Hij wist dat de herinnering aan Amy's aanval op zijn voet – en zijn eer – hem eerder boos zou moeten maken dan vrolijk, maar hij kon er met de beste wil van de wereld niet verontwaardigd over raken. Hij betrapte zich er zelfs op dat hij een volkomen ongepaste vertedering moest onderdrukken.

Het was maar goed dat hij over een paar uur van haar verlost was. Ze zouden elkaar vast nog wel eens ergens tegenkomen, want ze was tenslotte het zusje van De Balcourt, maar met een beetje geluk – jazeker, geluk, prentte Richard zich ferm in – zou ze hem mijden als de pest. Dan kon hij zich tenminste aan zijn echte werk wijden. Dit hele intermezzo op de boot was... nou ja, de nood maakt vijanden tot vrienden.

Bruusk gooide Richard de sjaal over het slapende meisje.

Amy mompelde iets en zakte naar voren, met haar hoofd tegen Richards schouder aan. Ze moest wel heel vast slapen, want ze deinsde niet vol afkeer terug maar nestelde zich behaaglijk tegen de fijne wol van Richards jas aan. Instinctief hief Richard zijn arm op om die om haar schouders te slaan. Gewoon een reflexmatige reactie, natuurlijk. Met een vlugge, schuldige blik op juffrouw Gwen, die godzijdank verdiept was in een boek en niet leek te zien dat haar protegeetje zich tegen een lid van de andere sekse had aangevlijd, klemde Richard zijn arm tegen zijn zij. Hij had weinig zin zich door juffrouw Gwen aan de punt van haar parasol te laten rijgen wegens onbetamelijk gedrag. En het zou al helemaal erg zijn om een doorgeprikte nier op te lopen omdat hij min of meer automatisch zijn arm om een slapend meisje sloeg dat hem niet eens netjes goedendag zou zeggen als ze wakker was. Als hij zich aan iemands parasol liet rijgen dan moest het toch op z'n minst voor iets leuks zijn. Niet dat hij het niet plezierig vond Amy tegen zich aan te voelen. Ze was zacht en warm en ze rook nog lekker ook, niettegenstaande de badloze nacht aan boord. Richard snoof even om de lucht thuis te brengen. Het was lavendelwater. Lekker. Richard snoof nogmaals.

Met een klap sloeg juffrouw Gwen haar boek dicht.

Richards hoofd schoot zo ruw omhoog dat hij er duizelig van werd.

'Zou u alstublieft wat fatsoenlijker willen ademhalen?' zei juffrouw Gwen vermanend. 'Ik ken schaapshonden met elegantere ademhalingsgewoontes. Amy! Juffrouw Balcourt! Ja, u!' Amy kwam langzaam tot leven en leek te proberen haar neus permanent in de plooi van Richards jas te begraven.

'Wat voor schapen? Ik haat schapen,' mompelde Amy tegen Richards sleutelbeen.

Een geluid dat verdacht veel op gegrinnik leek ontsnapte Jane. Juffrouw Gwen greep haar parasol. Richard maakte aanstalten om weg te duiken, maar ditmaal had het martelinstrument van juffrouw Gwen een ander slachtoffer aan zijn punt. Eén goedgeplaatste por in de ribben en Amy's ogen vlogen knipperend open.

'Wat?'

'Verwijder uzelf *onmiddellijk* van Lord Richard!'

Haar woorden hadden veel meer effect op Amy dan de punt van de parasol. Amy keek neer op Richards jas, toen omhoog naar zijn gezicht en vervolgens zette ze zich met zoveel kracht tegen hem af dat ze bijna terugstuiterde tegen de wand van de koets. 'Ik... heb ik... o grote goedheid, ik wilde niet...'

Richard plukte een krullende bruine haar van de wol van zijn jas. Hij hield hem Amy voor en zei ernstig: 'Ik geloof dat deze aan u toebehoort.'

'Wat? O, eh, u mag hem houden.' Amy kroop weer terug in het uiterste hoekje van de bank.

'Wat een eer.'

Amy keek hem met de slaap nog in haar ogen sceptisch aan en legde haar hoofd tegen de zijkant van de koets. Vóór haar was juffrouw Gwen weer in haar boek gedoken. Amy kneep haar ogen samen om de letters op de rug te lezen.

'U leest *Het mysterie van Udolpho*.'

'Dat hebt u heel goed gezien, juffrouw Balcourt.' Juffrouw Gwen sloeg de bladzij om.

'Ik dacht dat u niet hield van... Dat wil zeggen, ik wist niet dat u romans las.'

'Dat doe ik ook niet.' Juffrouw Gwen keek haar aan over de rand van het boek dat haar bewering tot een leugen maakte. 'Er was niets anders te lezen in de koets en we slapen niet allemaal graag in het openbaar.' Ze zag er ineens een stuk vrolijker uit na deze steek onder water en vervolgde: 'De stijl van het boek is heel boeiend, maar de heldin vind ik bijzonder onsympathiek. Flauwvallen lost niets op.'

'U zou zelf een boek moeten schrijven,' opperde Richard. 'Een stichtelijk boek voor jonge meisjes, natuurlijk.'

Amy en Richard keken elkaar aan in een moment van puur plezier. Amy wilde net Richards grijns beantwoorden toen het haar plotseling te binnen schoot dat ze net een veelbetekenende blik had gewisseld met Lord Richard Selwick. Verslagen zakte Amy onderuit. Waarom liet die vent haar verdorie niet met rust!

Abrupt wendde ze haar hoofd af en staarde uit het raam. Parijs kon nu toch niet zo ver weg meer zijn?

Maar jawel. Lang na theetijd, of wat in Shropshire theetijd geweest zou zijn, reed de koets slingerend door de poorten de stad binnen.

Robbins liet de paarden nu stapvoets lopen, niet om juffrouw Gwen te sparen (hoewel die na één haarspeldbocht gedreigd had dat ze haar parasol tegen hem zou verheffen als hij niet langzamer reed), maar omdat de nauwe straatjes niet anders toestonden vanwege de ontbrekende kasseien.

Water en afval stroomden in beekjes door het midden van de straat en Amy moest wegduiken voor een plens vuiligheid die uit een raam gegooid werd, op weg naar de rotzooi beneden. De mensen liepen gejaagd heen en weer door de viezigheid en stonden af en toe stil om hun vuist te ballen tegen de koets. Amy voegde een flink aantal vloeken toe aan haar snel groeiende collectie.

'Typisch Frans.' Juffrouw Gwen drukte met veel misbaar een zakdoek tegen haar neus.

'Het is toch niet overal zo, meneer?' vroeg Jane zo beleefd maar ontdaan aan Richard, dat deze moest lachen.

'Ik kan u verzekeren dat het huis van uw neef in een veel aangenamere buurt ligt, maar ja, in een groot deel van Parijs is de toestand inderdaad nogal schrijnend. Bonaparte heeft grootse plannen om te gaan herbouwen, maar hij heeft de tijd nog niet gehad om die ten uitvoer te brengen.'

'Te druk met het veroveren van de wereld?'

'Ik weet zeker dat hij zich gevleid zou voelen door uw bondige omschrijving, juffrouw Balcourt.'

Amy bloosde geërgerd en keerde zich weer naar haar raam.

Met een scherpe bocht die juffrouw Gwens parasol bijna in Richards ribben deed belanden, klepperde de koets de stenen binnenhof van huize De Balcourt op, en bleef met een schok stilstaan. De oprit was geblokkeerd door een armoedige zwarte koets, met modderspatten tegen de zijkanten en een verbrijzelde lamp die dronken aan de zijkant hing waar Amy op keek. Een aantal mannen was bezig grote, bruine pakken, dichtgebonden met touw, uit te laden.

'Waarom staan we stil?' wilde juffrouw Gwen weten.

'Er staat een koets voor de deur,' legde Amy uit. Ze stak haar hoofd naar buiten. 'Meneer Robbins, kunt u alstublieft vragen of ze ons door willen laten? Zegt u maar dat de zuster van de *vicomte* er is.'

Robbins' borst zwol op van trots. Geestdriftig riep hij in zijn on-grammaticale Frans dat ze plaats moesten maken voor de vrouw des huizes.

Een van de sjouwers staakte zijn werk om terug te roepen dat er geen vrouw des huizes was.

'Maar nu wel!' verklaarde Robbins. 'Wie denk je dan dat die dame daar is?'

De sjouwer maakte een extreem grove opmerking. Amy, die zich plotseling herinnerde dat ze zogenaamd geen Frans sprak, keek Richard met grote ogen aan en vroeg: 'Wat zei hij?'

'Hij verklaarde dat hij uw identiteit in twijfel trok,' vertaalde Richard minzaam.

Robbins, rood van woede, diende hem van repliek met een inven-tieve mengeling van Franse en Engelse scheldwoorden.

'Nee maar!' riep juffrouw Gwen uit, die het Engelse deel had meege-kregen.

'Wat u zegt! Nee maar!' echode Richard, diep onder de indruk. Die opmerking over de voortplantingsgewoontes van kamelen was beslist heel origineel.

'Dit is belachelijk!' riep Amy uit.

'Helemaal mee eens.' *Bons!* 'Om een onschuldige kameel van zoveel wellust te betichten...'

'Nee, niet dat! Dit!' Amy's armgebaar omvatte de stilstaande koets en het binnenhof en sloeg Richard bijna knock-out. Richard nam Amy aandachtig op en kwam tot de conclusie dat lichamelijk geweld slechts een nevenproduct was geweest, en geen doel. 'Begrijp dat dan! Het is toch belachelijk om hier op een kluitje in die koets te blijven zitten ter-wijl we er al zijn! Waarom lopen we niet gewoon naar de deur? We heb-ben toch benen! Ik ga Edouard zoeken.' En met die woorden opende Amy haar deur en maakte aanstalten om uit de koets te springen. Maar ze werd er zonder plichtplegingen aan haar rokken weer in getrokken.

'Niets daarvan,' zei Richard, niet bijster origineel maar wel stoer. 'U gaat er hier niet uit.'

Het viel niet mee om iemand boos aan te kijken die je van achteren bij je rokken hield. Geërgerd rukte Amy zich los en draaide zich om naar Richard. Zo, dat was beter. Ze keek hem nu woedend recht in zijn gezicht en vroeg op hoge toon: 'En waarom dan wel niet?'

Richard trok een sardonische wenkbrauw op en wees naar het binnenhof, waar twee andere mannen in verschillende gradaties van vunzigheid en ontklede staat zich bij de eerste hadden gevoegd om gevatheden van een zeer laag gehalte uit te wisselen met Robbins. Zeer tegen haar zin moest Amy toegeven dat hij gelijk had.

'Maar we kunnen hier toch niet blijven zitten!'

'Dat ben ik met u eens. Ik ga wel.'

'U gaat wel?' echode Amy als een idioot. Wacht eens even, was Lord Richard het daarnet zowaar met haar eens geweest?

'Ik ben de enige die weet hoe uw broer eruitziet.'

'Ik mag toch aannemen dat ik mijn eigen broer kan herkennen,' mompelde Amy, maar aangezien ze daar niet eens zo zeker van was, mompelde ze het heel zachtjes.

Net op dat moment ging de voordeur van het huis open en een gezette man met te veel kant aan zijn manchetten kwam naar buiten en begon in rap Frans de sjouwers op het binnenhof op hun kop te geven en te vragen waarom ze niet doorwerkten.

Zwierig stapte Richard uit de koets.

'*Bonjour*, De Balcourt!'

De man keek op. Net als Richard droeg hij zijn haren kortgeknipt in de klassieke stijl die populair was geworden door de revolutie, maar hij had een paar woeste bakkebaarden gekweekt die doorgroeiden naar zijn kin. Ze liepen helemaal door tot aan de absurd hoge punten van de kraag van zijn overhemd. Het was nog een wonder dat hij zijn hoofd ver genoeg kon draaien om Richard aan te kijken; de punten van zijn kraag kwamen tot aan zijn wangen, en zijn kin ging geheel schuil in een weelderige kravat.

Een stem klonk op uit de plooien van de kravat. 'Selwick? Wat doet u hier?'

O lieve hemel, dat kon Edouard toch niet zijn?

Amy's angstige vermoeden werd bevestigd door het antwoord van Richard: 'Ik kom u uw zuster brengen, De Balcourt, die u kwijt schijnt te zijn.'

De laatste keer dat ze Edouard gezien had, was hij een onhandige knul van dertien geweest die voor de spiegel in de salon heen en weer paradeerde, struikelend over zijn hofzwaard. Hij droeg zijn haren toen nog in een staart, met een blauw lint erom, en werkte zijn puberpuistjes weg met poeder uit Mama's boudoir. In haar vijfjarige ogen had hij ongelooflijk groot geleken, maar dat kon ook gekomen zijn door de hoge hakken die toen in de mode waren. Edouard was razend geweest toen ze eens stiekem zijn kamer binnengedrongen was en daar op zijn hoge hakken had rondgelopen. Deze man, met zijn paarsbruine vest dat om zijn buik spande en zijn bolle wangen achter zijn gesteven kraag – deze man was een vreemde.

Maar toen keek hij naar de koets.

'Mijn zuster, zegt u?'

En plotseling nam zijn gezicht precies dezelfde uitdrukking aan als jaren geleden toen hij Amy betrapte met zijn favoriete schoenen.

'Edouard! Bent u het!'

Amy vloog de koets uit. Ze struikelde een beetje op de ongelijke kasseien toen ze neerkwam, maar door woest met haar armen te zwaaien kon ze zich op de been houden. Ze hoorde een snel onderdrukt gegrinnik van Richard. Amy negeerde het, net zoals ze de brutale blikken van de Franse bedienden negeerde en de smerige lucht die opsteeg van de kasseien. Ze greep haar rokken met twee handen bij elkaar en rende op haar broer af. 'Edouard! Ik ben het, Amy! Ik ben eindelijk thuis!'

Edouards gezicht – voor zover zichtbaar – weifelde tussen verbijstering en afschuw.

'Amy? U zou toch morgen pas aankomen!'

10

'O, VANDAAR DAT uw koets er niet was! Ik wist wel dat er een goede reden voor moest zijn! Ik was er zo zeker van dat we u verteld hadden dat we vandaag zouden komen...'

'Dat hebben we ook,' zei juffrouw Gwen ijzig.

'... maar we zijn er, en daar gaat het om! O, Edouard, ik ben zo blij u weer te zien!'

Amy sloeg haar armen impulsief om haar broer heen.

Edouard klopte haar nogal onhandig op de rug. 'Nou, ik u ook, hoor.'

'En dit is ons nichtje Jane, een van de knapste, geweldigste mensen die u ooit zult ontmoeten.' Amy sleepte Edouard over het binnenhof mee naar de koets. Dat viel niet mee, want Edouard bekeek de vuiligheid op de keien met buitengemene afkeer en dribbelde voorzichtig achter Amy aan als een jongedame op nieuwe witte sandaaltjes op een regenachtige dag.

Richard keek grijnzend toe. Iedereen wist dat Edouard de Balcourt bedienden voor zich uit stuurde om houten planken op straat te leggen om zijn mooie schoenen en kousen schoon te houden. Maar tegen Amy was hij niet opgewassen.

'Jane! Jane, dit is nu Edouard!'

Edouard mompelde een groet door de met kant afgezette zakdoek die hij tegen zijn neus gedrukt hield.

'Blijven we hier de hele dag zitten?' liet een gebiedende stem zich horen vanuit de koets.

'O, en dat is juffrouw Gwendolyn Meadows, onze chaperonne en onze buurvrouw in Shropshire. Juffrouw Gwen, kom eens uit de koets, dan kan ik u aan mijn broer Edouard voorstellen!'

'Ik wacht,' verkondigde juffrouw Gwen, 'tot de koets ons voor het huis afzet.' Haar lichaamloze stem klonk galmend op uit de koets met de plechtige verschrikking van het Orakel van Delphi.

'Maar natuurlijk, maar natuurlijk!' Edouard, enigszins hersteld van de schrik, trippelde over het binnenhof en mompelde iets tegen de wachtende bedienden. De laatste bruine pakketten werden haastig het huis binnengesjouwd en de koets reed kletterend weg door de poorten.

Edouard onderschepte Richards nieuwsgierige blik en legde haastig uit: 'Ik heb de westelijke vleugel opnieuw laten inrichten. Ik vond dat het hoog tijd was om me maar eens te ontdoen van al die stoffige oude troep van mijn ouders. Maar daar was heel wat gordijnstof voor nodig. Dat zit er in die dozen, allemaal gordijnen.' Edouard wreef met zijn kanten zakdoek over zijn bezwete voorhoofd.

'U hebt toch niet alles veranderd?' vroeg Amy bezorgd, terwijl Richards koets stilhield voor de deur.

'Nee, nee. Er gaat heel wat tijd overheen voordat zoiets helemaal klaar is. Mama's kamer is nog precies hetzelfde als vroeger. Die mag u gerust nemen.'

'Echt waar?'

'Ja hoor, als u dat zo graag wilt.' Uit Edouards toon bleek duidelijk dat hij niet begreep waarom ze dat zou willen, maar dat hij als oudere broer zijn kleine zusje graag een pleziertje deed. Hij probeerde zo'n typisch mannelijke blik van verstandhouding te wisselen met Richard, maar die had alleen maar oog voor Amy.

Amy's ogen glommen alsof haar een extra kerstfeest in juli was beloofd.

Richards maag keerde zich plotseling om in zijn lijf. Hij werd helemaal wee vanbinnen, een gevoel dat hij niet meer had gehad sinds Miles hem in de kroeg in zijn enthousiasme een linkse directe in zijn buik had gegeven. Een fractie van een seconde vroeg hij zich af hoe het zou zijn als ze *hem* zo aankeek.

Abrupt wendde Richard zich af en ging Jane en juffrouw Gwen helpen bij het uitstappen. Dat leek wel zo veilig. Ineens wilde hij niets liever dan zo snel mogelijk een veilige afstand scheppen tussen hem en de familie De Balcourt met al hun connecties. Zij bezorgden hem veel te veel afleiding. Maar waarom sprak hij in meervoud? Wie hield hij nu eigenlijk voor de gek? Van Edouard de Balcourt lag hij echt niet stompend in zijn kussen wakker, noch van de bedillerige juffrouw Gwen en zelfs niet van die lieve Jane. Het was *Amy* die hem afleidde.

Na hem de hele dag gemeden te hebben – voorzover dat mogelijk was als je naast iemand in een rijtuigje zit – had Amy de golf van teleurstelling niet verwacht die haar overspoelde toen ze Lord Richard zijn koets in zag vluchten en in volle vaart het binnenhof af zag kletteren.

Langzaam drong het tot haar door dat Edouard haar, al ratelend, naar binnen probeerde te loodsen. 'Wat aardig van Selwick om u te brengen – kijk uit voor dat stoepje – hebt u een goede reis gehad?'

Amy duwde alle gedachten aan Lord Richard in een kastje achter in haar hoofd waarop in grote letters stond: NIET OPENMAKEN. 'Wat doet de reis ertoe nu we eenmaal hier zijn? riep ze iets te vrolijk uit. Ze gaf haar broer een snel, hartelijk kneepje in zijn arm. 'Dank u wel dat u ons uitgenodigd hebt, Edouard! Ik wilde al zo lang naar huis komen en... o lieve hemel.'

'Is het niet prachtig?'

Tijdens het aanschouwen van de grote hal viel Edouards opgewonden geratel even stil. Hij zette zo'n enorme borst op van trots dat hij uit zijn vest dreigde te knappen.

'Ongelooflijk lijkt me een beter woord,' merkte juffrouw Gwen scherp op.

'Het is... het is...' Amy zocht krampachtig naar woorden. 'Het is vast heel modern,' besloot ze zwakjes.

Weg was de elegant aangeklede hal uit haar jeugd. Alleen de enorme marmeren trap was nog hetzelfde. De wandkleden en vergulde spiegels waren van de muren gehaald, de Louis xv-tafeltjes aan weerszijden van de trap waren verdwenen en de nissen waren ontdaan van hun klassieke standbeelden. Ze hadden plaatsgemaakt voor... Amy's ogen puilden uit hun kassen. Stond daar echt een sarcofaag in de hoek van de gang? Namaakobelisken flankeerden de entree naar de oostelijke vleugel en nepsfinxen bewaakten de trap. Jane legde onopvallend een troostende hand op Amy's schouder.

Edouard straalde, voor het eerst sinds Amy's aankomst leek hij op zijn gemak. 'Terug naar Egypte is helemaal *bon ton* op het moment,' zei hij voldaan.

Amy keek vol ongeloof om zich heen. 'Moeten we het raadsel van de sfinxen oplossen voordat we de trap op mogen om naar bed te gaan?'

Edouard keek haar wezenloos aan. 'Bent u moe?'

'Weet u nog dat verhaal dat Papa ons altijd vertelde over... Ach, laat maar,' zei Amy. 'Hebben de nieuwe gordijnen ook Egyptische thema's?'

'De nieuwe gordijnen? O ja. Eh, nee.' Edouard verstijfde weer. Hij waggelde naar een van zijn nepsfinxen en begon die afwezig over het stenen hoofd te aaien. 'Eh, Amy, wat betreft Mama's kamer...'

'Lief van u om mij die aan te bieden.'

Edouard plukte verlegen aan zijn immense kravat. 'Om daar nog even op terug te komen... Het is misschien beter om een week of twee te wachten voordat u daar uw intrek neemt. Het is momenteel nogal een bende in de westelijke vleugel. Bergen stof en, eh, ratten. Ja, ratten zitten er ook. Dus, eh, misschien wilt u daar wel helemaal niet zitten. Gevaarlijk. En smerig. Heel erg smerig,' stamelde Edouard.

'Als u denkt dat het er niet veilig is...'

'Verre van veilig! De meid zal u uw kamers wijzen en u een blad met eten brengen. Ik heb een afspraak voor het theater, ik moet vliegen, goedenavond!' Edouard ontbood op luide toon de bedienden, mikte twee zoenen in de richting van Amy's wangen, struikelde bijna over zijn eigen voeten in een haastige buiging naar Jane en juffrouw Gwen en verdween in de richting van de westelijke vleugel.

'Uitermate vreemd,' constateerde juffrouw Gwen.

Amy kon haar geen ongelijk geven. Zodra ze haar kans schoon zag moest ze de westelijke vleugel inspecteren.

Die kans kwam al heel snel. Juffrouw Gwen kondigde, met *Het mysterie van Udolpho* stevig onder haar arm geklemd, aan dat ze vroeg naar bed wilde en sloot de deur achter zich met zo'n ferme klik dat de vaas op een tafeltje voor haar kamer wankelde en een lakei drie hoedendozen uit zijn handen liet vallen.

Amy bleef even in haar slaapkamerdeur staan om haar route te bepalen. Huize De Balcourt was, zoals zoveel huizen in de zeventiende eeuw, gebouwd in een vierkant rondom een centraal binnenhof. De vleugels staken net genoeg naar voren om ruimte te creëren voor het kleine bestrate binnenhof waarlangs ze binnen waren gekomen. Met dat schema in haar hoofd was het verrassend makkelijk om haar weg te vinden naar de westelijke vleugel. Zolang ze de plantentuin van het binnenhof door de ramen links van haar zag, kon ze onmogelijk verdwalen. Amy's eigen slaapkamer lag aan het gedeelte dat uitstak om het stenen binnenhof te vormen. Ze draaide zich om en liep terug door de gang naar de achterkant van het huis, langs de kamer van Jane en juffrouw Gwen, langs de gesloten deuren van logeerkamers en langs een smalle trap naar de kamers van de bedienden.

Na een poos maakte de gang eindelijk een bocht die haar voerde naar de noordelijke vleugel, althans, dat vermoedde ze. Door een half-open deur werd een grote suite zichtbaar die alleen van Edouard kon zijn. De zware geur van eau de cologne zweefde haar tegemoet. Binnen zong Edouards lijfknecht zachtjes een liederlijke ballade terwijl hij een geklede jas van zijn meester afborstelde. Op haar tenen liep Amy er heel, heel vlug langs.

Nog meer gesloten deuren. Amy had niet beseft hoe groot het huis eigenlijk was; ze had nu al minstens vijftien slaapkamers geteld en ze was nog altijd niet bij de westelijke vleugel. Maar bij de zeventiende slaapkamer hield de gang abrupt op. Amy zette haar handen in haar zij en liep op de muur af. De onnozel lachende herderinnetjes op een groot wandkleed links van haar schudden hun herdersstaf naar haar en lachten om haar verwarring. Amy negeerde ze en staarde naar de onopgesmukte rode muur voor haar. Daar moest nog een vleugel zijn! Zachtjes, met het oog op Edouards lijfknecht, klopte Amy tegen het rode behang. Au. Ze wreef over haar geschaafde knokkels. Die muur was wel erg hard! Sterker nog, ze was er zeker van dat er onder het rode behang steen verborgen zat.

Amy liep terug naar het raam dat uitkeek over het binnenplein. Aha! Rechts van haar zat beslist nog een stel ramen. Het eerste was zo dichtbij dat ze waarschijnlijk vanaf dit raam op de vensterbank kon klimmen... Maar nee, Amy verwierp dat idee. Het binnenhof bene-den had een elegante bloementuin, maar het struikgewas zag er niet uit alsof het haar val zou breken. Er moest een eenvoudiger manier zijn.

Natuurlijk! Aan de andere kant van de hal kwam de bocht vlak na het raam. Amy keek nog eens goed naar het immense wandkleed. De rococoweelde van koepels en tuinen en geliefden paste echt totaal niet bij het koele classicisme van de rest van de gang. Het rode behang met de fries erboven moest de illusie wekken van Pompeji en oud aarde-werk. De paar schilderingen her en der op de wand waren klassieke

117

taferelen in de stijl van David, in felle kleuren met sterke lijnen, en nergens een tuin, koepel of geliefde te bekennen.

Maar hier stonden de herderinnetjes en hun aanbidders, opgesloten in hun eeuwige geflirt naast een... eenhoorn? Dat kon helemaal niet! Wat moesten achttiende-eeuwse geliefden in godsnaam naast een middeleeuwse jacht op een eenhoorn? En aan de andere kant van de eenhoornjacht ging de scène over in een klassieke tragedie, waar een vrouw in een verschroeid wit gewaad smartelijk weende tegen de achtergrond van brandende tempels. *Troje*, dacht Amy automatisch. *Hecuba*. Mijn hemel, dit was niet één tapijt, het waren er drie! Ze waren pal naast elkaar gehangen – en nogal klungelig ook, zag ze, nu ze wist wat ze zocht – alsof ze iets moesten verbergen.

Amy dook in het stoffige weefsel op de plek waar Patroclus zijn speer leek te richten op een schurftige eenhoorn. Tastend naar de deur viel ze bijna de kamer achter het wandkleed binnen.

'Papa...' mompelde Amy. 'O, Mama...'

Amy wankelde de suite van haar ouders binnen, duizelig van de herinneringen. Er waren geen stoflakens. Onder een grijze film van onbruik lag alles er nog precies zo bij als vijftien jaar geleden, voordat zij en Mama vertrokken waren naar Engeland en Edouard en Papa hadden achtergelaten. Haar moeders schrijfmap lag open op haar bureautje, de inkt zat als een droge koek op de bodem van de inktpot. In haar vaders kleedkamer rustten Papa's pruiken in een rij op hun standaards. Amy kneep haar ogen dicht en vocht tegen golven van herinnering. Elk moment kon Mama nu binnenkomen en haar oppakken en...

Amy begreep wel waarom Edouard de ouderlijke slaapkamer had afgesloten.

Ze verhardde haar hart en liep de smalle wenteltrap af die leidde naar haar vaders studeerkamer, een verdieping lager. De planken kraakten zachtjes onder haar voeten, maar hielden haar wel. Ze bevond zich nu in wat eens de bibliotheek was geweest, vóór de revolutie. Overal zag ze stoffige boeken. Door het vuil heen kon Amy de werken onderscheiden van Homerus in het Grieks, en een hele plank met Latijnse werken in elegant bewerkte banden. Ze konden alleen maar van Papa zijn geweest, Papa die haar op schoot placht te nemen om haar fantastische verhalen te vertellen over centauren en helden en maagden die in bomen veranderd waren.

Amy boende als een bezetene over haar vochtige wangen en haastte zich naar de volgende kamer. Papa's boeken konden wachten tot een volgende keer; nu was het haar missie de westelijke vleugel te onderzoeken voordat Edouard terugkwam.

Kijk hier nu toch eens, dit was de balzaal! Al het meubilair, een hele reeks elegante sofa's en stoelen, was langs de kanten geschoven om het midden van de zaal vrij te maken om te dansen. De immense zaal strekte zich uit over het grootste deel van de vleugel, met aan één kant een aantal openslaande deuren die uitkwamen op het fleurige binnenhof. Tenminste, dat nam Amy maar aan, want het glas was volkomen ondoorzichtig geworden door vijftien jaar vuiligheid. Turend in de duisternis wenste Amy dat ze eraan gedacht had een kaars mee te nemen. Langs de muren hingen spinnenwebben over kandelaars gedrapeerd als kant, en spinnen zwaaiden in hun creaties op de maat van muziek die alleen zij konden hoorden. Aan het uiteinde van de zaal was een klein podium waarop ooit de muzikanten moesten hebben gezeten. Op het podium stonden nog een klavecimbel, een harp en... een stapel pakken in bruin papier.

Op een holletje liep Amy schuin de zaal door, glibberend en glijdend over de parketvloer.

Daar waren de geheimzinnige pakketten! En er stond nog meer: grote houten kratten in alle soorten en maten, opgestapeld tegen de muur, naast nog veel meer slappe papieren pakketten. Amy's verbeelding sloeg op hol als postkoetspaarden over de weg van Calais. Gordijnen, jaja! Vermommingen voor het Verbond van de Paarse Gentiaan, zul je bedoelen!

Ze brandde van verlangen om het papier eraf te scheuren, maar ze dwong zichzelf voorzichtig het touw van één van de pakketten los te knopen. Na veel gewurm kreeg ze dat voor elkaar en het pakket viel open in Amy's schoot. Het was witte mousseline.

Met open mond staarde Amy naar de lap die over de stoffige schoot van haar jurk uitwaaierde. Meters en meters en meters Indiase mousseline.

Natuurlijk! Amy's gezicht lichtte op. Er zaten vast pistolen... of degens... of maskers... verborgen tussen de plooien van de lappen stof. Wat ontzettend slim om die in stof te verpakken voor het geval dat ze onderschept zouden worden!

Amy grabbelde in de stof. Het enige wat verborgen zat in de Indiase mousseline was meer Indiase mousseline.

Teleurgesteld en perplex kwam Amy weer overeind.

Wacht eens, ze moest de kratten nog onderzoeken! Amy stortte zich vol gespannen verwachting op één van de houten kratten en trok aan het deksel. Drie splinters en een afgebroken vingernagel later zat het krat nog steeds potdicht. Degene die het had dichtgetimmerd had niet gekeken op een spijker meer of minder.

'Stik!' Amy schopte met haar laars tegen het krat. De inhoud maakte een interessant ruisend geluid.

Geïntrigeerd knielde Amy op de grond, greep het krat en probeerde het heen en weer te schudden. Het ding was zo zwaar dat ze het slechts wat op en neer kon schommelen, maar ze kon de inhoud heen en weer horen schuiven. Het was iets fijns, als blaadjes, of poeder.

Buskruit.

Amy schoot overeind en greep de deksel van het krat. Er moest iets te vinden zijn wat ze kon gebruiken om het krat open te breken, een stok, of een pook. Of misschien kon ze de deksel eraf wrikken als ze het krat op zijn kant zette. Dat leek Amy een heel stuk prettiger dan het krat in de steek laten om een pook te gaan zoeken. Ze knielde naast het krat neer en wurmde haar vingers onder de rand zonder zich te storen aan het ruwe hout tegen haar handen. Ze begon te tillen. Het krat wankelde en viel terug. Met opeengeklemde kaken stak ze nogmaals haar vingers onder het krat en tilde het weer op.

Met een enorm gekraak kantelde het krat om op de parketvloer. De deksel bleef echter intact.

Met haar handen op haar heupen keek Amy woedend naar het krat. Ze moest een pook gaan zoeken.

Op dat moment hoorde Amy een geluid. Het hield het midden tussen ademen en kreunen. Als de zucht van een gekwelde geest. Een huivering van angst voer door Amy's lijf. O grote goden! Ze geloofde niet in geesten. In zichzelf mompelend liep Amy naar de rand van de balzaal. Het was waarschijnlijk de wind geweest die ze gehoord had. In zo'n oud huis als dit tochtte het bijna altijd. Of het waren ratten. Jakkes! Amy wilde niet graag voor bangelijk versleten worden, maar van ratten moest ze niets hebben. Ze trok haar rokken strak om haar enkels en tuurde de planken vloer af aan weerszijden van de zaal.

Iemand had een laars van de rand van een sofa laten bungelen. Met een been er nog in.

Op de sofa, tegen de muur, onder een portret van Madame de la Vallière, lag een slapende man met een bloederig verband om zijn voorhoofd.

11

'Jane, u raadt nooit wat ik gevonden heb!'

Amy rende zonder te kloppen Janes kamer binnen en sloeg de deur achter zich dicht. Hijgend zakte ze in elkaar tegen de deuropening.

'Twee skeletten, drie geesten en een gevaarlijke gek op zolder?' opperde Jane afwezig.

'Een gewonde man!'

'Wat?' Jane liet de zware pil die ze had zitten lezen in haar schoot vallen. 'Lieve hemel, nu weet ik niet meer waar ik gebleven ben. Amy, een bediende met een schrammetje op zijn vinger is nog geen gewonde man.'

'Grappig hoor. Hij heeft een verband om zijn hoofd en... hebt u vlugzout?'

'Ik heb vlugzout, maar waar hebt u dat voor nodig?' Jane legde haar boek op de sprei naast zich neer en richtte haar verwarde blikken op haar nichtje.

'Nou, ik wilde hem wakker maken om hem te ondervragen, maar ik wilde hem niet door elkaar schudden omdat ik geen idee heb wat dat voor uitwerking heeft op een man met een wond aan zijn hoofd. O Jane, we hebben geen tijd te verliezen! We moeten terug naar de westelijke vleugel!'

'Het klinkt niet direct alsof hij weg zal lopen,' zei Jane mild, rommelend in haar tasje. Ze hield een klein, groen glazen buisje omhoog. 'Wat wilde u hem vragen?'

Half dansend van ongeduld sleurde Amy haar nichtje mee de deur uit. 'Waar de Paarse Gentiaan is, natuurlijk!'

'Waarom denk je...?' begon Jane, maar Amy mompelde iets over een kortere weg naar de westelijke vleugel.

'Als we de voortrap nemen en dan rechtsaf slaan...' Amy voegde de daad bij het woord en rende naar de trap. Jane pakte haar bij de hand. 'We zullen minder opvallen als we gewoon lopen.'

Amy wierp haar nichtje een wanhopige blik toe, maar moest toegeven dat ze gelijk had. Ze had geluk gehad dat ze geen bedienden tegengekomen was op haar hectische vlucht uit de westelijke vleugel, maar de kans dat ze het personeel nogmaals kon ontwijken was klein. Maar wacht eens, ze had net Edouards lijfknecht gezien, toen hij met een berg gekreukt linnengoed in zijn armen uit haar broers kamer kwam. Nou ja, als hij het tegen Edouard zei kon ze altijd zeggen dat ze naar de wandkleden had staan kijken toen er een rat op haar af sprong, of iets in die trant.

Ze liepen zo bedaard de trap af dat Amy haar vingernagels in haar handpalmen drukte van ongeduld. Onder aan de trap keken ze snel om zich heen of ze bedienden zagen. Hoewel de kaarsen in de grote hal nog brandden, was er niemand te zien. Links van hen lagen de kamers van de oostelijke vleugel, rechts liep het zo te zien dood.

Nu Amy wist wat ze zocht, vond ze de ingang naar de westelijke vleugel zo duidelijk zichtbaar alsof iemand er een teken op had geplakt. Edouard had ook daar weer een tapijt opgehangen, ditmaal eentje met een afbeelding van de verkrachting van Lucretia. Aangezien de deur beneden meer uitstak dan die boven, had Edouard een extra voorzorgsmaatregel genomen. Vóór het tapijt had hij een buste van Julius Caesar gezet op een marmeren voetstuk.

Met grote ogen van opwinding wees Amy op Julius. 'Daar. Dat is de ingang.'

Jane pakte een kleine kandelaar met drie kaarsen van een marmeren kist die eruit moest zien als een sarcofaag. 'Zullen we?'

Samen tilden ze het zware tapijt hoog genoeg op voor de kaarsen en glipten er onderdoor. Ze bevonden zich nu in een voorvertrek, een mooie kleine kamer met vergulde muren en sierlijke stoeltjes die eruitzagen alsof ze in elkaar zouden zakken als iemand er maar naar wees. Het voorvertrek leidde naar een muziekzaal, compleet met een grote piano en beschilderd met taferelen van pastorale vrolijkheid. Jane keek verlangend naar de vergeelde toetsen, maar Amy joeg haar voort, naar de balzaal. Eerst kon Jane helemaal niets zien. Haar uitzicht werd belemmerd door stapels en stapels pakketten in bruin papier.

'Daar zat niets interessants in,' fluisterde Amy terwijl ze eromheen liepen. 'Alleen maar mousseline.'

'Wat een rare plek om mousseline te bewaren.'

'Misschien kwamen ze ruimte tekort in de droogkast. Mijn gewonde man ligt daar, op de sofa onder Madame de la Vallière.' Amy pakte de kandelaar uit Janes handen en rende vooruit. 'Ik kon de deksels niet van de kratten af krijgen, maar ik geloof...' Amy brak haar zin af toen ze de vlammen boven de sofa hield om het licht te laten schijnen op... helemaal niets.

'Waar is hij gebleven?' In haar opwinding vergat Amy te fluisteren. Ze wuifde met de kaarsen in het rond, gluurde onder de sofa, rende naar de volgende sofa en naar die verderop. 'Ik weet zeker dat hij hier lag! Precies onder Madame de la Vallière... Hij was diep in slaap!'

'Amy...'

Amy draaide zich op haar hielen om en keek Jane aan; de vlammen draaiden met haar mee in een soort van diabolisch aureool. 'Alsjeblieft, Jane, ga me in vredesnaam niet vertellen dat ik het me maar verbeeld heb. Ik *zweer* dat hij er lag!'

'Dat was ik ook niet van plan,' zei Jane ernstig. 'Kom eens hier met die kandelaar.'

Amy deed wat ze vroeg en volgde Janes blik. Op de vergeelde witte zijde van de bank zat een veeg vers bloed.

Jane stak een vinger uit om te voelen. 'Hij kan niet langer dan een paar minuten geleden verplaatst zijn. Het is nog nat.'

'Maar wie heeft hem verplaatst? En waarheen?' Amy zwaaide de kandelaar in de rondte alsof ze dacht dat de boosdoeners zich in de hoeken van de zaal verstopt hadden.

'Waarschijnlijk hebben ze hem door de openslaande deuren naar het binnenhof gebracht,' zei Jane bedachtzaam.

Amy racete naar de dichtstbijzijnde deur en trok die open. Voor zo'n oude deur ging hij, gek genoeg, open zonder te kraken.

'Die is net geolied,' zei Jane zachtjes.

Amy duwde Jane de kandelaar in haar handen en vloog langs een trapje van drie treden de tuin in, terwijl Jane de deuren onderzocht. Het had al een poos niet geregend, dus was de aarde niet vochtig genoeg om voetstappen vast te houden en waren er geen moddersporen te zien op de stenen paden. En er waren deuren, deuren en nog eens deuren, aan drie kanten. Deuren naar de oostelijke vleugel, de noordelijke vleugel, de westelijke vleugel. Veel te veel deuren. De man kon door elk van die deuren weggedragen zijn. Amy sloop langs de omtrek van de tuin en gluurde door de ene na de andere deur. In tegenstelling tot de ramen en deuren van de westelijke vleugel waren die van de oostelijke en de noordelijke vleugel goed geboend. Amy keek achtereenvolgens in twee salons, nog een muziekzaal, een ontbijtkamer en een immense, deftige eetzaal die een groot deel van de noordelijke vleugel in beslag nam.

'Amy,' fluisterde Jane bij haar schouder, terwijl de kaarsen in haar hand vreemde schaduwen wierpen op de stenen balustrade. 'Kom terug, ik wil u wat laten zien.'

'Ze moeten hem door een van deze kamers naar buiten gebracht hebben.'

Jane dacht daarover na. 'En toen naar beneden door de bediendekamers? Ik denk dat u uw gewonde man kwijt bent, Amy.' Ze liepen door de tuin terug naar de deuren van de balzaal. Jane bleef staan naast een standbeeld zonder armen van Aphrodite. 'Maar dat verklaart allemaal niet waarom hij in de balzaal lag met... wat was het ook weer voor wond?'

'Een wond aan zijn hoofd.' Amy maakte een gebaar naar haar hoofd om te laten zien waar. 'Ik kon het niet precies zien omdat hij een verband om had, maar hij leek een soort snee te hebben aan de linkerkant van zijn hoofd, althans, daar zat bloed op het verband.'

'Kan hij niet gewoon zijn hoofd gestoten hebben bij het uitladen van die pakketten?' vroeg Jane langzaam. 'Er kan best een simpele verklaring voor zijn.'

'Maar waarom dan al dat geheimzinnige gedoe? Waarom zouden ze hem dan eerst in de balzaal verstoppen en hem daar dan weer stiekem weghalen?' Een briesje waaide Amy's donkere krullen in haar gezicht; gejaagd duwde ze ze weg.

'Misschien voelde hij zich beter en is hij weggegaan.'

'Kom nou toch, Jane!' Met de zon was ook de warmte verdwenen, en Amy huiverde in de schemerkou; ze voelde de avondbries dwars door de dunne stof van haar jurk waaien. 'Dat gelooft u toch niet echt?'

Jane leunde even tegen Aphrodite aan. Ze leek van streek. Toen rechtte ze haar rug en trok een gezicht tegen Amy. 'Nee, dat geloof ik niet. Kom mee, dan zal ik u laten zien waarom niet.'

Amy liep haastig met haar nichtje terug naar de balzaal, waar Jane in de deuropening bleef staan.

'Nou?' zei Amy ongeduldig tegen Jane, die de betreurenswaardige gewoonte had eerst na te denken voordat ze iets deed.

'Kijk eens hier.' Jane wees naar de deur.

'U bedoelt dat-ie vuil is?'

'Precies. Hij is *te* vuil. Het ziet eruit alsof iemand met opzet modder uit de tuin op het glas gesmeerd heeft. Ziet u wel? Hier, en hier? Het zit er te dik en te gelijkmatig op om gewoon stof te zijn, of vuil van ouderdom. Het is net alsof...'

'... iemand niet wilde dat iemand hier naar binnen kon kijken!' maakte Amy opgewonden haar zin voor haar af. Jane haalde snel de kandelaar weg toen Amy zich naar voren boog om het vuil op de deur te inspecteren, waardoor haar korte krullen roekeloos dicht bij de vlammen kwamen.

Jane knikte. 'Juist. Maar waarom? Wat heeft Edouard te verbergen?'

Amy sloot de deur met een besliste klik en keek haar nichtje stralend aan. 'Maar Jane, dat is toch zo klaar als een klontje? Ziet u dat dan niet? Dat bewijst dat hij samenspant met de Paarse Gentiaan!'

De Paarse Gentiaan sprong met een diepe zucht van opluchting uit zijn koets op het binnenhof van zijn eigen bescheiden vrijgezellenwoning: slechts vijf slaapkamers en een kleine staf van tien bediendes, zijn lijfknecht, kok en koetsier niet meegerekend.

'Verdraaid, Geoff, wat fijn om weer terug te zijn,' verkondigde hij tegen de slanke man in vest en hemdsmouwen die hem opwachtte bij de deur.

'Na uw gevaarlijke missie in het hart van de Londense society?' reageerde zijn op één na oudste vriend met de rustige humor waarmee Geoff zich een plaatsje veroverd had in de kring van Richard en Miles op Eton.

'Ja, lach maar,' trok Richard van leer terwijl hij zijn hoed afzette en met een hand door zijn haren streek. 'Ik ben er maar ternauwernood levend aan ontsnapt.'

Na elkaar hun tientallen jaren oude affectie betoond te hebben met een stevige handdruk liep Richard de hal in en liet zijn hoed, cape en handschoenen vallen op alle plaatsen die zich daartoe leenden. Zijn butler, Stiles, sloeg zijn blikken ten hemel en liep achter Richard aan om zijn handschoenen van de vloer, zijn cape van een stoel en zijn hoed van de deurknop te vissen.

'Is dat alles, mijn Heer?' informeerde Stiles op de gekwelde toon van King Lear.

'Kun je even kijken of de kok wat voor me in elkaar kan flansen? Ik sterf van de honger.'

'Zoals u wilt, mijn Heer,' declameerde Stiles, met een zo mogelijk nog gepijnigder blik dan daarnet, en strompelde in de richting van de keuken.

'Hij zet een overtuigende tachtigjarige neer,' merkte Richard op tegen Geoff terwijl ze naar de eetkamer liepen in de optimistische verwachting dat er wel snel iets op tafel zou komen. 'Als ik niet beter wist, zou *ik* er zelfs nog in trappen.'

Geoff schoot de studeerkamer in en kwam terug met een stapel paperassen. 'U bent niet de enige die hij om de tuin leidt. Ik gaf hem afgelopen zaterdag vrij in de veronderstelling dat hij het grijs uit zijn haren zou wassen en lekker zou gaan kroeglopen, of zoiets. Maar hij zette een stoel voor de haard in de keuken, sloeg een deken om zijn schouders en klaagde over zijn jicht.'

De twee vrienden wisselden een blik waarin amusement en irritatie om voorrang streden.

'Tja, goede butlers zijn dun gezaaid...' merkte Richard op.

'En Stiles zal nog vele decennia bij u zijn,' besloot Geoff.

'Dit is de laatste keer dat we een werkloze acteur binnenhalen bij het Verbond,' kreunde Richard. 'Ach, het had nog erger gekund. Hij had ook in de waan kunnen verkeren dat hij Julius Caesar was en de hele dag in een toga rond kunnen lopen.'

'Dan had hij goed gepast bij de leden van de Raad van Vijfhonderd,' zei Geoff cynisch, doelend op het wetgevend lichaam dat was opgezet door de revolutionairen in 1795 in een poging klassieke regeringsvormen te imiteren. 'De helft van hen dacht dat ze Brutus waren.'

Richard schudde bedroefd zijn hoofd. 'Ze lazen te veel klassieken; zulke mannen zijn gevaarlijk. Maar hoe dan ook, ik geef de voorkeur aan Stiles' huidige waan. Uit wat ik gezien heb durf ik op te maken dat hij niet helemaal uit het oog verloren is waarom hij hier werkelijk is?'

'Nee, integendeel, hij heeft zich er nog meer met hart en ziel in gestort sinds hij besloten heeft dat hij werkelijk een tachtigjarige butler is. Hij speelt elke woensdag kaart met de butler van Fouché; ze schijnen middeltjes uit te wisselen tegen reumatiek en te klagen over de armzalige kwaliteit van de werkgevers van tegenwoordig,' voegde Geoff er met twinkelende ogen aan toe. 'En hij heeft een nogal bizarre – zij het informatieve – flirt gehad met een van de bovenmeiden van de Tuilerieën.'

'Bizar?' snoof Richard hoopvol terwijl hij de eetkamer betrad, waar geen etenswaren hem wachtten.

Geoff trok een stoel onder de tafel vandaan aan het hoofdeinde van de tafel en schoof de stapel papieren die hij in zijn handen had met een forse duw over het geboende hout naar Richard toe. 'Hij verwierf haar gunsten door haar een compliment te maken over haar speciale formule zilverpoets. Vervolgens stapten ze over op de intimiteiten van het reinigen van kristal.'

'Goede God.' Richard begon door de stapel correspondentie heen te bladeren die zich in zijn afwezigheid had opgebouwd. 'Ieder zijn meug, zullen we maar zeggen.'

De stapel post die Geoff had meegebracht bevatte de gebruikelijke opeenhoping van rapporten van zijn rentmeester, uitnodigingen voor bals en geparfumeerde brieven van Bonapartes promiscue zuster Pauline. Pauline probeerde Richard al het bed in te krijgen sinds hij terug was uit Egypte, en de hoeveelheid parfum die ze op haar brieven sproeide nam met elke mislukte poging toe. Richard rook de laatste helemaal van onder op de stapel.

'Hoe was het in Londen?' vroeg Geoff, terwijl hij de lakei een teken gaf dat hij de karaf rode wijn moest halen. 'U ziet eruit alsof u wel een opkikkertje kunt gebruiken.'

'Ach, als u eens wist wat ik allemaal heb moeten doorstaan.' Richard liet zijn brieven in de steek en wierp zich in een stoel aan de andere kant van de tafel, tegenover Geoff. 'Moeder heeft me zo ongeveer meegesleurd naar elke grote partij in Londen. Als er een feest met meer dan driehonderd mensen gegeven werd, dan was ik daar ook. Ik heb genoeg muziekuitvoeringen bijgewoond om voor eeuwig en altijd genezen te zijn van mijn liefde voor de muziek. Ik...'

'Nee, hou maar op,' zei Geoff hoofdschuddend. 'Ik weiger te geloven dat het allemaal zo vreselijk was.'

'O ja?' Richard fronste één wenkbrauw. Hij wierp zijn vriend een snelle, steelse blik toe. 'Mary Alsworthy vroeg nog naar u.'

'En?' Geoffs stem klonk bestudeerd onverschillig.

'Ik heb haar verteld dat u het houdt met een Française van slechte zeden en dat uw derde onwettige kind op komst is. Tussen twee haakjes, ditmaal hoopt u op een meisje.'

Geoff verslikte zich in zijn wijn. 'Niet waar. Ik weet zeker dat ik dan allang een brief van mijn moeder had gehad.'

Richard wipte zijn stoel naar achteren met een spijtige zucht. 'Nee, niet waar. Maar ik had er wel zin in. Ik was graag te weten gekomen of ze goed genoeg kon rekenen om te beseffen dat een mens in een krappe twee jaar onmogelijk drie kinderen kan krijgen.'

Geoff legde plotseling een diepe belangstelling aan de dag voor de zilveren voorwerpen die op het dressoir achter Richard lagen uitgestald. 'Er hebben zich een paar interessante ontwikkelingen voorgedaan toen u weg was.'

Richard liet het onderwerp schieten. Met een beetje geluk zou er tegen de tijd dat Geoff terugkeerde naar Engeland wel een andere kerel aan Mary Alsworthy's overdadige verleidingstechnieken ten prooi gevallen zijn.

Richard leunde over de tafel; zijn groene ogen fonkelden. 'Wat voor ontwikkelingen?'

Geoff trakteerde hem op verhalen over veranderingen in het beveiligingsapparaat van het ministerie van Politie ('Nogal een geval van de put dempen als het kalf verdronken is, vindt u niet?' merkte Richard zelfingenomen op.), de gefrustreerde ambities van Napoleons zwager Murat ('Een echte slapjanus,' constateerde Geoff. 'Die kan ons nog goed van pas komen.'), en vreemde toestanden aan de kust.

Richard spitste zijn oren. 'Denkt u dat hij bezig is wapens aan te voeren om Engeland binnen te varen?' Het was overduidelijk wie Richard bedoelde met *hij*.

'Dat is nog niet duidelijk. Het is ons nog niet gelukt zo dicht bij te komen dat we kunnen zien wat er wordt verscheept. Onze man in Calais...'

'De waard van het Teken van de Krabbende Kat?'

'Ja, die. Hij heeft de laatste maanden een ongebruikelijke activiteit gesignaleerd. De barmeid van de Verdronken Rat in Le Havre meldt hetzelfde. Zij zegt dat ze een groep mannen een reeks grote pakketten van een Kanaalboot heeft zien overladen in een koets zonder familiewapen. Die koets verdween daarna in de richting van Parijs.'

'Zou het geen gewone smokkelwaar kunnen zijn?' Richard knikte de lakei, die een kom aardappelpreisoep voor hem neerzette, dankbaar toe en probeerde de opgewonden verwachting die hij in zich voelde opkomen bij het nieuws van Geoff de kop in te drukken. Hij voelde zich als een jachthond die staat te popelen om een vos achterna te gaan. Maar hij moest eerst wel heel zeker weten dat het een vos was, en niet gewoon een konijn of een bergje wuivende bladeren, of zoiets. Richard liet zijn metafoor schieten. Sinds Engeland en Frankrijk met elkaar in oorlog waren dreven de smokkelaars van beide landen een levendige handel met elkaar; zij vervoerden Franse cognac en zijde naar Engeland en kwamen terug met Engelse goederen. Het was Richard al een keer of wat gebeurd dat hij 's nacht de zee op gegaan was in de vaste overtuiging dat hij Franse agenten op het spoor was die waardevolle informatie naar Engeland brachten, om vervolgens te stuiten op een boot vol nijdige Franse smokkelaars met tien jaar oude cognac. Niet dat hij die cognac niet wilde, maar toch...

'Dat gebeurt ook,' stemde Geoff in. 'Maar Stiles heeft van Fouchés butler gehoord dat het ministerie van Politie in stilte mensen heeft aangesteld om vrachten van het een of ander uit Zwitserland te bewaken. Hij wist niet wat, en ook niet wanneer – althans, nog niet – maar hij zei wel dat het de hoogste prioriteit had.'

'Dat klinkt veelbelovend, al is het wat vaag. Ik mag aannemen dat u iemand de hoofdwegen en de waterwegen in de gaten laat houden?'

'Ik zal de impliciete belediging van die opmerking negeren,' zei Geoff kalm. 'Het antwoord is ja. Behalve nog drie extra vaten cognac in de kelder hebben we gelukkig ook een paar aanwijzingen. Wat voor vrachten het ook zijn mogen, dat Georges Marston erachter zit staat als een paal boven water.'

Richard trok een gezicht. 'Waarom verbaast me dat niets?' vroeg hij aan het portret aan de muur achter Geoffs hoofd.

De man op het portret, waarschijnlijk een voorvader van de voormalige eigenaar van het huis dat Richard gemeubileerd gekocht had, schamperde in stilte. Zelfs als de man had kunnen reageren, had hij vast en zeker zijn neus opgehaald voor een man als Marston, die zich liet voorstaan op een bloedband via zijn vader met een vooraanstaande Engelse familie, terwijl het een publiek geheim was dat hij was opgevoed door zijn Franse moeder onder omstandigheden die verre van respectabel waren. Nadat hij de familie van zijn vader zo gek gekregen had dat ze tegen betaling een aanstelling voor hem regelden in het Engelse leger, was hij prompt midden in de strijd gedeserteerd en overgelopen naar de Fransen.

'Marston is dikwijls in de haven gesignaleerd,' vervolgde Geoff. 'Ik heb hem laten schaduwen door onze jongens. We hebben er een patroon in ontdekt: om de paar dagen komt er iemand naar zijn kamer met een briefje en dan gaat hij als een haas in een koets naar het havenkwartier.'

'En dan? Verduiveld!' Richard depte zijn schoot waarop zich een plasje soep vormde van de lepel die halverwege zijn mond in de lucht was blijven hangen.

'Die verduivelde Marston, ja,' zei Geoff en zijn lippen trilden. 'Geen nieuwe broek toch, mag ik hopen?'

Richard keek hem nijdig aan.

'Hoe dan ook,' vervolgde Geoff, 'hij gebruikt altijd een onopvallende zwarte koets met vier...'

'Ik dacht dat hij alleen dat opzichtige karikel had.' Richard zorgde er nu wel voor dat hij zijn soeplepel neerlegde voordat hij sprak. 'Dat afschuwelijke, knalrode geval.'

'De kleur is niet geweldig, maar verder vind ik het wel een mooi ding!' zei Geoff met enige weemoed in zijn stem.

'Zullen we het over Marston hebben?' vroeg Richard met klem.

'Akkoord.' Geoff schudde zijn fantasieën over karikels en faëtons van zich af. 'Die koets maakte ons extra achterdochtig. We weten inmiddels dat hij hem huurt bij een stalhouderij niet ver van Marstons huis.'

'Zijn karikel zou veel te veel opvallen,' peinsde Richard. Hij zag de glans van de rijtuigliefhebber in Geoffs ogen terugkeren en vroeg snel: 'Wat doet hij als hij eenmaal in de haven is?'

'Ik heb hem, knap vermomd als een matroos, gevolgd naar een nogal beruchte taverne, De Knuppels en de Kortelas genaamd. Die zal wel niet voor niks zo heten, lijkt me...' zei Geoff bedachtzaam. 'Het was maar goed dat ik een haak droeg.'

'En ik maar leuteren met de debutantes, terwijl u alle leuke dingen opknapte,' zei Richard somber.

'Wat u leuk noemt! Tussen het redden van mijn vege lijf door zag ik Marston eerst een gesprek aanknopen met een zootje tuig en vervolgens een achterkamertje in glippen. Toen hij maar niet terugkwam verliet ik de kroeg nog net op tijd om te zien hoe hij met zijn maten in bruin papier gewikkelde pakken in de koets laadden.'

'Wat voor pakken?'

Geoff wierp Richard een lichtelijk geërgerde blik toe. 'Ja, als ik dat wist dan hoefden we hem toch niet meer te volgen? Maar ik kan u wel vertellen dat op z'n minst een deel van de lading naar het huis van De Balcourt gebracht is.'

'De Balcourt?'

'Je weet wel, die klein pad van een vent die altijd bij de Tuilerieën rondhangt,' lichtte Geoff toe.

'Ik weet wel wie u bedoelt,' zei Richard met een mond vol soep. Hij slikte en legde uit: 'Het is alleen zo'n duivels toeval. Ik heb een boot – en mijn rijtuig – gedeeld met het zusje en het nichtje van De Balcourt.'

'Ik wist niet dat hij een zusje had.'

'Dan weet u het nu.' Richard duwde zijn lege kom abrupt van zich af.

'Wat een bof! Misschien kunt u via haar meer te weten komen over wat De Balcourt allemaal uitspookt?'

'Zet dat maar uit uw hoofd,' zei Richard nors.

Geoff keek hem onderzoekend aan. 'Ik begrijp best dat een zuster van De Balcourt op z'n best weerzinwekkend is, maar u hoeft haar toch niet ten huwelijk te vragen? Gewoon een beetje met haar flirten is genoeg. Neem haar eens mee uit rijden, zoek haar op, gebruik haar als entree tot zijn huis. Zoiets hebt u toch wel vaker gedaan?'

'Juffrouw Balcourt is niet weerzinwekkend.' Richard schoof heen en weer op zijn stoel en keek naar de deur. 'Waar blijft dat eten, verdomme?'

Geoff leunde over de tafel. 'Als ze niet weerzinwekkend is, wat is er dan zo... Aha.'

'Aha? Aha? Wat bedoelt u daar verdorie mee? Doe toch niet zo...'

'U,' zei Geoff, met een duivelse grijns wijzend naar Richard, 'bent niet van streek omdat u haar weerzinwekkend vindt, maar omdat u haar *niet* weerzinwekkend vindt.'

Richard wierp hem een kwaadaardige blik toe en was blij dat op dat moment de lakei de kamer binnenkwam met een grote schaal waarop iets onbestemds lag dat mogelijk ooit een onderdeel van een kip was geweest, overgoten met saus. Richard boog zich naar voren en prikte erin met zijn vork, terwijl de lakei zich uit de voeten maakte met de lege soepkommen.

'Gaat uw gang,' leidde Richard het gesprek subtiel in de richting van culinaire geneugten.

'Dank u,' zei Geoff, maar hij liet zich niet afleiden. 'Vertel me eens wat meer over die juffrouw Balcourt van u.'

'Afgezien van het feit dat ze beslist niet *mijn* juffrouw Balcourt is,' zei Richard, de sardonische grijns aan de andere kant van de tafel negerend, 'is het meisje zo absoluut het tegenovergestelde van haar broer als u zich maar kunt voorstellen. Ze is opgegroeid in Engeland, ergens op het platteland. Ze heeft Homerus in de oorspronkelijke Griekse versie gelezen...'

'Oei, dat is ernstig,' mompelde Geoff. 'Is ze knap?'

'Knap?'

'U weet wel, mooie haren, mooie ogen, mooie...' Geoff maakte een gebaar dat Richard eerder verwacht zou hebben van Miles.

'Ze lijkt niet op haar broer, als u dat bedoelt,' zei Richard bits.

Geoff gaf een klap op de tafel. 'Maar het is prachtig dat u het zo van haar te pakken hebt!' Zijn lippen trilden. 'Dan kunt u haar het hof maken en tegelijkertijd haar broer in de gaten houden.'

Richard gaf een geïrriteerde ruk aan het servet dat hij net naar zijn mond had gebracht. 'Nee, dat kan ik niet. Ten eerste weet u dat ik mijn persoonlijke leven altijd gescheiden houd van een missie. En ten tweede... Ten tweede,' herhaalde hij luider, toen Geoff zijn mond opendeed om te protesteren, 'ben ik vergeten te vermelden dat ze me haat.'

'Dat hebt u snel voor elkaar gekregen. Hoe hebt u het klaargespeeld in één dag haar haat op te wekken?'

'Het was anderhalve dag.'

Een geluid dat het midden hield tussen gesnuif en gegniffel ontsnapte aan Geoffs lippen.

'Ja, lacht u maar,' viel Richard tegen hem uit.

'Doe ik ook,' grinnikte Geoff. 'Nee, maar heus, wat hebt u uitgespookt?'

Richard zette zijn ellebogen op het geboende hout van de tafel. 'Ik heb haar verteld dat ik voor Bonaparte werk.'

'Was dat alles?'

Richards mondhoeken krulden op. 'Ze reageert nogal heftig als de revolutie ter sprake komt.'

'Waarom is ze dan...'

'Ik weet het, ik weet het, ik heb haar hetzelfde gevraagd.'

'En u wilt haar niet vertellen...'

'Nee!' Richard zette zich zo hard af tegen de tafel dat de poten onder zijn stoel het bijna begaven.

'U mag me best af en toe een zin laten afmaken, hoor,' zei Geoff goedmoedig.

'Neem me niet kwalijk,' mompelde Richard.

Geoff greep Richards zwijgen aan om te zeggen: 'Ik zeg niet dat u uw identiteit aan elke knappe jongedame die uw pad kruist bekend moet maken. Maar als dit zoiets bijzonders voor u is, zou u er dan niet beter aan doen haar in vertrouwen te nemen, althans tot op zekere hoogte,' voegde hij er snel aan toe, 'dan dat u het risico loopt haar kwijt te raken? Als ze zo fel tegen de revolutie is, lijkt het me hoogst onwaarschijnlijk dat ze u verraden zal.'

Richard begon voorzichtig zijn bezwaren te formuleren toen Geoff hem zachtjes het zwijgen oplegde. 'Niet elke vrouw is zo oppervlakkig als Deirdre, Richard.'

Richard klemde zijn lippen op elkaar. 'Nu klinkt u net als mijn moeder.'

'Ik mag uw moeder graag, dus ik zal die opmerking opvatten als een compliment, al was hij natuurlijk beledigend bedoeld.' Geoff zette zijn beide ellebogen op de gladde houten tafel. 'In zekere zin bent u daar mooi aan ontsnapt.'

'Maar Tony niet.'

'U moet nu eens ophouden uzelf de schuld te geven van Tony's dood. Goeie God, u had absoluut niet kunnen voorzien dat er zoiets zou gebeuren! Het was een ongeluk, Richard, een dwaas, afschuwelijk ongeluk.'

'Het zou nooit gebeurd zijn als ik niet verblind was geweest door die verliefdheid.'

Richard herinnerde zich het gespannen gevoel van verwachting, elke keer als hij naar het huis van Deirdre galoppeerde, de zware geur van haar parfum die zijn hart sneller deed kloppen en zijn hoofd bedwelmde. Gek dat hij zich niet eens meer precies kon herinneren hoe ze eruitzag. Hij had eens een sonnet op haar blauwe, blauwe ogen geschreven, maar hij herinnerde zich het sonnet, met zijn hortende ritme en zijn kreupelrijm, veel beter dan de ogen zelf. En toch had dit vage beeld van een vrouw, dat hem nu volledig ontschoten was, zo'n macht over hem gehad dat hij zijn verplichtingen totaal vergeten was. Laat dit een les voor u zijn, raadde hij zichzelf aan. Hartstocht ging voorbij; eerverlies bleef. *Sic transit*[5]... nou ja, alles.

Richard probeerde een passender Latijns citaat te vinden, maar het lukte hem niet. Waarschijnlijk zou Amy wel... Richard drukte die contraproductieve gedachte de kop in.

Geoff schonk zich een tweede glas wijn in. 'Trouwens, hoe afschuwelijk die zaak met Deirdre ook afgelopen mag zijn, ze was niet kwaadaardig, het was gewoon een dom gansje. Het was je reinste pech dat haar meid een Franse spionne bleek te zijn.'

Richard sloot zijn ogen en drukte de muis van zijn hand hard tegen zijn voorhoofd. 'Dus het was niet Deirdre, het was die verdomde Franse meid van haar die de boel bespioneerde. Maar voor Tony maakt dat niets meer uit.'

'Het pleit haar vrij van kwade bedoelingen.'

'Maar niet van idiotie.' Richards groene ogen werden donker bij de herinnering aan de geleden pijn. 'Ziet u dat dan niet? Dat maakt het alleen maar erger. Een toevallige opmerking tegen haar meid die haar haren stond te doen – die verdomde haren – betekende het eind van Tony's leven. Stel dat ik het Amy zou vertellen...'

'Dus zo heet ze.'

'En Amy maakt er een opmerking over – op voorwaarde van strikte geheimhouding, uiteraard, want dit soort dingen worden altijd in het geheim doorverteld,' zei Richard venijnig, 'tegen haar nichtje Jane. Jane is een discreet meisje, dus die vertelt het misschien niet door, maar het wemelt in huis van de bedienden. Zelfs als er op dat moment geen kamenier bij hen in de kamer is, ligt er vast wel ergens een lakei op de loer. En dan heb je De Balcourt zelf nog, die – los van de vraag of hij wel of niet in dienst is van Bonaparte – alles zal doen om bij hem in het gevlei te komen. Hoe lang zou het Verbond van de Paarse Genti-

---

5 *Sic transit gloria mundi*: Zo vergaat de heerlijkheid van de wereld.

aan standhouden als mijn identiteit hem bekend werd? Ik zou zeggen: de tijd die hij nodig heeft om zijn koets te ontbieden en zich naar de studeerkamer van de Consul te begeven.'

Richard hief zijn wijnglas in een ironische groet. 'Vaarwel, Paarse Gentiaan.'

'Dat is alleen in het ergste geval.'

Richards lippen verwrongen zich tot een humorloze lach. 'Daar moeten we toch altijd rekening mee houden? Ik kan het niet riskeren, Geoff. Zelfs als er geen belemmeringen waren zou ik dat nog niet kunnen. Er zijn te veel mensen afhankelijk van me.'

Geoff keek hem strak aan; hij was een te oude vriend om zich door ironie of idealisme te laten intimideren. 'U weet wat Miles gezegd zou hebben als hij hier was geweest: *Doe toch verdomme niet zo edelmoedig*. En in dit geval zou hij nog gelijk gehad hebben ook.'

Richard wendde zijn blik af, zakte onderuit in zijn stoel en begon over iets anders. 'Zijn er nog meer spannende dingen boven water gekomen toen ik weg was? Bijvoorbeeld dat Delaroche in een kippenbotje is gestikt, of zo?'

Geoff duwde de restjes van zijn koude kip van zich af. 'Delaroche, moet ik u tot mijn spijt meedelen, is nog springlevend. Ik moet zeggen, de man heeft wel gevoel voor drama. Hij liep laatst de Tuilerieën binnen en zei tegen Bonaparte dat het duidelijk was dat hij de Paarse Gentiaan verjaagd had, want hij had al twee weken niet meer toegeslagen.'

'Vergeet het maar,' zette Richard zijn lijzige toontje op. Hij schommelde op en neer in zijn stoel met een duivelse glans in zijn emeraldgroene ogen. 'Het zou toch wel verduiveld onaardig van ons zijn om hem dit soort wanen te laten koesteren, nietwaar?'

Geoff boog zich naar hem toe; ook in zijn lichtbruine ogen dansten pretlichtjes. 'Wat zouden we eens kunnen doen om hem te verlossen van die ongezonde fantasieën?'

'Nou...' Richard speelde met de steel van zijn wijnglas en bewonderde de karmijnrode reflecties van de donkere vloeistof die het kaarslicht afgaf. 'We zouden een zoekactie kunnen houden in zijn geheime dossiers... maar dat is al gebeurd, dus daar is geen lol meer aan.'

'We zouden ook,' peinsde Geoff, die de smaak van dit spelletje te pakken begon te krijgen, 'spottende briefjes op zijn kussen kunnen achterlaten, maar...'

'Ook dat is al eens gedaan,' besloot Richard somber. 'Heeft Delaroche geen dossiers die we nog niet gezien hebben?'

Geoff schudde zijn hoofd. 'Nee. Volgens mij hebt u het heel grondig aangepakt. Zullen we weer eens iemand redden uit de Bastille? Dat hebben we al een tijdje niet meer gedaan, en ik weet zeker dat we Delaroche daarmee op de kast zullen jagen.'

'Dat is het!' Richard schoot zo enthousiast overeind dat hij tegen de tafel stootte, waardoor de borden met bestek en al de lucht in vlogen. 'Ik wist wel dat ik u niet voor niks bij me hield!'

Geoff trok een gezicht. 'Dank u zeer.'

'Niets te danken,' zei Richard charmant. 'De jonge Falconstone is al veel te lang te gast in de Bastille. We kunnen niet toestaan dat hij nog langer op hun voorraden teert, vindt u wel?'

'Je bedoelt op hun beschimmelde brood en hun bedorven water?'

'En niet te vergeten zo af en toe een rat, als extraatje, op zon- en feestdagen. Ik weet zeker dat de Fransen dat een delicatesse vinden. Net als kikkers en koeienhersens.'

Geoff kreunde. 'Geen wonder dat er een revolutie uitbrak! Ze leden waarschijnlijk allemaal aan chronische indigestie.'

'Daar zou best eens wat in kunnen zitten.' Richard schoof zijn stoel achteruit en ging staan. 'Maar laten we het schrijven van uw *Geschiedenis van de oorzaken van de Franse Revolutie* bewaren voor een andere avond. We hebben veel vermakelijker dingen te doen...'

12

IN EEN KAMERTJE op het ministerie van Politie stond een man uit zijn raam te kijken. Hij had zijn handen losjes op zijn rug gevouwen, met de vingers en armen ontspannen. Zijn haren lagen voorovergekamd over zijn voorhoofd, in de klassieke stijl die hem de serene uitstraling gaf van een buste van een Romeinse senator, een man van kalmte en *gravitas*. Maar toen hij sprak, trilde zijn stem van ingehouden woede.

'Dit duurt nu al veel te lang, Delaroche. Bonaparte is ontstemd. *Ik* ben ontstemd. We kunnen niet toestaan dat die man ons in heel Europa belachelijk maakt.' De minister van Politie keerde zich langzaam om en vestigde zijn ijzige blikken op zijn ondergeschikte. 'Wat denkt u eraan te gaan doen?'

'Ik zal hem doden.'

Met een zoevende beweging belandde een zilveren briefopener met zijn punt in het vloeiblad op het bureau van Delaroche en bibberde na, als van angst. De wacht bij de deur dook ineen, maar Fouché bekeek het trillende mes met zijn vergeelde ogen. 'Dat kunt u nu wel heel stoer zeggen, maar dan zult u hem eerst moeten vinden, nietwaar? Hoeveel jaar is hij al actief, Delaroche? Vier? Vijf?'

'Het is zijn laatste geweest!' Delaroches vale gezicht brandde van de fanatieke drift van een zestiende-eeuwse inquisiteur. 'Ik zal een lijstje van verdachten opstellen en die dag en nacht door mijn topmensen laten schaduwen. Van elke plas die hij doet zullen we op de hoogte zijn! Hij zal me *niet* nogmaals ontsnappen. Binnen een maand laat ik hem voor u opknopen.' Zijn lippen krulden zich tot een dierlijke grijns.

'Als u daar maar voor zorgt,' zei Fouché koeltjes. 'Voor de invasie van Engeland is opperste geheimhouding geboden. We kunnen ons geen schendingen van de veiligheid meer veroorloven.'

Hij boog zich naar voren en pakte zijn hoed van de hoek van het bureau van Delaroche. 'We zullen maar hopen dat de kranten nog geen lucht gekregen hebben van dit laatste pijnlijke voorval. Ik stel voor dat u zich aan uw belofte houdt, of de Paarse Gentiaan zal niet de enige zijn die aan de galg bungelt. Goedendag, Delaroche.'

Met een klik viel de deur achter de minister van Politie in het slot.

Delaroche liep met grote passen naar zijn bureau, flipte de panden van zijn jas opzij en ging zitten. Op het vloeiblad lag een kleine, crèmekleurige kaart, die Fouché daar bij binnenkomst had neergesmeten.

Tussen zijn gespitste vingers door staarde Delaroche naar de kaart. Die had hem niets nieuws te bieden, hij had al een la vol crèmekleurige kaartjes met het stempel van de Gentiaan erop. Hij was er ook allang achter dat ze afkomstig waren van een zeer exclusieve drukker in Londen, met een grote klantenkring onder de *ton*. Als Delaroche af moest gaan op de kwaliteit van het papier, kon hij wel iedereen vanaf de Prins van Wales tot aan juffrouw Mary Wortley Montague beschuldigen. Op de binnenkant van de kaart – Delaroche hoefde hem niet van de briefopener los te maken om erin te kijken; hij herinnerde zich de inhoud tot in het kleinste detail – op de binnenkant had de schurk de rekening opgemaakt voor zijn kost en inwoning: één shilling voor oud brood, één shilling voor vuil water, twee shilling voor ratten, drie shilling voor amusante beledigingen van de bewakers, enzovoorts, voordat hij de kaart gestempeld had met het gebruikelijke paarse bloemetje. Boven op de kaart had hij een hoopje Engelse munten gelegd, bij wijze van betaling.

Onbeschaamde kerel! De lijst was in het handschrift van Falconstone – Delaroche kende het handschrift van alle mannen van wie hij ooit iets had onderschept. Delaroche zag voor zich hoe de Gentiaan daar stond te dicteren, midden in de allerbest bewaakte gevangenis van Parijs. Wat een brutaliteit!

Maar dat maakte het alleen nog maar zoeter om hem te doden.

Delaroche viste een eenvoudig vel schrijfpapier uit een la en doopte woest een ganzenveer in de inktpot, in stilte wensend dat het een mes was dat hij in het hart van de Gentiaan plantte. Dat plezier zou hij spoedig hebben. De man had hem eenmaal te vaak voor schut gezet. Delaroche had genoten van het spelletje; hij zou de laatste zijn om dat te ontkennen. Hij had genoten van de opwinding van een tegenstander die zijn aandacht waard was. De meeste van die zogenaamde spionnen waren zielig makkelijk te ontdekken en al helemaal makkelijk tot een volledige bekentenis te dwingen. Je hoefde ze maar een paar vingernagels uit te trekken en ze babbelden als baby's. Pathetisch, gewoon.

Met een explosie van inktvlekken zette Delaroche de eerste naam op zijn lijst: Sir Percy Blakeney, Baronet.

De Gentiaan moest een Engelsman zijn, daar was Delaroche zeker van. Alleen een Engelsman had zo'n uitermate ongepast gevoel voor humor. Wie anders dan een Engelsman zou zich vermommen als een dansende beer of geld met een toelichting achterlaten voor een gevangenbewaarder? Die Engelsen toch! Beseften ze dan niet dat spionage een ernstige aangelegenheid was?

Toen Sir Percy nog actief was als de Rode Pimpernel had hij soortgelijke grappen uitgehaald met de Franse regering. Hij bracht nog steeds grote delen van het jaar in Parijs door met zijn Franse vrouw. Op dit moment verbleef hij in zijn herenhuis in Faubourg St. Germaine. Hij werd uiteraard continu bewaakt, maar ja, daar had hij zich al zo vaak aan weten te onttrekken. Bonaparte hield vol dat Sir Percy onschadelijk was, een slang die zijn giftanden kwijt was. Bonaparte vond hem amusant. Delaroche vond hem uitermate verdacht. Net als de Londense kranten koesterde hij nog altijd het knagende vermoeden dat Sir Percy alleen zijn *nom de guerre* maar kwijt was, en zeker niet zijn giftanden.

Delaroche keerde terug naar zijn lijstje. In tegenstelling tot de Londense kranten liet hij de naam van Beau Brummel achterwege. (Na een onplezierige ontmoeting met die man in Londen was Delaroche tot de conclusie gekomen dat Brummel werkelijk zo geïnteresseerd was in mode.) In plaats daarvan schreef hij de naam op van Georges Marston.

Marstons heen-en-weergerij naar de haven was de onderminister van Politie zeker niet ontgaan. Marston beweerde dat de roep van zijn Franse bloed hem had teruggeroepen in dienst van zijn geboorteland. Anderen beweerden dat het meer de roep was van een hogere wedde. Delaroche had zelf een derde uitleg bedacht. Hoe makkelijk was het niet om net te doen alsof hij van bondgenoot wisselde en door te dringen tot de hoogste regionen van de regering... en ondertussen verslag uit te brengen aan zijn vroegere meesters?

Marston had zijn vriendschap met die idiote zwager van de Consul, Joachim Murat, aangewend om tot de binnenste kringen van de Tuilerieën door te dringen. Voorzover Delaroche had kunnen nagaan was die vriendschap geheel gebaseerd op drinken, gokken en hoereren, vormen van tijdverdrijf waaraan Delaroche zich niet overgaf. Hij had zich echter laten vertellen dat ze een uitstekend voorwendsel vormden om inlichtingen in te winnen.

Delaroche snoof minachtend. Amateurs!

Even speelde Delaroche met het verrukkelijke idee om de Paarse Gentiaan om te kopen en hem te laten overlopen naar Bonaparte. Georges Marston was een fortuinjager. Als hij de Paarse Gentiaan was hoefde hij alleen maar uit te vinden wat de Engelsen hem betaalden en dat te verdubbelen. Een mooie rang in het Franse leger – kolonel, wellicht? – en een huwelijk met een van Madame Bonapartes hofdames, en Marston zou voor altijd van hen zijn. Wat een coup zou dat zijn! PAARSE GENTIAAN LOOPT OVER NAAR BONAPARTE! zouden de koppen van die verachtelijke Engelse kranten schreeuwen.

Een dergelijke uitkomst zou bijna nog plezieriger zijn dan hem doden. Delaroche streelde het lemmet van zijn briefopener met een vinger vol littekens. Bijna...!

Ach, nou ja, je kon de man altijd omkopen, een paar weken genieten van de schaamrode kaken van de Engelsen en dan regelen dat de versbenoemde kolonel in het leger van Bonaparte een ongelukje kreeg.

Met een laatste, tedere liefkozing legde Delaroche het mes spijtig weg en schreef met abrupte halen een derde naam op het papier: Edouard de Balcourt.

Ondanks zijn door en door Franse naam was De Balcourt half Engels. Het was de minister van Politie niet ontgaan dat De Balcourt de afgelopen jaren koeriers naar Engeland gestuurd had, zogenaamd met brieven aan zijn zusje. Zijn zusje, ja ja! Goed, het meisje bestond, maar welke man besteedt er nu zoveel aandacht aan een zusje? Delaroche had nooit meer aan zijn eigen zuster gedacht sinds ze vijftien jaar geleden getrouwd was met die slager in Rouen.

De Balcourt had zijn vaders hoofd in het stro onder de guillotine zien rollen (op een bijzonder mooie dag voor een executie, herinnerde Delaroche zich tevreden); zijn landgoed was geplunderd, zijn wijngaarden waren in brand gestoken. Allemaal in het belang van de

Republiek, natuurlijk, maar iemand zonder enige burgerzin zou aan dergelijke praktijken toch aanstoot kunnen nemen.

De Balcourts opzichtige jassen, zijn al te uitbundige kravatten... Geen Franse kleermaker zou zulke afschuwelijke kleren maken, tenzij het met opzet was. Die kravatten getuigden van een man die iets te verbergen had.

Maar geen kravat in Frankrijk was groot genoeg om De Balcourt te beschermen tegen de allesziende ogen van het ministerie van Politie.

Zonder enige aarzeling zette Delaroche zijn vierde en laatste verdachte op de lijst: Augustus Whittlesby. Whittlesby noemde zich een romantisch dichter die inspiratie putte uit de pracht en praal van *la belle France*. Hij hing meestal kwijnend rond in de herbergen van het Quartier Latin, in een los, openhangend wit hemd, met zijn ene bleke hand tegen zijn voorhoofd gedrukt en de andere om een karaf rode wijn geklemd. Toen Delaroche hem eens kortaf gevraagd had of hij soms aan een ziekte leed (omdat Whittlesby hinderlijk over zijn laarzen heen in katzwijn was gevallen toen hij op het punt stond een verdachte achterna te gaan), had Whittlesby met wegkwijnende stem verklaard niet overvallen te zijn door een zwakte van het lichaam maar door de zielverzengende vreugden der dichterlijke inspiratie. Vervolgens was hij, nog steeds over de laarzen van Delaroche hangend, een geïmproviseerde ode gaan opdragen aan de keien van Parijs, die begon met: 'Heil aan u, o sylvanische stenen! / Op wier onvermurwbare glans vele voeten treden! / Laat er meer voeten op treden! Meer gelukkige, blije voeten! In laarzen met vrolijke kwastjes en glanzende schoensmeer / Die het vuil van een ongeplaveide straat niet kennen.' De gelukkige, blije voeten hadden nog vijfentwintig coupletten over de vrolijke vrolijke keien gedarteld, terwijl de voeten van Delaroche heel ongelukkig onbeweeglijk waren gebleven op keien die eerder modderig dan vrolijk waren.

Delaroche wierp een beschouwende blik op zijn briefopener. Misschien kon hij zich zelfs nog wel van Whittlesby ontdoen als die níet de Paarse Gentiaan bleek te zijn.

Delaroche wilde net de wacht toeroepen dat hij hem vier agenten moest sturen toen een plotselinge herinnering uit de wirwar van informatie die hij elke dag verwierf hem deed verstijven. Gisteren was er een andere Engelsman teruggekeerd naar Parijs. Diezelfde Engelsman had Parijs verlaten vlak nadat de Paarse Gentiaan de dossiers van Delaroche gestolen had.

Die man had de aandacht van Delaroche al eerder getrokken. Op zichzelf was dat niets bijzonders, want dat gold voor het merendeel van de Parijzenaars, maar deze keurige heer had hem zodanig geïntrigeerd dat hij hem op maar liefst zeven van Madame Bonapartes recepties het vuur na aan de schenen had gelegd en hem persoonlijk veertien dagen lang geschaduwd had. Delaroches pogingen waren vruchteloos gebleken (tenzij je het feit dat hijzelf meer vat had gekregen op een aantal passages in Homerus als winst beschouwde). Uiteindelijk had Delaroche hem met tegenzin laten vallen omdat hij precies leek te zijn waarvoor hij zich uitgaf: een geleerde met een absolute desinteresse in de huidige moderne tijd en een kennis van de klassieken waar een schoolmeester vreugdetranen over zou plengen. Maar toch... het toeval van de data was te frappant om te negeren.

Voordat hij zijn spionnen binnenriep, schreef Delaroche er nog één naam bij: Lord Richard Selwick.

13

Lord richard selwick nam het gezelschap in de Gele Salon van het Paleis van de Tuilerieën verveeld op. Er was de afgelopen twee weken van zijn afwezigheid kennelijk weinig veranderd. Richard weerstond de drang om aan zijn zorgvuldig geplooide kravat te trekken; het was onbehaaglijk warm in de salon met de hitte van te veel lichamen en te veel kaarsen. Schaars geklede vrouwen zweefden van groepje naar groepje als nachtvlinders van lamp naar lamp. Alleen bleven zij, anders dan de nachtvlinders, zo ver mogelijk bij het onthullende licht der vlammen vandaan, merkte Richard geamuseerd op. Josephine, zelf ouder dan ze wilde toegeven, had de kandelaars en spiegels van gaas laten voorzien, maar zelfs dat omfloerste licht kon de dikke lagen poeder op de wangen niet verhullen.

Een uitbarsting van ruw gelach klonk op van het andere eind van de salon. Over de gekrulde en getulbande hoofden van de menigte heen richtte Richard zijn monocle op de bron van het geluid. Aha, Marston. Marstons gezicht, omgeven door lange, gekrulde bakkebaarden, was rood aangelopen van de warmte en de drank. Hij stond met één arm op de schoorsteenmantel geleund en met de andere, voorzien van een glas cognac, gesticuleerde hij naar een toegenegen publiek bestaande uit Murat en een paar andere kerels in militair tenue, behangen met veel meer medailles dan hun leeftijd waarschijnlijk maakte. Richard overwoog erheen te gaan om te zien waarover ze praatten, maar hij besloot zich nog niet in de menigte geparfumeerde lijven te begeven. Te oordelen naar het gebulder dat rond de haard opklonk vertelde Marston moppen, geen geheimen.

Richard liet zijn monocle door de salon gaan. De gebruikelijke roddels, de gebruikelijke flirtpartijtjes, de gebruikelijke zwerm te schaars geklede vrouwen en te warm geklede mannen. Geen wonder dat de Fransen altijd maar mopperden over de eeuwige *ennui*.

'Wie zijn die provinciaaltjes daar bij De Balcourt?' vroeg Vivant Denon met een por in Richards ribben. 'Die twee juffertjes daar zijn zo slecht nog niet, maar o, wat een kleren!'

Denon, die de geleerden in Egypte had begeleid en die nu het nieuwe museum van Bonaparte in het Louvre aan het opzetten was, had vastomlijnde ideeën over esthetiek, vooral waar het vrouwen aanging. Denons eigen elegant geklede minnares, Madame de Kremy, stond op nog geen twee meter afstand van haar minnaar en wierp hem zo af en toe een verhitte blik toe. Tenminste, Richard hoopte maar dat haar blikken voor Denon bestemd waren; Madame de Kremy was immers helemaal zijn type niet.

Maar wat zijn type dan wel was... Richard volgde Denons blik en ontwaarde Amy Balcourt, met één gehandschoende hand lichtjes op de arm van haar broer. Richards *ennui* verdween onmiddellijk. Lichtelijk geamuseerd merkte Richard op dat Amy zo gejaagd was als een paard aan het begin van de derby en om haar broer heen de volle salon in probeerde te kijken. De Balcourt was in de deuropening blijven staan om grapjes te maken met Laure Junot, en Amy kon de vertraging nauwelijks verdragen. Richard zag dat Jane, die met juffrouw Gwen achter Amy stond, zich naar haar toeboog en haar iets in het oor fluisterde, waarop Amy reageerde met een snelle, treurige glimlach. Richard maakte aanstalten om terug te lachen, al was de blik niet voor hem bedoeld.

'Ze moesten alle jonge vrouwen uit de provincie een modeblad geven en hen naar de kleermaker sturen voordat ze de Tuilerieën in mogen,' zei Denon.

'Deze twee hebben de handicap dat ze uit Engeland komen,' merkte Richard droog op.

'Aha, dat verklaart alles!' Denon staarde ongegeneerd naar Amy en Jane. 'Die zware stoffen en die hoekige stijl zijn zo bedroevend Engels. We zouden uit pure liefdadigheid een boot vol kleermakers Het Kanaal over moeten sturen.'

Richard zou Amy's vormen zeker niet hoekig hebben willen noemen. Hij moest toegeven dat Amy's jurk niet zo nauw om haar lichaam sloot als de flinterdunne jurken van de Franse vrouwen, die slechts één onderjurk droegen die ze natmaakten zodat de stof tegen hun benen bleef kleven. (Ze deden dat ook in de winter, en al menige Franse vrouw had een longontsteking opgelopen en het leven gelaten, maar kennelijk waren ze het erover eens dat stijl het risico van een voortijdige dood dubbel en dwars waard was.) Amy's jurk, daarentegen, viel elegant vanaf de hoge taille naar beneden en gaf net genoeg van haar heupen prijs om een idee te geven van de vrouwelijke vormen eronder. Naast het eenvoudige witte batist dat de andere vrouwen droegen glansde het satijn van Amy's jurk in het kaarslicht als sneeuw bij volle maan.

'Al trek je ze Franse kleren aan, het blijven Engelse vrouwen,' merkte Richard vol bewondering op.

Denon begreep hem verkeerd en zei hoofdschuddend: 'Tja. Triest.'

De Balcourt had zijn zusje aan Madame Junot voorgesteld en begon zich een weg te banen door de menigte naar Josephine Bonaparte, die als een koningin in vol ornaat achter in de zaal zat. Terwijl Denon doorzanikte over de droevige staat van de mode aan de andere kant van Het Kanaal, met de paarse struisvogelveren in het strakke grijze knotje van juffrouw Gwen als het ultieme voorbeeld, vermaakte Richard zich met het observeren van Amy. Het kon toch geen kwaad haar gade te slaan?

Al haar reacties gleden over haar gezicht met de kleurrijke afwisseling van een hemel bij zonsondergang. Amy's gezicht lichtte vol interesse op toen haar broer haar voorstelde aan Madame Campan, een van de voormalige hofdames van Marie Antoinette. Toen Georges Marston dubbelklapte in een overdadige buiging, knipperde ze ongelovig bij het zien van zijn met goud geborduurde, pauwblauwe getailleerde jas en giechelde vanachter haar waaier iets tegen Jane dat de ogen van het serene nichtje deed tranen van een onderdrukte lach. Amy's lip krulde zichtbaar van afkeuring tijdens het maken van een knicks voor Joseph Fouché en Gaston Delaroche, die somber afstaken tegen het luchthartige gezelschap, als twee raven te midden van een vlucht duiven. En toen zag Amy Richard.

Ze struikelde over de zoom van haar jurk.

Ze struikelde maar eventjes, niemand anders had het gezien, maar Richard voelde zich er wonderlijk blij om. Het is altijd fijn om opgemerkt te worden, nietwaar? Amy herwon snel haar evenwicht en liep door, met haar hoofd schuin, zodat Richard buiten haar gezichtsveld bleef. Dus ze was van plan net te doen of ze hem niet kende?

Denon gaf Richard een por. 'Jij kent die Engelse vrouwen, *oui?*'

'Nee. Ik bedoel, ja, ik ken ze. We zaten op dezelfde boot uit Dover, twee dagen geleden. De ene is het zusje van De Balcourt, de andere zijn nichtje en de dragonder met de paarse pluimen is hun chaperonne.'

'*Une femme formidable!*' pufte Denon, met een angstige blik op juffrouw Gwens veren hoofdtooi. 'Ik voel met u mee, mijn vriend. Het ontbreekt de Engelse vrouwen aan alle sociale graties. Ze beseffen niet dat flirten een kunst is! Wat zult u zich verveeld hebben, daar aan boord!'

'Nee hoor. U doet de dames echt tekort.' Alleen omdat Amy hem een kwaad hart toedroeg, hoefde *hij* toch nog niet onbeleefd te zijn. 'Juffrouw Balcourt – de kleine, donderharige – is verrassend belezen. Ze heeft een paar zeer originele ideeën over de betrekkingen tussen de Grieken en de Egyptenaren.'

Denon richtte zijn monocle op Amy's rug. 'Aha, een – hoe noemen jullie dat ook alweer? – een blauwkous?'

'Zeker geen blauwkous.' Richard bekeek Amy's donkere krullen en voegde er toen, heel, heel zachtjes aan toe: 'Ik weet niet zo goed hoe ik haar moet noemen.'

'Een Vernieuwer, dan?' Denon tuurde zo ingespannen door zijn monocle naar Amy dat de waaier van zijn minnares verontwaardigd op en neer fladderde.

'Een Vernieuwer, ja.' Richard kon een glimlach niet onderdrukken toen hij zich Amy's commentaar herinnerde op metaforisch kannibalisme en de Franse Revolutie. 'Dat beslist!'

Aan de andere kant van de zaal fluisterde Jane tegen haar beslist vernieuwende nichtje, terwijl ze in de rij stonden om hun opwachting te maken bij Madame Bonaparte: 'Hoe lang bent u van plan uw hoofd zo te houden?'

'Kijkt hij nog naar me?'

'Nee.' Als er zoiets bestaat als op scherpe toon fluisteren, dan deed Jane dat nu. 'Doe toch niet zo belachelijk, Amy!'

'Ik wil niet met hem praten. Hij irriteert me.'

'En als u net doet of u hem niet ziet, hoeft u niet met hem te praten?'

'Precies!'

'Meisjes! Niet fluisteren in gezelschap!' fluisterde juffrouw Gwen. Amy rolde achter haar waaier met haar ogen.

Ze weerstond de verleiding met één gehandschoende hand haar nek te masseren en dacht, verborgen achter haar waaier, na over de voortgang van haar zoektocht naar de Paarse Gentiaan. Of, liever gezegd, het gebrek aan voortgang. Sinds hun aankomst had ze, heel stiekem en handig, tien gesprekken afgeluisterd. Het resultaat was dat ze nu precies wist hoeveel schuld meneer Murat had bij zijn kleermaker, waar ze de beste geitenleren handschoenen van Parijs kon kopen en dat een zekere Madame Rochefort, wie dat dan ook zijn mocht, naar verluidt verwikkeld was in een clandestiene amoureuze verhouding met haar lakei, of mogelijk met haar stalknecht. (Dat wist de vrouw met de grote, groenzijden tulband die het verhaal vertelde niet met zekerheid te zeggen.) Tenzij de energieke Madame Rochefort toevallig de identiteit van de Paarse Gentiaan wist en gechanteerd kon worden, zag Amy het nut van deze informatie totaal niet in.

En wat de Gentiaan zelf betrof... Amy had de meeste gasten al geschrapt als veel te Frans. Tenzij de Gentiaan de Rode Pimpernel alleen maar na-aapte was zijn naam een duidelijke aanwijzing van zijn nationaliteit. Tot nu toe had ze maar twee mannen van Engelse afkomst ontmoet. De ene, een meneer Whittlesby, met uitwaaierende haren en mouwen, geheel volgens de traditie van romantische chaos, had een blik op Jane geworpen, zich op zijn knieën aan haar blauwe sandaaltjes gestort en ter plekke een uitermate krakkemikkige ode aan 'De prachtige prinses met de azuurblauwe tenen' gecomponeerd. Gelukkig had juffrouw Gwen hard op de hand van de dichter getrapt waardoor hij met een piep midden in zijn tweede couplet ophield. Natuurlijk kon dat allemaal bij zijn vermomming horen, maar... Amy fronste haar wenkbrauwen achter haar waaier.

De tweede kandidaat, Georges Marston, was – net als zijn naam – half Engels, en zijn glimmende uniform stond haar net zo tegen als het gekreukte witte linnen van meneer Whittlesby. Maar meneer Marston had wel een stoutmoedige sprankeling in zijn blauwe ogen, die mogelijk te kennen gaf dat er een man van actie schuilging onder al dat goudgalon.

Een hand met plompe witte vingers trok Amy's waaier tot onder haar neus. 'Madame Bonaparte, het is mij een genoegen u voor te stellen aan mijn zuster, Mademoiselle Aimée de Balcourt,' zei Edouard in het Frans.

Amy maakte een diepe reverence. Madame Bonaparte kwam half overeind uit haar stoel en knikte haar toe. 'Ik kende uw lieve moeder, vóór de revolutie. Het was zo'n lieve, mooie vrouw! Toen ze ontdekte dat ik zo dol op rozen was stuurde ze me wat stekjes die ik al zo lang wilde hebben voor mijn tuin. U moet eens komen kijken naar mijn kleine tuin in Malmaison, die lang niet zo mooi geweest zou zijn als uw moeder dat niet gedaan had.'

Madame Bonaparte sprak Frans met een zangerig Creools accent dat zich over zijn toehoorders heen vlijde met de welwillende warmte van de zon boven een tropisch eiland. Onder haar diamanten diadeem glansden haar lichtbruine ogen vol warmte. Amy had wel tekeningen gezien van Bonapartes vrouw en zich toen afgevraagd waar ze haar reputatie van schoonheid aan te danken had. Maar nu ze oog in oog met haar stond, besefte Amy dat haar schoonheid niet zozeer bepaald werd door regelmatige gelaatstrekken als wel door haar uitstraling van een serene goede wil die even natuurlijk leek als haar ademhaling.

Het liefst was Amy aan haar voeten gaan zitten als een klein kind om haar verhalen te ontfutselen over haar ouders. Maar ze kon al haar plannen niet opofferen aan een moment van nostalgie. Als Madame Bonaparte – en dus het hele hof – wist dat ze Frans sprak, zou veel van haar waarde voor de Paarse Gentiaan verloren gaan.

Dus zette Amy een vragende blik op en zei in heel slecht, gebroken schoolmeisjes-Frans: 'Ik spijten ik niet spreken Frans. De nobele vrouw spreken Engels misschien?'

Een uitdrukking van lichte paniek gleed over Madame Bonapartes vriendelijke gezicht. Vanuit haar ooghoeken zag Amy Edouard rood aanlopen van afschuw en frustratie. 'Neemt u het mijn zusje niet kwalijk, excellentie,' begon hij haastig, maar een knap blond meisje boog zich over de rug van Madame Bonapartes stoel en zei, 'U hoeft u niet te verontschuldigen, Monsieur de Balcourt!' Ze schakelde over op een Engels dat net zo slecht was als Amy's Frans en zei met veel nadenken: 'Mama u willen vertellen zij 'ebben gekend uw moeder.'

Edouard, die eruitzag alsof hij wenste dat de geboende parketvloer zich zou openen om hem op te slokken, stelde het blonde meisje haastig voor als Hortense de Beauharnais Bonaparte, de dochter van Madame Bonaparte uit haar eerste huwelijk, nu zelf getrouwd met Napoleons jongere broer Louis. Toen juffrouw Gwen Edouard hard op zijn voet trapte, stelde hij juffrouw Gwen en Jane eindelijk ook voor.

'Ik moet u vragen excuses voor mij Engels *abominable!*' zei Hortense met een zelfverachtende zwieper van haar waaier. 'Mijn stiefvader 'ij niet *content* met mijn tuteur, dus ik 'eb niet meer Engelse lessen.'

'Uw Engels is helemaal niet slecht,' stelde Jane haar gerust. 'Het is veel beter dan mijn Frans, dat kan ik u wel vertellen.'

'Ja,' zei Edouard, 'u bent veel te streng voor uzelf!' En terwijl hij de stiefdochter van de Eerste Consul gladjes bedolf onder complimentjes over haar taalvaardigheden, kwam er ineens een fantastisch plan in Amy op. Een plan dat haar op regelmatige basis toegang zou verschaffen tot het paleis...

'Ik wil u best Engels leren!' flapte ze eruit.

Hortense keek zo verheugd en dankbaar dat Amy zich bijna schuldig voelde over haar berekenendheid. Bijna.

'*Vraiment?*'

'Natuurlijk wil ze dat!' Edouard keek nu als een man die het beloofde land ziet liggen na eerst een ongemakkelijke sessie met zwavel en hooivorken te hebben meegemaakt. Het plotselinge kneepje in haar hand vertelde Amy dat ze weer bij haar broer in de gratie was. 'De Balcourts zijn altijd blij als ze iets kunnen doen voor de Eerste Consul en zijn familie! Wanneer zal ze beginnen?'

Was Edouard altijd zo'n vreselijke slijmbal geweest?

Met wat uitingen over en weer van dankbaarheid, een hoop slecht Engels van Hortense en nog wat slechter Frans van Amy, kwamen ze overeen dat de eerste les de volgende middag zou plaatsvinden. Edouard trok zich buigend terug uit het gezelschap van de dames Bonaparte om met wat kennissen te gaan praten; Amy wilde net hetzelfde gaan doen, op het buigen en de kennissen na, toen iemand achter haar zijn keel schraapte. Amy wist onmiddellijk uit wiens keel het geschraap afkomstig was: uit een sterke, zongebruinde keel die ze eens verrukkelijk bloot had gezien in een open kraag met losse kravat. De huid op haar armen tintelde en haar nek deed pijn van de inspanning die het haar kostte om niet om te kijken. O, die ellendige kerel, stond hij haar zelfs niet toe zich even rustig te koesteren in haar gunstige lot?

'Richard!' Op Hortenses lippen klonk de naam zacht en exotisch, *Rieshaar*. Ze vroeg hem in het Frans: 'Wanneer bent u teruggekomen?'

Richard boog zich over Madame Bonapartes hand voordat hij die van haar dochter kuste. 'Ik ben maandagnacht teruggekomen.'

'En u hebt me nog helemaal niet opgezocht! Heel onbeleefd van u! Wat een beest, hè Maman, om ons zo lang zijn gezelschap te onthouden? Eugène zal het jammer vinden dat hij u misloopt, hij is vanavond naar de schouwburg.'

Amy wilde net stilletjes wegsluipen toen Hortense zachtjes een gehandschoende hand op haar arm legde. 'Hier is een schat van een landgenote van u, aan wie ik u graag wil voorstellen!' Stralend draaide Hortense haar hoofd in Amy's richting en trok haar naar voren. Amy probeerde niet zichtbaar tegen te stribbelen onder Richards toeziend oog. 'Mademoiselle Balcourt, ik wil u graag voorstellen aan Lord Rieshaar Selwieck.'

'We kennen elkaar,' zei Amy haastig.

'*Vraiment?*' Duidelijk geïntrigeerd sloeg Hortense vragend haar wimpers op naar Richard.

'Niet koppelen, Hortense, dat is een kwalijke eigenschap,' adviseerde Richard haar in het Frans. In het Engels zei hij tegen Amy, 'Als Hortense u kan missen, wil ik u graag voorstellen aan Vivant Denon, de directeur van de Egyptische expeditie. Althans, van het *tweede* deel van de Egyptische expeditie, het wetenschappelijke deel.'

'Ik had u al begrepen, mijn Heer. U hoeft het me niet uit te leggen.' Amy keek door half toegeknepen ogen over de rand van haar waaier naar Richard. Waaiers waren toch wel heerlijk nuttige dingen. Amy wou dat ze er altijd eentje bij zich kon dragen. 'Waarom?'

'Amy!' Juffrouw Gwens struisvogelveren wuifden afkeurend.

Richard negeerde Amy's onbeleefde gedrag. 'Omdat ik dacht dat het u plezier zou doen om met hem over de klassieken te praten.'

'Ik zou zo denken dat mijn *absurde* inspanningen van weinig belang zijn voor bereisde geleerden als hij en u,' zei Amy vinnig. Ze klapte haar waaier dicht.

Lord Richards groene ogen sprankelden van plezier. 'Ach, toch niet *al* uw ideeën zijn absurd?' zei hij luchtig.

'Josephine!' Een stentorstem deed de kaarsen in de kandelaars schudden. Onwillekeurig greep Amy Richards arm terwijl ze bezorgd

151

om zich heen zocht naar de bron van het vocale geweld. De mensen in de zaal gingen echter gewoon door met praten.

'Rustig maar.' Richard gaf een geruststellend klopje op de tengere hand die zich vastklampte aan de stof van zijn jas. 'Het is de Eerste Consul maar.'

Amy trok haar hand terug alsof zijn jas gemaakt was van brandende kolen en beet hem toe: 'Ja, dat zult u wel weten.'

'Josephine!' klonk de vreselijke stem nogmaals, waardoor verder commentaar onmogelijk werd. Uit een aangrenzend vertrek schoot een waas van rood fluweel tevoorschijn, op de voet gevolgd door de dribbelende gestalte van een jongeman. Amy kon nog net op tijd een stap opzij doen en hield zich uit alle macht staande op haar sandaaltjes om Lord Richard niet in de armen te vallen.

Het rode fluweel kwam abrupt tot stilstand naast de stoel van Madame Bonaparte. 'O, we hebben visite.'

Het rode fluweel bleek in ruste een man te zijn van iets minder dan gemiddelde lengte, gekleed in een lange roodfluwelen geklede jas met een broek die eens wit geweest moest zijn, maar die nu een assortiment vlekken vertoonde waaraan je precies kon aflezen wat de drager ervan vandaag gegeten had.

'Ik wou dat u niet zo schreeuwde, Bonaparte.' Madame Bonaparte hief een witte hand op en aaide hem zachtjes over zijn wang.

Bonaparte greep haar hand en drukte een klapzoen op de palm. 'Hoe moet ik anders zorgen dat ik gehoord word?' Liefdevol wond hij een van haar krullen om zijn vinger en vroeg: 'Nou, laat maar eens horen. Wie hebben we vanavond?'

'Een paar gasten uit Engeland, meneer,' antwoordde zijn stiefdochter. 'Mag ik u voorstellen,' begon Hortense en noemde een voor een hun namen. Bonaparte luisterde toe met zijn benen licht gespreid, zijn ogen vol kennelijke verveling en zijn rechterarm in de linkerkant van zijn jas gestoken, als een mitella. Hij boog zijn hoofd, keek neer op zijn vrouw en wilde weten: 'Zijn we nu nog niet klaar?'

Zwap!

Iedereen binnen gehoorsafstand sprong op bij het geluid van juffrouw Gwens tasje dat tegen Bonapartes arm zwiepte. 'Meneer! Haal die hand uit uw jas! Dat is onbeleefd *en* slecht voor uw houding. Een man die zo klein is van postuur behoort rechtop te staan.'

Een geluid dat verdacht veel leek op een lach ontsnapte aan Lord Richards lippen, maar toen Amy hem scherp opnam was zijn gezicht uitdrukkingsloos.

Een gevaarlijke stilte daalde over de ruimte neer. Flirtpartijtjes in de uithoeken van de zaal werden gestaakt. Zakelijke onderhandelingen werden afgebroken. Diegenen in het gezelschap die geen Engels spraken trokken hen die dat wel deden aan de mouw, en allerlei vertalingen deden op fluistertoon de ronde – naar behoren verfraaid, natuurlijk.

'Dit is een poging tot moord!' riep een vrouw naast Amy dramatisch uit en viel flauw in de armen van een officier die keek alsof hij niet goed wist wat hij met haar aan moest maar haar het liefst zou laten vallen.

'Nee, hoor, het is gewoon juffrouw Gwen,' probeerde Amy uit te leggen.

Ondertussen liep juffrouw Gwen op Bonaparte af en dreef hem naar achteren, zodat hij bijna bij Josephine op schoot zat. 'En nu we het er toch over hebben, die gewoonte van u om maar ongevraagd andermans landen binnen te vallen, uitermate ongepast noem ik dat! Ik wil dat niet! U moet bij de eerstvolgende gelegenheid uw excuses aanbieden aan de Italianen en de Nederlanders!'

'*Mais les Italiens*, zij inviteren mij!' riep Bonaparte verontwaardigd uit.

Juffrouw Gwen wierp Bonaparte de strenge blik toe van een gouvernante die de flauwe smoesjes van een lastig kind aanhoort. 'Dat kan best zijn,' verklaarde ze op een toon die te kennen gaf dat ze er niets van geloofde. 'Maar uw gedrag na binnenkomst was onvergeeflijk! Als u voor een weekend bij iemand thuis werd uitgenodigd, zou u dan ook alle meubels verzetten en de schilderijen van de muur halen? Zou u het leuk vinden als uw gasten dat deden? Ik denk van niet!'

Amy vroeg zich af of Bonaparte alleen juffrouw Gwen de oorlog kon verklaren zonder zijn vrede met Engeland te verbreken. 'Leve de Vrede van Amiens!' begon ze tegen Jane te fluisteren, maar Jane stond niet meer naast haar. Zou ze verdwenen zijn toen zij stond te bekvechten met Lord Richard? Ze herinnerde zich vaag dat Jane nog naast haar gestaan had toen Lord Richard zich aan hen opdrong, maar daarna had zijn aanwezigheid haar zo in beslag genomen dat ze niets meer met zekerheid durfde te zeggen. Amy keek uit haar ooghoeken naar rechts in de verwachting een glimp op te vangen van een sterke arm in een jas van fijne wol, maar ze ontwaarde slechts een pofmouw. Niet langer steels wendde ze haar blikken naar de plek waar Lord Richard had gestaan voordat juffrouw Gwen Napoleon de les begon te lezen.

Lord Richard Selwick was in rook opgegaan.

Amy zocht de ruimte af met haar ogen, maar de gefascineerde kring lichamen rondom Bonaparte en juffrouw Gwen was een paar rijen dik, en zo te zien nam Bonaparte het liefst lange officieren in dienst. Amy keek tegen een muur van met goudgalon bedekte uniformjassen aan. Ze had een keukentrapje nodig om daaroverheen te kijken! Ze wurmde zich door de menigte heen, waarbij ze op zeven verschillende tenen trapte, vijftien verschillende parfums van dichtbij rook, verstrikt raakte in één monumentaal zwaard en bijna op haar neus viel. Eindelijk had ze zich door de menselijke muur heen gewerkt. De rest van de salon lag er verlaten bij. Aan Amy's rechterkant had een vrouw een man een hoek in gedreven; ze streek suggestief met een vinger langs zijn wang. Sommige mensen kennen geen schaamte, dacht Amy. Aan de andere kant van de salon... Maar wacht eens even! Amy's ogen schoten terug naar de eerste hoek.

Dat was toch niet...? Was het hem? Het was hem!

De man die zich hier, in de salon van Madame Bonaparte, zomaar in het openbaar liet strelen was niemand anders dan die beruchte overloper: Lord Richard Selwick.

14

LIEVE HEMEL, SABBELDE die vrouw daar echt aan Lord Richards oor? Verbluft deinsde Amy een paar passen achteruit op haar zachte sandaaltjes. Het stel stond precies onder een kandelaar, die de scène en de acteurs walgelijk helder verlichtte. De vrouw droeg een witte batisten jurk die zo doorschijnend was dat het licht er dwars doorheen scheen en de onbetwiste afwezigheid van een onderjurk, al dan niet bevochtigd, onthulde. Haar donkere haren vielen in gladde krullen uit een kring van parels op de kruin van haar hoofd, en één bijzonder lange krul vestigde de aandacht op het feit dat de jurk van de vrouw nauwelijks een lijfje had, tenzij men bereid was een kort lapje kant dat een paar centimeter boven de hoge taille uitstak als zodanig te beschouwen. Ze was ongelooflijk, ontegenzeglijk mooi.

Amy haatte haar ogenblikkelijk.

Edouard had haar de vrouw al eerder aangewezen. Amy zocht koortsachtig haar geheugen af terwijl de vrouw haar hand door de glanzende gouden lokken van Richard liet glijden. Pauline! Dat was het. Bonapartes jongere zusje, Pauline Leclerc. Haar affaires waren even legendarisch als haar schoonheid, en ze was – naar men zei – met de helft van de mannen van Parijs naar bed geweest. Amy werd natuurlijk niet verondersteld dat te weten, maar ze had jarenlang de roddelrubrieken verslonden. De Engelse kranten zagen er totaal geen been in om de schandalen van de Fransen op z'n allerschandaligst af te schilderen, zonder hen zelfs maar de beschermende sluier van een eufemisme te gunnen.

Amy keek toe hoe Pauline zich sensueel om Lord Richard kronkelde, gelijk Laocoön en de slangen. Ze streek over de ondoorschijnende stof van haar jurk en werd er zich voor het eerst van bewust dat haar eigen jurk ontworpen was door een provinciale naaister uit Shropshire die werkte naar voorbeelden uit modebladen van enige maanden oud. Amy's hand gleed omhoog naar haar eigen zeer bescheiden decolleté en speelde met de hanger in het kuiltje van haar hals. Naast Paulines diamanten leek het kleine gouden medaillon dat aan een zijden lint om haar hals hing vast een prul, een kindersieraad. Amy voelde zich plotseling erg jong en onervaren, een klein meisje dat stiekem rondloopt op een feestje voor volwassenen.

Nou ja, *zo* zou ik in elk geval *niet* willen zijn, zei Amy vastberaden tegen zichzelf. En het paste helemaal bij Lord Richard dat hij zich met zo'n lichtekooi inliet! Twee mensen zonder zeden. Ze verdienden elkaar.

Maar hoe kon hij het doen?

'Amy.' Iemand trok haar aan haar mouw. '*Amy.*'

'O, Jane! Ik was op zoek naar u. Hebt u *dat* gezien?' Amy stopte zoveel woede in haar gefluister als maar mogelijk was en wees naar het paar onder het kaarslicht. Haar vinger beefde van verontwaardiging.

Jane keek van Richard en Pauline naar Amy. Haar nichtje beet zo hard op haar onderlip dat het een wonder was dat die niet bloedde en haar armen waren stevig over haar borst gevouwen, alsof ze zichzelf moest troosten.

'Hij lijkt haar attenties niet erg te waarderen,' merkte Jane op. 'Amy, Edouard...'

'Waarom blijft hij dan in godsnaam *staan*?' siste Amy.

'Misschien omdat ze hem tegen de muur gepind houdt? Amy, u moet...'

'Dat is geen excuus!'

'Amy, Edouard is verwikkeld in een buitengewoon verdacht gesprek en ik vind dat u *meteen* moet komen luisteren!' fluisterde Jane in één lange adem, voordat haar nichtje haar weer kon onderbreken.

'Als hij echt niet wilde... Wat?' Amy vergat haar boosheid en draaide zich op haar hielen om naar Jane. 'Wacht eens even, wat zei u?'

'Edouard en Marston,' fluisterde Jane op dringende toon, 'zijn samen naar buiten geglipt toen alle ogen gericht waren op juffrouw Gwen.'

Amy was plotseling een en al aandacht. 'Nou, waar wachten we dan nog op? We staan hier onze tijd te verdoen met ons gezemel over... Jasses! Breng me erheen, Jane. Er is geen moment te verliezen!' Amy vloog naar de deur.

Jane sloeg heel even, nauwelijks waarneembaar, haar ogen ten hemel en liep toen achter haar nichtje aan.

Als Amy een seconde langer gewacht had, zou ze gezien hebben dat Richard de kronkelende hand van de vrouw uit zijn haren had geplukt.

'Uw listen zijn niet aan mij besteed, Pauline. Ik ben niet geïnteresseerd.'

Het zusje van de Eerste Consul trok een pruilmondje en sloeg haar armen om Richards middel. 'Dat zegt u altijd. Kan ik u echt niet... *overhalen* om wat anders te zeggen?' Een hand glipte de band van zijn broek binnen.

'Nee,' zei Richard botweg.

Hij pakte Pauline om haar middel, duwde haar opzij en kwam uit de hoek waarin zij hem gedreven had. 'Ga maar iemand zoeken die wel zin heeft om met u te spelen,' adviseerde hij haar vriendelijk. Pauline was de kwaadste niet, en het was ook wel vleiend om te merken dat een vrouw je zo dolgraag het bed in wilde lokken. Maar Richard was niet in haar geïnteresseerd. Pauline was in hofkringen al veel te vaak van hand tot hand gegaan. Met vastberaden stappen liep Richard naar de deur waardoor hij De Balcourt en Marston had zien verdwijnen. Die voerden beslist iets in hun schild, en Richard wilde graag weten wat.

'Maar u bent zo'n *uitdaging*!' riep Pauline hem na.

'En u bent verdoemd net een terriër,' mompelde Richard glimlachend, terwijl hij dreigend zijn vinger naar haar ophief. Maar Pauline hoorde hem niet; ze was al op zoek naar toeschietelijker gezelschap. En dat was waarschijnlijk maar beter ook, want Richard wilde het lievelingszusje van Bonaparte beslist niet zo tegen zich in het harnas jagen dat het een breuk opleverde met haar broer. God allemachtig, zelfs als hij Pauline *wel* wilde zou de kracht van haar charmes het ongetwijfeld moeten afleggen tegen het risico van Bonapartes ongenoegen.

Hoe lang geleden had De Balcourt de salon verlaten? Vijf minuten? Tien? Het was lastig om de tijd in de gaten te houden als je met je rug tegen de muur ongewenste liefkozingen stond te ondergaan. Helaas was dat meer dan lang genoeg voor De Balcourt en Marston om geheel en al verdwenen te zijn. Het probleem met de Tuilerieën was dat die verduivelde kamers nog allemaal *en fillade* lagen en je dus van de ene kamer de andere inliep. Gangen, besloot Richard, waren een geschenk van de architecten voor spionnen. Je kon gewoon door een gang lopen en bij elke deur luisteren in plaats van kamer in kamer uit te moeten lopen in de hoop dat je de juiste richting gekozen had en zonder het risico te lopen dat je per ongeluk net dat gesprek zou verstoren dat je had willen afluisteren.

Geërgerd liep Richard door een verlaten salon. Bij de volgende deur hield hij zijn pas in, opende hem op een kier en gluurde naar binnen. Hij hoorde geen stemmen, maar dat hoefde nog niet te betekenen dat er niemand was. De geur van die walgelijk sterke cologne waar De Balcourt zich altijd mee besprenkelde hing niet in de kamer. Dat betekende dat de kust veilig was. Richard gooide de deur wijd open.

Aha, de deur aan de andere kant van de kamer stond op een kier. Natuurlijk kon een van de bedienden dat gedaan hebben, of iemand die op zoek was naar het privaat, of allerlei andere mensen die niets met De Balcourt of Marston te maken hadden, maar bij gebrek aan een betere aanwijzing ging hij er toch op af. Op zijn tenen liep hij de lange galerij door, langs rijen armloze goden, en tuurde door de kier naar binnen en zag... een mooi rond vrouwelijk achterwerk, gehuld in wit satijn.

Een toevallige toeschouwer – als die er was geweest – zou moeite hebben gehad vast te stellen of Richard alleen uit professionele nieuwsgierigheid door die kier stond te gluren of dat er nog andere motieven een rol speelden, want het was duidelijk aan wie het onderlijf in kwestie toebehoorde. De dunne stof vormde zich soepel naar Amy's lichaam terwijl ze voorovergebogen met haar oor tegen het sleutelgat van de deur aan de andere kant van de smalle kamer stond.

Met haar oor tegen het sleutelgat?

Wat deed Amy daar met haar oor tegen het sleutelgat? Los van het feit dat die activiteit bepaalde lichaamsdelen goed deed uitkomen... Richard schudde zijn liederlijke gedachten van zich af en dwong zijn geest zich weer rationeel te gedragen.

Ze leidde hem niet alleen af met haar derrière, ze had nota bene nog zijn plaats ingepikt ook! *Hij* had daar in dat voorvertrek moeten staan. *Hij* had zijn oor tegen die deur moeten drukken. Verdoemd nog aan toe, waar haalde dat kleine nest van het platteland het recht vandaan zich zijn sleutelgat toe te eigenen?

Richards lippen knepen zich samen tot een dunne lijn.

Amy, zich totaal niet bewust van het feit dat ze zoveel consternatie veroorzaakte, drukte haar oor tegen de ruime opening die het sleutelgat haar bood. Goddank waren deze sloten gemaakt voor grote sleutels! Amy kon elk woord dat er gezegd werd horen zonder dat het gedempt werd door het hout van de deur. Jammer genoeg was er nog maar weinig zinnigs gezegd. Edouard had maar doorgebabbeld – een ander woord had ze er echt niet voor – over hoezeer hij in de gratie was bij de familie Bonaparte. Amy rolde met haar ogen en trok gezichten van walging en verveling tegen Jane.

Had Edouard Marston dan alleen maar meegesleept om hem te vertellen hoe goed hij zichzelf vond? Maar Jane was er zo zeker van geweest dat ze iets verdachts te bespreken hadden, en Jane was beslist geen fantaste... Amy's nek begon pijn te doen van de onnatuurlijke hoek waarin ze haar hoofd hield en het rijk bewerkte koperbeslag van het sleutelgat prikte in haar oor. Als ze die gewonde man niet in de balzaal had zien liggen zou Amy haar broer zonder meer een van de saaiste mannen van de wereld gevonden hebben, maar nu... Misschien sprak Edouard in code? Nee. Het geluid van gelaarsde voeten die ongeduldig over de parketvloer van de volgende kamer heen en weer liepen leken erop te wijzen dat Marston de monoloog van Edouard net zo irritant vond als zij. Dat betekende dat Marston in elk geval nog een beetje gezond verstand bezat, besloot Amy.

Van alle mannen die ze die avond ontmoet had was Marston de meest waarschijnlijke kandidaat om de Paarse Gentiaan te zijn.

Ineens kwam er een eind aan het vaste ritme van Marstons voetstappen. Ook Edouards monoloog viel weg.

'Genoeg gepraat. Hebt u gepiept, De Balcourt?'

Edouards stem klonk wonderlijk omfloerst toen hij hijgde: 'Nee! Hoe kunt u denken dat ik... Nee!'

'Goed.' Het woord werd bijna overstemd door een plof, alsof iemand iets zwaars had laten vallen.

De Paarse Gentiaan. Hij *moest* de Paarse Gentiaan zijn. Amy was te opgewonden om hele zinnen te vormen; haar gedachten explodeerden in gerafelde fragmenten.

'Vanavond, dan?' vroeg Edouard ademloos.

Vanavond! Vanavond! zei Amy geluidloos tegen Jane. Maar waar? Ze drukte haar oor nog dichter tegen het sleutelgat.

'Mij best,' zei Marston lijzig. 'Waarom zouden we wachten?'

'U kunt wel met ons mee terugrijden, dan gaan we op mijn studeer-kamer zogenaamd wat zitten kaarten bij een glas port.'

'Ik weet u te vinden, De Balcourt.'

'Eh, juist,' zei Edouard beduusd.

'Al moet ik zeggen,' zei Marston, en zijn laarzen begonnen weer te klikken, 'dat ik er geen bezwaar tegen zou hebben om met uw zusje in een rijtuig te zitten.'

Wat?

O help, de voetstappen stevenden in hoog tempo op de deur af. Ze had nu geen tijd om na te denken over die laatste, uiterst interessante opmerking van hem, of af te wachten of er nog meer kwam. Amy liet haar sleutelgat in de steek en gebaarde angstig naar Jane dat ze hier weg moesten. Ze zochten haastig dekking achter een paar gammele vergulde stoelen. Amy voelde zich net een kind dat probeert zich te verstoppen achter zijn eigen handen. Als de mannen een kandelaar droegen zouden de stoelen hen nauwelijks verbergen. Amy maakte zich nog kleiner in haar hoekje. Als ze gesnapt zouden worden, moes-ten ze zich er maar uit zien te draaien. Ze konden altijd zeggen dat ze Edouard waren gaan zoeken omdat juffrouw Gwen ruzie zocht – dat zou Edouards aandacht onmiddellijk van hen afleiden – en als de mannen vroegen waarom ze over de vloer kropen zou ze net doen alsof ze een haarspeld kwijt was. Edouard zou er vast niet bij stilstaan dat ze haar haren los had gehad. En als dat niet werkte, moest ze een plan B...

De deur zwaaide open en vloog bijna tegen Amy's stoel aan. Amy schoot bijna overeind van schrik.

'Meneer!' riep Edouard pompeuzer dan ooit. Zelfs in het donker zag hij eruit als een heilbot. 'Het is wel mijn zuster over wie u spreekt!'

Marston doorkruiste met drie lange passen het voorvertrek, met Edouard puffend in zijn kielzog. 'Nou en?' De deur sloeg dicht achter de twee mannen. Klip-klap, schuifel, schuifel... Het geluid van Mars-tons vastberaden tred en Edouards schuifelpasjes stierf weg in de mar-meren galerij.

Als een schildpad dook Janes hoofd op vanachter de rug van haar stoel. 'Amy,' fluisterde ze, 'ik mag die vent niet.'

'Sssjt!' siste Amy. 'Wacht tot we zeker weten dat ze weg zijn!'

'Volgens mij is de kust veilig, tenzij ze op hun tenen teruggeslopen zijn.'

Amy veerde overeind en maakte nog een extra sprongetje van blijdschap. 'Spannend, hè Jane? Wat boffen we! Als u Edouard niet gevolgd was, dan hadden we nooit...'

Maar Jane viel Amy bezorgd in de rede. 'Die meneer Marston is geen heer.'

Amy, die de donkere stofplekken van haar satijnen jurk stond te vegen, keek op. Wit was geen kleur voor spionnen. 'Maar Jane, hij *moet* de Paarse Gentiaan zijn, dat kan niet anders!'

'Dat maakt hem nog niet tot een heer. Trouwens, we weten nog helemaal niet of hij de Paarse Gentiaan is, Amy.' Amy hoefde het gezicht van haar nichtje niet te zien om te weten hoe ze naar haar keek.

'O *Jane*,' zei Amy gepikeerd. Maar toen bedacht ze zich dat haar nichtje niet aan het sleutelgat geluisterd had. Fluisterend begon ze het gesprek dat ze gehoord had te herhalen, en haar stem werd al snel luider. De deur naar de marmeren galerij was achter Edouard dichtgevallen. Amy en Jane merkten niet dat iemand zijn oor tegen het sleutelgat gedrukt hield, en evenmin zagen ze twee groene ogen glinsteren als die van een panter op de loer bij de woorden 'studeerkamer' en 'vanavond'. En natuurlijk hoorden ze ook niet dat Richard op zijn tenen de marmeren galerij af sloop om een middernachtelijke inval in de studeerkamer van De Balcourt te gaan voorbereiden.

'Dus, Jane,' besloot Amy, en haar krullen dansten om haar gezicht terwijl ze rondjes danste in de kleine kamer, 'ik verberg me in Edouards studeerkamer en luister hun gesprek af. Nogal logisch dat ze hier niet konden praten, met al die revolutionairen om zich heen, maar vanavond...'

Ze moest dus zorgen dat ze eerder in Edouards studeerkamer was dan hij.

'We zijn zo warm, Jane!' kraaide ze. 'Ik kan bijna niet geloven dat we de Paarse Gentiaan nu al gevonden hebben!'

'Ik ook niet,' zei Jane bezorgd.

15

RICHARD STOND BUITEN voor het raam van Edouard de Balcourts studeerkamer en trok de capuchon van zijn zwarte cape verder over zijn gezicht. Hij voelde zich altijd volkomen belachelijk in deze kleren. Zwarte broek, zwart hemd, zwarte cape, zwart masker... Het was het soort outfit dat pretentieuze struikrovers met namen als *de Schaduw* of *de middernachtelijke Wreker* droegen, die hoopten de geïllustreerde pers te halen met omschrijvingen als: 'Zijn ziel is zo zwart als zijn kleren...' Jasses. Als het zwart niet zo verdoemd handig was geweest om op te gaan in de nacht, zou Richard veel liever zijn missies voltooid hebben in zijn gewone kleren. Trouwens, van dat masker kreeg hij jeuk aan zijn neus. Wie had er nu ooit van een niezende spion gehoord?

Hij wriemelde nog een laatste keer aan zijn neus, zette zijn masker recht en wrikte het raam open. De gordijnen waren nog open, en tenzij De Balcourt in het donker op de vloer lag – iets wat Richard, die toch een levendige fantasie had, zich onmogelijk kon voorstellen – was de studeerkamer verlaten. Mooi. Dat gaf hem de tijd om rustig rond te neuzen en zich te verstoppen voordat De Balcourt en Marston binnenkwamen. Als alles liep zoals Richard het had ingeschat, dan moest het nu ongeveer kwart voor twaalf zijn. Voorzover hij De Balcourt kende was dat typisch zo'n afgezaagde sukkel die zijn clandestiene bijeenkomsten plande om klokslag twaalf uur. Als De Balcourt een spion was, zou hij het vast *heerlijk* vinden om in het zwart rond te lopen.

Dat was wel iets wat De Balcourt met zijn zusje gemeen had: gevoel voor drama.

Richard greep het raamkozijn met beide handen vast en hees zich de kamer in, waarbij zijn cape danig in de weg zat. Enigszins onvast landde hij, via de verende kussen van de erkerbank, sneller op de grond dan zijn bedoeling was.

Richard keek snel de kamer door. In die vensternissen met hun dikke fluwelen gordijnen zou hij zich mooi kunnen verstoppen als hij voetstappen hoorde op de gang. Een bureau, een tafeltje met een karaf cognac, een wereldbol... het vertrek was duur maar spaarzaam ingericht. Hoe kon een man een studeerkamer hebben zonder boekenkast? De bibliofiel in Richard was geschokt. Het enige leesmateriaal in Edouard de Balcourts studeerkamer was een stapel beduimelde modebladen, gewijd aan de allernieuwste vesten.

Normaal gesproken was een bureau de meest voor de hand liggende plek om te zoeken. Maar dit bureau was zo'n spichtig ding, niet veel meer dan een veredelde tafel, met slechts één smalle lade. Bovendien, De Balcourt mocht dan niet de slimste kikker in de vijver zijn, maar zelfs hij zou toch geen bewijzen van illegale bezigheden in zijn bureau stoppen.

Natuurlijk, Delaroche deed dat wel – althans, dat *had* hij gedaan, verbeterde Richard zichzelf met een zelfingenomen glimlach – maar hij moest toegeven dat dit nu ook weer niet zo stom was, want Delaroche ging er vanuit dat het ministerie van Politie ondoordringbaar was.

Als het niet in het bureau zat, waar dan wel?

De Balcourt had een schilderij boven zijn bureau en boven de tafel aan de andere kant van de kamer opgehangen. Ze glommen allebei nog van de nieuwigheid. Er had zich nog geen stof kunnen nestelen in de krullen van de vergulde lijsten en de schilderijen zelf waren nog niet dof van zonlicht of roet. Normaal gesproken ging Richard er vanuit dat alles wat er nieuw uitzag automatisch verdacht was. Maar bij De Balcourt ging die vlieger niet op: alles in de studeerkamer zag er nieuw uit. Het bureau, met de ingelegde koperen sfinxenkoppen in het hout van de poten, was nog geen jaar oud, en het tafeltje met de karaf was duidelijk afkomstig van dezelfde meubelmaker en was bovendien te dun om een dubbele bodem te hebben. Zelfs de schoorsteenmantel boven de open haard stond er nog niet lang.

Eigenlijk was het enige voorwerp in de hele kamer dat niet nieuw, modieus en – in Richards ogen – onvergeeflijk lelijk was, de globe die in de hoek van de kamer stond, tussen de tafel en het raam. Precies zo'n globe had er in zijn jeugd in de bibliotheek van Uppington Hall gestaan. Richard had, als achtjarige lastpak, die globe zo vaak op top-snelheid rondgezwiept om de landen te zien vervagen tot veelkleurige vlekken, dat de globe uit de bibliotheek van Uppington Hall het uiteindelijk begeven had. Hij was uit zijn houder dwars door het raam naar buiten gevlogen en een decoratieve fontein in gestuiterd onder de geschokte blikken van een marmeren zeemeermin. Richard had het jarenlang met papieren landkaarten moeten stellen.

Met iets van het plezier van het achtjarige jongetje stapte Richard op de globe van De Balcourt af.

Richard vouwde zijn vingers om de contouren van de globe, tilde hem uit zijn standaard en schudde hem heen en weer. En schudde nogmaals, verheugd over het onmiskenbare geritsel van papier. Een heleboel papier, als hij het wel had. Hoera!

Zijn vingers tastten naar de sluiting. Net toen Richard een verdacht bobbeltje had ontdekt, ergens langs de evenaar, hoorde hij een plof, gevolgd door een geluid dat wonderlijk veel leek op een 'au'.

Verdraaid, zou De Balcourt toch in het donker op de vloer liggen?

Richard zette die belachelijke gedachte onmiddellijk weer uit zijn hoofd. De Balcourt mocht dan een piepstem hebben, een eunuch was hij niet. Roerloos overwoog Richard zijn kansen. Misschien had hij helemaal geen 'au' gehoord, maar een krakende vloerplank of een muis. Maar als er ook maar een schijn van kans was dat het een stem was geweest, kon hij maar één ding doen: het raam uit duiken en maken dat hij wegkwam, voordat hij gesnapt werd. Dus, verstandig als hij was, besloot Richard dat dan maar te doen.

Tot zijn stomme verbazing hoorde hij zijn eigen stem in het Frans vragen: 'Wie is daar?'

En hij was nog verbaasder toen een stem in dezelfde taal antwoordde: 'Maak u niet ongerust, ik ben het maar. Au!'

'Ik ben het maar,' herhaalde Richard onnozel. Een klein, maar al te bekend figuurtje probeerde zich onder het bureau uit te wurmen. 'Rotmeubels!' hoorde hij haar in het Engels mompelen, terwijl er eerst een donker hoofd en toen een paar schouders zichtbaar werden. 'O stik, mijn zoom is blijven haken.' Het hoofd verdween weer onder het bureau.

Te ongelovig om zelfs maar boos te worden stapte Richard op het bureau af, greep een paar slanke onderarmen en trok eraan. Hij hoorde vaag iets scheuren en hup, daar verscheen een nogal verfomfaaide juffrouw Amy Balcourt.

Amy kermde niet toen de Paarse Gentiaan haar onder het bureau van haar broer uittrok. Ze trok niet eens een gezicht toen ze haar knie schramde aan het vloerkleed. Ze had het veel te druk met onbeschaamd staren naar de Paarse Gentiaan.

De Paarse Gentiaan was hier, in levenden lijve, in de studeerkamer van haar broer. Goed, ze kon niet veel van hem zien met zijn lange zwarte handschoenen, zijn zwarte masker, zwarte broek, zwarte cape en zwarte capuchon, maar twee zeer levendige ogen vlamden door de gaten in het masker, en zijn in het zwart gehulde borst ging op en neer van zijn enigszins onregelmatige ademhaling.

Ondanks het zelfvertrouwen waarmee ze eerder die dag Jane had benaderd – ze moest wel, want als Jane merkte dat ze niet zeker was van haar zaak praatte ze het haar domweg uit haar hoofd – was Amy bang geweest dat haar verblijf onder het bureau haar weinig meer zou opleveren dan een fraaie oogst stof. De Paarse Gentiaan, redder van royalisten, gesel van de Fransen, had zo lang als een geestesverschijning haar dagdromen bevolkt dat het bijna onmogelijk leek dat hij nog in enige andere vorm aan haar zou verschijnen.

Maar daar stond hij, echt, levend, van zijn sluiplaarzen tot de uitdrukking van geschokte woede op zijn beschaduwde gezicht aan toe. Amy hoefde zich niet eens te knijpen om zeker te weten dat ze niet droomde, want die taak had de Gentiaan – zonder het zelf te weten – al op zich genomen. De greep van zijn gehandschoende vingers op haar bovenarmen was pijnlijk stevig. Amy kronkelde een beetje in zijn houdgreep, want ze begon het gevoel in haar vingers te verliezen.

'Eh, zou u me alstublieft neer willen zetten?' vroeg Amy in het Frans.

'Wat? O, ja, natuurlijk.' Kennelijk had hij iets te veel kracht uitgeoefend, want Amy bungelde een centimeter of tien boven de grond. Richard zette haar haastig neer. 'Neemt u me niet kwalijk.'

'Het geeft niet.' Amy schudde haar rokken uit en schonk hem een glimlach die de maanverlichte duisternis van de studeerkamer even deed oplichten.

'Mag ik u vragen wat u onder dat bureau uitspookte?'

'Ik wachtte op u,' zei Amy opgewekt, alsof dat alles verklaarde. 'U bent toch de Paarse Gentiaan?'

'Zou het niet een beetje dom van me zijn om die vraag te beantwoorden?' vroeg Richard droogjes.

'Alleen als u denkt dat ik de geheime politie achter de gordijnen verstopt heb.' Impulsief pakte Amy een van zijn gehandschoende handen, leidde hem naar de gesloten gordijnen van het andere raam en trok ze met een ruk open. Ze draaide zich om en keek hem aan. 'Ziet u wel? Geen Fouché, geen Delaroche. U hebt niets te vrezen.'

Richard, die veel dichter bij Amy stond dan welgevoeglijk was in de verduisterde, verlaten studeerkamer van haar broer, betwijfelde dat. Hoe makkelijk zou het zijn om nu iets voorover te hellen, die eigenwijze krul uit haar oog te strijken en haar gezicht met zijn handen te omvatten... Richard deed een stap achteruit, weg van Amy. Als hij haar niet kon overhalen te vertrekken moest hij zelf maar doen alsof hij wegging en onder het raam blijven rondhangen.

'U gaat nu toch niet weg? Ik heb een hele poos onder dat bureau liggen wachten om met u te praten!'

Amy hoopte vurig dat hij niet van plan was snel uit het raam te springen. Ze kon hem natuurlijk aan zijn cape vasthouden zodat hij niet weg kon, maar dat was niet de manier waarop ze zich haar eerste ontmoeting met de Gentiaan had voorgesteld. Het was al erg genoeg dat hij haar onder het bureau vandaan had moeten sleuren – die verdoemde zoom ook – terwijl ze zo dolgraag indruk op hem had willen maken met haar moedige spionagekwaliteiten.

'Ik wil u helpen,' zei ze verlangend.

'Mij *helpen*?'

Amy verkoos de scepsis in de toon van de Gentiaan te negeren. 'Ja! Ik zou u heel goed van dienst kunnen zijn! Ik heb toegang tot het paleis; ik ga Bonapartes dochter Engelse les geven. Niemand behalve u weet dat ik Frans spreek, dus ze zullen vrijuit praten als ik er ben zodat ik allerlei nuttige dingen te weten kan komen. Ik ben niet bangelijk aangelegd en ik kan me heel goed vermommen en...'

'Nee.' De Gentiaan liep met grote passen op het raam af. 'Geen sprake van.'

'Waarom niet?' Amy rende achter hem aan. 'Vertrouwt u me niet? Geef me op z'n minst een kans! Laat me iets doen om mezelf te bewijzen! Als ik daar niet in slaag, ga ik weg, dat beloof ik, en dan zal ik u nooit meer lastigvallen.'

Richard bleef staan, verrast door de echo's van zijn eigen stem, zo'n jaar of tien geleden. Hij had in Percy's studeerkamer staan pleiten en smeken, hem alles beloofd wat hij maar wilde voor de kans om ten minste één missie voor hem te mogen uitvoeren.

Richards gezicht verstarde. Dit was een heel andere zaak, besloot hij. Goed, hij was niet veel ouder geweest dan Amy nu, maar hij reed paard, hij bokste, hij schermde en verdomme, hij was geen tenger meisje dat de eerste de beste boerenpummel zo over zijn schouder kon slingeren.

Hoe kon hij Amy in godsnaam in haar eentje op een missie sturen? Ze zei dat zich goed kon vermommen. Richard kreeg kippenvel bij de gedachte aan Amy die, verkleed als een weinig overtuigend straatschoffie, door Parijs zwierf. Ze mocht dan fijngebouwd zijn, maar Richard had haar gestalte grondig onderzocht – in het belang van haar veiligheid, uiteraard – en het was hem overduidelijk dat de rondingen die haar decolleté zo fraai accentueerden niet gemakkelijk konden worden teruggedrongen tot mannelijke proporties.

'Zou u zich niet liever bezighouden met uw borduurwerkje?' opperde Richard geïrriteerd.

'Mijn *borduurwerkje*?'

'U zou zich ook kunnen wijden aan de muziek,' probeerde Richard Amy weg te werken. 'Waarom gaat u niet eens kijken in de muziekzaal of daar wellicht een harp staat?'

'Probeert u soms van me af te komen?'

Het leek zinloos dat te ontkennen. 'Ja.'

Amy zette haar handen in haar zij en keek de Gentiaan strak in zijn ogen, of liever, in zijn masker. 'U schijnt het niet te begrijpen. Ik ben helemaal speciaal naar Frankrijk gekomen om lid te worden van uw Verbond. Dit is heus geen gril, hoor! In tegenstelling tot *sommige* mensen, die maar over het continent heen en weer fladderen en met de vijand heulen...'

Zoals Lord Richard Selwick, voegde Amy er in gedachten aan toe.

Zoals ik, stelde Richard vast, met een inwendige glimlach. Dus dat zat haar nog steeds dwars?

'... neem ik de kritieke situatie waarin Frankrijk verkeert heel serieus en ben ik vast van plan er iets aan te doen.'

'Een ongewone belangstelling voor een Engelse debutante.'

'De meeste Engelse debutantes,' zei Amy met een wrange trek om de mond, 'hebben geen vader die onder de guillotine is gestorven. Ik wel. En ik zal ervoor zorgen dat zijn dood niet ongewroken blijft.'

Iets in haar houding maakte dat Richard het spottende antwoord dat op zijn lippen lag inslikte. 'Uw vader,' zei hij, 'zou vast blijer zijn als zijn dochter een lang en gelukkig leven beschoren was. Voor een spion is meestal geen van beide weggelegd.'

'Mijn ouders zijn door de Franse Revolutie van een lang en gelukkig leven beroofd.'

'Reden te meer voor u om beide na te streven.'

'Hoe kan ik lang en gelukkig leven zolang ik weet dat het hun moordenaars goed gaat?' Amy's handen balden zich tot gepassioneerde vuisten. 'Ik heb me mijn hele leven voorbereid op dit moment! U kunt me nu niet wegsturen met clichés over harp spelen en een gelukkig leven leiden.'

Verdoemd, dacht Richard, die vurig gehoopt had dat hij daarin zou slagen.

Amy slaakte een diepe zucht en sloeg een kalmere toon aan.

'Het enige wat ik vraag is één kans. Is dat zo onredelijk?'

'Ja, dat is het zeker.' De Paarse Gentiaan pakte Amy bij haar schouders en liep met haar naar de spiegel boven de open haard. 'U,' zei hij, wijzend op haar beeltenis, 'bent een vrouw.'

'Dat noem ik nu niet bepaald een originele observatie,' zei Amy en ze wurmde zich los uit zijn greep. 'En bovendien zie ik niet wat dat met deze kwestie te maken heeft. Ik...'

'Het heeft er alles mee te maken,' viel de Gentiaan haar in de rede. 'Beseft u dan niet aan hoeveel risico u zich blootstelt?'

'Niet meer dan u doet, telkens als u een missie onderneemt. Ik begrijp het gevaar en het kan me niet schelen. Echt niet.'

De gehandschoende handen van de Gentiaan knepen zich ongeduldig samen. 'Nou, dat zou anders wel moeten! U zou hier niet eens mogen zijn. Ik noem het misdadig idioot van u om hier te zijn, in het donker, met een man wiens identiteit u helemaal niet kent. Met welke man dan ook, trouwens,' gromde hij.

'Maar ik ken uw identiteit toch? U bent de Paarse Gentiaan! En als u bedoelt dat het onbetamelijk is, wie kan ons zien? Zolang niemand weet dat u hier bent is mijn reputatie niet in het geding. En ik ben de laatste die het rond zal bazuinen!'

Richard weerstond de neiging om met zijn vuist tegen de muur te rammen. 'God, Amy, wat bent u toch vreselijk naïef!'

Geen van beiden merkten ze dat hij haar voornaam gebruikt had.

'Ik ben niet naïef,' zei ze stijfjes. 'Tenzij het naïef is om al het bewijsmateriaal af te wegen en daaruit een redelijke conclusie te trekken. Ik heb gelezen over alles wat u gedaan hebt. Alles! U bent de eerbaarheid zelve. Waarom zou u zoveel goeds doen voor zoveel mensen en dan slecht zijn voor mij? Is dat naïef?'

'Ja,' zei de Gentiaan op scherpe toon. 'En wat voor bewijs hebt u dat ik de Paarse Gentiaan ben? Voor hetzelfde geld ben ik gewoon een struikrover.'

'Ik heb uw ring gevoeld.'

'Wat?'

'Ik heb uw ring gevoeld. Toen ik u daarnet bij de hand nam. Ik voelde de vorm van de bloem die gegraveerd staat in uw zegelring, door uw handschoen heen. Ik moest tenslotte zeker weten dat u het was,' voegde ze er zelfingenomen aan toe, 'en dat was de enige manier. Ik ben minder naïef dan u denkt.'

'Verduiveld!' riep de Gentiaan vol onwillige bewondering uit. 'Subtiel, hoor. Ik begreep er al niets van.'

'Dat mocht ook niet.' Amy koesterde zich in zijn goedkeuring. 'Betekent dit dat ik... geslaagd ben?'

Richard sloot zijn ogen. Verdoemd, verdoemd, verdoemd. Als hij verstandig was maakte hij nu een einde aan dit belachelijke gesprek en ging hij ervandoor. Alleen zou ze, te zien aan haar vastberaden gezicht, waarschijnlijk proberen hem te volgen. En dat was het laatste waar hij op zat te wachten: Amy die achter hem aan hobbelde door de middernachtelijke steegjes van Parijs.

Hij kon het probleem oplossen door te maken dat ze hem ging verachten. Hij kon haar uitlachen om haar ambities, haar kleineren, onbehouwen opmerkingen maken over haar fysieke kenmerken. Binnen tien minuten zou Amy de Paarse Gentiaan niet meer smeken om te blijven, maar hem het raam uitsmijten, met een fikse trap na. Hij hoefde er alleen maar voor te zorgen dat ze hem ging haten.

Maar hij kon het niet.

'Ik word gek,' mompelde Richard.

'Wat zei u?' vroeg Amy hoopvol.

Ping! Ping! Ping! De porseleinen schoorsteenklok sloeg, angstaanjagend schuddend op zijn voetstuk, hoog en doordringend twaalf uur.

Amy bevroor.

'Twaalf uur,' zei Richard nors. Verduiveld! Als zijn vermoedens juist waren, kon De Balcourt nu elk moment binnenkomen.

De laatste slag van de klok galmde nog door de kamer toen een ander geluid hoorbaar werd. Een ongelijkmatig geklos en gebons drong gedempt door de gesloten openslaande deuren. Precies op tijd, dacht Richard grimmig bij het horen van de voetstappen op de flagstones op het binnenhof. Niet alleen die van Edouard de Balcourt, zo te horen, maar van een heleboel gelaarsde voeten.

Verdoemd nog aan toe. Ze mochten hem hier niet vinden. Zelfs als De Balcourt geen spion van Bonaparte was, zou hij er een hele dobber aan hebben om zijn aanwezigheid in diens studeerkamer, midden in de nacht en in het gezelschap van De Balcourts jonge, huwbare zusje, te verklaren.

Hij moest snel iets doen. En dat deed Richard. Heel snel.

Hij greep Amy bij haar arm en trok haar mee achter het gordijn van de vensternis.

16

WAM! MET EEN smak plofte Amy boven op de borst van de Paarse Gentiaan op de erkerbank.

Ze onderdrukte een automatische uitroep van verbazing en worstelde met haar ademhaling en haar evenwicht. Ze was onderuitgegaan toen de Paarse Gentiaan haar achter het gordijn trok en lag nu allerschokkendst te spartelen op zijn schoot. Onder haar wang hoorde ze zijn hart, in razendsnel staccato, kloppen door het dunne linnen van zijn hemd. Ook haar eigen hart ging als een bezetene tekeer; of dat veroorzaakt werd door de plotselinge beweging, de angst om ontdekt te worden of het hart in de mannenborst dat onder haar klopte wist Amy niet zeker.

Het linnen van zijn hemd dat warm tegen haar wang drukte verspreidde vaag de zuivere, prikkelende geur van sinaasappelschil. Amy drukte tegen een ongemakkelijk hard kussen om zich omhoog te duwen en zich zo los te maken van de Paarse Gentiaan. Het kussen verschoof weinig kussenachtig onder haar hand en bleek te bestaan uit een indrukwekkende reeks spieren. Lieve hemel, had ze de Paarse Gentiaan bij zijn dij gepakt? Amy trok haar hand terug met een snelheid waarop juffrouw Gwen trots zou zijn geweest.

Ze verloor haar evenwicht en viel weer tegen de Gentiaan aan. 'Oef!' gromde hij.

'Neem me niet kwalijk,' mimede Amy volkomen zinloos, want ze lag met haar gezicht van de Gentiaan af, maar het luchtte haar wel op.

Je mocht toch verwachten dat hij haar een handje zou helpen in plaats van daar een kussen na te blijven doen. O wacht, zijn hand zat vast onder haar elleboog.

Amy kronkelde haar lichaam opzij om de hand van de Gentiaan te bevrijden en haar neus raakte verstrikt in een naar citrus geurende mouw.

Het geluid van de mannenstemmen vanaf het binnenhof was luider geworden, ondanks de dempende werking van de zware stof van het gordijn. Amy hoorde niet één maar verscheidene stemmen. Ze zocht houvast bij de rand van de erkerbank en ontworstelde zich aan de schoot van de Gentiaan. Deze slaakte een soort onderdrukte kreet. Amy trok een gezicht en mimede nogmaals een ongeziene verontschuldiging. Ze moest echt ophouden die man pijn te doen, wilde ze hem overhalen haar toe te laten tot het Verbond. Moeizaam draaide ze zich met haar gezicht naar de gordijnen en trok haar knieën op tot onder haar kin om te voorkomen dat haar benen van de rand van de erkerbank bungelden en bobbels in de stof veroorzaakten.

Buiten liet iemand iets vallen – hoorde ze hout splinteren? – en een rauwe stem vloekte luid. Het leek die man wel, dacht Amy, ingespannen luisterend, die een paar dagen geleden ruzie had gehad met de koetsier van Lord Richard op het binnenhof. Lieve hemel, was hij het huis aan het leeghalen?

Of kon dit iets te maken hebben met de plannen van de Paarse Gentiaan? Amy wierp een snelle zijdelingse blik op de man op de erkerbank naast haar.

Zijn gezicht gaf niets prijs, maar dat kwam natuurlijk ook, dacht Amy wat geërgerd, doordat er tussen het masker en de capuchon maar bar weinig van te zien was. Ze kon toch moeilijk uit de stand van zijn neus opmaken wat hij dacht!

Als de Paarse Gentiaan een afspraak had met Edouard, waarom hield hij zich dan met haar schuil achter de gordijnen? Waarom had de Gentiaan niet alleen *haar* achter de gordijnen geschoven en was hij zelf gewoon op Edouard afgestapt? Misschien, dacht Amy, omdat hij zo verstandig was te beseffen dat zij vast niet rustig zou blijven zitten waar hij haar had neergepoot.

Amy vestigde nu weer al haar aandacht op het gedoe op het binnenhof. Wat frustrerend om niets te kunnen zien! Ze deed haar ogen dicht – niet dat dit veel uitmaakte, want ze zag hoe dan ook slechts de schemerige contouren van het gordijn – en probeerde zich te concentreren op de geluiden die uit de tuin kwamen. Flarden van stemmen verschoven en vermengden zich. Met het vage geluid van stemmen op de achtergrond weerklonk opnieuw een plof in de nacht.

Een nieuwe stem riep: 'Voorzichtig daarmee, idioten!'

Amy's ogen vlogen open. 'Dat is Edouard,' fluisterde ze tegen de Paarse Gentiaan.

'Sssjt...' De Paarse Gentiaan drukte een gehandschoende vinger tegen haar lippen om haar de mond te snoeren. Maar toen zijn vinger eenmaal op Amy's lippen lag, kon Richard hem niet meer weghalen. Haar onderlip voelde vol en zacht aan onder zijn vinger, en zelfs door het leer van zijn handschoen kon hij haar zacht voelen uitademen door haar licht geopende lippen. Die roze, zachte, volmaakte lippen.

Amy's ogen vlogen naar het gezicht van de Paarse Gentiaan. Haar adem stokte in haar keel toen ze zag dat hij zijn blik, door de openingen in zijn masker, gericht hield op haar mond. Even leek de tijd weg te ebben in onbeduidendheid. Amy's wereld vernauwde zich tot ze nog slechts de intense blikken zag van de Gentiaan en de druk voelde van zijn vinger op haar lippen.

Achteloos, zonder erbij na te denken, streek Richard met zijn vinger over de rijpe contouren van haar onderlip en prentte elk vouwtje en plooitje dat hij voelde in zijn geheugen; bij de aanbiddelijke inkeping in het midden hield hij stil. Toen Amy geen aanstalten maakte om te protesteren gleed zijn vinger langs de weelderige curve van haar mond naar haar bovenlip.

Amy kromde de vingers van haar linkerhand om de rand van de erkerbank in een poging de trilling die de liefkozing van de Gentiaan haar bezorgde te onderdrukken. Kleine huiveringen gleden van haar lippen langs haar armen naar beneden; in een flits herinnerde ze zich de trillingen die Lord Richard op de boot bij haar teweeg had gebracht, maar de hand van de Gentiaan die van haar lippen naar haar haren gleed wiste elke gedachte aan iets of iemand anders uit. Zijn vingers streken door haar krullen en bewogen haar gezicht zachtjes naar het zijne, terwijl ze met de gezichten naar elkaar toe neerknielden op de brede fluwelen erkerbank.

Amy sloot haar ogen en genoot van het pure gevoel van zijn vingers die door haar lokken streken, van zijn andere hand die haar warm en stevig over haar rug aaide, van zijn adem die haar lippen liefkoosde en die almaar dichterbij kwam tot zijn lippen op de hare rustten en Amy zich niet meer concentreren kon, zelfs niet op haar gevoelens, want die waren te heftig om bij na te denken.

De armen van de Paarse Gentiaan klemden zich om haar heen en trokken haar dichter tegen zich aan, waardoor haar borst tegen de zijne drukte. Doordat haar jurk klem zat onder haar knieën schoof haar lijfje vervaarlijk naar beneden toen de Gentiaan haar naar zich toetrok. Ze voelde het linnen van zijn hemd langs het onbedekte vlees van haar borsten terwijl zijn lippen teder over de hare streken. Amy boog zich verder naar voren, hunkerend naar meer. Ze legde haar handen, die ze weifelend langs haar lichaam had laten hangen, op de onderarmen van de Gentiaan. Wat heerlijk om hem te voelen huiveren toen ze met haar vingers van zijn polsen naar zijn ellebogen gleed, om te voelen hoe zijn spieren zich onder haar handen aanspanden toen ze van zijn elleboog naar zijn schouder gleed, om...

Amy's handen klemden zich om de schouders van de Gentiaan toen hij speels met zijn tong de hare aanraakte.

Geen van beiden merkte dat de geluiden op het binnenhof langzaam, stem voor stem en voetstap voor voetstap, wegstierven. Geen van beiden merkte dat een deur aan de andere kant van het binnenhof in het slot viel.

Geen van beiden merkte dat een donker geklede figuur aan de andere kant van het venster met zijn ogen rolde en zich terugtrok in de bosjes.

Vrezend dat hij zijn verstand of Amy haar deugdzaamheid zou verliezen – want een van die twee ging teloor als ze hiermee doorgingen – brak Richard de kus af en maakte zijn lippen los van die van Amy. Dit veroorzaakte een hoorbare plop die hem pijn deed en haar aan het giechelen maakte om het bizarre geluid en de pure vreugde van het moment.

Richard, die zeer betwijfelde of hij bestand was tegen een herhaling van deze intimiteit zonder meteen grote blokken ijs nodig te hebben, vermeed het kwaad door Amy's hoofd onder zijn kin te begraven.

'U had ongelijk,' mompelde hij spijtig, met zijn kin in Amy's haar. 'U bent helemaal niet veilig bij mij.'

'Ik voel me als Psyche die Cupido zoent in het donker,' zei Amy dromerig.

Richard trok Amy's armen om zich heen onder zijn cape. 'Voel maar. Geen vleugels.'

Amy kon de glimlach in de stem van de Gentiaan horen. 'Wil dat zeggen dat u niet wegvliegt als ik u ontmasker?'

Richard drukte Amy nog dichter tegen zich aan. 'Zet dat maar uit uw hoofd.'

'U zou me drie beproevingen kunnen opleggen, net als Psyche.'

'Met wat als beloning? Mij of het lidmaatschap van het Verbond?'

Amy speelde het klaar hem tersluiks aan te kijken met haar neus slechts een paar centimeter van de zijne. 'Die vraag zou makkelijker te beantwoorden zijn als ik wist wie u was.'

'Wat zegt een naam? Een Gentiaan die anders heet zou...'

'een heel andere bloem zijn,'[6] onderbrak Amy hem met een mep tegen zijn arm. 'Ik weiger me te laten afschepen met povere imitaties van Shakespeare.'

'Houdt u niet van Romeo en Julia? Een sonnet dan, misschien?' stelde Richard voor. 'Zal ik u meten met een zomerdag? U bent...'

'... niet makkelijk te ontmoedigen.'

Amy maakte zich los uit Richards armen – en uit zijn cape, die zich om haar knieën gewikkeld had – en sprong van de erkerbank af.

'Verdoemd,' mompelde Richard.

'Dat zal ik maar negeren,' bood Amy grootmoedig aan. 'En zullen we het nu meteen hebben over de cruciale vraag hoe ik u ga helpen de monarchie te herstellen?'

'Wanneer is die kwestie veranderd van *nooit* in *hoe*?' vroeg Richard verontwaardigd, terwijl hij de fluwelen gordijnen openschoof. 'Ik heb zelfs geen *misschien* gezegd!'

'Maar wel gedacht, toch zeker?' betoogde Amy, met onbetwistbare logica. 'Ik maak het alleen maar makkelijker door het voor u te verwoorden.'

'Makkelijker voor wie?' gromde Richard.

'Als ik nu eens de Tuilerieën...'

'Hoe weet u toch zo zeker dat ik de monarchie wil herstellen?' viel Richard haar wanhopig in de rede. Hij moest iets zeggen voordat Amy zich de een of andere belachelijke taak toedichtte met het argument dat hij haar uiteindelijk toch zou aannemen, en ze dus iedereen een hoop moeite zou besparen door het nu maar vast voor hem te doen. 'Dat staat deze maand helemaal niet op mijn agenda! Sterker nog, het enige wat ik op dit moment wil is voorkomen dat ze Engeland binnen-

---

6 (...) *a rose by any other name would smell as sweet* – Romeo and Juliet.

vallen, en helemaal niet de monarchie herstellen. Dus u verdoet uw tijd. Amy...'

Amy's wijd opengesperde ogen waarschuwden Richard dat hem iets te wachten stond.

'U weet wie ik ben. U noemde me Amy.'

De Paarse Gentiaan keek geschrokken over zijn schouder naar het openstaande raam. 'Daar wil ik nu niet op ingaan.'

'Wacht!' Amy greep hem met beide handen bij zijn cape. 'Ken ik u van de receptie in de Tuilerieën? Of uit Engeland?'

'Ik heb nu geen tijd om daarover te praten.' De Paarse Gentiaan trok haar tegen zich aan en drukte een vlugge, harde kus op haar lippen en liet haar toen zo abrupt los dat ze bijna haar evenwicht verloor en achterover van de erkerbank de kamer in tuimelde. Met een soepel gebaar zwaaide hij zijn benen over de vensterbank en stond buiten op de grond. 'Tot ziens, Amy.'

'Maar wanneer dan? En waar?' Amy herwon haar evenwicht en boog zich voorover uit het raam. 'U kunt toch niet zomaar... O stik!' Maar dat kon de Paarse Gentiaan wel. Met een dramatische zwiep van zijn cape verdween hij om de hoek van het huis.

Hoe kon hij er zomaar vandoor gaan nadat... O! Amy pakte haar reeds gescheurde rokken bij elkaar en hees ze op tot boven de knie. Juffrouw Gwen zou het daar niet mee eens zijn, maar alles wat ze van-avond gedaan had was onbetamelijk geweest, dus waarom zou ze daar nu mee ophouden?

Het liefst was Amy, net als de Gentiaan, uit het raam gesprongen, maar ze zag meteen dat dat wel een sprong van drie meter was, en dat was allemaal heel leuk en aardig als je zo lang was als de Gentiaan, maar te gevaarlijk voor Amy. Als ze nu eens eerst haar benen naar buiten stak en zich dan aan haar armen liet zakken?

Alle donders! Tegen de tijd dat ze uitgevogeld had hoe ze uit dat rot-raam moest klimmen zat de Gentiaan al lang en breed op Het Kanaal. Dapper ging Amy op de rand van de vensterbank zitten, klampte zich nog eenmaal vast aan de zijkanten van het raamkozijn, sloot haar ogen en sprong.

Ze landde met een pijnlijke plof op de flagstones, krabbelde over-eind en rende naar de hoek van het huis. Ze had nog niet bedacht wat ze zou doen als ze de Paarse Gentiaan inhaalde, maar daar had ze nog tijd genoeg voor als ze hem beet had bij het uiteinde van zijn cape aan hem tot stilstand te dwingen.

Toen ze de hoek omsloeg van de oostelijke vleugel meende ze heel vaag iets van een cape om de voorkant van het huis te zien verdwijnen. Of dacht ze dat maar omdat ze alles zo wazig zag? O, had ze maar een lantaarn!

Ze negeerde de steken in haar zij en zette het weer op een lopen. Ze gleed uit over iets wat smerig stonk en voerde een onbedoelde arabesk uit voordat ze weer rechtop verder kon hollen. Grote goedheid, liep ze misschien door de goot? Amy besloot dat ze dat maar liever niet wilde weten. De duisternis die haar omringde en haar belette meer te zien dan de vage omtrek van de stenen van de muur en de ruwe gestalten van struiken en bomen was misschien zo slecht nog niet. Haar ademhaling pufte met zulke korte, scherpe stootjes tussen haar geopende lippen door dat ze gelukkig ook niet veel kon ruiken.

Eindelijk kwam ze bij achterkant van het huis – ze vervloekte in stilte de voorvader die besloten had dat hij toch echt een huis in de stad moest hebben dat minstens half zo groot was als Versailles – en vloog, met een hand tegen de muur, de hoek om. Ze kwam nog net op tijd glijdend en glibberend tot stilstand om niet tegen een van de grote openstaande ijzeren poorten op te knallen die toegang gaven tot het bestrate binnenhof.

De poorten waren dicht geweest toen ze terugkwamen van de Tuilerieën, dat wist Amy heel zeker. Waarom stonden ze dan in het holst van de nacht wijd open? Ze waren wel een meter of vier hoog en zo zwaar, wist Amy, die de stalknechten er eerder die dag mee had zien worstelen, dat er minstens twee man aan te pas moesten komen om ze te openen. Niet bepaald het soort deur dat je per ongeluk open liet staan. Had Edouard de poorten opengedaan om de Paarse Gentiaan uit te laten? Maar vanwaar dan diens dramatische entree en exit door het studeerkamerraam?

Amy sloop op haar tenen in de richting van het binnenhof.

Het was heel wat anders om die poorten te voet te naderen dan erdoorheen te rijden op de hoge zitting van een koets. De poort vóór Amy stak dreigend de lucht in. De decoratieve *fleurs de lys* die de bovenranden ervan bij daglicht zo fraai versierden stonden nu dreigend overeind als de speren van een heel regiment schildwachten.

Amy drukte zich tegen de muur en draaide haar hoofd opzij om door de spijlen te kijken. Het rijk versierde traliewerk van de poorten, de bladeren en bloemen en tierelantijnen, waren zo nauw met elkaar verweven dat ze bijna een dichte afscheiding vormden die haar verborg voor de blikken van de mannen op het binnenhof – tenminste, dat hoopte ze maar. Amy verdraaide haar hoofd zodanig dat ze met moeite door een opening tussen een bloem en een blad door kon kijken.

Een eenvoudige zwarte koets, met paarden die onrustig bewogen, stond op het punt het binnenhof te verlaten. Amy kon het gezicht van de koetsier die op de bok zat niet zien: het ging schuil onder een lange sjaal en een vormeloze hoed. Op de treeplank van de koets stond, pratend met haar broer, niemand anders dan Georges Marston. Hij droeg een lange, zwarte cape.

Met een gebaar naar Edouard van zijn zwartgehandschoende hand dook hij de koets in. Zwarte handschoenen, een zwarte cape... Amy's hoofd tolde terwijl ze wegdook in de ruimte tussen de poort en de muur. Nu wist ze het zeker.

Haar Paarse Gentiaan was Georges Marston, dat kon niet anders.

17

MIJN CONTACTLENZEN ZATEN aan mijn oogbollen vastgeplakt.

Ik liet het papier dat ik in mijn hand had in mijn schoot vallen en wreef in mijn ogen. Het was voor het laatst op de universiteit geweest dat ik een nacht had doorgehaald en mijn ogen hadden blijkbaar besloten dat ik daar te oud voor was. Ik hees mezelf hoger in de kussens en keek op het porseleinen klokje op mijn nachtkastje. Halfdrie. Geen wonder dat mijn lenzen zo'n pijn deden.

Het leeslampje wierp intrigerende schaduwen op het veloutébehang van de logeerkamer. Net als in alle logeerkamers hing er die bedompte lucht die een kamer nu eenmaal krijgt als hij lang niet gebruikt is. Foto's in zilveren lijstjes van mensen die ik niet kende – maar geen één van Colin – deelden de toilettafel met een ouderwetse kleerborstel-met-spiegel waarin de initialen van mijn gastvrouw gegraveerd stonden en een gedrongen beeld dat er, in mijn onervaren ogen, Afrikaans uitzag. Andere exotische ditjes en datjes lagen her en der tentoongesteld: een speer met een kwastje stond rechtop tegen een kast en een veelbenige godin zat gezellig naast een porseleinen herderinnetje op de schrijftafel.

In een hernieuwde poging richtte ik mijn wazige blikken op het papier in mijn schoot, maar de verbleekte lussen inkt ontglipten me. Amy's handschrift was lang niet zo netjes als dat van Jane; haar dagboek wemelde van de doorhalingen, inktvlekken en, als ze geagiteerd was, extra lussen aan haar letters. Het laatste gedeelte was heel, heel geagiteerd geweest. Eén 'm' alleen al had drie extra halen gekregen.

Natuurlijk, ik zou ook geagiteerd zijn geweest als mijn gemaskerde lievelingsheld me gepassioneerd omhelsde en daarna vrolijk het raam uitsprong. Ik geef toe dat ik niet altijd de achternaam kende van de jongens met wie ik op de universiteit gezoend had, maar ik had in elk geval hun gezicht kunnen zien. Amy's verhaal voegde een hele nieuwe dimensie toe aan het 'vindt-hij-me-echt-wel-leuk?'-dilemma. Arm kind!

In tegenstelling tot Amy wist ik al wie de Paarse Gentiaan was, maar tot nu toe was er nog niet één toespeling geweest op een Roze Anjer. Ik peinsde over de mogelijkheden. Ik was het met Amy eens dat die Georges Marston iets verdachts had. Kon iemand echt zo boertig zijn als hij niets te verbergen had? En dat gedoe met die half Engelse, half Franse identiteit... maar wacht eens even, daar had ik misschien wel iets. In mijn woede had ik tegen Colin Selwick geroepen dat *de Roze Anjer misschien wel Frans was*. Zou het niet grappig zijn als dat inderdaad zo was?

Ik glimlachte gelukzalig in de ruimte. Wat zou ik het gezicht van Colin Selwick graag zien als ik tegenover het Instituut van Geschiedkundig Onderzoek onthulde dat de Roze Anjer half Frans was en dat hij bovendien officier was in het leger van Napoleon.

Gezien mijn lange verknochtheid aan de Roze Anjer wist ik niet of ik wel zo graag wilde dat hij Georges Marston was, alleen omdat ik Colin Selwick een hak wilde zetten. Die Marston deed me sterk denken aan die brallende types die zich aan je vastklampen in de disco omdat ze weigeren te geloven dat je daar echt alleen maar komt om te dansen met je vriendinnen. Van die lui die zich afgewezen voelen als je nee zegt en je dan gaan uitschelden.

Ik hield het op Augustus Wittlesby. Ik had de ontboezemingen gelezen die hij Jane gestuurd had, vijftien gedichten onder de verzameltitel *Odes aan de prachtige prinses met de azuurblauwe tenen*. Ze sleepten zich kreupel voort van het ene rijmwoord naar het andere, maar poëzie kon je het niet noemen, tenminste niet zonder je te verontschuldigen bij Keats en Milton. Zo slecht kon iemand alleen maar met opzet dichten. Hij moest dus een geheime identiteit hebben.

Met een hartgrondige kreun liet ik mijn bonzende hoofd in mijn handen vallen. Ik was nu toch echt te lang wakker.

Wat ik nodig had was een kop thee, of desnoods gewoon een glas water. Iets om aan te nippen om me wakker te maken zodat ik verder kon lezen voordat Colin Selwick zijn tante ervan wist te overtuigen dat ze me nooit meer binnen moest laten.

Voorzichtig legde ik de niet ingebonden vellen van Amy's dagboek op mijn nachtkastje, schoof het dekbed opzij en klauterde uit het hoge bed. Ik graaide mijn lange, uitwaaierende, geleende nachtjapon bij elkaar en sloop door de kier van de deur de gang op, waar ik stilstond om mijn ogen te laten wennen aan de duisternis en de ruimte op me te laten inwerken. Zoals mijn vriendin Pammy altijd zegt heb ik een ingebouwde antikompas. Vraag me de weg naar een bestemming en ik ga steevast precies de tegenovergestelde richting uit.

Het gestage getik van een grote staande klok vormde het achtergrondritme voor de andere nachtelijke geluiden: het gezoem van de pijpen, het gekraak van de vloerplanken, het geruis van de wind door de kale takken van de bomen op het plein. Tastend liep ik langs de muur in de hoop dat ik op weg was naar de keuken. Au! Ik had een deuropening ontdekt met mijn elleboog. Wrijvend over het gepijnigde lichaamsdeel stak ik mijn hoofd om de deur. Zilver glansde in het vage licht van de straatlantaarn. Het was de eetkamer, met een lange geboende houten tafel in het midden en een buffet beladen met zilver onder de ramen met half geloken gordijnen.

Waar een eetkamer was, moest toch ook een keuken zijn? Ik draaide me om en besloot de volgende deur te proberen, en als dat niet werkte...

Oef!

Ik botste tegen iets warms op dat niet meegaf. Een fors paar handen klemden zich om mijn ellebogen. Automatisch probeerde ik me los te wringen.

'Verdomme, wie is dat?' raspte een stem.

Colin Selwick. Wie kon er anders zo grof doen tegen een gast in het holst van de nacht? Ik duwde hem met mijn handen van me af en voelde een en al spieren onder een dunne laag stof. De grote pummel bleef staan waar hij stond.

'Laat me los!' fluisterde ik verontwaardigd. 'Ik ben het, Eloïse.'

Zijn greep op mijn ellebogen verslapte, maar hij liet me niet los. Ik voelde de warmte van zijn handen door het dunne linnen van mijn geleende nachtjapon heen.

'Wat bezielt je in godsnaam om zo midden in de nacht door het huis te sluipen?'

'Ik ga het zilver stelen, wat dacht je anders?' snauwde ik.

'O, alsjeblieft zeg.' Hij liet me los en zette een stap achteruit; ik kon nauwelijks zijn gezicht ontwaren in de donkere gang, laat staan de uitdrukking erop. 'Zullen we het nog eens proberen?'

'Ik was op zoek naar de keuken,' bond ik haastig in. 'Ik wilde een glas water.'

'Dan ga je de verkeerde kant uit.'

'Het zal weer niet waar zijn,' mompelde ik.

'Kom mee, voordat je tante Arabella wakker maakt,' beval hij en liep de andere kant op. Hij wachtte niet eens af of ik hem volgde.

Met de zekerheid van een man in zijn eigen huis zette hij door de inktzwarte gang koers naar de keuken, behendig hindernissen ontwijkend als een gangtafeltje (waar ik tegenaan knalde), een stoel (idem dito) en iemands afgedankte paraplu. Misschien *was* dit zijn huis wel! Wat wist ik eigenlijk van de Selwicks af? Hinkend liep ik achter zijn brede schaduw aan in het plotselinge besef dat ik ze pas een dag kende. Mevrouw Selwick-Alderly was, hoe vriendelijk ze me ook bejegend had, nog steeds een vreemde voor me, zelfs al dribbelde ik hier rond in haar nachtjapon. Ik struikelde over de zoom, tilde mijn linnen nachtjapon op en liep achter Colin Selwick aan de bocht om, een tochtdeur door en de keuken in.

Ik hield mijn hand voor mijn ogen toen Colin met een klik van de schakelaar de vierkante ruimte in het volle licht van de plafonnière zette. Met zijn hand nog aan de schakelaar nam hij me zwijgend op.

Tussen mijn vingers door keek ik naar hem. Zoals hij daar nu stond was hij een stuk minder intimiderend dan hij geweest was als een schaduw in de donkere gang. Er gaat nu eenmaal weinig dreiging uit van een geruite pyjamabroek en een haveloos T-shirtje.

Ook ik miste het beschermende pantser van mijn naaldhakken. Op mijn blote voeten, die onder de zoom van mijn nachtjapon uit staken, voelde ik me klein, uit mijn evenwicht. Ik moest mijn hoofd in mijn nek leggen om de peinzende blik van Colin Selwick te kunnen beantwoorden. Dat zinde me niet.

'Heb je nog iets te zeggen?' spoorde ik hem aan. 'Of vind je het gewoon leuk om zo tegen de muur aan te staan?'

Colin bleef me aankijken. 'Tante Arabella vindt je aardig.'

Hij klonk pijnlijk verbaasd.

'Een kleine maar uitgesproken minderheid deelt die mening.'

Colin was zowaar zo fatsoenlijk om beteuterd te kijken.

'Hoor eens, ik wilde je niet...'

'Behandelen alsof ik een afschuwelijke sociale ziekte heb?'

Geamuseerd krulde hij zijn lippen. 'Heb je die dan?'

'Niet eentje die ik in gemengd gezelschap wil toegeven.' Een ongezonde hang naar chocoladerepen is tenslotte geen zwakte die een meisje aan Jan en alleman prijsgeeft.

Hij glimlachte – een heuse glimlach! Verdomme. Ik kon hem beter aan als hij door en door gemeen tegen me deed. 'Luister, het spijt me dat ik zo onbeschoft tegen je gedaan heb. Ik schrok zo toen ik je daar zag zitten dat ik mezelf niet meer in de hand had.'

'O.' Ik had me gewapend tegen een aanval, en zijn verontschuldiging verraste me volkomen. Ik gaapte hem aan.

'Tante Arabella sprak vol lof over je,' stapelde hij nog meer vurige kolen op mijn hoofd. 'Ze was onder de indruk van je werk over de Paarse Gentiaan.'

'Vanwaar al die vriendelijkheid ineens?' vroeg ik achterdochtig terwijl ik mijn armen over mijn borst vouwde.

'Ben je altijd zo direct?'

'Ik ben te moe om tactvol te zijn,' zei ik eerlijk.

'Heel begrijpelijk.' Colin rekte zich uit en maakte zich los van de muur. 'Zal ik een beker warme chocola voor je maken, als vredesgebaar? Ik was toch al van plan om dat voor mezelf te gaan doen,' voegde hij eraan toe.

De daad bij het woord voegend boog hij zich over het aanrecht naast de gootsteen om te kijken of er genoeg water in de bruine elektrische waterkoker zat. Toen dit het geval bleek, stak hij de stekker in het stopcontact en drukte het rode knopje aan de zijkant in.

Ik liep op het aanrecht af; de linnen nachtjapon sleepte achter me aan over het linoleum. 'Als je belooft dat je er geen arsenicum in doet.'

Colin haalde het blik met cacao uit een kastje boven het aanrecht en duwde het me onder mijn neus. 'Ruik maar. Arsenicumvrij.'

Ik stond met mijn rug tegen het aanrecht, met mijn ellebogen achter me op het marmeren blad. 'Arsenicum kun je toch niet ruiken?'

'Jammer, je bent me weer te slim af.' Colin deed een paar scheppen kant-en-klare cacao in twee bekers, de ene met grote paarse bloemen en de andere met een citaat dat volgens mij van Jane Austen was, maar

183

dat kon ik niet controleren want de naam stond aan de andere kant van de beker. 'Stelt het je gerust als ik je beloof dat ik je lijk heel klungelig zal verstoppen?'

'Goed, ga dan maar door.' Ik gaapte.

De rode knop op de elektrische ketel ging uit toen het water begon te koken. Me verwonderend over de onwezenlijkheid van het hele gebeuren keek ik toe hoe Colin efficiënt de stekker uit het stopcontact trok en het stomende water in de twee bekers goot. Daar stond ik dan, in het holst van de nacht in andermans keuken, terwijl de man die me verteld had dat ik met mijn smoezelige handjes van zijn familiepapieren af moest blijven hete chocola voor me maakte. Dit was vast een hallucinatie! Of een droom. Colin zou zo direct veranderen in een dansend aardvarken en ik zat naakt midden in een scheikundeproefwerk.

Colin stak me een dampende beker toe. 'De bloemen voor jou?'

Om onze wapenstilstand niet in gevaar te brengen zag ik af van een sarcastische opmerking over anjers.

'Woon je hier?' vroeg ik, terwijl ik het handvat helemaal onderaan vastpakte om zijn vingers niet aan te raken.

Hij schudde zijn hoofd en liep met zijn eigen beker naar de keukentafel. 'Ik logeer altijd bij tante Arabella als ik in de stad ben.'

'En je vriendin, logeert die hier ook?' vroeg ik.

Er fonkelde iets in zijn ogen – waarschijnlijk irritatie over mijn nieuwsgierigheid – maar hij zei neutraal: 'Serena heeft haar eigen flat.'

Het lag op het puntje van mijn tong om te vragen waarom hij bij een oude tante logeerde in plaats van bij zijn mooie geliefde, maar ik slikte het in. Het ging me tenslotte niets aan. Wie weet had hij net aan het diner knetterende ruzie met haar gehad en had ze hem haar bed ontzegd. Misschien was hij een dekhengst en had ze hem verbannen. Of misschien snurkte zij. Die theorie sprak me wel aan. De bekoorlijke Serena die lag te briesen en te snurken terwijl Colin, tot wanhoop gedreven, in zijn geruite pyjama naar Onslow Square vluchtte.

Maar mijn plezier verdween snel toen er een andere, meer realistische mogelijkheid bij me opkwam. Zijn terugkeer naar het huis van zijn tante was wellicht eerder ingegeven door de angst dat een bepaalde ongewenste gast er midden in de nacht met het familiezilver vandoor zou gaan.

'Sorry, wat zei je?' Ik was zo verdiept in mijn gedachten dat ik gemist had wat het voorwerp ervan had gezegd.

'Ga toch zitten,' herhaalde hij geduldig. Hij schoof me met een grote blote voet een stoel toe. 'Ik bijt niet, hoor.'

'Dat zou ik nooit gezegd hebben toen ik je brief las.' Ik liet me met plooien en al op de stoel met de rechte rug zakken en zette mijn dampende kop chocolademelk voor me neer. 'Ik verwachtte zo'n beetje aangevlogen te zullen worden door bloedhonden als ik het waagde de geheiligde gronden van Selwick Hall te betreden.'

Er dansten pretlichtjes in Colin Selwicks lichtbruine ogen. 'Ik heb alleen gezegd dat *ik* niet beet. Want daar hebben we namelijk honden voor,' voegde hij er gemaakt plechtig aan toe.

'Maar waarom *deed* je zo akelig?'

Colin haalde zijn schouders op; de pretlichtjes doofden. Even had ik spijt dat ik erop door was gegaan. 'We hebben in het verleden wat narigheid gehad met academici die de familiepapieren wilden bekijken. Er zaten onbeschofte lieden bij.'

Ik dacht bij mezelf dat ze alle reden hadden gehad om tekeer te gaan als waanzinnige harpijen als hij zich tegen hen net zo gedragen had als tegen mij.

'We hebben twee jaar geleden een vrouw gehad die kwam rondsnuffelen omdat ze wilde bewijzen dat de Roze Anjer een travestiet was. Ze zei dat hij daarom zo'n flikkerachtige naam gekozen had.'

'Dat was hij niet!' zei ik verontwaardigd. Niet dat ik iets heb tegen dat luisterrijke deel van de mensheid met hun hoogontwikkelde gevoel voor mode, maar mijn... eh, ik bedoel *de* Roze Anjer was zo mannelijk als hij maar zijn kon. Hij was Zorro, Lancelot en Robin Hood tegelijk. En ja, ik weet best dat Robin Hood een maillot droeg, maar dat was een mannenmaillot.

'Nou, daar zijn we het dan tenminste over eens,' merkte Colin droog op.

'En wat doet het er ook toe?' Ik nam een grote slok chocolademelk en verbrandde daarbij de helft van de huid van mijn tong, maar ik bereed nu een van mijn stokpaardjes en liet me daar door niets of niemand vanaf brengen. 'Wat maakt dat uit voor de duizenden Britse soldaten die hij gered heeft en de honderden Franse spionnen die hij ontmaskerde? Wat maakt het uit wie de Roze Anjer was, zolang hij voor elkaar

kreeg dat... Oeps!' Ik had wat te woest met mijn bloemetjesbeker geslingerd, en een waterval hete chocola golfde over mijn hand.

'En waarom wil jij die papieren dan zo graag zien?' informeerde Colin Selwick fijntjes.

Ik trok een gezicht en zei iets grofs.

Hij trok zelfvoldaan zijn wenkbrauw op.

Met een klap zette ik mijn beker op de grenen tafel en boog me voorover. 'Waarom heeft jouw familie de identiteit van de Roze Anjer ge-
heimgehouden?'

Colin liet zijn wenkbrauw zakken. Hij begon plotseling zeer geïnteresseerd te porren in het kleffe cacaobezinksel dat zich op de bodem van zijn beker verzameld had. 'Misschien wilde niemand dat
wel weten.'

'Wat een kutsmoes.'

'Let op uw taal, juffrouw Kelly.'

'Ja, opoe. Maar ik meen het, waarom heeft niemand die ooit onthuld?'

Colin leunde achterover in zijn stoel en kneep zijn lippen tot een
dunne spleet. 'Tjonge, wat een terriër ben jij, zeg!'

'Dat verander je echt niet door me te vleien.'

'Hoezo, vleien?' vroeg hij.

'De Roze Anjer?' drong ik aan.

'Nou,' zei hij op samenzweerderige toon. 'Als je dat echt wilt weten...'

'Ja!'

'Misschien had de Roze Anjer wel een afschuwelijke ziekte,' grijnsde
hij.

'Schei toch uit!' Vol walging gaf ik een enorme dreun op de tafel.
Kreunend van de pijn wreef ik over mijn pijnlijke hand.

'Net goed, moet je die arme, onschuldige tafel maar niet slaan.' Colin
pakte zijn beker op en droeg hem naar de gootsteen.

'Dat was jouw schuld!' beet ik hem toe. 'Au!'

Colin zuchtte. 'Geef eens hier. Nee, die niet.' Ik had hem mijn nog
halfvolle beker chocolademelk toegestoken. Hij pakte de beker uit
mijn hand, zette hem op tafel en nam mijn hand in de zijne.

Hij kwam dichterbij, zo dichtbij dat zijn pyjamabeen tegen mijn
nachtjapon ruiste, en boog zich vol aandacht over mijn hand.

'Waar doet het pijn?' vroeg hij.

Broos en doorschijnend bleek lag mijn hand naast de zijne. Een zenuwachtig grapje over handlezen en waarzeggers bestierf op mijn lippen toen Colin mijn handpalm naar zich toedraaide en de pijnlijke vingers begon te masseren. Met zijn grote, gebruinde, eeltige duim wreef hij over de vlezige heuvel onder aan mijn hand, op zoek naar de pijnlijke plek. Er voer een huivering door me heen die niets te maken had met de tocht van het raam.

Ik trok mijn hand terug. 'Het is helemaal niet erg, hoor. Echt niet,' zei ik schor.

'Mooi zo.' Stoelpoten schraapten over het linoleum. 'We zitten er niet op te wachten dat je ons een proces aandoet,' voegde hij er bruusk aan toe, terwijl hij mijn beker met een klap in de gootsteen dumpte.

Mijn mond viel open. 'Dat zou ik nooit...'

Colin staarde naar de keukendeur. 'Natuurlijk niet,' zei hij, alsof het hem niets kon schelen. 'Luister, alles wat we besproken hebben – en alles wat je gelezen hebt – blijft onder ons.'

Met een ruk draaide ik mijn stoel om en keek hem aan. 'Hoe bedoel je?' vroeg ik, nog helemaal in de war van zijn opmerking over een proces.

'De Roze Anjer. Alles wat je leest of ontdekt blijft binnen de muren van deze flat. Ik heb het er met tante Arabella over gehad, en we zijn overeengekomen dat je alles mag lezen wat zij je wil laten zien, maar alleen op die voorwaarde.'

Ik vloog overeind. 'Maar mijn proefschrift dan?'

'Die zal ongetwijfeld allerlei briljante inzichten over de Paarse Gentiaan en de Rode Pimpernel bevatten,' zei hij kalm. 'Daarvoor mag je alles gebruiken wat je hier leest. Maar dat gaat niet op voor de Roze Anjer.'

'Doe toch niet zo bespottelijk!'

Bedaard gleden zijn blikken over mijn in linnen gehulde gestalte. Hij grinnikte. De klootzak had het lef om te grinniken.

'*Ik* loop hier niet rond als een soort Jane Eyre. Goedenacht, Eloïse.'

'Nou, je hebt in elk geval niets van Rochester!' snauwde ik.

De klik van een dichtvallende deur ergens in de gang liet me weten dat hij zelfs mijn flauwe grapje niet meer had gehoord.

Grrr!

Kokend van woede zakte ik terug op mijn stoel. Die gemene, gluiperige... Ik had beslist te veel negentiende-eeuwse romans gelezen, want mijn eerste impuls was hem een schavuit te noemen. Of een schelm, of een schalk. Maar wat voor term ik ook gebruikte – en ik kon me ook een aantal moderne scheldnamen bedenken die heel goed van toepassing waren – het resultaat was hetzelfde. Die wandelende slijmbal had me een vals gevoel van veiligheid gegeven door me te paaien met verontschuldigingen en warme chocola, terwijl hij al die tijd van plan was me een geheimhoudingsplicht op te leggen.

Dacht hij soms dat hij me op mijn knieën kon krijgen door me een beker chocolademelk te voeren en een halfuur als een heus mens met me te praten?

Nou, mooi niet! Zo makkelijk liet ik me niet inpakken. Dus zijn tante Arabella vond me aardig, hè? We zouden nog wel eens zien wat zij te zeggen had over dat alles-wat-je-leest-blijft-binnen-de-muren-van-deze-flat-ultimatum.

Maar eerst moest ik lezen. Ik had nog heel veel te lezen, en maar een paar uur over voordat de ochtend me zou dwingen te vertrekken.

Vastberaden stampte ik de gang door naar mijn tijdelijke kamer, liet me op het bed vallen en nam resoluut Amy's dagboek weer ter hand. Mijn contactlenzen mochten voor mijn part een tango gaan dansen, maar ik moest zoveel mogelijk informatie opdoen. Colin Selwick kon de pot op!

18

GEORGES. AMY ROLDE de naam over haar tong en fronste haar wenkbrauwen. Ze probeerde hem te verengelsen. George. George! George...
Hoe ze het ook uitsprak en beklemtoonde, George klonk domweg niet
als een naam die bij de Paarse Gentiaan paste. Gespeld als Georges was
hij te Frans en te glibberig. Gespeld als George riep de naam beelden
op van de dikke oude Koning George die met zijn snoeischaar liep te
hannesen in zijn tuinen in Kew. Niet bepaald een aanlokkelijk vooruitzicht.

Maar hoe kon ze, na de afgelopen nacht, nog twijfels hebben over de
identiteit van de Gentiaan? De bewijzen waren overweldigend. Als het
gesprek van Marston met haar broer al niet genoeg was geweest om
zijn identiteit te bewijzen, dan was het feit dat ze hem in zijn koets had
zien klauteren in net zo'n lange zwarte cape als Amy van zo dichtbij
had gezien – haar hart sprong op bij de herinnering – wel doorslaggevend geweest. *Twee* mannen die in het holst van de nacht in een
zwarte cape door het huis van haar broer zwierven leek wel heel onwaarschijnlijk. En dat Marston van de voorkant van het huis vertrok
nadat de Paarse Gentiaan in die richting verdwenen was, kon toch
echt geen toeval zijn.

Kribbig dook Amy weg in de grijze fluwelen kussens van de koets
van haar broer, die het binnenhof uitreed, het binnenhof dat ze vannacht nog zo angstig had staan bespieden. In de middagzon, die tegen
de ramen van het huis weerkaatste en de zwarte verf van de poorten
deed glanzen, leek het een totaal andere plek. Als Amy niet wakker
was geschrokken op de chaise longue met een paar vreselijk modderige sandaaltjes die half in het rooster van de open haard gestoken
waren (ze wist nog vaag dat ze geprobeerd had ze te verbranden maar

189

dat dit niet lukte omdat de kolen al opgebankt waren), zou ze geneigd zijn geweest te denken dat ze het allemaal maar gedroomd had.

Het had Amy vannacht heel veel moeite gekost om het huis weer binnen te komen, een ervaring die ze het liefst zo snel mogelijk wilde vergeten. Eerst had ze geprobeerd om over de poorten heen te klimmen, maar dat plan had ze al snel moeten laten varen. Vervolgens was ze – na een kwartier tevergeefs tegen de muur te zijn opgesprongen voordat ze zich met succes in de vensterbank kon hijsen – tot de ontdekking gekomen dat Edouard op zijn studeerkamer was geweest en het raam had dichtgedaan, een tegenvaller waarbij een vrouw met minder pit dan Amy beslist in tranen was uitgebarsten. Net toen ze zich verzoend had met het idee dat ze dan maar moest aanbellen en ze een overtuigende smoes liep te verzinnen om te verklaren waarom ze in het holst van de nacht in een gescheurde jurk met smerige schoentjes buiten stond, had ze een eetkamerraam getroffen dat niet op slot zat. Met de moed der wanhoop had ze zich naar binnen gehesen.

Al die moeizame pogingen om binnen te komen hadden Amy volledig in beslag genomen. Eenmaal terug op haar kamer stak ze een kaars aan bij haar bed en ontdeed ze zich bij het flakkerende lichtje van haar vuile kleren. Ze duwde haar sandaaltjes in de open haard, trok een schone witte linnen nachtjapon aan, borstelde haar haren vijftig maal, sloeg de dekens open, blies de kaars uit en kon niet slapen.

Op haar zij kon ze niet slapen, op haar rug kon ze niet slapen en ineengerold met haar armen om haar knieën geslagen kon ze ook niet slapen.

'O lieve hemel, ik heb de Paarse Gentiaan gezoend,' fluisterde Amy tegen de donkere kamer. Met een dwaze glimlach op haar gezicht sloeg ze haar armen om haar kussen. Wat een ongelooflijk heerlijke zoen was dat geweest.

Maar ze wist nog steeds niet zeker wie hij *was*. Of hoe ze hem moest vinden.

Wie was hij? Waarom had hij haar gezoend? Wilde hij haar terugzien? Grrr!

Het was al twee uur toen Amy, plat op haar buik liggend met haar hoofd aan het voeteneinde en haar voeten op het kussen, opnieuw haar gesprek beleefde met de Paarse Gentiaan, zij het in een enigszins verfraaide versie.

Om drie uur lag ze zich, met haar dekens in een prop aan het voeteneind, af te vragen of de Paarse Gentiaan haar alleen maar gezoend had om haar het zwijgen op te leggen.

Om vier uur lag ze alleen nog maar pluisjes van de sprei te plukken onder het uitspreken van de bezweringen: 'Hij houdt van me, hij houdt niet van me.'

Jane en juffrouw Gwen hadden Amy met vereende krachten haar bed uit moeten sleuren voor haar eerste Engelse les aan Hortense Bonaparte. Die karaf water was nu toch werkelijk niet nodig geweest, dacht Amy boos.

Amy gaapte uitgebreid toen de koets tot stilstand kwam voor de Tuilerieën om haar en haar broer af te leveren op het binnenhof. Een verveeld uitziende schildwacht gebaarde hen het paleis binnen te gaan. Amy trok een gezicht toen Edouard haar op het hart drukte zich vooral netjes te gedragen en ze beloofde hem over twee uur weer bij de ingang te ontmoeten. Ze slaakte een zucht van opluchting toen hij een gang inschoot om zich met zijn eigen besognes bezig te gaan houden. Amy zag op het emaillen klokje dat ze aan een gouden ketting om haar nek droeg dat ze twintig minuten te vroeg was voor haar afspraak met Hortense, hetgeen haar – nu ze verlost was van haar broer – de tijd gaf om wat rond te kijken.

Bij daglicht zag het er in de Tuilerieën heel anders uit dan 's avonds. Toen ze gisteravond door de kamers liepen hadden die vol oranjebloesem en fraaie boeketten rozen gestaan, waarvan de geuren leken te concurreren met de zware parfums van de gasten. Nu was er zelfs geen enkel verwelkt blaadje meer te vinden. Alles was keurig weggeveegd door efficiënte bedienden, die de heel wat minder aangename lucht hadden achtergelaten van ammoniak en loog.

Gisteravond hadden er grenadiers langs de trap gestaan, stram in de houding, als menselijke wegwijzers. (Bonaparte deed in elk geval geen poging de bron van zijn macht te camoufleren!) Boven aan de trap gekomen waren ze op het geluid van marsmuziek door een reeks voorvertrekken geloodst die verlicht werden door met gaas omhulde kandelaars. Zelfs toen ze er nog drie kamers van verwijderd waren was het geroezemoes van de Gele Salon al duidelijk hoorbaar geweest.

Het paleis was verre van verlaten. Op Amy's zwerftocht door de gangen, op zoek naar verdachte activiteiten, passeerde ze bedienden die met emmers water sleepten, soldaten die wacht hadden gelopen en een bleke jongeman in een slecht zittende geklede jas, met inkt aan zijn vingers, die Amy onmiddellijk afdeed als iemands secretaris.

Ze overwoog de secretaris achterna te gaan (want die kon immers best op weg zijn naar een uiterst geheime vergadering) toen haar aandacht werd getrokken door een bekende paarsbruine jas in de volgende kamer. Dat was onmiskenbaar haar broer – niemand anders droeg zoveel goudgalon aan zijn kraag en manchetten – maar zijn stem legde een uiterst onkarakteristieke autoriteit aan de dag in het op fluistertoon gevoerde gesprek.

Amy probeerde een glimp van zijn metgezel op te vangen. Haar hart ging als een bezetene tekeer bij het vooruitzicht de Paarse Gentiaan terug te zien, en ze boog zich verder naar voren om door de deuropening te kunnen kijken. Waarom droeg Edouard toch van die jassen met zulke belachelijke dikke schoudervullingen? Het enige wat ze zien kon was een hand en een stuk zwarte mouw; Amy betwijfelde of zelfs de meest toegewijde spion iemand op een paar meter afstand kon herkennen aan zijn hand. En zelfs dat nutteloze aanhangsel werd aan haar blik onttrokken door een waterval van goud toen Edouard de vreemdeling iets in de hand drukte. Zijn opzichtige manchetten belemmerden Amy's uitzicht, maar het leek op een papier. Een briefje of iets dergelijks?

Amy schoof verder naar voren en kreeg de deurknop in haar maag.

Ze beet op haar lippen om een kreet van pijn en irritatie te onderdrukken, maar de zachte luchtstoot was genoeg om Edouards metgezel te alarmeren. Hij greep Edouard bij de arm, fluisterde hem gejaagd iets toe en duwde hem de deur door aan het andere eind van de kamer. Zonder zelfs maar een blik over zijn schouder te werpen maakte Edouard dat hij wegkwam.

Maar zijn metgezel keek wel om.

Toen hij zich omdraaide om de deurknop te grijpen, zag Amy heel even zijn gezicht voordat de zware eiken deur achter hem dichtsloeg. Het duurde maar een moment, maar dat was lang genoeg voor Amy om het gezicht te herkennen. Het was niet dat van Georges Marston, het was een smal, donker gezicht, heel onopvallend, op een lange, net geheelde korst over de linkerslaap na.

'Stik!'

Amy rende de kamer door en gluurde door de deur, maar het was al te laat. Haar broer en zijn metgezel waren al verdwenen.

Hoe moest ze Jane in vredesnaam uitleggen dat ze haar gewonde man voor de tweede maal was kwijtgeraakt?

19

AANZIENLIJK MINDER OPGETOGEN zette Amy haar verkenning van de Tuilerieën voort. Eerst gluurde ze onder tafels en achter stoelen op zoek naar een bekende flits van paarsbruin en goud, maar Edouard en zijn metgezel waren verdwenen met een snelheid waartoe Amy haar broer niet in staat had geacht. Hij had zijn opgevulde schouders en kanten ruches nog sneller laten oplossen in het niets dan de Paarse Gentiaan na zijn sprong uit het raam van de studeerkamer.

Amy vroeg zich af of ze het onderwerp niet gewoon ter sprake moest brengen op weg naar huis. Ze kon hem toch vertellen dat ze wist dat hij voor de Paarse Gentiaan werkte en dan eisen dat ze haar mee lieten doen? Dat zou haar een hoop rondneuzen besparen, en dan hoefde Edouard thuis niet meer de dandy uit te hangen ook. Aan de andere kant zou Edouard haar dan misschien vertellen, net als vroeger toen ze nog klein waren, dat ze zich met haar eigen zaken moest bemoeien. Ja, het was zelfs heel waarschijnlijk dat hij dat zou doen. Edouard had nooit graag dingen samen gedaan.

Na veel wikken en wegen besloot Amy maar te doen alsof haar neus bloedde, en haar broer zo scherp mogelijk in de gaten te houden. Ze moest het er eerst maar eens met Jane over hebben...

'Een schande!' schreeuwde iemand.

Amy schrok op uit haar gepeins en stond abrupt stil. Grote goden, dat was toch zeker niet tegen haar? Snel wierp ze een blik om zich heen. Nee. Ze was alleen in het zoveelste kleine voorvertrek dat de imposantere ruimtes van dit paleis van elkaar scheidde. Het lawaai was afkomstig uit het vertrek waarnaar ze al dromend op weg was geweest. De deur ervan stond op een kier, alsof er net iemand doorheen was gegaan.

'*Een schande, dat bent u!*' herhaalde de schreeuwer, zo mogelijk nog harder dan daarnet.

Even overwoog Amy de aftocht te blazen, maar toen hoorde ze een veel zachtere stem zeggen: 'Maar Napoleon, ik...'

Amy's adem stokte in haar keel. Het was nu wel niet direct een vergadering met Fouché waar ze in terechtkwam, maar dit gesprek bood mogelijkheden voor een luistervink. Misschien een schandaal dat ze kwijt kon aan de Engelse dagbladen? Ze tilde haar mousselinen rokken met twee handen op en liep op haar tenen naar de ruimte tussen de deur en de muur.

'Leclerc is nog geen jaar dood!'

Leclerc... De naam betekende misschien niet veel in het kader van internationale spionage, maar Amy drukte haar oor toch hard genoeg tegen de scharnieren van de deur om een blijvende deuk te veroorzaken. De laatste keer dat ze Pauline Bonaparte-Leclerc had gezien, stond het schaamteloze mens met haar tong in Lord Richard Selwicks oor. Amy's belangstelling, zo verzekerde ze zichzelf, was puur beroepsmatig, niet persoonlijk. De liefdesaffaires van Lord Richard hadden geen enkele betekenis voor haar, helemaal niet. Het was alleen dat... dat... elk schandaal dat de reputatie van de Bonaparte-clan aantastte van nut kon zijn voor haar zaak, redeneerde ze triomfantelijk.

Door de kier in de deur hoorde Amy de laarzen van Bonaparte die als een woedende stier door de kamer stampte. 'En u bent nu al niet meer in de rouw!'

'Maar Napoleon, ik heb al mijn haren afgeknipt en in zijn kist gelegd.'

'Uw haren, ja!' De klap van een hand tegen hout. 'Haren groeien weer aan. Ze zijn alweer aangegroeid! En u! U loopt elke broek achterna!'

Amy wachtte verlangend op een zinspeling op Lord Richard en die schandalige scène in de salon.

'Mijn onderminister van Politie heeft geklaagd dat u hem geknepen hebt op een onbetamelijke plek! Alweer!'

'O, maar Napoleon, het was niet op een onbetamelijke plek, het was gewoon in mijn zitkamer,' stelde Pauline hem gretig gerust.

Amy bekeek het hout van de deur met een blik vol ongelovige walging. Die Pauline Leclerc was of een van de onnozelste mensen die ze ooit had ontmoet (en voor die titel bestond aardig wat competitie, met Derek op de lijst, en niet te vergeten haar nichtje Agnes), of ze was crimineel slim. Amy verkoos de eerste mogelijkheid.

Bonaparte sprak in de simpele eenlettergreepwoorden van iemand die ook de eerste mogelijkheid gekozen had. 'Wat deed hij daar?'

'Ik moet toch iemand hebben die mijn kamer op spionnen doorzoekt?' antwoordde Pauline onschuldig.

Beng! Bonaparte had iets tegen de muur gesmeten. Amy gluurde langs de scharnieren. Aha, de inktpot, te oordelen naar de grote zwarte vlek op het behang.

'Wees niet boos op me, Napoleon,' fleemde Pauline. 'Ik verveelde me zo...'

'U verveelde zich zo? Zoek een hobby! Ga winkelen!'

'U kunt me mijn onschuldige pleziertjes toch niet ontzeggen...'

'Uw onschuldige pleziertjes zijn een internationaal schandaal! Wat moet ik doen? U het klooster in sturen?'

Een uitstekende oplossing! Amy zou het idee onmiddellijk gesteund hebben als ze een legitiem onderdeel van het gesprek was geweest in plaats van een luistervink.

'Hoe kunt u,' *snuf,* 'zo onaardig zijn? Het enige wat ik wil,' *snuf,* 'is een beetje geluk!'

'En het enige wat *ik* wil is dat mijn familie me niet te schande maakt!'

'Josephine zit hierachter, hè? Zij heeft u tegen mij opgestookt!'

Amy had de vrouw van de Eerste Consul dus goed ingeschat. Josephine was duidelijk een vrouw met een goede smaak en een gezond oordeel, behalve waar het de keuze van Bonaparte als huwelijkspartner aanging.

Het sierde Bonaparte dat hij geen aantijgingen tegen zijn vrouw duldde. Hij brieste: 'Houd uw mond!'

'Ik zal wel weggaan, als u dat wilt. U hoeft me nooit meer te zien.' Het geluid van stoelpoten die over hout schraapten werd gevolgd door Pauline die snikkend de kamer uitliep. Amy drukte zich zo plat mogelijk tegen de muur, zowel uit angst voor ontdekking als voor een klap van de deur, maar Pauline glipte zonder enige moeite door de kier, onafgebroken blèrend in haar zakdoekje. Niemand die zo overstuur was had het recht zo aanvallig te zijn, dacht Amy kritisch.

'Pauline, niet huilen, verduiveld! Pauline!' Bonaparte kwam de kamer uit gestormd, zijn zuster achterna.

De deur vloog open. De zware houten deur sloeg al de lucht uit haar longen. Gelukkig werd Amy's ongewilde pijnkreet gesmoord in Bonapartes geschreeuw.

Toen de zwarte vlekjes voor Amy's ogen verdwenen waren – op de stofdeeltjes na die daadwerkelijk in het zonlicht dansten – glipte ze voorzichtig tevoorschijn. 'Ik voel me net een jurk die in de kledingpers heeft gezeten,' mompelde ze bij zichzelf.

Toen ze wat met haar schouders had gedraaid en met haar armen had geschud en zich niet meer zo'n net gestreken lap stof voelde, liep ze op haar tenen om de deur heen en gluurde naar binnen in de kamer die Bonaparte en zijn zuster zojuist verlaten hadden. Je kon tenslotte niet zo heel veel zien door de kier tussen de deur en de muur.

Amy liet haar blikken glijden over een muur met een grote inktvlek, een ijzeren trap die er zelf een beetje als een inktvlek uitzag tegen de lichte muur, en een vloerkleed waarop nog meer inktvlekken te zien waren. Verreweg het interessantste voorwerp in de kamer was een bureau, bedolven onder stapels paperassen en omgeven door genoeg gebroken ganzenveren om een vette gans van nieuwe veren te voorzien.

De studeerkamer van Bonaparte lag er verlaten bij.

Even bleef Amy op de gang staan glunderen over zoveel geluk. Toen schoot ze, met een snelle blik naar links en naar rechts om zich ervan te vergewissen dat niemand haar zag, Bonapartes studeerkamer in.

Voorzichtig liep ze tussen de gebroken ganzenveren en de proppen papier door. Ze moest vooral zorgen dat ze alles liet liggen zoals het lag om geen achterdocht te wekken. En als hij terugkwam, kon ze met recht zeggen dat ze verdwaald was en dat ze Hortense zocht. Wie zou er nu ooit een meisje in een gele mousselinen jurk verdenken? Amy oefende vast in het onschuldig en enigszins onnozel kijken terwijl ze zich naar het bureau begaf. Ogen wijd opensperren, onderlip laten hangen... en in noodgevallen: huilen! Van het gesprek van daarnet had Amy iets heel nuttigs geleerd: Bonaparte kon niet tegen huilende vrouwen.

Ziezo, ze was er! Amy kneep haar handen even samen om ze te laten ophouden met trillen en boog zich toen in alle ernst over het bureau. In het midden lag een half beschreven vel papier vol inktspatten van de ganzenveer ernaast. Hier was Bonaparte kennelijk mee bezig geweest toen hij gestoord werd door zijn zuster.

Gretig pakte Amy het papier en begon te lezen: 'Artikel 818. De echtgenoot is gerechtigd zonder toestemming van zijn vrouw een verdeling te eisen van alle roerende en onroerende goederen die haar toebehoren en die gezamenlijk bezit worden...'

Grote goedheid, wat was dat voor flauwekul? Niet alleen was Amy het hartgrondig oneens met die gedachte – de man met wie zij zou trouwen moest het niet in zijn hoofd halen te proberen een verdeling te eisen van alle roerende en andere goederen zonder haar toestemming – maar bovendien had ze hier niets aan voor haar onderzoek. Tenzij Bonaparte stiekem van plan was Engeland te veroveren door een huwelijk te sluiten tussen de twee naties en dan te eisen dat Frankrijk, als echtgenoot, alle goederen van Engeland mocht hebben, roerend en onroerend.

Amy legde het gewraakte document weer midden op het vloeiblad, met de veer eroverheen alsof Napoleon die net had laten vallen.

Onder een scherf van een klassieke pot die diende als presse-papier lag een bundel paperassen. Normaal gesproken zou Amy vooral geïnteresseerd zijn geweest in de scherf, maar nu, gespitst op haar missie, verdiepte ze zich meteen in de documenten. Ze waren opgevouwen en losjes bij elkaar gebonden met een stuk touw. Voorzichtig trok Amy de bovenste brief van de stapel. Een rekening van tienduizend francs. Amy tuurde naar het spichtige handschrift. Had ze het verkeerd gezien? Nee, de rekening was afkomstig van de kleermaker van Josephine en was voor een met gouddraad geborduurde witte linnen jurk. Amy trok het volgende papier van de stapel, dat natuurlijk de rekening bleek te zijn van de bijpassende sandaaltjes. Onvoorzichtig geworden schudde Amy nu alle papieren los en begon erdoorheen te bladeren. Ze zag rekeningen van kasjmieren sjaals, diamanten armbanden, ladingen rozenstekjes en van meer sandaaltjes en handschoenen en waaiers dan je in tien jaar onafgebroken feesten kon verslijten. Er zat niet één clandestien briefje of één verdachte aankoop bij.

Maar wacht eens! Zouden de documenten geen code kunnen zijn? Misschien stonden sandaaltjes wel voor geweren, en gaven de verschillende kleuren de verschillende types aan! En rozenstekjes konden kanonskogels zijn, of zoiets akeligs. Opgetogen over haar eigen slimheid pakte Amy de documenten die ze net vol walging had laten vallen weer op. Misschien kon ze de sleutel van de code vinden door ze beter te bestuderen.

Maar bij nadere inspectie bleken de rekeningen toch gewoon rekeningen te zijn. Het enige wat Amy ervan leerde was dat ze haar verbeelding beter in toom moest houden. En dat Josephine, hoe aardig ze ook was, een ongelooflijk gat in haar hand had, maar dat wist iedereen allang. De Engelse kranten stonden vol verhalen over Josephines extravaganties en de woedeaanvallen die deze bij Bonaparte veroorzaakten. *The Spectator* – dus niet de *Shropshire Intelligencer* – verspreidde zelfs het gerucht dat Josephine de Franse schatkist al bankroet had laten gaan met haar onbeteugelde koopdrift.

Nijdig duwde Amy de opgevouwen papieren weer terug in hun touw. Wat een blamage! Ze kreeg de kans van haar leven om te spioneren in Bonapartes lege studeerkamer en wat vond ze? Een stapel rekeningen.

Amy zette haar handen in haar zij en keek boos naar het bureau. Er moest toch zeker iets te vinden zijn tussen al die troep waar ze wat aan had? Een vogel streek neer op het raamkozijn, zette zijn borst op en begon lustig te kwinkeleren. Met een afwezig handgebaar wuifde Amy hem weg. Kssjt! Beledigd maakte de vogel een paar verontwaardigde sprongetjes, poepte op het raamkozijn en vloog krijsend de tuin in om zich te gaan beklagen bij zijn soortgenoten.

Ontmoedigd rommelde Amy nog wat tussen de paperassen op Bonapartes bureau. Misschien had de Paarse Gentiaan wel gelijk gehad toen hij haar vannacht naïef noemde. Het was zeker naïef van haar geweest om te geloven dat een man die sluw genoeg was om de regering van een turbulent land over te nemen, talloze mededingers uit te schakelen in zijn eigen land en ook nog eens een hoop andere landen in te pikken, zo stom zou zijn om zijn plannen voor de invasie van Engeland open en bloot op zijn bureau te laten slingeren.

Goed dan, als Bonapartes geheime papieren *niet* open en bloot op zijn bureau lagen, moest ze uit zien te vinden waar ze *wel* waren. Ze zou deze kamer niet verlaten voor ze iets gevonden had om aan de Gentiaan te rapporteren, iets wat zijn volle bewondering zou wekken. 'Amy, ik sta paf!' zou hij zeggen, en zij zou doodleuk één wenkbrauw optrekken – nou ja, dat kon ze nog niet, dus dan maar allebei – en mompelen: 'Wat had u dan van mij verwacht?'

Amy liet haar blikken over de muren glijden op zoek naar geheime bergplaatsen. Achter dat schilderij aan die muur daar kon best een safe zitten. En daar, bij het raam, zag ze een lange donkere lijn die een aandenken zou kunnen zijn aan de zoveelste inktpot die gesneuveld was voor zijn land, maar die net zo goed op een kier in het behang kon duiden. Amy liet haar beide handen op het bureaublad rusten en boog zich voorover om beter te kunnen zien.

'Au!' Les één voor spionnen: zet nooit je handen ergens neer zonder eerst te kijken of je ze ergens aan kunt openhalen. Amy zoog afwezig op een snee in haar wijsvinger en zocht naar het vernietigingswapen. Ze achtte de tiran er best toe in staat om giftige spijkers over zijn bureau te strooien, of... O nee, ze had zich gesneden aan een papier.

De scherpe rand die in haar vinger had gesneden piepte onder het vloeiblad uit. Met haar goede hand trok ze het papier eronder vandaan. Waarschijnlijk weer een rekening, dacht ze vertoornd. De reeks getallen die over het papier marcheerde ondersteunde die theorie, maar de handtekening onder aan het document was van Joseph Fouché. Fouché had Bonaparte de berekening gestuurd van de kosten die het leger moest maken voor de invasie van Engeland.

Amy's eerste impuls was om het papier in het lijfje van haar jurk te stoppen en te vluchten. Ze wilde hem al in haar decolleté laten verdwijnen toen haar verstand haar tot de orde riep. Ten eerste zou het papier een bobbel veroorzaken onder de stof van haar jurk, maar ten tweede zou Bonaparte het natuurlijk onmiddellijk missen. Ze moest het uit haar hoofd leren. Vierentwintighonderd schepen, herhaalde Amy bij zichzelf, en honderdvijfenzeventigduizend man. Amy voelde een golf van verontwaardiging die niets te maken had met haar wens om zich te bewijzen tegenover de Paarse Gentiaan of met het kwaad dat de monarchie werd aangedaan. Haar levendige verbeelding had een beeld bij haar opgeroepen van honderdvijfenzeventigduidend Franse soldaten die meedogenloos over de vredige landerijen van Oom Bertrand marcheerden, zijn velden vertrapten en zijn schapen schopten.

'Denk maar niet dat ik dat toelaat,' mompelde Amy en ze las door.

Een dergelijke uitgave kon Frankrijk zich niet veroorloven, schreef Fouché. Geen wonder, dacht Amy, met een blik op de rekeningen die ze zojuist geërgerd had teruggekwakt op het bureau. De volgende keer dat Amy Madame Bonaparte zag zou ze haar er zeker op attenderen dat het van groot belang was dat ze er minstens drie diamanten tiara's op nahield.

Helaas had Fouché geld van de Zwitsers weten los te krijgen. Amy fronste haar wenkbrauwen. Los weten te krijgen, ja, ja! Afhandig gemaakt, zou hij bedoelen. Het geld, in baren goud, zou per koets van Zwitserland naar Parijs worden gebracht op de avond van 30 april, om vervoerd te worden naar wat Fouché 'een veilige plaats' noemde.

'Dat dacht hij maar.' Amy bekeek het papier met de zelfingenomen grijns die meestal slechts gebruikt wordt door katachtigen voor kanaries.

De laatste dag van april. Dat gaf haar anderhalve week de tijd om uit te vissen hoe ze het geld kon onderscheppen. Tijd genoeg, dacht Amy vrolijk. Eerst zou ze de Paarse Gentiaan op de hoogte stellen, die natuurlijk zo onder de indruk was dat hij haar vanaf dat moment bij al zijn beraadslagingen zou betrekken. Samen zouden ze een gewaagd plan bedenken om er met het geld vandoor te gaan. Zonder geld zou Bonapartes invasie van Engeland op losse schroeven komen te staan. De ontevreden massa zou tegen hem in opstand komen, en de monarchie zou hersteld worden. Amy grinnikte toen ze de brief weer netjes onder het vloeiblad legde. Een fraai stukje werk voor een meisje uit Shropshire.

Amy haastte zich de studeerkamer uit. Voordat ze naar Hortense ging, moest ze de Gentiaan een briefje sturen om te zeggen dat hij haar moest ontmoeten... maar waar? In de Jardins du Luxembourg. Ze kon wel aan een page vragen om...

Wam! In volle vaart botste Amy tegen iemand op die het voorvertrek vanaf de andere kant binnenkwam. Haar hoofd tolde, en een paar hulpvaardige handen hielden haar op de been. Een warme lach schalde van boven haar oor. 'Wat een originele manier om uw aanwezigheid kenbaar te maken!'

20

'Mijn heer!' snel deed Amy een stap achteruit, waarbij ze in aanvaring kwam met een borstbeeld van Brutus dat vervaarlijk op zijn marmeren voetstuk begon te wankelen. Amy greep Brutus nog net op tijd om te voorkomen dat hij in gruzelementen viel. 'Ik wou niet.. dat wil zeggen...'

'Als u geweten had dat ik het was, zou u dan liever tegen die arme Brutus opgeknald zijn?' vroeg Lord Richard met zo'n samenzweerderige glimlach dat Amy bijna weer tegen de arme Brutus aan deinsde.

'Zoiets, ja,' gaf Amy zwakjes toe. Ze was duidelijk nog een beetje aangeslagen door de dubbele botsing.

Amy tastte achter zich om er zeker van te zijn dat ze nergens meer tegenaan zou lopen. Het voorvertrek leek ineens helemaal gevuld te zijn met Lord Richard. Zijn forse gestalte in strakke bruingele broek en lichtblauwe jas vulde Amy's gezichtsveld. Een stoffige zonnestraal door het enige raam in de kamer streelde zijn hoofd en voorzag hem van een soort aureool. Aureool? Amy hield haar gedachten in toom voordat haar fantasie nog verder met haar aan de haal kon gaan. Een man die zijn land in de steek had gelaten? Die op een feest en plein public met een schaarsgeklede vrouw stond te vrijen? Lord Richard was wel de laatste man die een aureool verdiende!

'U bent Madame Leclerc net misgelopen,' flapte Amy eruit.

'Pauline?' Lord Richard fronste zijn wenkbrauwen op een manier die zowel verwarring als ongenoegen kon betekenen. 'Zocht die mij dan?'

'Eh...' Waarom had ze dat in vredesnaam gezegd? Stik! Als Lord Richard Madame Leclerc nu ging zoeken zou die hem zeker vertellen dat ze Amy helemaal niet gesproken had, en dan zou hij weten dat Amy het maar verzonnen had en er misschien zelfs de conclusie uit trekken

– volkomen ten onrechte! – dat zijn relatie met Madame Leclerc haar iets kon schelen.

Amy ging een directe leugen uit de weg door naar de deur te wijzen en te zeggen: 'Ze ging die kant op.'

'O,' luidde Lord Richards uitvoerige commentaar.

Amy wachtte tot hij langs het standbeeld van Brutus de vergulde deuren door zou stormen, op zoek naar 'de vrouw in de doorschijnende jurk met het te verwaarlozen lijfje'. En wachtte.

Lord Richard leunde lui tegen de lambrisering alsof hij geen ander doel in het leven had dan in een klein voorvertrek te staan met Amy.

'Moet u haar niet achterna?' vroeg Amy onzeker.

Lord Richard dacht even na en schudde zijn hoofd. 'Niet speciaal, nee.'

Amy's ogen zochten zijn knappe gezicht af. Ze had verwacht dat hij meer haast zou maken om zijn liefje achterna te gaan. Maar waarom zou ze zich daar eigenlijk over verbazen? Het ene moment had hij nog met Amy staan flirten, en het volgende moment stond hij te flikflooien met Madame Leclerc. Net zoals hij zich bij de Fransen in Egypte had gevoegd terwijl zijn eigen land met diezelfde Fransen in oorlog was. De trouweloze ploert!

Amy's gevoelens voor Pauline veranderden van vijandigheid in medelijden. Het arme, goedgelovige mens had zich kennelijk net zo grondig in de luren laten leggen door de gladde praatjes van de verderfelijke Lord Richard als Amy zelf. Haar jurken mochten dan de substantie hebben van spinrag en haar intellectuele vermogens zelfs dat nog niet, maar dat wilde nog niet zeggen dat ze het verdiende om zo behandeld te worden.

'Nou, ik zou het toch maar doen,' zei Amy heftig.

'Wat doen?'

'Madame Leclerc achternagaan.' Woedend keek Amy Richard aan.

Richard nam haar peinzend op. 'Is dit een poging om u van mij te ontdoen? Zeg dat dan gewoon.'

'Nee!'

'Nee, u wilt zich niet van mij ontdoen?'

'Grrrmf!' stootte Amy een ongearticuleerde klank uit die verachtelijk klonk. Ze zuchtte diep en verklaarde: 'Het was niet mijn bedoeling om me van uw gezelschap te ontdoen...'

'Ik ben blij dat te horen.'

'Ik hoopte juist,' zei Amy venijnig, 'u aan te zetten tot wat meer consideratie met uw medemens...'

'Door u zo snel mogelijk met rust te laten?'

'Nee!' Amy stond nu te springen als een klein meisje dat een driftbui krijgt.

Maar omdat ze geen tien meer was maar twintig, was het effect heel anders. Met een enigszins onthutste glimlach om zijn lippen keek Richard naar haar borsten die op en neer dansten in het decolleté van haar lijfje.

'Wilt u dat even herhalen?' vroeg hij hoopvol.

Woedend keek Amy hem aan. 'Wat vindt u zo moeilijk te begrijpen aan het woord *nee*?'

'Wat u er in vredesnaam mee bedoelt,' gaf Richard eerlijk toe. 'Laten we even teruggaan. U wilt dat ik wegga...'

'Nee.' Helaas sprong Amy nu niet op en neer, maar hief haar beide handen op. 'Nee. Daar gaat het niet om. U verdraait weer mijn woorden. Val me toch niet steeds in de rede! Wat ik wou zeggen is dat het enige fatsoenlijke wat u kunt doen is achter Madame Leclerc aangaan en het goed maken met haar.'

Richard knipperde met zijn ogen. 'Ik wist niet dat het fout was met haar.'

Aangezien het er niet naar uitzag dat Amy weer ging springen, deed Richard nu een oprechte poging om te begrijpen waar ze het in godsnaam over had. Hij snapte niet waarom ze ineens zo gefascineerd was door Pauline? Tenzij Pauline Amy had lastiggevallen met verhalen over onbeantwoorde liefdesbrieven. Maar dat zou hem eigenlijk nogal verbazen. Pauline was wat je noemt sportief in de liefde, ze zette alles op alles om iemand te krijgen, maar ze accepteerde haar nederlagen zonder rancune en gedroeg zich zelden verongelijkt.

'Hoe kunt u zo hardvochtig zijn?'

Richard keek neer op Amy's vertoornde, verhitte gezicht en ineens begon het hem te dagen.

'U wilt toch niet zeggen dat u dacht dat Pauline en ik... God beware me, nee!'

'Wat bedoelt u met "God beware me, nee!" Ik heb u gisteravond bezig gezien, in de salon van Madame Bonaparte. Wilt u dat soms ontkennen?'

Even kostte het Richard moeite zich te herinneren wat Amy in vredesnaam kon bedoelen. Zijn ontmoeting met Amy in de studeerkamer van haar broer, later die avond, had andere herinneringen uit zijn hoofd verdreven en hij had in de loop der jaren al zoveel recepties in de Tuilerieën meegemaakt dat hij ze niet goed meer uit elkaar kon houden. Wat had hij ditmaal met Pauline uitgespookt?

O ja. Pauline had hem in een hoek gedreven. En als hij het zich goed herinnerde had zij zich ook op gebieden begeven die normaal gesproken achter gesloten deuren thuishoorden. Richard hoopte dat Amy daar geen getuige van was geweest. Maar te oordelen naar de kracht van haar woede vreesde Richard dat dit wel het geval was. Hij vroeg zich wel af hoe het mogelijk was dat Amy dat ongelukkig moment ter plekke was geweest. Het onderonsje had zich bepaald niet midden in de salon afgespeeld, maar ergens in een hoekje, ver weg van de menigte toeschouwers rondom Bonaparte en juffrouw Gwen, een groep waarvan Amy deel had uitgemaakt, dat wist Richard zeker. Hetgeen betekende dat ze hem gevolgd moest zijn.

Richard keek Amy recht in haar boze gezicht.

'Ziet u wel? U kunt het niet ontkennen,' zei Amy met verstikte stem.

'Ontkennen?' Richard haalde zijn schouders op. 'Welke man wil er nu niet gezien worden met Pauline? Het is tenslotte een buitengewoon mooie vrouw, vindt u ook niet?'

Amy knikte houterig.

'Met buitengewoon mooie ogen,' voegde hij er met duivels plezier aan toe. 'Het soort ogen waarin een man zich kan verliezen.'

Amy knikte wat stijfjes.

'En,' vervolgde Richard fluisterend, 'met buitengewoon weinig gespreksstof.'

Amy's mond viel open van verbazing.

Richard deed een stap achteruit en wuifde nonchalant met zijn hand. 'Ze heeft bijzonder weinig te vertellen over de Steen van Rosetta, en geen greintje belangstelling voor Homerus.'

Amy leunde achterover tegen de muur, volledig uit het lood geslagen. Ze kon zich waarachtig niet meer herinneren waarom ze Madame Leclerc ter sprake had gebracht en wenste vurig dat ze dat niet had gedaan.

'Amy,' zei Richard zachtjes, 'er is helemaal niets tussen Pauline en mij, en nooit geweest ook.'

'Behalve haar jurk,' mompelde Amy.

Het was niet haar bedoeling dat hij dat zou horen, maar Lord Richard had een akelig scherp gehoor. Hij schudde van het lachen. Er verschenen lachrimpeltjes om zijn groene ogen, waarin gouden lichtjes fonkelden als bladeren beroerd door de zon.

'Eerlijk gezegd was ik op zoek naar Bonaparte...'

'Die is ook die kant op,' viel Amy hem in de rede.

'Maar ik vond het heerlijk dat ik u hier tegen het lijf liep,' vervolgde Richard met een grijns.

'Ik zou niet weten waarom.'

'Echt niet?' mompelde Richard.

'Zocht u soms iemand om mee over Homerus te praten?' sloeg Amy hem zuur om de oren met de eerste onromantische reden die haar te binnen schoot.

Alleen kon ze, toen ze dat eenmaal gezegd had, helaas het beeld niet verjagen van haar en Lord Richard die elkaar in een grote leren stoel bij een vlammend haardvuur op een koude winterdag sonore Griekse zinnen uit de *Odyssee* voorlazen.

In gedachten duwde Amy het boek opzij en doofde het vuur, net toen Lord Richard zei: 'U zit er niet ver naast. Ik was van plan u een briefje te sturen om u uit te nodigen morgen mijn oudheden te komen bekijken.'

Iets aan de manier waarop Richard 'mijn oudheden' zei, zo trots als een schooljongen die een heel bijzondere pad wilde laten zien, ontlokte Amy een glimlach. Alleen, het waren zijn oudheden helemaal niet, toch? Ze behoorden toe aan Bonaparte, die ze verzameld had terwijl hij het commando voerde over de legers van de Franse Revolutie. Geen rechtgeaarde Engelsman zou ook maar iets met die oudheden te maken willen hebben. En geen rechtgeaarde Engelse vrouw zou ook maar iets te maken willen hebben met Lord Richard Selwick, peperde Amy zichzelf in. Plagende groene ogen of niet.

'Dat zal niet gaan,' zei ze koel.

Lord Richard leek te raden wat er in haar omging. 'Een paar onschuldige voorwerpen kunnen geen bloedschuld op u laden.'

Amy stak haar neus in de lucht alsof ze geen idee had waar hij het over had.

'Al die dingen,' vervolgde hij zachtjes, 'die standbeelden en juwelen en breekbare menselijke beenderen zijn al eeuwen voordat de wereld ooit van Bonaparte gehoord had diep in de aarde begraven. Stelt u zich dat eens voor. De overblijfselen van een beschaving die al oud was toen Frankrijk nog helemaal bebost en Londen niet meer dan een verzameling lemen hutten was.'

Zijn woorden betoverden haar. Zij riepen beelden op van glinsterend zand en rondsnellende mannen in witte toga's en weeklagende zwartharige vrouwen in zorgvuldig uitgeruste grafkamers.

'Morgenmiddag, dan. Uw nicht en chaperonne zijn natuurlijk ook uitgenodigd.' Hij grinnikte. 'Wie weet put juffrouw Gwen wel inspiratie uit de kist van een mummie voor die vreselijke roman van haar.'

'Ik heb nog geen ja gezegd!'

'Nee, maar dat wilt u wel.'

Stik. De onuitstaanbare kerel had het bij het rechte eind: hoe ze ook over hem dacht, ze verlangde er vurig naar stenen met hiëroglyfen te zien en ornamenten die wellicht eens de ogen van Marcus Antonius verblind hadden. Juffrouw Gwen was niet de enige die geïnteresseerd was in mummiekisten.

'Waarom niet?' buitte Lord Richard haar aarzeling uit. 'U bent toch zeker niet bang?'

'Waarvoor?'

'Voor vloeken uit de oudheid? Of voor het risico dat mijn gezelschap u aan zal staan?'

Amy brieste verontwaardigd, want dat was nu precies waar ze bang voor was. 'Natuurlijk niet! Morgenmiddag, zei u?'

'Om twee uur, dan? De voorwerpen zijn opgeslagen in een vleugel van de Tuilerieën, tot we ze naar het Louvre brengen. De schildwachten weten allemaal de weg erheen,' instrueerde Lord Richard haar, met een glimlach die verdacht veel op een grijns leek.

Te laat besefte Amy dat ze zich door hem had laten prikkelen en verleiden om de uitnodiging aan te nemen.

'U hebt niet toevallig een appeltje bij de hand om mij aan te bieden?' vroeg ze zuur.

'Satan die Eva verleidt in de Hof van Eden? Niet bepaald een vleiende rol voor mij, hè? En u hebt te veel kleren aan voor de rol van Eva.'

Amy's blos wedijverde met de kleur van de gevaarlijke vrucht waarover ze het hadden. Op de een of ander manier gaf de oprecht bewonderende blik van Lord Richard haar het gevoel alsof haar gele mousselinen jurk even weinig verhulde als een ketting van vijgenbladeren. Amy verborg haar verwarring door snel te zeggen: 'Mag ik u een gunst vragen, mijn Heer?'

'De veer van een feniks uit de verste woestijnen van Arabië? De kop van een draak op een met juwelen ingelegde schaal?'

'Nee, iets veel eenvoudigers,' antwoordde Amy, die zich voor de zoveelste maal verwonderde over de kameleonachtige eigenschappen van de man naast haar. Hoe kon iemand je het ene moment zo woedend maken en het volgende zo charmeren? Onbetrouwbaar, hielp ze zichzelf herinneren. Zo veranderlijk als de wind. 'Aan een drakenkop zou ik nu niet veel hebben, tenzij hij mij de weg wees.'

Richard stak haar zijn arm toe. 'Zeg me waar u heen wilt en ik breng u daar.'

Amy legde haar hand voorzichtig op de zachte blauwe stof van zijn jas. 'Dat is een heel gul aanbod als u niet weet waar ik heen ga.'

'Tien mijlen verder dan het einde van de wereld?' opperde Richard met een luie grijns.

'Me dunkt, een reis van niets?'[7] vulde Amy het citaat triomfantelijk aan, en ze werd beloond door het bewonderende licht dat opsprong in Lord Richards ogen. 'Nee, zo ver niet – tenminste, ik hoop van niet, hoewel dit paleis me groot genoeg lijkt om een paar continenten te bevatten. Ik was op zoek naar de vertrekken van Hortense Bonaparte.'

Deze verklaring lag zo dicht bij de waarheid dat Lord Richard hem zonder meer accepteerde. 'Dan bent u op de goede plek,' lichtte hij haar in en voerde haar terug naar Bonapartes studeerkamer, 'alleen een verdieping te laag. Als u dat trapje daar opgaat komt u bij Josephines vertrekken, en die van Hortense liggen daarnaast.'

'Dank u,' zei Amy, met haar voet op de onderste tree.

'Niets te danken,' zei Lord Richard, met zijn arm op de leuning. Zelfs nu Amy een tree hoger stond keek hij nog glimlachend op haar neer.

---

7 *Ten leagues beyond the wide world's end: methinks it is no journey.* Uit *Tom O'Bedlam's Song,* een anonieme ballade uit ca. 1620.

'Dit was echt een reisje van niets. Ik ben u nog minstens negen mijl schuldig.'

'Breng me de veer van een fenix, dan is uw schuld voldaan. Goedendag, mijn Heer, en dank u voor uw hulp.' Amy tilde haar rok op en klom een tree hoger.

'U zult genoegen moeten nemen met een mummiekist.' Gebiologeerd door zijn stem bleef Amy staan. Ze liet haar rok vallen, draaide zich om en ontdekte dat zijn glimlach nog verwoestender was als ze oog in oog met hem stond. Of lip aan lip, zoals het geval was. Amy slikte moeizaam.

'Waarom wilt u zo graag dat ik u kom bezoeken?' vroeg ze achterdochtig.

'Omdat ik u mag,' zei Richard heel eenvoudig.

En toen maakte hij glimlachend een buiging alsof Amy hem niet met wijd open mond van verbazing aanstaarde, en vertrok met een kalm 'Goedendag, juffrouw Balcourt' voordat Amy de kans had gekregen zich te herstellen.

'U ook goedendag,' mompelde ze terwijl ze de trap op stoof. 'Omdat ik u mag. Wat wil hij daar in vredesnaam mee zeggen? En wat kan het me schelen? Het kan me niet schelen. Natuurlijk kan het me niet schelen. Wat maakt het mij uit of Richard Selwick me mag of niet? Niets. Helemaal niets. Natuurlijk maakt dat me niets uit.'

Boven aan de trap bleef Amy staan en stak haar kin in de lucht. 'Ik heb wel wat anders aan mijn hoofd!' Ze klampte een page aan, die zo te zien alleen maar wat in de gangen rondhing in afwachting van over te brengen boodschappen, al dan niet clandestien.

Toen Amy hem toe siste 'Kun je een boodschap voor me overbrengen?' keek hij haar dan ook aan alsof hij aan haar geestelijke vermogens twijfelde en zei: 'Jawel, juffrouw.'

'Zonder dat iemand anders het te weten komt?'

Nog een blik, ditmaal vermengd met gekwetste waardigheid. Amy zonk elk moment dieper in de ogen van de page. 'Natuurlijk, juffrouw.'

'Mooi!' Ze boog zich naar voren en zei: 'Zeg hem dat ik hem dringend moet spreken. Niet vergeten, hoor! *Dringend.* Want ik heb hem iets vreselijk belangrijks te vertellen, hij weet vast wel wat, na ons gesprek van vannacht. Ik verwacht hem om twaalf uur vannacht bij de Jardins du Luxembourg. En denk erom: het is *dringend!*'

De page keek begrijpelijk beduusd. 'Tegen wie moet ik dat zeggen, juffrouw?'

Amy kon zich wel tegen haar hoofd slaan uit opperste zelfverachting. Die Lord Richard had haar helemaal van haar stuk gebracht...

'Tegen Georges Marston,' zei ze terwijl ze de jongen een munt uit haar tasje toestopte. 'Zorg ervoor dat alleen Georges Marston het hoort. En denk erom...'

'Ja, ja,' zei de jongen, met de vermoeide blik van iemand die het allemaal al eerder gehoord heeft. 'Het is dringend.'

Richard genoot nog even van de bekoorlijke deining van Amy's heupen toen ze de trap besteeg naar de vertrekken van Hortense. Dat was een luxe die hij zich kon permitteren, vond hij. De trap op stormen, haar over zijn schouder slingeren en meenemen naar de dichtstbijzijnde lege kamer was dat niet, helaas.

Hoofdschuddend liep Richard terug door Bonapartes studeerkamer en het voorvertrek, dat plotseling veel donkerder leek zonder het vrolijke geel van Amy's jurk. Hij vroeg zich af of zij, net als hij, nog steeds moest denken aan hun zoen van vannacht.

Het was belachelijk! Hij had al honderden vrouwen gezoend. Nou ja, honderden... Richard overpeinsde zijn tienercarrière van rokkenjager en maakte een snelle berekening. Tientallen, dat zeker. Maar hoe dan ook, hij had het nog nooit zo te pakken gehad van iemand als van Amy. Nog nooit had hij zo brandend van verlangen wakker gelegen, piekerend over de vraag of zo'n kans zich ooit nog zou voordoen.

Meestal schiep Richard zijn eigen kansen.

Vroeger, toen hij nog een echte versierder was, had hij alleen maar hoeven glimlachen in een balzaal, met een knikje naar de tuin, een briefje dat stiekem van gehandschoende hand naar gehandschoende hand ging. Simpel! Maar na Deirdre, met haar verraad, was Richard bedreven geworden in het verjagen van kansen. En nu... fronsend keek Richard naar een vogel die buitengewoon luid zat te tsjilpen in het open raam van een lege salon.

Het was helemaal niet moeilijk om nog een ontmoeting met Amy te arrangeren, maar alleen als hij bereid was dat te doen als de Paarse Gentiaan. En dat was 'm nu net het probleem. De Paarse Gentiaan en Lord Richard Selwick waren het er gloeiend over eens dat Amy niets meer met de Paarse Gentiaan te maken mocht hebben. Kijk nou eens wat er vannacht gebeurd was. Ze had zijn inspectie van de studeerkamer van De Balcourt verstoord, net toen hij die geheime bergplaats met paperassen wilde openen. Goed, het kon best zijn dat de globe niets opwindenders bevatte dan de *billets doux* van De Balcourt, maar voor hetzelfde geld zaten er papieren in die van vitaal belang waren voor de verdediging van Engeland. En alsof dat nog niet genoeg was, had hij alles gemist wat er zich op het binnenhof had afgespeeld. Hij was nog net op tijd ter plekke geweest om wat schurkachtige kerels te zien verdwijnen in de nacht en te horen dat De Balcourt zonder verdere informatie afscheid nam van Marston.

Waarschijnlijk had hij Marston moeten schaduwen. Hoezo *waarschijnlijk*? Natuurlijk had hij dat moeten doen, de Paarse Gentiaan had Marston moeten achtervolgen. In plaats daarvan had hij zich verstopt in de bosjes van huize De Balcourt om zich ervan te vergewissen dat ene juffrouw Amy Balcourt veilig en wel het huis in kwam.

Richard grinnikte bij die herinnering. God, het was de gemiste informatie dubbel en dwars waard geweest om te zien hoe Amy wanhopig probeerde zich op de vensterbank te hijsen. Ze had haar ellebogen op de rand gezet, haar gezicht vertrokken, opmerkelijk aanvallig met haar heupen gewiebeld om vervolgens weer naar beneden te zakken. Richard had zowel haar vasthoudendheid als haar achterwerk bewonderd.

Het werk van één nacht – Richard dwong zich ertoe zich weer te concentreren op wat hij doen moest. Het werk van één nacht naar de verdoemenis, goed, dat viel hem nog te vergeven. Maar nog een nacht verliezen grensde aan onverantwoordelijk gedrag. Trouwens, Amy zou Amy niet zijn als ze hem niet aan zijn hoofd zou blijven zeuren zijn identiteit prijs te geven en haar een plaatsje te bezorgen in het Verbond. Vroeg of laat, onder invloed van haar lippen en armen en... nou ja, vroeg of laat zou hij voor een van beide verzoeken zwichten, en dat zou een regelrechte ramp zijn. Vandaar zijn besluit, toen hij vannacht door de donkere, stinkende straten naar huis sjokte, dat de Paarse Gentiaan juffrouw Amy Balcourt moest mijden alsof ze Delaroche zelve was.

Lord Richard Selwick, daarentegen, mocht juffrouw Balcourt natuurlijk gerust bezoeken.

Tenslotte, zei Richard bij zichzelf, kon hij zijn relatie met Amy best gescheiden houden van zijn werk zolang hij zijn bezoekjes aflegde buiten spionagetijd.

Hij hoefde er alleen maar voor te zorgen dat Amy hem aardig ging vinden. Dat kon toch niet zo moeilijk zijn. Nou ja, ze had de Paarse Gentiaan gezoend vannacht, maar het was hem wel duidelijk dat ze aan Richard dacht. Natuurlijk zou het nog beter zijn als ze aan Richard dacht *en* hem zoende.

Hij moest de ongerustheid over zijn karakter, die hij nog steeds bij haar voelde, weg zien te nemen. Hmm. Richard bleef staan bij een schilderij van David. Dat zou wel eens te moeilijk kunnen blijken zonder dat hij zijn identiteit prijsgaf. Te tijdrovend, ook. Nee, besloot hij, het was veel beter om Amy haar scrupules te doen vergeten met zijn verleidingskunsten.

Juist! Dat plan was de meesterstrateeg die zo'n hoop Franse edelen van de guillotine had gered waardig.

Nu hij dat eenmaal besloten had, kon Richard zich weer concentreren op zijn taak wat betreft de verdediging van Engeland tegen die ouwe Bonaparte, en die verdediging bestond momenteel uit het drinken van Franse cognac en winnen met kaarten.

Richard brak zijn record door tussen acht en elf uur op te duiken in vier salons. Bij de ene luisterde hij gesprekken af terwijl er gemusiceerd werd, bij een andere pikte hij informatie op tijdens het kaartspel en bij weer een andere doorzocht hij het bureau van de gastheer terwijl een dichter in de kamer ertegenover gedichten declameerde. Hij zou er zelfs vijf salons van gemaakt hebben als hij in de laatste niet Pauline Lecrerc had zien staan. Als de bliksem griste hij zijn hoed en handschoenen terug uit de handen van de verbijsterde dienstmaagd en maakte hij dat hij wegkwam voordat hij aangerand kon worden.

Even over elven zette Robbins Richard af onder de portiek van het herenhuis van Madame Rochefort, Richards laatste bestemming vanavond. Richard sprong uit de koets en zei tegen zijn koetsier: 'Je hoeft me niet op te halen, ik loop wel terug.'

'Weet u dat wel zeker, mijn Heer?' Volgens Robbins bestond de bevolking van Parijs geheel uit struikrovers en moordenaars die allemaal op de loer lagen om zijn jonge meester in donkere steegjes te bespringen.

'Volkomen zeker. Ga maar naar bed.'

'Goed, mijn Heer.'

Richard keek het rijtuig na, drukte zijn hoed steviger op zijn hoofd, trok zijn handschoenen glad, plakte een sociale glimlach op zijn gezicht en klom de trap naar de voordeur op. Hij werd binnengelaten door een dienstmaagd, die zijn hoed en zijn mantel aanpakte en hem naar boven doorverwees. Richard liep de marmeren trap op en omzeilde een jonge dandy die zich, nu al beschonken, aan de leuning vastklampte. Richard hield zijn hart vast voor de volgende gast die onder de trap doorliep.

Bovengekomen ging Richard snel zijn mogelijkheden na. Rechts waren de tafels al gedekt voor het souper, en een regiment toegewijde minnaars was bezig borden vol te scheppen voor hun liefjes van dat moment.

Richard ontwaarde zijn gastvrouw in het gedrang, en knikte haar toe. Madame Rochefort wuifde hem toe met haar waaier, uitbundiger dan het decorum toestond; de meeste van haar gasten verkeerden in eenzelfde staat van uitbundigheid. Op Madame Rocheforts feestjes wemelde het altijd van de jonge avonturiers, ouwe bokken en eeuwige losbollen, die allemaal balanceerden aan de rand van de maatschappij. Madame Rochefort zelf behoorde tot de tweede categorie: ze was vroeger een vriendin van Josephine geweest, maar was verbannen uit de Tuilerieën toen Bonaparte besloot respectabel te worden.

Hij liep de gang door. Het was minder vol in de kaartkamer dan normaal. Therese Tallien, een andere oude vriendin van de vrouw van de Eerste Consul, zat een robbertje whist te spelen met een kleurig uitgedoste dandy, een zwoele jonge officier en Desiree Hamelin, die vooral roem had geoogst door in de dolle dagen van het directoraat topless van het Place Royale naar het Palais du Luxembourg te wandelen.

Richard zwierf door de kamer, beleefd wissewasjes uitwisselend met bekenden; het aanbod van Madame Tallien om een robbertje whist te spelen sloeg hij af. Vanonder zijn modieus halfgeloken oogleden schoten Richards groene ogen door de kamer. Paul Barras, voormalig staatshoofd (en naar verluidt tevens voormalige minnaar van Josephine) zat bij de deur aan een tafeltje solitaire te spelen. Aan hem had hij niets. Richard verwierp eveneens een groep giechelende vrouwen met afzichtelijke gestreepte tulbanden op hun hoofd. Maar kijk eens aan, daar, bij de open haard...

'Marston, ouwe jongen,' zei Richard lijzig. 'Niet veel geluk bij het kaarten vanavond, zie ik? Dag Murat,' knikte hij de zwager van de Consul toe, die zodanig in zijn stoel hing dat duidelijk was dat het glas cognac dat voor hem stond beslist zijn eerste niet was.

Marston schopte Richard een stoel toe. 'Zin in een potje, Selwick?'

'Graag ja, dank u, ouwe makker.' Lui liet Richard zich in het vergulde stoeltje ploffen.

Marston stond op, bleef even onvast staan en rekte zich toen uit. 'Geen dank. Ik ga ervandoor zodra ik iets van de poen heb teruggewonnen die ik aan Murat verloren heb. Ik heb namelijk een afspraak met een lekkere meid.'

Richard trok zijn stoel bij de tafel. 'Wat kost ze?'

Marston ontblootte zijn grote witte tanden en bulderde het uit. 'Deze is gratis en voor niks! Weer eens wat anders, vindt u niet?'

Beleefd ontblootte Richard eveneens zijn tanden, maar aangezien zijn belangstelling voor de romantische escapades van Marston ongeveer net zo groot was als zijn wens de fijnere kneepjes van de taxonomie te leren, leidde hij het gesprek snel in gunstiger banen.

'Ben u in de nabije toekomst soms van plan die sjees van u te verkopen?'

'Wat? Mijn zegekar van de liefde? Dan zouden alle dames in Parijs in de rouw gaan.'

'En hun bedrogen echtgenoten zouden feestvieren.'

Marston grijnsde zelfingenomen. 'De gelukkige dame van vannacht heeft geen echtgenoot. Alleen maar een...'

'Ik vraag het je,' onderbrak Richard hem voordat Marston de kans kreeg zich weer te verliezen in zijn saaie verhalen over verleiding en bevrediging, 'omdat een vriend van mij een rijtuig zoekt, en ik weet dat hij geporteerd is van het jouwe.'

'Wie niet?' Marston strekte zijn benen. Richard vroeg zich af hoe die er dagelijks in slaagden het gewicht van zo'n enorm ego te torsen.

Hij verborg zijn afkeuring en vervolgde kalm: 'Ik heb Geoff verteld dat hij veel beter een dichte koets kan kopen. Wat vind jij?'

Marston snoof. 'Die zijn voor oude kerels. Vrouwen worden helemaal wild van een karikel. Ik zal u vertellen dat ik eens...'

'Karikels zijn prima voor een rondje door het park, maar als je een lange reis wilt maken of pakken moet vervoeren? Dan heb je domweg niet genoeg privacy en niet genoeg ruimte. Deel jij, Murat?'

'Ik deel wel.' Marston griste het spel kaarten van de tafel voor zijn vriend de kans had te reageren, en begon ze te schudden met het gemak van een geoefend kaartspeler. 'Wat wilt u spelen, Selwick? Rummiën? Bedriegen? Eenentwintigen?'

'Maakt me niet uit. Dus jij raadt een karikel aan, Marston? Hoe moet dat dan als je midden in de nacht iets moet ophalen?'

Marston schoof Richard drie kaarten toe. 'Dan huur je toch gewoon een koets?'

'Bij wie moet ik dat dan doen?'

'Er zit een mannetje in de rue St. Jacques,' zei Marston vlot. Hij leunde achterover en bekeek zijn kaarten. 'Die heeft een onopvallende koets en stelt niet te veel vragen, als u begrijpt wat ik bedoel.'

'Dat zal ik onthouden,' antwoordde Richard met een geamuseerde glimlach. Een mannetje in de rue St. Jacques... Daar zou hij Geoff morgen naartoe sturen om navraag te doen. In gedachten schrapte Richard het eerste punt van zijn lijstje. 'Hoe ver mag je met die koets rijden?'

'Ik ben ermee op en neer naar Calais geweest.' Marston fronste zijn wenkbrauwen en pakte een andere kaart.

'Had u familie over uit Engeland?' vroeg Richard beminnelijk.

'Nee, ik...' Marston kneep plotseling zijn lippen op elkaar.

Richard lachte de lach van verstandhouding van mannen onder elkaar. 'Zeg maar niets meer, zeg maar niets meer!' riep hij uit, met opgeheven hand. 'De reputatie van de dame dient beschermd te worden. Ik begrijp het. Geef me de karaf eens aan, wil je?'

Marston ontspande zich en schoof hem de kristallen karaf toe over het groene laken van het tafelblad. Richard hief hem kameraadschappelijk in de lucht voordat hij de stop eraf nam en zich wat van de amberkleurige drank inschonk. Verdoemd. Marston was nog niet dronken genoeg; als Richard er nog verder op doorging zou hij achterdochtig worden.

'Op naamloze dames!' proostte Richard en hief zijn glas.

'Daar drink ik op!' Marston goot de inhoud van zijn glas achterover en reikte voor Richard langs naar de karaf.

'Naamloosje damesj,' lispelde Murat vanuit zijn hoekje.

Mooi, die was lekker zat, daar had hij wat aan.

'U hebt te lang in vredestijd geleefd, Murat,' zei Richard opgewekt. 'Daar word je slap van en dan ga je te veel drinken. Pas maar op, of ze nemen u uw rang nog af!'

'Hem?' Marston porde zijn vinger in de buik van zijn vriend, die scheef hing als een fregat na een zware storm. 'Het heeft zo z'n voordelen om de zwager van de Eerste Consul te zijn, nietwaar, ouwe rukker? Caroline moet u dan maar op de koop toe nemen!'

'Is waar,' stemde Murat in. 'Caroline dammaar op de koop toenemen. Isjer nog cognac?'

Richard boog zich over de tafel en schonk Murats glas nogmaals vol. 'Maakt Caroline u het leven zuur?'

'Sjonge nou,' knikte Murat, met een weids gebaar waarmee de helft van de inhoud van zijn glas tegen het roze behang van gevlamde zijde belandde. 'Ik ga'm sjmere, wagmaaraf.'

Twee glazen cognac en een heleboel slisklanken later wist Richard dat Murat, als hij hem geloven mocht, een hogere positie in het leger was toegezegd voor de invasie van Engeland. Caroline, zei Murat, had haar broer bewerkt, en dat geloofde Richard maar al te graag. Caroline verenigde een engelengezichtje met de meedogenloze ambitie van haar broer Napoleon. Kortom, ze was een soort kruising van Napoleon met Lucretia Borgia op een van haar slechte dagen. Richard had een beetje medelijden met de arme Murat.

Maar zijn sympathie verdween snel toen Murat om het onderwerp heen bleef draaien. Het kostte hem bijna een halfuur om te weten te komen dat Murat alleen wist dat de expeditie naar Engeland binnenkort van start zou gaan, maar niet wanneer. Binnenkort kon zo ongeveer alles betekenen tussen twee maanden en twee jaar. Wat had hij daar nu aan? Napoleon wachtte ergens op. Toen Caroline tegen Napoleon tekeerging had hij geprotesteerd dat hij niets kon toen tot de aankomst van...

Met een ruk schoof Richard zijn stoel achteruit toen Murat het kostbare Perzische tapijt van Madame Rochefort onder begon te kotsen.

Op dit soort momenten, dacht Richard bitter terwijl Marston zijn vriend een zakdoek toestak en een bediende kwam aanrennen met dweilen en water, benijdde hij Miles om zijn plezierige, kalme kantoorbaan bij het ministerie van Oorlog. Zijn plezierige, *reukloze* kantoorbaan bij het ministerie van Oorlog.

'Bezzo trug,' kondigde Murat aan en wankelde ervandoor, hopelijk op zoek naar schone kleren.

'Nog een glas cognac en u bent weer zo fris als een hoentje,' riep Marston hem na.

'Zullen we ergens anders gaan zitten?' opperde Richard met opgetrokken neus.

'Mij best,' zei Marston schouderophalend. 'Over tien minuten ga ik ervandoor, want om twaalf uur staat dat meisje op me te wachten. Maar ik kan haar wel een paar minuten laten wachten – daar worden ze alleen maar gewilliger van...'

'Wat dacht u van deze tafel?' Richard had geen zin in nog meer romantische ontboezemingen van Marston, dus voordat hij door kon gaan maakte hij hem haastig een complimentje met zijn jas.

'Ik zal u de naam van mijn kleermaker geven,' bood Marston gul aan.

Richard zou nog liever voor een vuurpeloton gaan staan dan zich vertonen in een pauwblauwe jas met gouden revers en miniatuurknopen, maar het aanbod bood hem precies de kans waarop hij gewacht had.

'U bent nogal dik met De Balcourt, hè? Kunt u hem niet eens overhalen een andere kleermaker te nemen? Eentje die niet kleurenblind is? Je krijgt gewoon pijn aan je ogen als je naar die man moet kijken!'

'De natuur heeft hem nogal karig bedeeld.' Marston pakte net de karaf en de glazen van hun oude tafel toen Murat weer op hen af kwam lopen, ontdaan van zijn bespuugde kravat en vest.

Richard deed net of hij verbaasd was. 'Ik dacht dat jullie vrienden waren.'

Marston haalde zijn schouders op en ging er verder niet op in. 'Wie had er ooit gedacht dat die vent zo'n lekker stuk van een zusje had?'

Richard moest zich inhouden om Marston niet met zijn vuist tot stilte te manen. Hij had weliswaar min of meer hetzelfde gedacht, maar de louche glans in Marstons ogen maakte tot nu toe onvermoede gewelddadige neigingen in hem wakker.

'Ik heb horen zeggen dat het nichtje de schoonheid van de familie is,' gooide Richard zonder blikken of blozen Jane voor de wolven.

'Da's mijn type niet. Ik heb ze graag klein en knuffelbaar, niet kil en statig. Jullie wetenschappers begeren misschien standbeelden, maar ik niet.'

Dus hij had zijn zinnen op Amy gezet? Richard begon te hopen dat Marston vuile zaakjes opknapte voor Napoleon, zodat hij een goede reden had om hem in elkaar te slaan.

Ondertussen zat Marston alle attributen van Amy op te sommen die hem gisteravond waren opgevallen, en die beperkten zich niet tot haar gezicht.

Richard overwoog de zware kristallen karaf per ongeluk op Marstons hoofd stuk te slaan, maar zijn verstand won het van zijn emotie. Hij wist nog steeds niet wat de ware connectie was tussen De Balcourt en Marston, en die zou hij vast helemaal niet kunnen achterhalen als hij Marston nu buiten westen sloeg.

Richard hield een hand op en protesteerde: 'Genoeg! U wilt de dame die u vannacht gaat ontmoeten toch zeker niet jaloers maken?'

'Wees maar niet bang!' Met een klap zette Marston zijn glas cognac op de tafel en lachte zo hard om een binnenpretje dat hij dubbelsloeg. 'Haar jaloers maken! Ha ha! Dat zal niet gebeuren!'

'Waarom niet?'

Marston schonk Richard een boosaardige grijns. 'Omdat de dame van vannacht Amy Balcourt *is*!'

21

Het werd richard rood voor de ogen.

Hij zag alle tinten rood, van karmijnrood tot vuurrood, maar het meest van al zag hij zichzelf met zijn vuist het gezicht van Marston bewerken. Het kostte hem zijn hele reservoir aan wilskracht om dat beeld niet om te zetten in werkelijkheid.

Alleen zijn tot vuisten gebalde handen onder de tafel verrieden zijn innerlijke strijd toen hij achteroverleunde en lijzig vroeg: 'Meent u dat nou?'

'Sommige mensen hebben al het geluk van de wereld,' hikte Murat van ergens net onder de tafelrand.

'Dat is geen geluk, dat komt door mijn knappe gezicht.' Marston hees zijn vriend op aan zijn kraag en zette hem terug op de zitting van zijn stoel. 'Ik heb het meisje gisteravond vijf minuten gesproken en ze kan nu al haar handen niet van me afhouden.'

Dat was helemaal niet zoals Richard het zich herinnerde. Hier moest toch echt sprake zijn van een vergissing. Marston moest de afspraak verzonnen hebben om indruk te maken op zijn vrienden. Of er was een andere vrouw in het spel, die hij verwarde met Amy. Er moest een simpele verklaring voor zijn.

Door pijnlijk opeengeklemde lippen bracht Richard uit: 'Wat heeft ze gedaan? U na afloop aangeklampt in uw vertrekken?'

'Nee.' Marston gooide een kaart op de afgooistapel. 'Ze heeft me een dringende boodschap gestuurd. Precies zoals ik het zeg. Een *dringende boodschap*, hoort u dat?' Marston schaterde het weer uit. 'Ze snakt naar me.'

'Ik krijg nooit meer van dat sjoort briefjesj van vrouwen,' dreinde Murat. Marston gaf hem zo'n broederlijke klap op zijn schouder dat hij bijna over de armleuning van zijn stoel vloog. 'Dat komt omdat Caroline ze allemaal wegjaagt!'

'Caroline,' kreunde Murat en stak zijn hand uit naar de karaf met cognac.

'Een *dringende* boodschap, zei u?' vroeg Richard.

'Ach ja, zo zijn ze, de vrouwtjes.' Marston sloeg nog een glas cognac achterover. 'Ze moet me *dringend* spreken, want ze heeft me iets *vreselijk belangrijks* te vertellen. Ze zei dat ik vast wel wist waar het over ging, na ons gesprek van vannacht. Ha! De eerste de beste halve idioot kan nog wel raden waar dat meisje op uit is, nietwaar, mannen?'

'Maar haar broer dan?' flapte Richard eruit.

'Wat heeft die ermee te maken?'

'U denkt toch zeker niet dat die het goed vindt dat zijn zusje u stiekem wil ontmoeten?'

'De Balcourt?' Marston gooide zijn hoofd in zijn nek en lachte. Richard hoopte vurig dat hij zijn evenwicht zou verliezen en pardoes met zijn hoofd tegen een meubelstuk zou slaan – bijvoorbeeld tegen die lekkere scherpe hoek van de kaarttafel – maar Marston had geluk, en Richard niet. Zijn hoofd schoot terug zonder dat hij ook maar een seconde wankelde. 'De Balcourt? U denkt toch niet dat die zich daar druk over zal maken.'

Maar daarmee overschatte Marston toch de Franse nonchalance, vond Richard. Bovendien was De Balcourt half Engels, dus hij moest zich daar verdorie druk over maken.

'Maar het is zijn *zusje!*' zei Richard knarsetandend terwijl hij overeind kwam. 'Wat een misselijke streek om het zusje van uw vriend te verleiden!'

Marston haalde zijn schouders op. 'De Balcourt staat bij mij in het krijt. Goedenacht, heren.'

'Kan ik u een lift geven?' bood Richard snel aan terwijl Marston naar de deur liep. 'Als u even wacht, laat ik mijn koets voorrijden. Ik kom er toch langs, dus ik kan u afzetten.'

En zorgen dat u niet op komt dagen voor uw afspraakje, voegde Richard er grimmig bij zichzelf aan toe. Want onderweg kon er van alles gebeuren. Zijn Engelse koetsier, die Parijs niet zo goed kende, kon de weg kwijtraken en uren blijven rondrijden. Of in elk geval zo lang dat Amy zou denken dat Marston niet meer op kwam dagen en gepikeerd naar huis ging. Of de koets kon in een fataal gat belanden. Of Marston kon buiten westen raken van de drank, met wat hulp van zijn net verworven vriend. Of...

'Heel fideel van u, Selwick.' Marston, die even was blijven staan, zette zijn ene voet voor de andere. En de andere weer voor de ene. 'Maar het is maar een klein stukje lopen.'

'Weet u het zeker? Waar hebben jullie afgesproken?'

'In de Jardins du Luxembourg.' Marston bleef weer staan. 'Die vrouwen ook, met hun romantische ideeën. Ik had liever een bed gehad.'

En Richard had Marston liever op zijn zelfingenomen bek geslagen. Maar hij hield zich in en wenste Marston minzaam goedenacht. Hij overwoog nog even hem een duwtje te geven – een heel subtiele por in de rug – op de marmeren trap, maar er liepen te veel potentiële getuigen rond. Verdoemd, hoe moest hij zich van Marston ontdoen zonder de aandacht op zich te vestigen? Aandacht was het laatste waar de Paarse Gentiaan op zat te wachten.

Onder aan de trap rukte hij de dienstmaagd zijn handschoenen en zijn hoed uit de handen. Zou hij voor Marston uit rennen, op de loer gaan liggen en hem van achteren tegen de vlakte slaan? Het wemelde van de struikrovers in de straten van Parijs. De gouden horlogeketting van Marston schreeuwde *pak me, pak me* tegen elke dief in een straal van vijf kilometer. Marston zou op apegapen liggen, Amy zou veilig zijn en niemand zou iets in de gaten hebben.

Maar, zo besefte Richard, er was één klein probleempje. Hij had geen idee welke route Marston zou nemen. Stel je voor dat hij op de loer zou staan in een steegje bij een straat die Marston helemaal niet nam, terwijl Marston Amy overmeesterde in de Jardins du Luxembourg.

Wat was Amy in godsnaam van plan geweest?

Richard vloog de trappen van het huis van Madame Rochefort af en zag Marston in de richting van de Seine kuieren, naar de brug die hen scheidde van de Jardins du Luxembourg en Amy. Even overwoog hij De Balcourt op de hoogte te stellen van het gevaar dat zijn zusje liep, maar daar zag hij onmiddellijk weer vanaf. Zelfs als hij De Balcourt thuis trof, zelfs als Marston zich vergiste in de onverschilligheid van zijn vriend, dan nog zou Amy al van alles overkomen kunnen zijn tegen de tijd dat hij De Balcourt uit zijn stoel en in zijn koets had gepraat.

En bovendien wilde hij zelf het genoegen smaken om Marston in elkaar te slaan.

Hij kon maar één ding doen. Verdoemd, verdoemd, verdoemd! Richard veranderde snel van richting en zette koers naar huis. Hij stormde zijn hal binnen, liep in de haast een tafeltje omver en sloeg een schilderij uit het lood, rende zijn studeerkamer binnen, liet zich op zijn knieën vallen en begon de boeken die op de onderste plank van zijn boekenkast lagen uit de kast te gooien.

Afspraakjes maken met vreemde mannen, midden in de nacht, hoe haalde Amy het in godsnaam in haar hoofd? Had niemand haar dan ooit enig gezond verstand bijgebracht? Dacht ze nu echt dat ze onoverwinnelijk was? Als hij haar vond zou hij haar net zo lang door elkaar schudden tot ze niet meer op haar benen kon staan. En dan zou hij haar opsluiten in een kamer met tien sloten – maak daar maar twintig van – zodat ze geen idiote briefjes meer kon sturen aan idiote mannen die idiote ontmoetingen arrangeerden in het holst van de nacht. Verdoemd!

Hij stuitte op een stuk zwarte stof en trok zijn cape tevoorschijn uit zijn schuilplaats. Geen tijd om een andere broek aan te trekken; de cape moest de bruine stof maar bedekken en zijn hoge laarzen waren tenminste zwart. Het masker volgde de cape, en daar ging Richard weer, met het masker bungelend aan zijn hand. Hij stormde langs Geoff, beantwoordde zijn: 'Grote God, man, wat is er aan de hand?' met een nonchalant 'Kan ik nu niet zeggen, vertel ik u later!' en rende de trappen van het herenhuis af.

Een paar seconden later sprintte de Paarse Gentiaan in de richting van de Jardins du Luxembourg en zijn jonkvrouw in nood. Zijn voornemen Amy Balcourt te mijden had nog geen dag standgehouden.

Amy schoof haar capuchon van haar hoofd. Helaas werd het zicht er door het verwijderen van die lap stof niet beter op. 'Ik wist dat ik iets vergeten was,' mompelde ze. Een lantaarn. Ze had de cape met capuchon, de stevige laarzen, het spoedbericht, maar de lantaarn was ze vergeten. En zonder lantaarn had Amy er geen flauw benul van waar ze was. Ze wist dat ze zich in de Jardins du Luxembourg bevond, maar dat was dan ook alles. In het donker leek de ene struik sprekend op de andere.

'Aha, *daar* ben je!' klonk Marstons lage stem door de lange bomenlaan toen hij een bocht om kwam. De grote afstand vervormde zijn stem, maakte hem dikker en beangstigend anders dan hij de nacht tevoren geklonken had. Hij sprak Engels, besefte Amy. Maar natuurlijk! Een stem veranderde altijd als iemand een andere taal sprak. 'Ik heb naar u gezocht.'

Marstons gelaarsde voetstappen weergalmden op het flagstonepad toen hij naderbij kwam; het gouden borduursel op zijn jas glansde in het maanlicht. Hij droeg dezelfde chique jas die ze de avond tevoren in de Tuilerieën gezien had, en op zijn krullenbol stond geen hoed. Amy onderdrukte het gevoel van onbehagen dat even gestaag als de mist om haar heen in haar opkwam. Waarom zou hij zich vermommen met een masker en cape als ze wist wie hij was? Het getuigde juist van gezond verstand dat hij niet verkleed rond paradeerde.

'Het spijt me,' zei Amy, en haar stem klonk haar metalig in haar oren. 'Ik was een beetje verdwaald.'

'U kunt het goedmaken.' Marston pakte haar bij de schouders. 'Zo, bijvoorbeeld.'

Amy herinnerde zichzelf eraan dat hij de Gentiaan was en dat ze hem gisteren ook met veel plezier omhelsd had. Ze zette zich dan ook over haar weerstand heen en liet zich door hem omarmen. Ze sloot haar ogen, legde haar wang tegen zijn borst en slaakte een diepe, tevreden zucht... en opende geschrokken haar ogen.

Hij rook fout.

Met wijd opengesperde ogen van schrik maakte Amy zich van hem los. In het korte moment dat ze tegen zijn jas aangedrukt had gestaan, had ze tabak geroken, cognac, en leer. Geen citrusgeur.

'Plaag me niet zo,' gromde Marston en greep naar haar.

Amy wist ternauwernood aan hem te ontsnappen. Lieve hemel, hij was de Paarse Gentiaan helemaal niet. En hij dacht overduidelijk dat hij... dat zij...

'Kom op! U wilt me toch zo graag?' Marston pakte Amy bij een arm en trok haar naar zich toe.

Vochtige lippen drukten zich op de hare. Amy's protesten werden gesmoord door een grote tong die zich tussen haar tanden wrong. Kokhalzend zette Amy zich af tegen Marstons borst. Het harde metaal van Marstons horlogeketting schaafde langs haar handen, maar Amy voelde de pijn nauwelijks, en duwde uit alle macht. Marston, die hier niet op bedacht was, tuimelde achterover. Met een akelig slurpend geluid maakten hun lippen zich van elkaar los.

Amy veegde ze af met de rug van haar hand. Marstons ogen knepen zich tot gevaarlijke spleetjes.

'U hebt me verkeerd begrepen! Ik bedoel... ik wilde... ik heb hier niet met u afgesproken om... om u te zoenen, ik wil met u *praten*! Over... over Edouards verjaardag!'

'Over Edouards verjaardag.' Marstons stem droop van ongeloof. Amy kon het hem niet kwalijk nemen; ze geloofde het zelf niet eens.

'Ja! Ik ben zo lang weggeweest dat ik er eigenlijk geen idee meer van heb wat hij leuk vindt, en ik wilde iets heel speciaals doen voor zijn verjaardag als dank, omdat hij me te logeren heeft gevraagd,' ratelde Amy door terwijl ze voorzichtig achteruitweek naar de rij bomen.

Stom, stom, stom, schold ze zichzelf de huid vol. Nou, je hebt je mooi in de nesten gewerkt, Amy, zorg nu maar dat je er weer uit komt!

'Het spijt me als u dacht dat ik... eh,' stamelde Amy. Ze beet op haar lip en begon opnieuw. 'Het spijt me als mijn bedoelingen verkeerd zijn overgekomen. U heeft het volste recht om boos te zijn. Ik wilde u echt niet onder valse voorwendselen hierheen lokken. Echt niet! Het spijt me zo!'

Marston leek geroerd door haar verontschuldiging.

Amy slaakte een zucht van verlichting. 'Dank u voor uw begrip.'

Met ingehouden pas kwam Marston op haar af. Zijn arm schoot naar voren en haakte zich om Amy's middel. Wat zij gezegd en wat Marston gehoord had, waren twee verschillende dingen. Als ze die koevoet van een arm om haar middel weg kon krijgen, kon ze het hem misschien uitleggen.

'U hoeft niet verlegen te zijn, hoor,' zei hij zangerig. 'Kom maar hier, dan kunt u me vertellen wat u echt graag wilt.'

'U... begrijpt... het... niet,' zei Amy hijgend terwijl ze Marston van zich af duwde.

Hij klemde haar dichter tegen zich aan en zijn mond bewoog vochtig tegen haar oor. 'O ja, ik begrijp het heel goed. U bent gewoon bang om erom te vragen.'

Marstons tong schoot langs haar oor; hij hield haar zo stevig vast dat haar armen tussen hen in geklemd zaten. De huid van haar onderarmen schuurde tegen het borduursel op zijn jas. Waarom liet hij haar niet *los*, vroeg Amy zich af. Een beginnende paniek verspreidde zich van haar hoofd naar haar trillende handen. En Marstons mond bleef maar bewegen, volgde de hare en probeerde zich tussen haar lippen te dringen.

Amy draaide haar hoofd opzij en vocht uit alle macht om zich uit Marstons omhelzing te bevrijden. Het vredige getjilp van de vogels en het gekabbel van het water vormden een ironisch contrast met het rauwe gehijg van Marston in haar oor.

'U begrijpt het niet,' zei ze weer, happend naar lucht. 'We kunnen toch gewoon praten over...' Marstons hoofd volgde het hare. Kon ze hem maar lang genoeg van zich af duwen om hem in te laten zien dat er sprake was van een misverstand! Natte lippen trokken een spoor over Amy's wangen. Met een ruk trok ze een arm los en gaf Marston een harde stomp in zijn gezicht.

Krak!

Het resultaat was veel beter dan ze had durven hopen.

'Vuile teef!' brulde Marston, en liet Amy los. 'U hebt mijn neus gebroken!'

Als gebiologeerd keek Amy, met een blik vol afschuw, naar de donkere vloeistof die door Marstons vingers droop. Met zijn linkerhand trok hij koortsachtig de knoop van zijn kravat los en drukte de stof tegen zijn neus.

'Het spijt me,' bracht Amy met moeite uit. 'Ik wilde u niet...'

Marstons bleke ogen keken haar over de verfrommelde lap aan. Zijn uitdrukking kon niet anders beschreven worden dan moordlustig. Met een lage grom zwiepte hij de lap terzijde en kwam op Amy af.

Het was duidelijk dat ze met verontschuldigingen weinig zou bereiken.

Een meter, een halve meter. Marston kwam gestaag naderbij. 'Daar zult u voor boeten,' gromde hij.

Amy had het gevoel dat hij het niet over een geldboete had. Ze hield haar armen in de aanslag zoals ze dat haar neef Ned had zien doen als hij bokste met de staljongen. 'Als u daar niet blijft staan, dan zal ik *nog* wat breken, ik zweer het u!'

'Wacht maar eens af wat er gebeurt,' waarschuwde Marston.

Zijn handen verslonden die van Amy. Ze kon bijna niet geloven dat dit werkelijk gebeurde, maar ze voelde hoe haar armen naar achteren getrokken werden, op haar rug. In haar hele twintigjarige leven had niemand haar ooit onheus behandeld of in woede beetgepakt, en dat deze kerel, nota bene een vriend van haar broer, hier nu geweld tegen haar gebruikte was iets waar ze met haar verstand niet bij kon.

De pijn in haar schouders bracht haar terug naar de werkelijkheid. Amy duwde uit alle macht en wrong zich in bochten om te voorkomen dat hij zijn armen om haar heen sloot, maar het jarenlange tillen van boeken in de bibliotheek van haar oom hadden haar niet voorbereid op deze krachtmeting; in een paar seconden lagen haar armen voor driekwart op haar rug. Haar adem stokte in haar keel van angst. Ze kon natuurlijk gaan gillen, maar wie zou daar nu op afkomen? Het bloed uit Marstons neus druppelde op Amy's wang; met ingehouden adem rukte ze haar hoofd opzij. Marston maakte van die beweging gebruik om zijn overwinning te consolideren. Met een laatste krachts- uitbarsting verdraaide hij haar armen achter haar rug en pinde ze daar vast met één grote hand. Amy trachtte haar handen los te rukken; ze boog zich zo ver mogelijk van hem af, maar hij klemde haar met haar rug tegen zich aan. Zijn vingers sloten zich zo stevig om haar polsen dat ze vastgebonden leken met wel tien zeemansknopen.

Nee! schreeuwde Amy inwendig. Met Marstons armen om zich heen kon ze geen vin meer verroeren. Met zijn linkerhand greep hij haar bij haar haren en trok haar hoofd naar achteren. Amy's ogen traanden van de onverwachte pijn.

'Nu,' gromde hij terwijl hij haar woest aan haar haren trok, 'zullen we eens bekijken wat u kunt doen om dit goed te maken.'

'Mijn broer zal u uitdagen voor een duel!' beet Amy hem toe.

Marston grinnikte onaangenaam, trok haar nogmaals aan haar krul- len, harder nu.

'Die broer van jou kan nog geen slak doodschieten.'

Amy trilde van woede. 'U denkt heel wat van uzelf, nietwaar?'

'Misselijke kleine – au!'

Met een dreun kwam Amy's stevige laars neer op Marston kleine teen. De harde, vierkante hiel drong zich diep in het leer met een ver- rukkelijk krakend geluid dat al snel werd overstemd door een keiharde pijnkreet. Amy wrong haar polsen los en bevrijdde zich uit Marstons

slap geworden greep. Verduiveld! Marstons handen grepen haar alweer beet en hielden haar vast aan haar jurk. Ze had zijn vingers moeten breken, niet zijn tenen. Ze hoorde het onaangename geluid van
scheurende stof, maar Marston had haar nog steeds vast. Zijn andere
hand kon haar nu elk moment pakken en dan zou alles weer van voren
af aan beginnen.

Nee! Dat zou niet gebeuren! Amy draaide zich om en zwaaide haar
rechtervuist in Marstons gezicht. Haar knokkels scheerden langs de
onderkant van Marstons kin en vervolgens door lege lucht.

Marston stortte neer aan haar voeten met een dreun als ware hij
Goliath.

22

Nog nahijgend van de emotie staarde Amy verrast naar Marstons ter aarde gestorte lichaam. Ze had niet gedacht dat ze hem zo hard geraakt had. En toen hoorde ze het. Op de plek waar Marston gestaan had haalde nog iemand adem. Met een ruk keek Amy op en zag een schaduwachtige figuur, die over Marstons lichaam sprong en pal voor haar bleef staan.

'Heeft hij u pijn gedaan?' blafte de figuur.

Amy knipperde met haar ogen en keek van het ineengezakte lichaam op de grond naar het in zwart gehulde spook dat voor haar stond. 'Als u niet Marston bent, wie bent u dan wel?' flapte ze eruit.

'Dacht u dat *ik* Marston was? En hebt u daarom – nou ja, doet er nu niet toe. Daar hebben we het later nog wel over.' Als een gemaskerd gezicht in het donker streng kon kijken, dan deed het zijne dat. 'Heeft hij u pijn gedaan?'

Amy schudde haar hoofd. 'Nee.' Haar hart klopte nog driemaal zo snel als normaal, maar haar gedachten gingen nog sneller. Hoe kon ze ooit gedacht hebben dat Marston de Gentiaan was? Nu ze hen zo samen zag – goed, Marston lag in een hoopje op de vloer, hetgeen de vergelijking enigszins beïnvloedde – waren de verschillen zo opvallend dat Amy zich een complete idioot voelde dat ze het niet meteen gezien had en op de vlucht geslagen was toen ze Marston door die bomenlaan op zich af had zien komen. Marston was klein en dik, terwijl de Gentiaan een elegante, slanke kracht bezat. Een brede hand met stompe vingers lag op de grond aan Amy's voet, met bruine haartjes om de knokkels: een verschil van dag en nacht met de slanke handen met lange vingers in zwarte leren handschoenen die nu gebald langs het lichaam van de Paarse Gentiaan hingen. Zelfs Marstons tanden leken groter en grover dan die van de Gentiaan. Lieve hemel, bestond er zoiets als elegante tanden?

Amy drukte haar handpalmen tegen haar gezicht en wreef ze op en neer, terwijl ze de opkomende lachstuipen probeerde te onderdrukken.

'Hoe komt u er in vredesnaam bij?' gromde de Paarse Gentiaan. 'Nou?' beet hij Amy toe toen ze niet onmiddellijk reageerde. 'Hoe kon u in vredesnaam denken dat hij en ik dezelfde persoon waren?'

De Gentiaan keek woedend neer op het lichaam op de grond.

'Ziet u de gelijkenis dan niet?' Amy schudde van het onderdrukte gegiechel. *Hik! Hik!* Het was zinloos om te proberen zich in te houden, haar hele lichaam schudde van het lachen.

'Verduiveld, Amy, dit is niet grappig!'

Amy sloeg nu helemaal dubbel; ze hield haar buik vast van het lachen. 'U kijkt zo,' gierde ze, 'z-z-zo verontwaardigd!'

'Dat hebt u goed gezien! Ik ben ook verontwaardigd!' brulde de Paarse Gentiaan terwijl hij Amy overeind hees tot haar tranende ogen hem recht in het gezicht keken. 'Weet u wel wat Marston met u van plan was? Weet u dat wel? Hij was nota bene van plan u te verkrachten!'

'Ik weet niet... ik kan niet... Zet me *neer!*'

Met zijn ogen strak op haar gericht opende hij zijn handen. Amy zeeg neer op het platgetrapte zandpad. Haar benen leken haar niet meer te willen dragen, en Amy kon ze geen ongelijk geven.

'Is dat wat u tegen Marston zei? En luisterde hij naar u?'

Bij het horen van zijn naam kwam de op de grond liggende figuur tot leven. Hij kreunde. De Gentiaan stapte met een forse pas op hem af en gaf hem een snelle, harde schop tegen zijn kaak. Amy kromp in elkaar toen Marsons hoofd achterover knakte.

'Was dat niet een beetje... onnodig?'

'Helemaal niet. U wilt toch niet dat hij wakker wordt?' Amy huiverde, en de Gentiaan glimlachte gemeen. 'Ik dacht al van niet. U moet maar hopen dat zijn hersens zo verward zijn dat hij niets meer weet van wat hier vannacht gebeurd is. Zullen we hem daar maar een handje bij helpen?'

De laars van de Paarse Gentiaan raakte nogmaals Marstons hoofd, zodat hij keurig omrolde. De Gentiaan keek neer op zijn werk. 'Stukken beter zo.'

Amy liep zijdelings, als een krab, bij Marston vandaan. Haar armen bonsden waar Marston ze vastgegrepen had en ze kon nog steeds zijn smerige slobberende mond op de hare voelen. Ze sloeg haar armen om haar maag en vroeg zich af wat de Gentiaan zou zeggen als ze zou overgeven over zijn glimmende zwarte laarzen.

'Ik wil nu wel graag naar huis.'

'Ik ben nog niet klaar met u.' De Paarse Gentiaan kruiste zijn armen over de borst en keek Amy streng aan.

Een bad, daar snakte ze naar. Ze zou haar mond uitschrobben met tandpoeder terwijl de dienstmaagden een lang, pijnlijk heet bad voor haar klaarmaakten.

'Begin alstublieft niet weer tegen me te krijsen.'

'Ik krijs niet. Mannen krijsen niet. Verdoemd, kijk me niet zo aan!'

'Hoe?'

'Alsof...' Richard slikte zijn woorden in voordat ze zich konden ontwikkelen tot het soort gekrijs waarvan hij net beweerd had dat mannen daar niet aan deden. 'Hebt u dan helemaal geen benul van het gevaar waarin u verkeerd hebt?' vroeg Richard koel, zonder zijn stem te verheffen. Ha! Hij zou haar leren!

Amy fronste haar wenkbrauwen en krabbelde langzaam overeind. 'Dit zou nooit gebeurd zijn als u me verteld had wie u was.'

'Wie heeft u gezegd dat u mij moest gaan zoeken?'

'Ik had u iets te vertellen! En ik had geen idee of u zich ooit nog eens zou verwaardigen contact met mij op te nemen, gezien de manier waarop u er vannacht ineens vandoor ging...'

'Zo, dus nu is het allemaal *mijn* schuld? Ik ren mijn benen uit mijn lijf om u te hulp te schieten...'

'En ik heb u al verteld dat ik helemaal geen hulp nodig had!'

'U stond dus gewoon een praatje te maken met Marston toen ik eraan kwam? Is dat wat u wilt zeggen? En dat is nog het minste! U ging alleen op pad, zonder chaperonne, zonder bewaking, in het holst van de nacht! U bolf nog dat Marston de enige was die u aanviel! Struikrovers, zakkenrollers...'

Richard werd overvallen door beelden van Amy in gevaar – Amy die een donker steegje in gesleept werd, Amy die tegen de vlakte werd gesmeten, Amy die van achteren op haar hoofd geslagen werd, en, nog het ergst van alles omdat het waar was geweest, omdat hij het gezien had, omdat hij het telkens weer in zijn hoofd bleef afspelen in verschillende gradaties van paniek, Amy die overmand werd door Marstons wrede omhelzing – en hij reageerde impulsief. Over Marstons lichaam heen stak hij zijn handen uit naar Amy, pakte haar bij de schouders en hees haar over de gevallen man naar zich toe. Amy, te geschrokken om weerstand te bieden, liet hem begaan. Ze protesteerde niet eens. Wel slaakte ze een kreetje toen Richard haar tegen zijn borst drukte, maar dat was per ongeluk.

Richard gaf haar niet de kans om nog meer geluid te maken.

Zijn lippen bedekten de hare met een intensiteit die je haast woest zou kunnen noemen. Alle boosheid en spanning die Richard gevoeld had sinds Marston over Amy was begonnen ontlaadden zich in zijn zoen. Zijn mond vormde zich naar de hare, perste zich ertegen alsof het weefsel van hun beider monden één kon worden. Amy deinsde niet achteruit voor de kracht van zijn omhelzing, integendeel, haar armen vlogen om zijn schouders en sloten zich om zijn nek terwijl ze op haar tenen ging staan om haar mond dichter bij de zijne te brengen. Richard kreunde diep en klemde haar dichter tegen zich aan, zwelgend in de manier waarop haar lichaam samensmolt met het zijne. Richard ademde snel en zijn longen deden pijn alsof hij kilometers gerend had, maar hij wilde nooit meer ophouden; hij zou blijven rennen en rennen, met Amy's handen in zijn haar en elke spier in zijn lichaam vol leven waar zij zich tegen hem aandrukte; zijn dijen, zijn borst, zijn schouders bonsden onder het genot van Amy's lichaam tegen het zijne.

Amy klampte zich vast aan de Paarse Gentiaan terwijl zijn lippen de vreselijke bezoedeling door Marstons ongewenste mond wegbrandden. Vuur loutert, herinnerde ze zich vaag. Amy vlamde op, aangevuurd door de warmte die de Gentiaan uitstraalde, zijn armen en zijn lippen die haar omhulden, zijn zwarte cape waarmee hij haar omwikkelde. Zij als een fenix, herboren door vuur, die weer tot leven oprees uit de vlammen. Dat verklaarde het geknisper in haar oren en de vlammen achter haar oogleden.

De lippen van de Paarse Gentiaan maakten zich los van de hare en zijn armen trokken zich terug. Met een onverstaanbare kreet van pijn hief Amy haar gezicht blindelings naar hem op en klemde haar eigen armen nog steviger om hem geen. 'Niet loslaten, nog niet...'

'O, juffrouw Balcourt, Amy,' kreunde de Paarse Gentiaan. Hij legde zijn handen beschermend om haar gezicht, met het geitenleer van zijn handschoenen tegen haar huid, en drukte kussen op haar voorhoofd, haar oogleden, haar jukbeenderen, het puntje van haar neus, haar lippen. 'God, Amy, ik heb me zo'n zorgen om u gemaakt. Het idee dat hij u aan zou raken...'

'Stond mij ook niet zo aan,' zei Amy ad rem, terwijl ze met haar volle gewicht tegen hem aan leunde voor het geval hij het weer in zijn hoofd zou halen haar los te laten.

Amy wreef haar wang tegen het vest van de Gentiaan – geen harde metalen horlogeketting om haar huid aan open te halen – en werd slap van opluchting toen ze voelde hoe zijn arm weer om haar middel gleed en zijn lippen zachtjes over haar kruin streken.

'We moeten iets aan Marston doen,' mompelde Richard in Amy's haar, en zijn stem klonk nauwelijks luider dan het gedempte ruisen van de wind in de bladeren.

'Kunnen we hem hier niet laten liggen?'

Spijtig rechtte Richard zijn rug en hield Amy op armlengte van zich af. 'Dat zou niet verstandig zijn.'

'Zullen we hem bij zijn huis dumpen?'

'Nee. Daar loopt geheid een knecht of een dienstmaagd rond, en we moeten zo min mogelijk aandacht trekken.'

Grimmig liep Richard om het lichaam van Georges Marston heen. Wat een last was die kerel gebleken! Als hij zich nog iets herinnerde van vannacht, als hij de link legde tussen Richard en de gemaskerde man die hem buiten westen had geslagen, dan zouden enkele van Richards beste informatiebronnen even snel verdampen als gemorst water in de Egyptische zon. En dan zat hij nog met een acuut probleem: waar moest hij nu in godsnaam met die schurk naartoe? Waarom was hij niet gewoon in elkaar gezakt van de drank, op weg hiernaartoe?

'Te veel drank! Dat is het!' kondigde de Gentiaan zo blij aan alsof hij net de code van de Steen van Rosetta had ontcijferd.

'Wilt u drank? Nu?' vroeg Amy, verbaasd over de werking van het mannelijk brein. Ze ging een stapje opzij toen de Gentiaan neerknielde bij het lichaam van Marston. 'Wat doet u nu toch?' wilde ze weten, toen de Gentiaan begon te snuiven – snuiven! – aan Marstons vest.

De Paarse Gentiaan kwam soepel overeind en veegde zijn handen af. 'Marston ruikt naar cognac. We kunnen hem naar het Quartier Latin slepen en hem achter een taveerne dumpen. Daar valt hij niet op, te midden van de andere dronkaards die hun roes uitslapen in de goot.'

'Dat lijkt me wel een goed idee.' Amy's stem klonk ongewoon timide. Samen met de Paarse Gentiaan keek ze neer op Marston. Hij lag languit op het zandpad, met slappe armen en nog slappere handen, maar zijn vormeloze massa bezorgde Amy nog steeds kippenvel. Met enig welbehagen keek ze naar de onnatuurlijke hoek waarin zijn neus stond, een teken dat ze in staat was geweest zichzelf tenminste enigszins te beschermen.

De Gentiaan was omgelopen naar Marstons hoofd en was nu bezig zijn torso overeind te hijsen; zijn lange mouwen beschermden zijn armen tegen de krassende gouden ketting op Marstons jas. Amy, die angstig in de gaten hield of Marston zijn ogen niet opendeed, pakte hem voorzichtig bij zijn laarzen.

In stilte liepen ze het pad af, tussen de rijen zwijgende bomen door; Amy moest tegen elk van zijn lange passen twee stappen doen om hem bij te houden. Ze keek verlangend naar de rijzige donkere figuur die daar zo zelfverzekerd achteruitstapte. Als zij hem vroeg te stoppen, zou hij dat doen. En dan kon ze haar gezicht begraven in zijn borst en haar armen om zijn middel slaan en zich overgeven aan zijn kracht. Het was vreselijk verleidelijk. Ze hoefde het alleen maar te vragen.

Maar dan moest ze wel eerst haar trots inslikken.

Amy besloot aan iets anders te denken, en begon een plan te smeden om het Zwitserse goud aan de mannen van Bonaparte te ontfutselen. Ze maakte een sprongetje van schrik toen een man met goudborduursel op zijn jas langs hen het park in waggelde, maar de Paarse Gentiaan zei niets. Amy wierp een snelle blik op de vracht tussen hen in om zich ervan te vergewissen dat Marston daar nog hing, slap en onschadelijk. Voorlopig gerustgesteld ging ze weer verder met het afwegen van de voor- en nadelen van dynamiet, maar telkens als de bladeren om hen heen ruisten omdat er iemand passeerde kromp ze ineen.

Tot haar grote opluchting maakten de tuinen eindelijk plaats voor de drukke straten van het Quartier Latin. Geschreeuw en gelach klonken op uit de ramen van de helder verlichte tavernes. Amy's ogen moesten even wennen aan het licht en ze trok haar neus op toen ze de zure lucht van gemorste wijn rook.

Door een van de ramen zongen studenten een schunnige Latijnse ballade, die ze hier en daar onderbraken voor een teug uit een enorme karaf Bordeaux. De zeelui in de herberg aan de andere kant van de straat deden hun best de studenten te overstemmen met een al even schunnig zeemanslied. Net voor hen tuimelde een man door een deur de straat op en kwam bijna in botsing met de Paarse Gentiaan voordat hij in de goot in elkaar zakte. In de deuropening sloeg een enorm vrouwmens met een smerige doek om haar middel de handen tegen elkaar met het universele gebaar van opgeruimd-staat-netjes.

Niemand had ook maar de minste belangstelling voor Richard en Amy.

Amy kon daar alleen maar uit concluderen dat mannen met capuchons en vrouwen in gescheurde kleren die met bewusteloze lichamen sleepten minder ongewoon waren dan je zou verwachten.

Te midden van alle vrolijkheid om hen heen boog de Paarse Gentiaan zich over het lichaam van Marston heen en zei zachtjes: 'Zodra we ons op passende wijze van onze lading ontdaan hebben, breng ik u thuis.'

'Lading,' herhaalde Amy. Met haar handen stevig op Marstons voeten siste ze: 'Ik moet u iets...'

'Dit lijkt me wel een goed steegje, vindt u niet?' onderbrak de Gentiaan haar, met een knik naar een doodlopend straatje tussen twee luidruchtige tavernes. Er lag al een man in de goot, met zijn armen gespreid, en nog maar één laars. 'Zullen we hem erbij gooien? Hij heeft hier in elk geval goed gezelschap,' voegde de Gentiaan er gniffelend aan toe.

Amy liet Marstons voeten haastig los toen de Paarse Gentiaan Marston zonder verdere plichtplegingen in een plas liet vallen waarvan Amy hoopte dat het gemorste wijn was. Met een aangename plof belandde Marstons lichaam op de grond.

Richard sloeg zijn handen tegen elkaar met het gezicht van een man die een klus geklaard heeft en wierp nog een laatste blik op de sloeber in de goot. Marston had het op een snurken gezet, zijn mond hing open. Zijn opzichtige jas was smerig en bespetterd met bloed. In die kleding en met die rauwe uitdrukking op zijn gezicht, leek hij niet meer dan een bediende die in de kleren van zijn meester de kroeg was ingegaan. Het enige wat er nog aan ontbrak was een lege fles in zijn slappe hand.

Woedend keek Richard op het lichaam neer. 'Hoe kon u denken dat ik Marston was?'

'IJdelheid, uw naam is man?'

'Ik wens niet vergeleken te worden met *dat* daar,' de Gentiaan wees met een vinger over zijn schouder naar Marston terwijl hij Amy bij de arm pakte en haar naar de rivier leidde, 'en dat noem ik geen ijdelheid. Dat noem ik zelfrespect.'

'De vergelijking was op dat moment niet onlogisch,' peinsde Amy. 'Nee! Nee, zo bedoelde ze het niet,' maakte ze het haastig goed toen ze zag dat de Paarse Gentiaan op het punt stond uit te barsten als een beledigde vulkaan. Zorgvuldig benadrukte ze eerst dat ze Marston in geen enkel opzicht te vergelijken vond met de Paarse Gentiaan en vervolgens legde ze hem stap voor stap uit hoe ze ertoe gekomen was te geloven dat Marston de Paarse Gentiaan was.

'En daar stond hij, op het binnenhof, met net zo'n zwarte cape als de uwe. Dus wat kon ik anders denken?' besloot ze.

'Daar zit wel wat in,' gaf de Gentiaan met tegenzin toe terwijl ze de stenen treden afliepen naar een pier om op een bootje te wachten dat passagiers tegen betaling de Seine overzette. 'Maar dat u het verschil niet zag...'

'Ik had hem maar één keer gezien, en maar kort ook. En toen ik die informatie had onderschept...'

'De informatie die zo vreselijk belangrijk was dat u daar midden in de nacht voor de straat op moest?'

Amy wierp hem een zijdelingse blik toe. 'Beginnen we weer?'

'Ja.' De Gentiaan kruiste zijn armen over zijn borst.

'Misschien verandert u wel van gedachten als u gehoord hebt wat ik te zeggen heb.'

Zelfs door zijn cape en masker heen straalde de Paarse Gentiaan scepsis uit.

'Goed. Als u dan werkelijk niets wilt horen over Bonapartes plannen om Engeland binnen te vallen...'

23

'WAAROVER?' DE PAARSE Gentiaan trok Amy zo krachtig naar de rand van de kade dat haar cape achter haar aan fladderde als een wimpel op een winderige dag.

'Bonapartes plannen! Ze lagen onder zijn vloeibad op zijn bureau.'

Er klikte iets in Richards hoofd toen hij terugdacht aan de middag dat Amy verhit tegen hem opgevlogen was toen ze de kamer uit kwam stuiven van... Bonaparte. Hij was toen zo opgetogen over de kans die deze botsing hem bood, er zo op gebrand om met haar te flirten, dat hij zich geen moment had afgevraagd waarom ze uitgerekend uit *dat* voorvertrek kwam.

'Hij is van plan om met vierentwintighonderd schepen een strijdmacht van honderdzeventigduizend man over zee te brengen,' fluisterde Amy dringend. 'Maar Madame Bonaparte heeft de schatkist leeggemaakt, dus kan hij het pas doen als er genoeg goud arriveert om de expeditie te financieren.'

'Dus dat is het!' Dat was wat Murat had willen zegen. Ze konden niets ondernemen voordat het goud arriveerde. Richard kon zichzelf wel voor zijn kop slaan. Zes jaar had hij intensief contact gehad met de Bonapartes, zes jaar had hij het gefulmineer van Bonaparte aan moeten horen over de spilzucht van zijn vrouw, en nog was hij niet zelf tot die conclusie gekomen. 'Heeft hij het geld?'

'Nee, dat is het mooie nu juist!' In haar blijdschap gaf Amy een kneepje in de arm van de Gentiaan. 'Hij heeft een lening afgesloten – alsof hij van plan is die ooit terug te betalen – bij een paar Zwitserse bankiers. Het goud wordt per koets op de avond van de dertigste afgeleverd bij een pakhuis in Parijs. Ziet u nu hoe perfect dat is? We hoeven alleen maar...'

'Het goud te onderscheppen voordat Bonaparte het in handen krijgt...' maakte de Paarse Gentiaan breed grijnzend haar zin voor haar af.

'We kunnen de invasie van Engeland tegenhouden en de regering ten val brengen!'

'Sjjjt!'

'O, neemt u me niet kwalijk.' Amy beet op haar lip. 'Ik liet me even meeslepen. Maar ziet u wat ik bedoel? Als dat goud niet arriveert...'

'Maar hoe spelen we dat klaar?' De Gentiaan ijsbeerde in kleine kringetjes over de kade. Goedkeurend keek Amy toe; ze genoot van het geluid van de cape die om zijn gelaarsde benen zwiepte als hij liep, van de manier waarop zijn kaak heen en weer bewoog als hij plannen maakte, maar het meest van alles genoot ze van het achteloze *we*.

Met een buitengemeen zwierige zwaai wendde de Gentiaan zich tot haar. 'Hoeveel mannen zijn er om het goud te bewaken?'

'Dat vermeldde de brief niet,' gaf Amy toe. 'Fouché schreef alleen dat het zwaar bewaakt zou worden, maar niet hoe zwaar.'

'Dus moeten we hem te slim af zijn,' mompelde de Gentiaan en begon weer rondjes te lopen.

'Wat dacht u van een miniatuurversie van het paard van Troje?'

'Een miniatuurversie van wat?'

Amy hees zich op een paal en begon het uit te leggen: 'In de *Ilias* was het Paard van Troje een...'

De Gentiaan flapperde naar haar met zijn cape. 'Hou op! Ik ken het verhaal. U wilt het Zwitserse goud onderscheppen met een houten paardje?'

'Nee, niet precies.' Amy zwaaide haar benen heen en weer, en haar hielen sloegen met een reeks doffe klappen tegen de houten paal terwijl ze uitlegde: 'U zou een levering vaten of zoiets naar het pakhuis kunnen sturen – vaten met iets wat ze willen hebben – en als ze die naar binnen slepen kunnen wij daaruit tevoorschijn springen en het goud inpikken.'

Richard zag zichzelf al helemaal uit een cognacvat springen, met zijn rapier in de aanslag. 'Niet het jaar dat u verwachtte, heren?' zou hij lijzig vragen terwijl hij het glimmende staal van zijn lemmet voor hun verbaasde gezichten op en neer zwaaide. Met een ruk naar links en een stoot naar rechts zou hij zich een weg banen door het pakhuis, een persoonlijk duel leveren met de opzichter en zijn zwaard met een wijde boog door de kamer werpen. En dan zou hij de man die het goud bewaakte een linkse directe verkopen en zich omdraaien om de drie mannen die hem van achteren wilden bespringen af te weren. De eerste gaf hij een trap in zijn maag, de tweede haakte hij pootje en de derde liep hij omver. En dan zou hij een onderkoelde opmerking maken in de trant van 'Hiep hiep hoera voor de Paarse Gentiaan!' en zijn mannen zouden juichen.

Maar helaas, zo gebeurden die dingen nooit.

Spijtig schudde Richard zijn hoofd en dwong zich zijn vrolijke fantasieën in te ruilen voor minder glansrijke werkelijkheden.

'En als ze de vaten niet naar binnen slepen? Als het mannen van Fouché zijn hebben ze vast strikte orders gekregen. Dan zouden we er waarschijnlijk langs kunnen drijven in een kist waar met grote letters op het deksel geschilderd staat HIER ZIT EEN ENORME SCHAT IN en ze zouden ons nog geen blik waardig keuren.'

'Stik.' Amy schopte afwezig met haar hiel tegen de paal. 'Dan blijft er van plan B ook niks over.'

'Plan B?'

'Ja, ik dacht als het paard van Troje niet werkt, kunnen Jane en ik misschien doen of we danseressen zijn die werk zoeken en...'

'Zullen we maar meteen naar plan C gaan?'

'Vindt u plan B dan niet aardig?'

Aardig? Wat een ongelooflijk ontoereikend woord was aardig! Zeggen dat hij het idee van Amy verkleed als danseres aardig vond was net zoiets als zeggen dat Midas goud aardig vond of Epicurus eten, of dat juffrouw Gwen het aardig vond om mensen te prikken met haar parasol. De vlag dekte de lading totaal niet! En evenzo was 'niet aardig' in de verste verte niet toereikend om de weerzin te beschrijven die Richard voelde bij de gedachte dat Amy zich halfnaakt zou vertonen aan een pakhuis vol geharde Franse politiemannen. Daarbij vergeleken was het hele incident met Marston ongeveer net zo gevaarlijk als een vredig wandelingetje door Hyde Park om vijf uur 's middags in het hoogseizoen. Met chaperonne.

'Ik haat, veracht en verafschuw plan B,' antwoordde Richard minzaam. 'Volgende plan?'

'Het pakhuis in de fik steken,' opperde Amy zonder een moment te aarzelen.

De Paarse Gentiaan hield op met ijsberen en knielde naast Amy's provisorische voetstuk neer. 'Bedoelt u dat we moeten proberen het gebouw rondom het goud af te laten branden?'

Amy besloot hem niet te vertellen dat haar plan om het gebouw af te laten branden was ontstaan als plan F op weg hierheen, vervolgens gedegradeerd was tot plan M en uiteindelijk verworpen was als niet uitvoerbaar. 'We kunnen een vuurtje stoken dat een hoop rook geeft – dat moet te doen zijn – en dan roept iemand *brand!* Met een beetje geluk raken de bewakers in paniek en springen het gebouw uit. En zelfs al doen ze dat niet, dan zullen ze zo druk bezig zijn het vuur te doven dat we in de verwarring naar binnen kunnen glippen om er met het goud vandoor te gaan.'

'Het goud zal zwaar zijn,' merkte de Paarse Gentiaan op, maar zijn stem klonk niet afwijzend maar bedachtzaam.

'En als we het vuur aansteken, ze te midden van alle verwarring knock-out slaan en er *dan* met het goud vandoor gaan?'

'Dat zou misschien kunnen. Maar dan moeten we eerst te weten komen hoe de mannen in het pakhuis gekleed zijn. Ik denk niet dat ze in uniform zullen zijn, waarschijnlijk zijn ze verkleed als arbeiders. Als mijn jongens zich onder de bewakers zouden kunnen mengen...'

De Gentiaan sprong overeind en kwam bijna in botsing met Amy's kin. 'Wacht eens! Hoe weten we naar welk pakhuis het gaat? We kunnen moeilijk alle pakhuizen die we zien in de fik gaan steken!'

Amy hopte even op en neer op haar paal. 'Dat hoeft ook niet! Het is een houtpakhuis in de Rue Claudius. Een beetje arrogant, vindt u niet?'

De Gentiaan glimlachte wrang. 'Ze hebben die straat gekozen vanwege de naam van de Romeinse keizer die Engeland veroverd heeft? Slim. Heel slim.'

'Maar niet slim genoeg voor ons!' Amy's uitgestrekte handen en gretige glimlach vormden een onweerstaanbare uitnodiging om te delen in haar opgetogenheid.

Ze lachte verrukt toen hij haar uitgestrekte handen negeerde en haar om haar middel pakte en triomfantelijk met haar in de rondte draaide. Amy voelde de spieren van zijn schouders bewegen onder haar handen en de plooien van zijn cape om haar benen fladderen, en ze gooide haar hoofd in haar nek van duizeligmakende blijdschap. Dit was leuker dan een kermis, leuker dan een toneelstuk, leuker dan elke dagdroom die ze ooit verzonnen had.

De armen van de Paarse Gentiaan omklemden haar nog steviger in een laatste rondje. Amy's lichaam gleed langzaam langs het zijne toen hij haar op de grond zette. Door al dat gedraai in de armen van de Paarse Gentiaan was Amy even helemaal in de war. Ze hoorde zich verdorie bezig te houden met de vraag hoe ze Bonaparte konden verslaan, niet met de schokkende intimiteit van de cape van de Gentiaan die zich verstrengelde met haar rokken. Een gevatte opmerking zou hier wel op zijn plaats zijn, dacht Amy, maar de warmte van huid die huid zocht door dunne lagen stof maakte gevatheid welhaast onmogelijk.

Met het onbehaaglijke gevoel dat ze de draad van het gesprek volledig aan het kwijtraken was, dwong Amy zich te concentreren op de invasie. 'Waar komen we bijeen om het pakhuis te gaan bestormen?'

De Paarse Gentiaan knipperde. En knipperde nogmaals. 'We?'

Dat lastige voornaamwoordje verbrak de betovering waarin Richard Amy's lippen aanschouwde. *We.* Van dat woordje ging een zekere dreiging uit.

Amy knikte heftig. 'Ja, natuurlijk! Ik kan me verkleden als arbeider. Wat dacht u daarvan?'

Richard hoefde geen antwoord te geven, want op dat moment meerde er met veel gehotseknots een boot aan de kade af. Hij beloofde zichzelf in stilte de roeier een extra grote fooi te geven omdat deze hem had behoed voor een discussie die ongetwijfeld hoogst onaangenaam zou zijn geworden. Goed, hij en Amy zouden het onderwerp – en elkaar – vannacht heus nog wel een keer bij de lurven pakken, maar het was veel beter, besloot Richard eenzijdig, als dat gebeurde voor Amy's deur wanneer hij haar thuisbracht. Want dan kon hij de nacht in vluchten als ze het niet met hem eens was. Ja, dat was beter voor alle partijen. Shakespeare wist waar hij het over had toen hij zei dat discretie het betere deel was van moed.

Richard zou in geen geval toestaan dat het onderwerp ter sprake kwam aan boord van de boot. Het maakte hem niet uit wat voor listen en lagen hij daartoe moest aanwenden; het water van de Seine was koud en vies – en vooral nat – en hij had geen zin dat aan den lijve te ondervinden.

'Wilt u naar de overkant?' riep de roeier hem toe, en hij zette zijn woorden kracht bij door in het water te spugen.

'Ja,' antwoordde Richard. Hij noemde de roeier hun bestemming en leidde Amy haastig naar de boot voordat ze de kans kreeg te protesteren. Toen ze over de rand wilde stappen bleef een van haar laarzen in de zoom van haar jurk haken, waardoor ze min of meer de boot in tuimelde, die hevig begon te deinen. De roeier uitte een reeks krachttermen die Amy gelukkig niet verstond. Lenig sprong Richard haar na en greep haar vast voordat ze over boord kon vallen.

'Toeristen,' mompelde de roeier en duwde af.

Richard hield Amy vast en hielp haar op de bank. 'Gaat het?' vroeg hij terwijl hij naast haar ging zitten, met een arm om haar schouders – voor de warmte, uiteraard.

'Ach, ik ben tenminste nog aan boord,' zei Amy luchtig.

In haar val had Amy haar cape, die ze tot dan toe angstvallig dicht had gehouden, losgelaten. Richards grijns veranderde in een frons. 'Uw jurk is gescheurd,' zei hij geschokt en drukte haar nog steviger tegen zich aan.

'O.' Amy wierp een blik op de lange scheur, die van het midden van haar lijfje helemaal naar het lint van haar hoge taille liep. De stof viel open en onthulde de ragdunne stof van haar onderlijfje en de welvingen daaronder. Haastig trok Amy de randen weer bij elkaar. Haar gezicht betrok. 'Dat is natuurlijk gebeurd toen ik me losrukte uit Marstons handen. Ik dacht al dat ik iets hoorde scheuren.'

De hand die op haar rechterschouder rustte, veranderde in een bankschroef. 'Ik had hem nog harder moeten raken,' zei de Gentiaan grimmig.

Iets in zijn toon, een intense woede onder de schijnbare kalmte, trof Amy. Haar blikken vlogen naar zijn gezicht.

Ja, hij *was* boos; zijn woede sprak uit elke lijn van zijn gezicht, van zijn strakke lippen tot aan zijn samengeknepen ogen toe. Maar er was nog iets, iets diepers, iets wat Amy tot diep onder haar gescheurde lijfje verwarmde en dat zich door haar heen verspreidde als sterkedrank.

'Ik vind dat u hem hard genoeg geraakt hebt,' stelde Amy de Gentiaan gerust. Ze liet de randen van haar lijfje los en draaide zich naar hem toe om hem aan te kijken. 'Het is maar een gescheurde jurk, meer niet. En ik heb zijn neus gebroken, dus ik heb het hem toch meer dan betaald gezet?'

Daar had de Paarse Gentiaan niet van terug. Even was Amy bang dat hij onwel was geworden. Zijn ogen stonden glazig en, lieve hemel, hij keek scheel. Geschrokken zocht Amy naar tekenen van koorts. Zijn voorhoofd leek niet bijzonder verhit, maar zijn ademhaling werd steeds sneller.

'Gaat het?'

Het hoofd van de Gentiaan ging onduidelijk heen en weer in een beweging die zowel ja als nee kon betekenen.

Niet doen, sprak Richard zichzelf toe, met zijn rechterhand boven de scheur in Amy's lijfje. Dat mag u echt niet doen. Hij wist dat hij haar niet had moeten zoenen, daar in die tuinen. Dat maakte het alleen maar nog moeilijker voor hem om bij zijn besluit te blijven haar niet meer te zien, althans niet als de Paarse Gentiaan. Hij betwijfelde of Lord Richard Selwick de komende week, of zelfs twee weken, door Amy gezoend zou worden. Wat een kwelling.

Goed, hij had haar niet moeten zoenen in de Jardins du Luxembourg, maar dat had hij nu eenmaal wel gedaan. En als de zoen in de studeerkamer van haar broer een vergissing was geweest, dan kon je deze laatste gerust een regelrechte ramp noemen; de zoen in de studeerkamer was aangenaam geweest, maar die in de tuinen had hem in vuur en vlam gezet. Als hij toegaf aan de drang om haar opnieuw aan te raken zou het resultaat iets zijn in de orde van Pompeji: niets minder dan een massavernietiging. Er was geen enkele logische reden waarom hij zou toegeven aan de drang om zijn hand in de scheur van haar lijfje te laten glijden, en een hele logische reden om dat niet te doen!

Maar op dit moment werd hij aangetrokken door alles wat onlogisch was. Onlogica leek opvallend veel op een paar ronde borsten, roze aureolen die meer onthuld dan verhuld door de kant van een onderlijfje schemerden.

'Even voelen of u geen schrammen hebt,' zei de Gentiaan hees en liet zijn vinger in de vallei tussen haar borsten glijden.

'O, maar ik heb echt geen...' hijgde Amy toen de Gentiaan zijn hand onder haar onderlijfje liet glijden en langs haar tepel streek, '... pijn,' besloot ze zwakjes.

'Weet u het zeker?' De Paarse Gentiaan legde zijn hand plat tegen haar borst, het leer van zijn handschoen tegen haar huid bezorgde haar een huivering die niets te maken had met de koele nachtlucht die opsteeg van de Seine.

Amy dacht nog eens na. 'Nee,' zei ze, wat beverig, 'niet echt.' Misschien waren er schrammen die ze nog niet gevoeld had. Misschien verklaarde dat wat ze voelde toen zijn hand nogmaals langs haar huid schampte voordat hij hem haastig terugtrok.

Amy keek toe hoe de Gentiaan zijn hand naar zijn lippen bracht en zich met zijn tanden vinger voor vinger van zijn handschoen ontdeed. Hij wierp de handschoen in Amy's schoot.

Eventjes aanraken, meer niet, beloofde Richard zichzelf. Met zijn blote vingers scheidde hij teder de gescheurde stof van Amy's lijfje. Alleen maar even een liefkozing – er zouden immers schrammen kunnen zitten waar ze van op de hoogte moest zijn – en dan zou hij de flappen weer bij elkaar doen en haar cape dichtdoen en zich gedragen alsof juffrouw Gwen tegenover hen op de boot zat om hen te chaperonneren.

Zodra Richards vingertoppen de zijdeachtige huid van Amy's borst voelden waren al zijn goede voornemens naar de maan. Het spook van juffrouw Gwen plonsde vergeten in het water en alle voorwendsels van schrammen zoeken doken haar achterna. Hij streelde een sensuele halve cirkel om de bovenkant van haar linkerborst, neerduikend in het schaduwgebied onder haar onderlijfje. De huid aan de andere kant van haar borst kon toch zeker niet net zo zacht zijn... maar ja, dat kon wel. En ook de bleke huid om haar andere borst, overal waar hij kwam. Richard volgde een heel circuit om beide borsten om zich daar zeker van te stellen, en liet zijn vingers toen nogmaals rondgaan, als extraatje.

Met tegenzin trok Richard zijn hand uit Amy's gescheurde lijfje, genietend van de laatste aanraking met de zijdeachtige huid. 'Ik geloof niet dat u schrammen hebt.'

'Waarom doet het dan pijn?' vroeg Amy, op zo'n typisch verontwaardigd Amy-toontje dat Richard haar wel moest zoenen.

De zoen begon als een spontaan gebaar van affectie. Hij begon als een vlugge smak op de lippen. Maar zo eindigde hij niet. Op het moment dat Richards lippen die van Amy beroerden opende haar mond

zich gretig onder de zijne en haar armen gleden om zijn nek. En op de
een of andere manier – Richard wist niet hoe dat gebeurde en was ook
eerlijk gezegd niet van plan zich daar het hoofd over te breken – zaten
ze ineens niet meer naast elkaar op de bank. Amy was zo'n beetje opzij
gegleden en hij lag half boven op haar; met de ene elleboog steunde hij
tegen het hout van de bank en met de andere duwde hij die verdomde
cape van haar uit de weg.

'Wat u voelt,' mompelde Richard, terwijl hij naar lucht hapte, 'is,'
zoen, 'verlangen. Geen,' *zoen*, 'schrammen.' Na die educatieve informatie verstrekt te hebben dook zijn mond weer neer op die van Amy.

Amy hield haar adem in toen de stof van het hemd van de Gentiaan
tegen haar blote borst streek en gevoelsprikkels stuurde naar een gebied dat al tot het uiterste getergd werd. Ze sloeg haar armen steviger
om hem heen, drukte zich tegen hem aan en zoende hem zoals hij het
haar gedaan had, flirtend met het puntje van zijn tong, knibbelend op
het randje van zijn lippen.

Richard deed nog een laatste poging om logisch na te denken.

'We zijn op open water,' hijgde hij terwijl hij zijn mond losweekte
van die van Amy.

Maar aangezien andere organen dan zijn hersens op dit moment de
dienst uitmaakten, was het een weinig overtuigende poging, die dan
ook net zo weinig effect had als hij stiekem al gehoopt had. Géén effect
namelijk.

Amy keek dromerig glimlachend naar hem op, hief haar hand op en
liet die langs zijn jukbeenderen naar zijn lippen glijden. 'Ik weet het.
Hebt u ooit zoveel sterren gezien?'

Richard nam niet de moeite om op te kijken. Dat was ook niet nodig. Alle sterren aan de hemel weerspiegelden zich in de blauwe diep-
tes van Amy's ogen.

'Zal ik een ketting van sterren voor u plukken?' vroeg hij teder.

Amy's hand bevroor op de wang van de Gentiaan. Haar adem stokte
in haar keel. 'Een ketting van sterren,' herhaalde ze met onvaste stem.

Richards door verlangen bedwelmde brein registreerde haar schrik.
O God, wat had hij gezegd? Zonder acht te slaan op de splinters die
zich door zijn mouwen boorden kwam hij steunend op zijn ellebogen
overeind.

'Heb ik iets verkeerds gezegd?'

Onder hem spreidde Amy's haren zich uit als een donkere waaier. Ze kronkelden om haar gezicht toen ze langzaam haar hoofd schudde.

'Nee..' Haar glazige ogen stelden zich weer scherp, glanzend van vreugde. '*Nee*. Alles is *helemaal* in orde.'

'Eh, nou, da's mooi,' vond Richard, maar ergens halverwege 'mooi' sloeg Amy haar armen om zijn hals en bedolf zijn gezicht onder een regen van onhandige maar uitgelaten kussen, op zijn voorhoofd, zijn jukbeen, het randje van zijn oor, de boord van zijn masker (dat was duidelijk een ongelukje), zijn mondhoek, de boog van zijn kin (nog een ongelukje) en het puntje van zijn neus (misschien met opzet, maar dat wist Richard niet zeker).

Wat had hij in vredesnaam gezegd? Richard wou maar dat hij het zich herinnerde want als dit de reactie was, dan wilde hij het nog wel eens zeggen. Maar hij had het in dit geval te druk met genieten van het resultaat – Amy liet een spoor van beter gemikte kusjes achter langs zijn oor en zijn keel – om er al te diep over na te denken. Richard kreunde tevreden en stak zijn handen in Amy's naar lavendel geurende haardos.

Hij veegde haar haren uit haar gezicht, boog zich voorover om de attenties van daarnet te retourneren en liet zijn rechterelleboog op de bank naast Amy rusten. Tenminste, dat was de bedoeling geweest. Richard zwaaide even met zijn armen terwijl zijn lichaam wankelde op de rand van de bank. Amy's armen om zijn nek dienden als tegengewicht en hielden hem in balans, tot Amy zich oprichtte om hem een bijzonder uitbundige kus op zijn oor te geven.

Kadoenk!

Met een plof belandden ze op de vloer naast de bank, met Amy languit over Richard heen. De boot ging tekeer alsof ze op volle zee zaten in een midwinterstorm in plaats van op de Seine op een mooie lenteavond. Aangezien Amy op Richards ribbenkast lag had hij wat meer moeite met ademhalen dan zij. Maar het uitzicht dat haar gapende lijfje hem bood maakte dat ruimschoots goed.

Kleine straaltjes water kletsten over de rand van de boot, en de roeier vloekte hartgrondig. '*Amants!*' Uit zijn mond klonk het woord *geliefden* als de grofste belediging.

'Amy, *amas, amants...*' grinnikte Richard onder een kronkelende Amy. Hij greep haar stevig bij haar heupen toen ze zich van hem af probeerde te wurmen.

'Bedoelt u niet *amo, amas, amat*?' gaf Amy giechelend de vervoeging van het Latijnse werkwoord 'liefhebben' ten beste.

'Ik vind mijn versie leuker,' mompelde Richard, knabbelend aan haar oor.

Amy duwde met beide handen tegen de borst van de Paarse Gentiaan in een poging overeind te komen. De boot schommelde vervaarlijk.

'Volgens mij kunt u hier beter blijven,' fluisterde hij en stak een hand onder haar gespreide rokken om haar bij een enkel te pakken. 'Dat is wel zo veilig.'

'Voor wie?' Amy hapte naar lucht toen de hand van de Paarse Gentiaan omhooggleed van haar laars over haar zijden kous langs de welving van haar kuit en knie, en daar stilhield om te spelen met de linten van haar kousenband.

'Voor de roeier, natuurlijk,' grijnsde de Gentiaan. 'Dan lopen we minder kans om te kapseizen.'

'O. Ik weet niet of dat...' begon Amy. Het kwam er echter uit als 'ikwewiwowa' omdat de Paarse Gentiaan de zwakke punten in zijn redenering goedmaakte door zijn vrije hand door Amy's haren te vlechten en te zorgen dat ze niets meer terug kon zeggen.

Vele minuten later zei hij grinnikend tegen een ademloze Amy: 'Ik dacht wel dat u het met me eens zou zijn.'

Het enige wat Amy kon zien waren sterren, honderden sterren, duizenden sterren, dansend tegen de achterkant van haar oogleden terwijl hij haar mond weer tegen de zijne trok. Zijn lippen gleden over de hare als fluweel, zacht als de donkere nacht. Hun tongen verstrengelden zich, warm en zoet. Amy zwom in een duizeligmakende wijndonkere zee van gevoel, terwijl de lippen van de Paarse Gentiaan de hare beroerden en zijn vaardige vingers de zachte huid van haar dij streelden. Deinde de boot nu zo, of was zij het? Blindelings liet ze haar handen onder het hemd van de Gentiaan glijden, de geribde spieren van zijn borst waren haar enige houvast in een wild deinend universum. Zachte borsthaartjes kietelden haar vingertoppen.

Amy viel ten prooi aan de ene sensatie na de andere, met zijn zachte borstharen onder haar handen en het vochtige stoten van zijn tong. De vingers van de Gentiaan wreven tegen de stof van haar linnen broekje en veroorzaakten een vreemde spanning die Amy deed kronkelen en haar bekken tegen hem aan deed drukken. De Gentiaan maakte zijn mond los van de hare; hij tilde zijn hoofd op en nam een rijpe roze tepel tussen zijn lippen. Verrast trok Amy zich terug, maar de Gentiaan liet haar niet gaan, hij zoog en likte en trok tot de vingers die ze naar zijn hoofd had gebracht om hem van zich af te duwen zich in het haar onder zijn capuchon vlochten om zijn mond dichter tegen zich aan te trekken.

'O,' slaakte ze een kreetje van verrukking. De Gentiaan antwoordde niet; hij had zijn mond vol.

Een nog luider 'O!' ontsnapte haar toen de vingers van de Gentiaan de opening in haar broekje vonden en haar vloeibare warmte binnengleden, strelend, zoekend... Amy voelde een trilling van genot door zich heen gaan. Zonder zijn intieme aanraking te onderbreken rolde de Gentiaan hen om zodat zij onder hem lag. Ze keek naar hem op met ogen donker van verlangen.

'Ik dacht wel dat u dat prettig zou vinden,' mompelde de Gentiaan tegen haar lippen voordat hij zijn tong in haar gretige mond liet glijden.

Zonder woorden maakte Amy hem duidelijk hoe prettig ze het vond door haar heupen in rusteloze cirkels tegen zijn vingers aan te wrijven. Ze klampte zich vast aan zijn schouders; haar lichaam werd doortrokken van huiveringen die geen huiveringen waren maar kleine flikkerende scheuten van intens plezier. En toen brak de storm los die alle spanning in haar lichaam verdreef; een stormvloed van onbeschrijflijk gevoel denderde door haar heen, als een regen van vallende sterren die elke zenuw in haar lichaam beroerde met hemels vuur.

Het was de mooiste nacht van haar leven.

Het zou voor hem de vreselijkste nacht worden.

24

MET DE KRACHT van een oplawaai kwam Richard weer bij zinnen. Het duurde even voordat hij zich, met zijn hand nog aan de knopen van zijn broek, realiseerde dat het daadwerkelijk een oplawaai was geweest, en wel van de roeier. Per ongeluk, of anderszins, had de roeier Richard met zijn roeispaan een mep tegen de achterkant van zijn hoofd gegeven.

Maar de bult op zijn hoofd was niets vergeleken bij de bult in zijn broek. Au, wat deed dat pijn. Prominente delen van zijn anatomie schreeuwden hem toe in intense irritatie. Onder hem lag Amy, haar lippen rood en gezwollen en iets geopend, haar ogen mistig van verlangen, vochtig en bereid. Het zou zo makkelijk zijn – zo natuurlijk – om die verwarde rokken op te tillen...

Richard hees zich op de bank en liet zijn handen overboord bungelen zodat het koude water de opwindende geur van Amy van hem af kon spoelen. Het liefst had hij zijn hoofd in het water gestoken, maar hij had geen idee wat er zich daar allemaal schuilhield en bovendien zag hij de roeier er best toe in staat hem helemaal overboord te helpen met die verdoemde roeispaan van hem. Hoewel hij de man eigenlijk dankbaar moest zijn in plaats van hem te vervloeken. Als hij die klap niet had gehad... Richard trok wit weg, en dat had niets te maken met de ijzige kou van het water. Had hij werkelijk op het punt gestaan Amy te nemen op de vloer van een smerige boot, midden op de Seine? O God, hoe haalde hij het in zijn hersens?

Maar dat was nu net het probleem, die had hij niet gebruikt!

Terwijl het kille water en zijn al even kille gedachten de mist van lust uit Richards brein deden optrekken besefte hij dat het murmelende geluid dat hij al een poosje vaag waarnam niet het kabbelen van de golven was maar de monoloog van de roeier, die mompelde: 'Ga maar door. Doe maar gewoon alsof ik er niet ben. Gebruik mijn boot gerust als bordeel. Het maakt niet uit wat ik ervan vind, toch?'

De laatste keer dat Richard gebloosd had was in de zomer van 1788 geweest, toen hij als puisterige twaalfjarige betrapt werd op een hitsige blik in het decolleté van de Gravin van Devonshire. Al het opgespaarde schaamrood van de laatste vijftien jaar brandde hem op de kaken, godzijdank aan het zicht onttrokken door capuchon en masker. Hij boog zich naar Amy en hielp haar overeind, krampachtig haar roze wangen en glanzende ogen mijdend.

'Dat was heerlijk,' zuchtte Amy voldaan.

Afschuwelijk, zult u bedoelen, dacht Richard grimmig, terwijl Amy zich vol vertrouwen tegen hem aan nestelde. Idioot! Hij dan, niet zij! Hij kon alleen maar de buitenaardse krachten die kennelijk nog over hem waakten dankbaar zijn dat ze nog net op tijd hadden ingegrepen.

'Wilt u dat ik nog een keer op en neer vaar?' vroeg de roeier zuur, zijn landvast behendig om een paal mikkend.

'Nee,' zei Richard kort. Hij liet een paar munten in 's mans eeltige handen vallen, zo verteerd door zelfverachting dat hij niet eens in de gaten had dat Amy op haar eigen houtje uit de boot probeerde te klauteren, op en neer zwieberend met één voet op de rand, alsof ze elk moment in het water kon vallen.

Mooi zo, nóg een puntje in zijn nadeel.

Richard hielp Amy aan wal en probeerde geen acht te slaan op haar vingers die op zijn arm bleven rusten of de warme glimlach die ze hem toewierp vanonder haar veel te ruime capuchon. In aanmerking genomen wat er zojuist gebeurd was, had ze het volste recht op die bezitterige greep en de glimlach die affectie schonk en die ook terugverwachtte. Ze had er verdorie recht op dat hij haar ter plekke een huwelijksaanzoek deed, knielend op de kade. Of haar op z'n minst zijn ware identiteit opbiechtte.

Maar geen van die dingen kon hij haar geven. Nog niet.

De geest van Tony doemde op voor Richards ogen en onttrok Amy aan zijn blik. Niet de Tony zoals hij hem levend gekend had – die Tony, een dandy in een geborduurd vest, met de lichtvoetigheid van een danser en een oog voor vrouwelijk schoon, zou zo'n flirtpartijtje van harte hebben toegejuicht – maar de andere, vreselijke Tony. De Tony die bloederig en verlaten op de vuile vloer van een Franse hut lag omdat hij, Richard, zich had laten afleiden van zijn plicht door een vrouw.

En er was nog iets wat hem vaag dwarszat, iets wat te maken had met dat Zwitserse goud. Iets wat hem vast niet ontgaan zou zijn als zijn hoofd niet beneveld was geweest door lust. Hoe kon Amy in godsnaam weten van dat Zwitserse goud? Goed, hij had haar Bonapartes studeerkamer uit zien vluchten alsof de duivel haar op de hielen zat, maar hij had diezelfde kamer nog geen halfuur later doorzocht en daar helemaal niets over gevonden. Als dat wel zo was geweest, had hij zich niet in bochten hoeven wringen om informatie los te peuteren uit de beschonken zwager van de Eerste Consul. Als Amy haar informatie over het Zwitserse goud niet in Bonapartes studeerkamer had opgedaan, waar dan wel?

Richard werd bevangen door een kilte die niets te maken had met de nachtlucht. Afgaand op Geoffs rapport en de getuigenissen van zijn eigen ogen voerde De Balcourt iets in zijn schild rondom het vervoer van mysterieuze pakketten. Het deel van de dag dat hij niet bij zijn kleermaker doorbracht hing hij rond in de Tuilerieën. Je hoefde echt niet zo'n bolleboos te zijn om daaruit de conlusie te trekken dat De Balcourt verwikkeld was in die goudaffaire. En Amy was zijn zusje, mysterieus teruggeroepen naar Frankrijk op het moment dat Napoleon zijn plannen begon te beramen voor de invasie van Engeland. Het was een prachtige kans om de Paarse Gentiaan te pakken! Geef hem wat inlichtingen, ontdek zijn plannen... en ontbied Delaroche. Een gewisse manier voor De Balcourt en zijn zuster om de gunsten van Bonaparte te verwerven.

Richard keek vanuit zijn ooghoeken naar Amy, naar haar kleine hand die zo vol vertrouwen op zijn arm rustte, en vloekte in stilte.

Zo'n goede actrice kon ze niet zijn. Haar reacties op de dood van haar ouders konden geveinsd zijn – maar als dat zo was behoorde ze op Drury Lane te spelen met Edmund Kean. Al Richards instincten, gescherpt door tien jaar kat-en-muisspelen met de Fransen, schreeuwden hem toe dat ze onschuldig was.

Maar hij mocht geen enkel risico lopen. Hoeveel van zijn mannen zouden betrokken zijn bij de aanval op de koets met het Zwitsere goud? Minstens zes. Geoff, een van de twee mannen die Richard zonder enige aarzeling een vriend kon noemen, zou zeker ook mee willen doen.

Hij moest er een punt achter zetten. En later, als alles voorbij was, als de missie volbracht was, als de invasie van Engeland gedwarsboomd was, kon hij het goedmaken. Hij had geen keus.

Naast de Paarse Gentiaan liep Amy, met zijn hand warm en sterk onder haar arm, in een wereld omhuld door magie. Hoe had ze de straten van Parijs vies kunnen vinden? De keien glommen in het maanlicht en in de donkere ramen twinkelden de sterren. Mooie, mooie sterren. Ze keek omhoog en volgde bekende patronen aan de hemel.

Een ketting van sterren. Amy prangde de frase aan haar boezem als een stapel liefdesbrieven. Toen hij die woorden zei was ze sprakeloos geweest van schrik, ze was nog nooit van haar leven zo geschrokken. Dat deze man, die ze pas twee dagen kende – al had ze wel het grootste deel van haar leven over hem gefantaseerd – haar gedachten binnen kon glippen om een van haar dierbaarste herinneringen te pakken... het was onbegrijpelijk. Maar ergens tussen de sterren en de tedere uitdrukking op zijn gezicht toen hij op haar neerkeek in dat rare bootje, werd het haar allemaal duidelijk. Dit was voor haar een teken – een soort certificaat van goedkeuring van haar ouders – dat hij haar ware liefde was. Wat voor andere uitleg kon er zijn?

Amy zou zweren dat ze, ver weg in de duisternis, een ster zag knipogen.

Aan haar beschouwingen kwam een eind toen ze bij de zijkant van huize De Balcourt kwamen. De Gentiaan hield zijn hoofd van Amy afgewend, op zoek naar een open raam; Amy kon alleen het puntje van zijn neus uit zijn capuchon zien steken. Haar handen tintelden nog van de aanraking van het korte, ruige haar dat schuilging onder die capuchon. En de rest van haar lichaam tintelde nog van totaal andere herinneringen.

Voor een onafgesloten raam op de eerste verdieping bleven ze staan; Amy draaide zich om naar de Gentiaan en keek op naar het gemaskerde gezicht onder zijn capuchon. 'Dank u,' fluisterde ze. 'Dank u dat u me bevrijd hebt, en dank u nog meer voor al het andere.'

Ze ging op haar tenen staan, helde over naar de Paarse Gentiaan en hief haar gezicht op voor een tedere afscheidskus. Ze viel bijna voorover toen hij onverwachts achteruitdeinsde.

'Het spijt me,' zei de Gentiaan abrupt. 'Dit had allemaal niet mogen gebeuren.'

Ineens was hij weer donker en ondoorgrondelijk. In de schaduw van het huis had zijn gezicht net zo weinig uitdrukking als dat van een gezichtsloze monnik in een griezelverhaal. Het kwam gewoon door de schaduw dat hij er zo afstandelijk uitzag, want het huis sneed het licht af, stelde Amy zichzelf gerust. Tenslotte was dit dezelfde man die met haar gelachen had, die haar gezoend en een ketting van sterren beloofd had. In tegenstelling tot de identiteitsverwarring vroeger op de avond kon er nu geen twijfel over bestaan dat dit dezelfde Paarse Gentiaan was van een uur of een halfuur geleden, ook al was hij gehuld in een donkere cape met capuchon. Amy had de hele tijd een hand op zijn arm gehouden.

Tot nu.

Aangezien dit duidelijk een situatie was die verholpen moest worden, zette Amy een stap naar voren en legde haar hand op de borst van de Paarse Gentiaan. 'Het hoeft u niet te spijten,' zei Amy bewogen. 'Het spijt me dat u door mij in een gevecht met Marston verwikkeld bent geraakt, maar verder heb ik helemaal nergens spijt van. Het was de fijnste en geweldigste avond van mijn leven. U bent de fijnste geweldigste...'

De Paarse Gentiaan schudde zijn hoofd. 'Niet doen, Amy.'

Zijn borst voelde stug aan onder haar vingers, onbeweeglijk, alsof hij zelfs niet ademhaalde. Amy hield haar hoofd zover naar achteren dat ze er duizelig van werd om door de spleten van zijn masker te kunnen kijken. 'Bent u misschien bang dat de lof u naar uw hoofd zal stijgen?' plaagde ze. 'En dat u dan zo opgeblazen zult worden dat u niet meer in uw vermommingen past?'

De Paarse Gentiaan verschoof zijn blik naar ergens links van Amy's schouder. Amy had de neiging om te kijken, om te zien wat daar in godsnaam voor interessants te zien was.

'Ik meen het, Amy,' zei hij vlak.

'Ik ook,' zei Amy opgewekt. 'Ik vind u geweldig. Hoe zal ik het u bewijzen? Zal ik u de Hades in volgen, zoals Orpheus Eurydice achternaging? Ik kan ook...'

'Amy, we kunnen elkaar niet meer zien.'

De uitbundige woorden die Amy had willen uitspreken verflensten en stierven een ongesproken dood. Ze deed een stap achteruit en staarde de Gentiaan aan. 'Hoe bedoelt u?'

Er moest iets anders achter zijn woorden schuilen. Misschien bedoelde hij dat ze elkaar voortaan niet meer 's nachts moesten ontmoeten. Daar kon ze het mee eens zijn. Het zou leuker zijn om elkaar bij daglicht te ontmoeten, om zijn gezicht te zien als hij tegen haar sprak. Of misschien bedoelde hij het letterlijk: in de duisternis kon ze hem echt niet meer zien, redeneerde Amy tegen beter weten in.

'Ik bedoelde precies wat ik zei.'

Zijn woorden zeiden haar misschien niet veel, maar de toon van zijn stem, even steenkoud als zijn bewegingloze lichaam, was niet mis te verstaan. Amy's moed zakte van de sterren tot aan de smerige keien aan haar voeten.

'U wilt me niet meer zien?' Amy haatte de lichte trilling die ze in haar stem bespeurde.

De Paarse Gentiaan knikte langzaam.

Ze begreep het niet. Ze begreep er helemaal niks meer van. Hij had net zo goed kunnen kreunen in plaats van die woorden uitspreken, zo weinig begreep ze ervan. Met moeite hield Amy het gekwelde 'Waarom?' dat haar mond uit wilde barsten binnen en sloeg haar blikken neer. Verbluft staarde ze naar de versleten laarzen van de Gentiaan. Hij was dol op haar. Ze wist zeker dat hij dol op haar was. Toch? Hij had haar tenslotte bevrijd en gezoend, mijn hemel, die ketting van sterren dan? Als hij niet van haar hield zou hij dat toch zeker allemaal niet gedaan hebben?

Amy's handen balden zich tot vuisten terwijl ze haar paniekerige gedachten probeerde te ordenen. Er moest een andere reden zijn.

'U maakt zich toch geen zorgen om mijn reputatie?' flapte ze eruit. 'Want zolang we elkaar discreet ontmoeten is dat werkelijk niet nodig.'

'Nee, dat is het niet.' Een winterse ondertoon van spijt klonk door in de woorden van de Gentiaan, zo kil en dood als een tuin in december. Hij pakte Amy's hand, die nog vergeten tegen zijn hart lag, en deponeerde die vriendelijk langs haar zij.

Amy, die wanhopig gezocht had naar enig teken van emotie, wenste dat hij terugging naar zijn standbeeldimitatie. Ondoorgrondelijkheid was oneindig veel beter dan berouw. En medelijden.

'Het spijt me, Amy,' zei de Gentiaan, met diezelfde moordende vriendelijkheid. 'Ik wilde dat het anders was.'

De lege gemeenplaats schraapte langs Amy's gespannen zenuwen, als een steentje in haar schoen dat ze eruit moest gooien. 'Hoezo, anders?' wilde ze weten. 'U spreekt in raadselen! Waarom kunt u me niet meer zien? Ik begrijp het niet.'

De Paarse Gentiaan spande zijn kaakspieren en staarde over Amy's schouder naar de lucht, alsof het antwoord zich ergens tussen diezelfde sterren die hij haar daarstraks beloofd had, verborgen hield.

Angstig bekeek Amy zijn afgewende gezicht.

'Het is de missie, ziet u,' zei hij ten slotte onbeholpen.

'O!' zei Amy. En toen: 'Nee, dat zie ik niet. Mijn informatie heeft de missie toch geholpen?' drong ze aan.

'Ja.'

'Wat dan? Bent u bang dat ik gevaar loop? Ik beloof u dat ik voorzichtiger zal zijn, ik zal zelfs...'

De Gentiaan boog zijn hoofd om Amy aan te kijken en zei toen kil en vastberaden: 'Ik mag de missie niet laten lijden onder een bevlieging van mij.'

'Een bevlieging?' herhaalde Amy, en haar ogen smeekten hem, dwongen hem die woorden terug te nemen. 'Is dat wat u voor me voelt? Een bevlieging?'

Er viel een vreselijke, bevroren stilte. De nachtegalen stopten hun gezang. De wind hield op met waaien. De sterren durfden niet te twinkelen. De maan leek even star en breekbaar als Amy zich voelde.

En toen haalde de Paarse Gentiaan zijn schouders op.

'Zo zou u het kunnen omschrijven.'

De maan verbrokkelde in duizend stukjes. Een bevlieging. Nog niet eens een berooid familielid van liefde. Al haar zorgvuldig vergaarde herinneringen kwamen opnieuw bij haar naar boven, maar nu in een ander, onplezierig licht. In plaats van de zoen van de Paarse Gentiaan in de studeerkamer, zag ze zijn haast om uit het raam te springen. Weg van haar. Zij was een blok aan zijn been. Een belemmering voor de missie.

Was alles wat ze gedaan hadden dan niet meer dan een prettige afleiding voor hem geweest?

Ach, het had nog erger kunnen zijn, dacht ze. Hij had haar hier achter kunnen laten met de illusie dat hij om haar gaf, hij had haar een afscheidskus kunnen geven en daarna nooit meer iets van zich laten horen. Hij was in elk geval eerlijk geweest. Zoveel achting had hij tenminste nog voor haar gehad. Daar moest ze waarschijnlijk dankbaar voor zijn. Haar dankbaarheid lag als as in haar mond.

'Dank u,' zei Amy stijfjes, 'dat u niet tegen me gelogen hebt.'

'Het is niet... ik wil niet dat u denkt... Verdoemd!' vloekte de Gentiaan vol vuur.

Waarom ging hij niet gewoon weg? Haar hart brak als ze naar hem keek, in die vervloekte zwarte cape, zo zwierig en knap en zo aandoenlijk jongensachtig.

'Goedenacht,' knikte Amy stijfjes in wat ze hoopte dat de goede richting was. Ze had haar hoofd afgewend, want als ze hem nogmaals aankeek zou ze gaan huilen en dat was wel het ergste wat haar overkomen kon. 'Bedankt voor het thuisbrengen. U kunt nu gaan,' voegde ze eraan toe.

Maar hij ging niet.

De Gentiaan deed een stap naar haar toe, zijn hele lichaam stram van een spanning die zijn cape deed ritselen. Hij helde naar haar over, en de spieren in zijn keel bewogen krampachtig alsof hij moed verzamelde om te spreken. Met tegenzin bracht Amy haar hoofd naar hem toe om te luisteren, om zijn verklaring te horen, zijn uitvluchten, zijn verontschuldigingen. Het is geen bevlieging, zou hij zeggen. Zo bedoelde ik het niet. Het spijt me.

'Amy, ik...,' begon hij, en zweeg.

Ja? spoorde Amy hem in stilte aan, pogend de gretigheid uit haar blikken te weren.

Een zweem van bitterheid gleed over het gezicht van de Gentiaan. Zijn gewicht verplaatste zich weer naar achteren, zijn lichaam en zijn gezicht herwonnen hun ondoorgrondelijkheid.

'Ik zal u nog even door het raam helpen.'

Amy slaagde er met moeite in haar gezicht in de plooi te houden. Ze had gedacht dat niets pijnlijker kon zijn dan de vreselijke term 'bevlieging'. Ze had gedacht dat ze de drempel van haar romantische zielenpijn al bereikt had. *Ik zal u nog even door het raam helpen.* Hoe kon zo'n simpele mededeling zoveel pijn veroorzaken? Natuurlijk ging het niet om *die* woorden, maar om de woorden die hij *niet* gezegd had. Ze was dwaas geweest om nog iets te verwachten.

De Paarse Gentiaan stond te wachten, met uitgestoken hand. Amy deinsde ervoor terug alsof het een adder was.

Amy plantte haar ellebogen op het kozijn en zei: 'Daar heb ik u niet voor nodig, dank u zeer.'

'Dat hebt u wel.' Hoorde ze iets van een lach in zijn stem? 'Ik heb u vannacht zien ploeteren om binnen te komen.'

Amy verstijfde van schrik. Had hij dat gezien? Sprakeloos van verlegenheid en wanhoop herinnerde ze zich hoe ze tevergeefs geprobeerd had binnen te komen, alle keren dat haar ellebogen van de vensterbank waren gegleden, alle keren dat ze een been op de vensterbank had en er dan toch weer aftuimelde. O lieve hemel. De man vond haar vast om te gillen van het lachen. Of erger. Geen wonder dat hij niets meer met haar te maken wilde hebben. Wat had hij aan zo'n gansje dat niet eens door het raam van haar eigen huis kon klimmen zonder zich volkomen belachelijk te maken?

'Een, twee, hupsakee.' Zonder verdere plichtplegingen legde de Paarse Gentiaan een hand onder haar billen en duwde haar over de vensterbank, alsof hij een zak graan op een kar laadde. Een forse duw, en zijn hand verdween. Hij wilde haar niet eens meer aanraken. Amy dacht aan de talloze aanrakingen waarmee hij haar nog geen uur geleden tot verrukking had gebracht, gênante aanrakingen, losbandig genoten en zo weer weg.

Zonder om te kijken zette ze haar benen op de grond van de eetkamer. Achter zich hoorde ze de cape van de Gentiaan wapperen in de wind. Ze probeerde zich daar geen beeld van te vormen, maar het lukte haar niet.

'Goedenacht, Amy,' zei de Gentiaan zacht vanaf de andere kant van het raam.

Amy draaide zich niet om. Ze zette haar ene voet voor de andere en liep stijfjes naar de eetkamerdeur. Die eenvoudige beweging vergde zoveel concentratie dat ze niet eens zeker wist of ze zich dat laatste gefluisterde zinnetje had verbeeld.

'Ik zal het goedmaken, Amy. Dat beloof ik je.'

Richard sloop weg langs de zijkant van het huis; nu omkeren, naar haar toe rennen en haar zijn excuses aanbieden zou je reinste waanzin zijn, hield hij zichzelf voor. Het was echt beter zo. En als hij dat nu maar vaak genoeg tegen zichzelf zei, kon hij misschien dat benauwende beeld van Amy's bevroren gezicht uit zijn hoofd zetten. Beter een ongelukkige Amy dan goede mannen onder de guillotine, redeneerde Richard verheven. Maar ditmaal gaf die nobele gedachte hem geen goed gevoel. Richard werd gekweld door een onbehaaglijke combinatie van schuldgevoel en onbevredigde verlangens.

Hij moest zorgen dat hij dat goud te pakken kreeg, en snel ook, want dit hield hij niet veel langer vol. Tenzij, peinsde hij, tenzij Amy's desillusie met de Paarse Gentiaan haar ontvankelijker maakte voor de charmes van Lord Richard Selwick.

Richard snakte naar een koud bad, maar eerst moest hij nog één ding doen. Hij telde de ramen af tot hij kwam waar hij zijn moest. Er glom geen licht door de zware gordijnen. Met de sluwe glimlach van een panter op jacht klom Richard over de vensterbank de lege kamer in. *Déjà vu,* dacht hij terwijl hij lenig op de zitting van de met fluweel beklede raambank sprong. Alleen zat er ditmaal geen Amy onder het bureau op hem te wachten.

Tenminste, hij hoopte van niet.

Voor de zekerheid – want je wist het maar nooit, met Amy – keek Richard even snel onder het bureau. Nee, geen Amy. Richard peperde zichzelf in dat hij opgelucht moest zijn in plaats van teleurgesteld.

Hij liep naar de globe en ging verder met wat hij de vorige nacht begonnen was. Zijn vingers tastten naar de richel langs de evenaar en gleden naar het bobbeltje op de Noordpool dat vast en zeker... Aha! Richard grijnsde toen de twee helften opensprongen. Het slotje.

Maar zijn grijns verdween, en zijn mond viel open van verbazing. Wat was dat nou? Hij stak zijn hand in de globe en tastte de ruimte van de onderste halve bol af. Toen liet hij zijn vingers langs de bovenkant glijden om te voelen of er misschien iets tegenaan was geplakt. Daarna stak hij zijn hoofd zo diep in de globe dat hij zijn neus stootte tegen het voetstuk. Met een ruk trok Richard zijn hoofd terug, greep naar het pijnlijke uitsteeksel en sloeg de lege globe met een klap dicht.

Iemand was hem voor geweest.

25

NA DE WARME knusheid van de flat van mevrouw Selwick-Alderly zag mijn eigen kleine kabouterhol er nog kaler uit dan anders.

Het blauwgeschilderde portaal lag er somber bij en de met blauw tapijt beklede trap zo mogelijk nog somberder, want het licht in de hal was weer eens kapot. Met de *caramel-macchiato* die ik, komend uit het metrostation van Bayswater bij Starbucks had gekocht, in mijn hand en het pak onder mijn arm schuifelde ik voetje voor voetje de trap af; ik moest eraan denken de huisbaas te bellen om hem te zeggen dat hij de lamp verving voordat er iemand (in casu ik) van de trap viel en haar nek brak. Na drie vergeefse pogingen kreeg ik eindelijk de sleutel in het slot en stommelde mijn donkere halletje in, tastend naar het lichtknopje.

Voor een gemeubileerd appartement was het eigenlijk helemaal zo slecht nog niet. Veel ruimte was er niet: een smal halletje met een piep-klein keukenblokje tegen een van de muren, een petieterig badkamer-tje en een rechthoekige kamer die dienst deed als zowel zit-, slaap- en studeerkamer. De gewetensvolle eigenaar had geprobeerd de boel wat op te vrolijken met crèmekleurige verf en gebloemde gordijnen en grote afbeeldingen van het Toscaanse platteland. Helaas benadrukten dat alles alleen maar het contrast tussen de Italiaanse zon en het grauwe schijnsel door mijn stukje raam dat voor licht moest doorgaan.

Ik zette mijn koffie op het ronde tafeltje, legde het in plastic gewik-kelde pak teder op mijn bed, plofte in een stoel en trok mijn laarzen uit. De rits van de linkerlaars was stijf geworden, waarschijnlijk uit protest tegen de eeuwige regen. Nog een ruk, en de rits gaf dat vrese-lijke scheurende geluid dat iedereen kent die wel eens een panty tussen haar rits heeft gehad.

Normaal gesproken zou ik lichtelijk de smoor in gehad hebben over het ontijdige heengaan van mijn allerlaatste panty. Maar ik was niet met mijn hoofd bij mijn kleren. Opgepept door de koffie en de caramel speelde mijn brein de hele scène van vannacht in de keuken van mevrouw Selwick-Alderly nogmaals af, tot in het kleinste detail – zoals het dat sinds drie uur vanochtend non-stop gedaan had.

Ik probeerde me te verdiepen in Amy's brieven, maar de papieren dwarrelden uit mijn handen op de sprei als ik in de ruimte staarde en de vijfhonderdste geestigheid debiteerde die ik ten afscheid op Colin Selwick *had moeten* afvuren. We weten tenslotte allemaal dat de meest gevatte, snedige opmerkingen pas bij je opkomen als de andere partij allang heerlijk ligt te slapen. Maar op de een of andere manier had ik niet het gevoel dat de situatie nog te redden was door Colins slaapkamer binnen te stormen, hem wakker te schudden en mijn briljante one-liner over hem uit te kramen.

Trouwens, misschien had hij daar wel verkeerde conclusies uit getrokken. In het hoofd van de man leiden vrouwen en slaapkamers maar tot één ding.

Colin had zich niet laten zien toen ik me om zeven uur vanochtend met mijn slaperige kop de logeerkamer uit sleepte en naar de keuken sjokte, waar mevrouw Selwick-Alderly met een kop thee aan de grenen tafel de *Daily Telegraph* zat te lezen.

Ik werd heen en weer geslingerd tussen een gevoel van teleurstelling en opluchting. Teleurstelling omdat ik nu geen kans meer zou krijgen om mijn moeizaam gesmede geestigheden te debiteren. Opluchting omdat ik weet hoe ik eruitzie om zeven uur 's ochtends.

Mevrouw Selwick-Alderly had prompt – heel vleiend voor mij – haar krant laten zakken en me glimlachend gevraagd of ik goed geslapen had. Ze schonk me thee in en drong erop aan dat ik een geroosterde boterham nam. Ik accepteerde de thee maar sloeg het brood af en zei niets over mijn middernachtelijke ontmoeting met haar neef. Ik vroeg me af of ze iets zou zeggen over de twee bekers met aangekoekte chocola in de gootsteen, maar kennelijk had ze die niet gezien, of ze vond het niet de moeite waard om er iets over te zeggen. Misschien had Colin wel vaker van dat soort middernachtelijke onderonsjes.

Misschien haalde ik me maar wat in mijn hoofd.

Zo snel als ik kon slokte ik mijn thee naar binnen.

'Wat vind je van ons kleine archief?' vroeg mevrouw Selwick-Alderly. Ze gaf me even de tijd om bij te komen van mijn verbrande tong.

'Het is ongelooflijk,' zei ik oprecht. 'Ik ben u vreselijk dankbaar dat u mij erin hebt laten lezen. Maar...'

'Ja?'

'Colin, ik bedoel, uw neef...' Verdomme. Ik hoefde mevrouw Selwick-Alderly toch zeker niet te vertellen dat Colin haar neef was? Ik begon opnieuw. 'Waarom wil hij niet dat u me toegang geeft tot uw papieren?'

Mevrouw Selwick-Alderly keek bedachtzaam naar de kop van de *Telegraph*. 'Colin neemt zijn positie als bewaker van het familie-erfgoed heel serieus. Wat vind je van onze Roze Anjer?'

'Ik hem hem nog niet gevonden. Ik ben pas halverwege de papieren die u me gegeven heeft. Ik moest nogal aan het handschrift wennen.'

'Amy heeft inderdaad een vreselijk handschrift, ja. Wie denk je dat de Roze Anjer is?

'Miles Dorrington lijkt me de beste kandidaat.' Ik nam mevrouw Selwick-Alderly aandachtig op, hopend op een reactie die mijn ingeving zou bevestigen of tegenspreken.

Maar die kreeg ik niet. Mevrouw Selwick-Alderly smeerde onverstoorbaar marmelade op haar boterham en vroeg: 'Waarom Miles?'

'De eerste escapade van de Roze Anjer vindt pas eind april 1803 plaats. Miles heeft voortdurend contact met de Paarse Gentiaan, dus hij weet precies wat er in Parijs gebeurt; hij heeft alle bronnen van het ministerie van Oorlog achter zich in Londen; *en*' – ik bewaarde mijn beste bewijsstuk tot het laatst – 'hij is eind april in Parijs.'

'Hoe heb je dat ontdekt als je nog maar halverwege bent?'

'Ik heb wat vooruit gebladerd,' bekende ik. 'Ik zag zijn handtekening op een brief die gedateerd was: Parijs, 30 april. Dus ik weet dat hij op het juiste moment op de juiste plaats was.'

'Wat dacht je van Georges Marston?'

'Na zijn aanval op Amy?' riep ik ongelovig uit.

'Nobele daden zijn niet altijd een teken van een nobel karakter,' zei mevrouw Selwick-Alderly kalm. 'Van heel wat grote mannen is bekend dat ze in hun privéleven bruten waren.'

Ik trok een gezicht en onderdrukte de neiging van een vijfjarig kind om te gaan stampvoeten. 'De Roze Anjer niet,' zei ik vastberaden, pogend het straaltje onbehagen te negeren dat langs mijn ruggengraat naar beneden kronkelde als een slang langs de boom der kennis.

Dat zou Colins terughoudendheid verklaren... de Roze Anjer, een aspirant-verkrachter. Ik zette die gedachte uit mijn hoofd. Marston kon onmogelijk de Roze Anjer zijn. Als hij het wel was, hadden we toch al vóór april 1803 iets van hem gehoord moeten hebben. Hij was al maanden in Parijs, al sinds hij gedeserteerd was uit het Engelse leger. Miles, het moest Miles zijn.

'... maar mee,' zei mevrouw Selwick-Alderly.

'Wat?'

Mevrouw Selwick-Alderly herhaalde wat ze gezegd had. Mijn mond viel open van verbazing.

'Dat meent u niet.' Had ze me nu net aangeboden het manuscript mee naar huis te nemen, of niet? Ik was niet erg helder vanochtend, maar toch ook niet compleet van de kaart. Ik had haar vast verkeerd verstaan.

'Je moet het verhaal uitlezen,' zei ze. Ze vouwde de krant op en legde hem opzij. 'En dan gaan we erover praten of de Roze Anjer voldoet aan al je verwachtingen.'

'Maar als ik ze nu eens verlies?' wierp ik tegen. 'Stel je voor dat ik ze in de metro laat liggen, of dat ze nat worden in de regen, of...'

'Juist omdat je zo denkt,' zei mevrouw Selwick-Alderly innig tevreden, 'durf ik ze gerust aan je mee te geven.'

Tja, daar viel weinig tegenin te brengen, temeer omdat ik niets liever wilde dan dat! Ze had de papieren uit de logeerkamer gehaald, ze in hun speciale, zuurvrije doos gedaan, die doos in een schoon linnen laken uit de droogkast gewikkeld en het hele pak in niet minder dan zeven dikke plastic tassen gedaan en vervolgens in een draagtas van Fortnum. Ik mocht ze maar kort lenen, de volgende dag moesten ze terug zijn, waarschijnlijk om te zorgen dat Colin er niet achter zou komen dat de papieren weg waren.

Dat de veiligheid van de papieren gewaarborgd moest worden was logisch, maar waarom Colin zo gefixeerd was op geheimhouding was me een raadsel. Ik voelde me nog steeds gekwetst door zijn hooghartige instructies van vannacht. Alles blijft binnen de muren van deze flat... Nou nou!

Ik kon me voorstellen dat hij zijn familienaam niet door het slijk gehaald wilde zien in de roddelbladen – maar welk schandaal was er groot
genoeg om tweehonderd jaar na dato nog de aandacht van het publiek
te trekken? Misschien had zijn betovergrootvader, de Paarse Gentiaan,
zich *echt* laten omkopen door de Fransen en was hij ontmaskerd door
de Roze Anjer. Logisch dat Colin Selwick dat niet aan de grote klok
wilde hangen, fantaseerde ik. Maar zelfs als dat zo was, dan zou dat nog
niet veel meer losmaken dan wetenschappelijke interesse, leek me, of
op zijn hoogst een paar paragrafen ergens midden in de *Mirror* als er
weinig te melden viel. Zoiets was nu niet bepaald voorpaginanieuws.

Bovendien, voorzover ik dat uit de documentatie die ik gelezen had
kon opmaken vocht de Paarse Gentiaan met hart en ziel voor de goede
zaak. Het ergste wat ik over hem te weten was gekomen was dat hij
misselijke spelletjes speelde met het hart van juffrouw Amy Balcourt.
Arme Amy. Toen ik, bij het krieken van de dag, haar verslag daarvan
in haar dagboek had gelezen – net voordat mijn ogen zich eindelijk
overgaven aan de zwaartekracht en mijn lichaam aan de slaap – had
ik Lord Richard wel kunnen slaan! En hij leek nog wel zo'n charmante
vent. Maar ja, dat leken ze allemaal. Zelfs Grant was in het begin charmant geweest.

Nou, wat deed die daar nu nog, in mijn hoofd? Duvel op, verdomde
ex!

Boos dronk ik mijn koffie op en liep met het kartonnen bekertje
naar de prullenmand. Met onnodig veel kracht mikte ik het erin.

Alsof ik nog op Grant zat te wachten, gromde ik bij mezelf terwijl
ik terug naar het bed stampte. De klad zat er allang in toen Alicia de
kunsthistorica in beeld kwam. De laatste paar maanden waren we min
of meer uit gemakzucht bij elkaar gebleven, domweg omdat het te veel
moeite kostte om iemand anders te vinden om de eenzame vrijdag-
avonden mee op te vullen.

Ik liet me op de gebloemde sprei vallen en nam het in plastic gewikkelde pak op schoot. Helaas wist ik precies wat er aan de hand
was, ik leed aan het LIPIDE (Laatste Idiote Persoon In De Exenreeks)-
syndroom, een zelden gediagnostiseerde maar zeer veel voorkomende
ziekte waaraan alleenstaande vrouwen lijden.

Mijn kamergenoten en ik hadden die term bedacht op de universiteit om de verbijsterende verschijnselen van heimwee naar je meest

recente ex te verklaren. Hoe zeer je ook de pest aan hem had gehad, na een paar weken begon de relatie een roze tint aan te nemen en kropen er weemoedige frasen in het gesprek, in de trant van: 'Ik weet best dat hij me belazerd heeft met drie vrouwen tegelijk, maar hij kon zo geweldig goed dansen,' of: 'Oké, hij was een zware alcoholist, maar als hij nuchter was kon hij zo lief zijn! Weet je nog die bloemen die hij eens voor me kocht?' Onverklaarbaar, maar onvermijdelijk. Na een paar weken single lijkt zelfs de meest onvergeeflijke ex achteraf bezien nog charmant.

Vandaar het LIPIDE-syndroom. Zoals iedereen weet zijn lipiden vetten, en vetten zijn slecht voor je, en dus moet elke ex-vriend gemeden worden als de pest.

Dat krijg je als je al vier jaar een kamergenote hebt die biologie studeert.

De enige manier om het LIPIDE-syndroom tegen te gaan is afleiding. Nou ja, de enige kuur die *echt* werkt is een nieuwe liefde, waardoor de lipide een plaatsje opschuift in de rij van geliefden en dus onschadelijk wordt, maar er zijn andere, tijdelijke verstrooiingen, zoals een roman lezen, naar een film kijken of je verdiepen in het privéleven van historische figuren.

Met een verwachtingsvolle grijns ontdeed ik het pak op mijn schoot van zijn eerste laag, een groene zak van Harrods, en begon langzaam de volgende af te stropen, een turkooizen tas van de delicatessenafdeling van Fortnum & Mason. Ik was net aan de derde laag begonnen – weer een zak van Harrods, een restant van de uitverkoop van januari – toen mijn regenjas een sonate van Mozart begon te blèren.

Ik legde het pak van mijn schoot, vloog op de vibrerende jaszak af en rukte mijn gsm tevoorschijn halverwege de derde maat.

Het was pas acht uur 's ochtends. Wie belde er nu in godsnaam zo onbeschaafd vroeg op? Mevrouw Selwick-Alderly om de paperassen terug te eisen? Een razende Colin Selwick om me te beschuldigen van de diefstal van een belangrijk manuscript en me te dreigen met Scotland Yard?

PAMMY, stond er in hoofdletters op het schermpje.

Dat had ik kunnen weten.

Pammy en ik hadden tot de vierde klas op dezelfde meisjesschool gezeten in Manhattan. Toen waren haar ouders gescheiden, en haar

Engelse moeder had haar mee naar Londen genomen. Maar we hadden contact gehouden, eerst door middel van hanenpoterige schoolmeisjesbrieven, en later via eindeloze e-mailsessies. Ik was dol op haar, echt waar, maar Pammy was... Pammy. Een beetje *te*. Uniek. Zo gevoelig als een bouwploeg. Niet bepaald iemand om het mee over de Selwick-sage te hebben.

Even overwoog ik haar oproep te beëindigen met een druk op het rode knopje. Maar Pammy laat zich daar echt niet door afschrikken. Die blijft net zo lang bellen tot ik opneem. Ik drukte dus op het groene knopje.

'Hi, Pammy.'

'Wat doe jij vanavond aan?' vroeg ze zonder inleiding.

O God, vanavond. Helemaal vergeten! Verdomme! Ik wist dat ik niet had moeten opnemen.

Pammy deed pr, zoals ze luchtig op feestjes tegen mensen zei. Voorzover ik het kon beoordelen hield dat in dat ze peperdure feestjes gaf op kosten van anderen. Vanavond was er een extravagante partij ter ere van de opening van de zaak van een eigentijdse nieuwe modeontwerper in Covent Garden; eigentijds en nieuw wilde in dit verband zeggen dat de kleren op mysterieuze plaatsen gescheurd waren of gemaakt van exotische materialen als geïmporteerde Tibetaanse yakkenhuid (alleen stomen!). Pammy, die op de hoogte was van dat soort dingen, beweerde bij hoog en bij laag dat hij de nieuwe Marc Jacobs was. Net als op al Pammy's feestjes zou het er heet zijn en stampvol onmogelijk chique, sprankelende vrouwen met heupbeenderen zo scherp dat ze door zouden kunnen gaan voor verborgen wapens.

'Pammy, nee, ik kan niet,' kreunde ik.

'Haal het niet in je *hoofd* om niet te komen!' beval ze. 'Als je niet komt opdagen kom ik persoonlijk naar Bayswater en sleur je aan je haren je huis uit.'

Ze was ertoe in staat. Tenslotte was zij het meisje dat op een brugklasfeestje Andy Hochstetter in zijn kladden had gepakt en gedreigd had hem te wurgen met zijn eigen das als hij mij niet ten dans vroeg.

'Ik ben zo vreselijk moe...' probeerde ik er onderuit te komen.

Pammy snoof. 'Ga dan pitten! Je hoeft toch nergens heen?'

'Ik moet een manuscript lezen...'

Ik was er niet in geslaagd Pammy aan haar verstand te brengen dat promoveren inhield dat je moest werken.

'Ik moet nog tonnen manuscripten lezen...'

'Die mensen zijn al vijfhonderd jaar dood, Ellie. Wat maakt één dag je dan uit?'

Pammy had ook moeite met het begrip tijd. Ik was opgehouden haar uit te leggen dat 1803 maar tweehonderd jaar geleden was en dat de Roze Anjer niet, zoals mannen in ridderverhalen, in een harnas rondliep.

'Voor hen maakt het niets meer uit of je dat nu... godverdorie, kijk toch uit je doppen!'

Aangezien dat laatste gevolgd werd door gierende banden was het duidelijk dat het niet voor mij bedoeld was.

'Gaat het met je?' riep ik boven het lawaai van vloekende chauffeurs uit.

'Stelletje idioten,' mompelde Pammy, die zelf bijna drie voetgangers omver had gemaaid toen ze me eergisteravond thuisbracht. Ze zette haar toon weer in de vleistand. 'Toe nou, Ellie! Als je niet komt, ga je toch maar de hele avond in je eentje zitten kniezen. Je kunt toch niet altijd studeren? Het wordt leuk!'

'Leuk,' zei ik mat. Broodmagere modellen die rond paradeerden in kleren die regelrecht uit de gestoorde dromen van een surrealistische schilder leken te komen, terwijl de zelfbenoemde chic tegen elkaar stond te krijsen boven hun lauwe glazen champagne. Hmmm, champagne. Pammy zorgde altijd voor prima drank.

Pammy rook zwakte. 'Mooi! Het is maar een klein stukje lopen vanaf het metrostation van Covent Garden...' Zonder de tijd te nemen om adem te halen ratelde ze het adres op. 'Heb je dat?'

'Nee.'

'Ellie!'

Ik pakte pen en papier. Een orkaan tegenspreken was nog makkelijker. 'Zeg het nog eens,' droeg ik haar op.

Tegen de tijd dat ze klaar was, had ik twee A-viertjes vol gepend. Pammy, die wist hoe snel ik de weg kwijt was, gaf me een speciale *Ellie-routebeschrijving*, zoals zij dat noemt: een lange lijst van alle herkenningspunten in een straal van een kilometer vanwaar ik zijn moest. 'Als je een Starbucks ziet, ben je te ver,' besloot ze. 'Ik zal mijn gsm aanzetten. Waarschijnlijk kan ik het niet horen,' voegde ze er praktisch aan toe, 'maar bel me maar als je verdwaald bent, dan zal ik kijken of ik je kan komen zoeken.'

'Geen Starbucks...' herhaalde ik, al krabbelend. 'Komen er nog mensen die ik ken?'

Pammy ratelde een lijst namen af. Sommige mensen kende ik al van haar eerdere feestjes, onder anderen haar huidige vlam, een bankierstype met verrassend schreeuwerige dassen.

'En ik heb ook wat mensen van St. Paul's uitgenodigd.' St. Paul's was het internaat in Londen waar ze na haar vertrek uit Chapin heen was gegaan. 'Maar ik geloof niet dat je daar iemand van kent. Goed,' zette ze monter een punt achter alle inleidingen. 'Wat trek je aan?'

'Daar heb ik nog niet over nagedacht,' gaf ik toe. Wat kleding betreft vind ik Pammy's feestjes altijd een ramp. Met de telefoon tegen mijn oor liep ik naar de klerenkast en bekeek mijn beperkte Londense garderobe, die een weinig inspirerende aanblik bood. Tweed, tweed en nog eens tweed. Ik was kennelijk wat doorgeschoten in mijn wens om gekleed te gaan als een academica.

'Ik kan je wel wat lenen,' bood Pammy iets te snel aan. 'Ik heb net een snoezig jurkje gekocht...'

'Wat dacht je van mijn zwartje jurkje?' hield ik vol, terwijl ik me door rijen visgraat en Schotse ruit heen worstelde.

'Gatver,' zei Pammy welsprekend. 'Daarin zie je eruit als een echte Amerikaanse moeke.'

Dat was niet eerlijk. Goed, het was een klassiek zwart kokerjurkje, maar dan wel van een zachte, gladde stof die zo strak om mijn lijf viel dat het jurkje ten enen male ongeschikt was voor een ouderavond. Ik had het vorige winter in de uitverkoop bij Bergdorf op de kop getikt en het was uitermate geschikt om achter de hand te hebben voor onverwachte feestjes. Maar het was helaas niet bepaald een Pammy-jurk.

Maar wat dat dan wel was, een Pammy-jurk... 'Hoor eens, ik ga nu de metro in dus misschien val ik dadelijk weg, maar ik heb een idee. Je neemt gewoon twee sjaals, je wikkelt de ene om je boezem en de andere...'

Gelukkig rukte de metro Pammy buiten bereik voordat ze haar idee kon afronden. Zelfs Sheherazade mocht meer lagen dan dat!

Ik sloeg de kastdeuren dicht en liep terug naar het bed. Ik had nu geen zin om erover na te denken. Met een beetje geluk stond Pammy inderdaad om acht uur op de stoep met een outfit waarvan ze gewoonweg wist dat die mij fantastisch zou staan. De laatste keer dat ze dat gedaan had, moest ik er een roodleren bustehouder bij aan. Genoeg gezegd.

Ik schudde de kussens op en liet me dankbaar op het bed vallen. Liggend op mijn buik keek ik naar het in plastic gewikkelde pak. Een dutje doen? Of het manuscript lezen? Mijn lichaam snakte naar een dutje... maar toch stak ik mijn hand uit naar het manuscript.

Nog een of twee bladzijden uit Amy's dagboek, beloofde ik mijn afgepeigerde lichaam. Ik moest nog even te weten komen wat er gebeurde toen ze de oudheden van Lord Richard ging bekijken.

26

HET WERD NOG maar net licht boven de torens van de Notre Dame. In de kronkelige straten van de stad bleven vuurtjes onaangestoken en lagen verantwoordelijke burgers heerlijk te slapen in hun bed. Maar op het ministerie van Politie zat Gaston Delaroche al achter zijn bureau.

Voor zijn kantoor stonden vier mensen te wachten. De eerste droeg de kleren, en de geur, van een uienverkoper. Tijdens het wachten jongleerde hij met drie uien. De tweede ging gekleed in ruiterlaarzen, cape en hoed. Hij leek verdiept in het patroon van de tegels op de vloer en ontdook af en toe een ui. De derde was een forse vrouw in bruine wol, de haren opgestoken, die haar nagels bestudeerde in het flikkerende licht van de fakkels aan de muur. De laatste van het viertal was het soort straatschoffie dat je te allen tijde in elke grote stad kunt tegenkomen, een uitgeteerd ventje, bijeengehouden door vuiligheid en lompen. Hij pulkte aan de korsten op zijn arm.

De zwijgers in de gang hadden twee dingen gemeen. Het eerste was hun onopvallende uiterlijk. Ondanks hun uiteenlopende kostuums zou eenieder die door de gang liep er moeite mee hebben iets bijzonders aan hen op te merken.

Het tweede gemeenschappelijke element was Delaroche.

Alle vier wachtten zij op hun toelating tot het heilige der heilige, zoals ze dat elke ochtend deden sinds hij een beroep op hen had gedaan. Zoals ze elke ochtend zouden blijven wachten tot hij hun verlof gaf te vertrekken.

Zij waren zijn... nou ja, spionnen is zo'n akelig woord. Ze waren zijn informatiebronnen, zijn ogen, zijn oren, zijn najagers van alles wat onvindbaar en gevaarlijk was. Elk van hen was tot hem gekomen over paden zo duister dat zelfs zijn uitgebreide dossiers geen melding maakten van hun bestaan. Elk van hen was aan hem gebonden door een verplichting zo diep als leven of dood.

Uit hoffelijkheid mocht de dame, hoe dubieus haar claim op die titel ook wezen mocht, eerst naar binnen. Op bevel van Delaroche deed een wacht met rode ogen de deur open en, achter haar, weer dicht. Ze schiep er genoegen in om regelmatig te wisselen van accent: het ene moment lispelde ze als een beschaafde courtisane, het volgende krijste ze als een viswijf. Zo van rol wisselend meldde ze dat Augustus Whittlesby gisteren de dag liggend aan de voet van een standbeeld van Pan had doorgebracht, en vannacht de muze had nagejaagd in de armen van een van de meisjes uit het huis van plezier van Madame Pinpin.

'Niet genoeg, niet genoeg,' mompelde Delaroche en wuifde haar weg.

De uienverkoper was de volgende. Hij deelde de onderminister van Politie mee dat Sir Percy Blakeney zich de vorige dag had beziggehouden met lezen in zijn bibliotheek, kaarten met zijn vrouw en dineren met zijn broer en schoonzuster. Er waren geen onbekenden naar binnen gegaan, en Sir Percy had zijn huis niet verlaten.

Toen kwam de reiziger; zijn sporen klikten autoritair tegen de stenen vloer. Maar toen hij sprak bleek zijn stem niet te passen bij zijn stoere tred. Aarzelend en verontschuldigend biechtte hij op dat hij Georges Marston uit het oog was verloren op het feestje van Madame Rochefort en dat hij hem pas veel later buiten westen in een doodlopend straatje in het Quartier Latin had teruggevonden.

'Dwaas die je bent!' siste Delaroche en mepte met zijn vlakke hand op het bureau. 'Nonchalante dwaas!'

Met lood in de schoenen sloop de reiziger het kantoor uit, zijn sporen schrapend over de stenen. De anderen deinsden voor hem terug alsof hij de pest had. Je wist maar nooit hoe de smet van het ongenoegen kon overslaan.

Het laatst was het straatschoffie aan de beurt. Hij glipte de deur door met de ruige gratie van de bedelaar. In het felle licht van de kandelaars op het bureau van Delaroche – voor verlichting en als wapens – zweefde het vuile gezicht van de jongen onzeker tussen jeugd en volwassenheid.

Met lichte stem die even goed kon doorgaan voor een jongenssopraan als voor een tenor rapporteerde hij dat Lord Richard Selwick zich voornamelijk leek te hebben beziggehouden met amoureuze avontuurtjes. Gisterennacht had hij een afspraak gehad met een jonge vrouw uit het huishouden van De Balcourt.

'En vannacht?' De ogen van Delaroche vernauwden zich.

Vannacht, legde de jongen uit, had Selwick een aanvaring gehad met Georges Marston over een meisje in de Jardins du Luxembourg – zijn gezicht lichtte even op bij de vermelding dat er bloed gevloeid had – maar toen hij Marston zonder veel tegenstand buiten westen had geslagen was Selwick er met het meisje vandoor gegaan en had zich overgegeven aan activiteiten die eigenlijk achter gesloten luiken hoorden plaats te vinden.

'Marston is dus neergeslagen door Selwick.' Twee verdachten gediskwalificeerd door een wicht! Marstons ineengezakte lichaam in het park had nog wel zo veelbelovend geleken, en nu kreeg hij te horen dat daar niets anders achter zat dan een schermutseling over een juffertje... Delaroches neusgaten sperden zich open van woede. De enigen die hij nu dus weer overhad waren Sir Percy en Whittlesby. Koortsachtig schoten zijn gedachten terug naar de getuigenis van zijn agenten. Hij moest iets over het hoofd gezien hebben. Een aanwijzing.

De lippen van het straatschoffie kromden zich in het flikkerende kaarslicht tot een vege glimlach. 'Lord Richard Selwick,' voegde hij er zachtjes aan toe, 'droeg een capuchon en een masker.'

Delaroche had op het punt gestaan zijn laatste en jongste spion weg te sturen, maar de woorden van de jongen hielden hem tegen.

'Gemaskerd.'

'Vóór beide afspraken ging Lord Richard eerst terug naar huis. Hij kwam weer naar buiten in een zwarte cape, met een zwarte capuchon en een zwart masker op. Net zo'n cape, capuchon en masker als de Paarse Gentiaan draagt.'

'Dat is niet genoeg,' mompelde Delaroche binnensmonds. 'Iedereen kan een zwarte cape omslaan. Zelfs voor het masker kan een verklaring zijn. We moeten meer hebben. We moeten...' Delaroche vestigde zijn woeste blik op de straatjongen. 'Twee vrouwen zei je? Allebei de nachten één?'

'Ja.' De spion had geleerd korte antwoorden te geven.

'Aha.' Met de gemene glimlach van een spin die een vlieg bekijkt leunde Delaroche achterover in zijn stoel. 'Ziedaar het antwoord op ons raadsel.'

'Meneer?'

'Dat is toch zo klaar als een klontje?' blafte Delaroche met een humorloze lach. 'Kom nou! Zelfs jij moet de zwakke plek in zijn alibi toch zien! Selwick is... Engels!'

'Engels.' In de ogen van de spion daagde begrip.

Zwelgend in zelfgenoegzaamheid wreef Delaroche zich in de handen. 'Als Selwick Frans was, zou het een ongeloofwaardig verhaal zijn. Dan konden we hem nu afvoeren van onze lijst. Maar hij is Engels! En iedereen weet dat alle Engelsen kille, ongepassioneerde mensen zijn die niet in staat zijn tot een heftig liefdesleven. Een Engelsman die twee vrouwen verleidt in even zovele nachten is volkomen ondenkbaar.'

Delaroche verhief zich van zijn stoel en liep langzaam maar nadrukkelijk naar het raam. 'Jij,' zei hij zo vriendelijk dat de jongeman, die al menigmaal zonder blikken of blozen de bedreiging van een mes had doorstaan, op zijn benen stond te trillen van angst. 'Jij gaat Lord Richard Selwick dag en nacht schaduwen. Zorg voor een achterwacht van een groepje soldaten en verlies hem geen seconde uit het oog.'

'Jawel, meneer.'

'Hoor je me niet?' Met een ruk draaide Delaroche zich om. 'Ik zei: schaduw hem! Nu, verdomme!'

Zonder nog een woord te zeggen vluchtte de jongen de kamer uit.

Delaroches neus trilde als die van een hond die bloed ruikt. De Paarse Gentiaan werd nonchalant, te oordelen naar zijn dwaze vergissing om zijn ontmoetingen met spionnen te doen voorkomen als amoureuze avontuurtjes.

Lord Richard Selwick had machtige vrienden in de regering, vrienden die niet minder ontzagwekkend waren dan de stiefkinderen van de Eerste Consul. Men zei dat de Eerste Consul zelfs om de een of andere onverklaarbare reden dol was op de man. Maar hoe dol zou de Eerste Consul op zijn directeur van Egyptische oudheden blijven als zijn minder wetenschappelijke activiteiten aan het licht kwamen?

Delaroches lippen namen de vorm aan van een kromzwaard. 'Nog één fout, Selwick. Nog één fout, en u bent er geweest.'

27

'Goedemorgen, slaapkop!' klonk de stem van Jane van ergens heel dichtbij. Met de dekens stevig om haar schouders geklemd draaide Amy zich om. Jane vervolgde, met de onbewuste veroordeling van de vroege vogel: 'Het is al ver over elven. De dag is al half voorbij.'

'Daar mis ik niet veel aan,' mompelde Amy. Ondanks de troost van de bekende dialoog werd ze overvallen door een algeheel gevoel van onbehagen. Haar ogen prikten onder haar oogleden en haar keel deed pijn alsof ze griep kreeg.

Herinneringen aan de afgelopen nacht begonnen langzaam terug te komen, in flarden. Marston op de grond. Alle sterren die haar toe schenen. De Paarse Gentiaan die haar vertelde... O! Amy kneep haar ogen nog stijver dicht, alsof ze daarmee de herinnering kon buiten-sluiten aan de woorden van de Gentiaan: 'We kunnen elkaar niet meer zien.'

'Ik heb een beker chocola voor u,' probeerde Janes bekende stem haar over te halen wakker te worden. 'En ik moet u wat vertellen.'

Traag duwde Amy de dekens van haar kin en knipperde tegen het licht, haar ogen nog dik van de slaap. In haar Griekse ochtendjas, met haar haren in een wrong in haar nek, een stapel papieren in de ene hand en een pot warme chocola in de andere, leek Jane een onbekende godin uit de klassieke oudheid.

'Ik dacht wel dat u daarvoor zou zwichten,' zei Jane voldaan, maar haar toon veranderde toen ze Amy's rode ogen zag. 'Gaat het wel goed met u?' vroeg ze bezorgd.

Bij de aanblik van haar nichtje dat haar overgoot met liefde, bezorgd-heid en warme chocola – want Jane schrok zo van Amy's rode ogen dat ze niet eens merkte dat ze de pot schuin hield zodat er een bruine straal over de lichtblauwe deken spetterde – sprongen de tranen Amy in de ogen.

Ze trok haar kussen over haar hoofd en gromde: 'Niet als u me op dit uur van de ochtend wakker maakt.'

'Ik ben er niet eens zeker van dat het nog ochtend is.' Jane legde haar papieren neer, trok het kussen weg en overhandigde Amy – die haar tranen had teruggedrongen – een porseleinen kop met lauwe chocola.

'Wat is er vannacht gebeurd?' vroeg Jane terwijl ze op het bed ging zitten in het holletje naast Amy's heup. Haar rokken vermengden zich met de lakens, wit op wit. 'Ik ben vannacht nog even bij u langs geweest toen ik de klik van uw deur hoorde, maar u lag zo stil dat ik u niet wilde storen. Hebt u de Paarse Gentiaan nog gesproken?'

'Ik ben bang dat we de monarchie moeten herstellen zonder de Paarse Gentiaan,' zei Amy, met haar ogen op haar kop chocola. Met een onechte, gespannen lach sloeg ze haar ogen op naar Jane. 'Dat geeft ons wel meer bewegingsvrijheid, vindt u niet?'

Verschrikt keek Jane naar het trekken van Amy's lippen. 'Wat is er aan de hand, Amy?'

'Er is niks aan de hand. De Paarse Gentiaan en ik zijn er alleen maar achtergekomen dat we een ander...' Een ander gevoelsleven hebben? Een ander idee over de waarde van een zoen? Amy perste haar lippen op elkaar. 'Een ander doel voor ogen hebben,' besloot ze. 'Hij wil de invasie van Engeland tegenhouden, en ik wil de monarchie herstellen. Dat is alles.'

'Die twee zijn toch niet per definitie onverenigbaar?'

De Paarse Gentiaan leek te denken van wel. Hij zag in haar een afleiding die niet te verenigen was met het tegenhouden van de invasie van Engeland. Niet te verenigen met hem.

De romige chocola had een zure smaak in Amy's mond.

'We hebben de Paarse Gentiaan nergens voor nodig,' verklaarde Amy terwijl ze zich op haar ellebogen hees. 'Alleen omdat hij' – *knap en charmant en geestig en teder is,* fluisterde haar geest, die verrader, haar in – 'meer ervaring heeft, is hij nog niet onmisbaar. We redden het ook wel zonder hem.'

Een pijnlijk gevoel van leegte maakte zich van Amy meester. Misschien kon ze net doen alsof ze hem nooit gevonden had, nooit geloofd had dat ze hem liefhad, alleen wat dagdromen verloren had.

'Er is iets gebeurd tussen u en de Paarse Gentiaan. Heeft hij zich misdragen?' vroeg Jane somber. 'Heeft hij u pijn gedaan?'

'Nee! Helemaal niet. Hij heeft alleen...'

'Alleen wat?' spoorde Jane haar aan, met een dodelijke zweem van staal in haar grijze ogen.

'Het is ingewikkeld.'

Jane schonk Amy nog een kop chocola in en overhandigde die haar. 'Zo ingewikkeld kan het toch niet zijn?'

Dus deed Amy haar verhaal. Ze vertelde over de ontmoeting in de studeerkamer, de vechtpartij in de Jardins du Luxembourg – Amy ging daar zo snel mogelijk doorheen, want Janes gezicht nam de sombere uitdrukking aan die een preek voorspelde – en de afschuwelijke wandeling naar huis. De gebeurtenissen op de boot liet ze, op een paar kuise zoenen na, achterwege. En ook over de sterren repte ze niet, laat staan over een halsketting ervan.

Jane luisterde aandachtig. 'Ik weet niet of dit betekent wat u denkt dat het betekent.'

Amy plukte lusteloos aan een geborduurde lelie op de rand van haar dekbed. 'Ik zie hem nooit meer terug, punt uit.'

'Amy, u kunt toch niet zomaar...'

'Een romance zou mijn missie toch maar in de weg staan. Die kant ging het toch al uit.'

'Soort zoekt soort,' mompelde Jane. 'Dat klinkt alsof...'

'Toen u me wakker maakte, zei u dat u me wat te vertellen had. Wat dan?' viel Amy haar in de rede.

Jane nam de nette stapel papieren ter hand. 'Dat komt later wel. Om vier uur moeten we naar de Tuilerieën, en ik heb nog wat dingetjes te doen voor we vertrekken.'

Amy begroef haar hoofd weer in het kussen. 'Dat was ik helemaal vergeten. De oudheden van Lord Richard.'

Uren later, toen juffrouw Gwen hen de Tuilerieën binnenleidde om hun afspraak met Lord Richard na te komen, voelde ze zich nog steeds terneergeslagen. Amy keek met veel minder plezier dan normaal toe hoe juffrouw Gwen op luide toon in het Engels eisen stelde en de verbijsterde schildwachten met haar parasol prikte.

Een gevolg van drie lakeien, allen met een hand in hun pijnlijke zij, begeleidde hen naar het kantoor van Lord Richard.

Het was er kleiner dan Amy verwacht had. Of misschien leek het alleen maar kleiner omdat het er zo vol stond met voorwerpen. Lange tafels, geheel bedekt met vazen, aardewerk en resten van juwelen stonden opgesteld langs beide zijden van de kamer en in het midden. Overal stonden rijen kratten ter ondersteuning onder de tafels en in wankele torens opgestapeld in de hoeken. Aan het andere eind van de kamer zat Lord Richard, bijna onzichtbaar achter een stapel immens grote, in leer gebonden boeken. Amy liep wat verder de kamer in en zag dat hij een scherf zat te bestuderen; de ganzenveer in zijn andere hand zweefde boven een in keurige lettertjes reeds half volgeschreven pagina.

En hij was niet geheel gekleed.

Amy wilde niet nieuwsgierig lijken, maar Lord Richard had zijn jas over de rug van zijn stoel geslingerd, zijn vest hing open en het linnen van zijn hemd was van zeer fijne kwaliteit. De gezonde glans van huid schemerde door de witte stof heen. Gefascineerd keek Amy toe hoe de mouw opkroop tegen zijn gladde armspieren toen hij zijn ganzenveer naar de inktpot bracht en in de inkt doopte. Haar ogen gleden langs zijn arm omhoog naar de losgetrokken knoop van zijn kravat, waar zijn slagader klopte in het holletje van zijn blote keel.

Juffrouw Gwen schraapte haar keel zo hard dat je het drie provincies verder kon horen denderen.

'Ach, neemt u mij niet kwalijk!' Lord Richard greep naar zijn jas. 'Ik had u pas over een kwartier verwacht. Maar welkom, kom verder!' Met zijn verwoestende glimlach heette hij Amy in het bijzonder welkom.

'Wanneer bent u in Egypte geweest?' leidde juffrouw Gwen op haar bekende gebiedende toon het gesprek, zodat Amy nauwelijks iets hoefde te zeggen.

'Ik ben er in achtennegentig met de expeditie van Bonaparte heen gegaan en later dat jaar teruggekomen,' zei Lord Richard, zonder Amy aan te kijken.

Stik! Wedden dat juffrouw Gwen nu ongemakkelijke vragen ging stellen, terwijl het doel van dit bezoek nu juist was dat Amy hem aardig ging vinden om wie hij was. Als de expeditie naar Egypte nog een paar maal ter sprake kwam, zou ze hem weer aankijken alsof hij eigenhandig de halve Franse aristocratie onder de guillotine had gelegd.

Maar hij kon het juffrouw Gwen toch niet kwalijk nemen dat ze naar Egypte vroeg, als hij haar zelf had uitgenodigd om Egyptische oudheden te komen bekijken? Wat jammer nu dat hij helemaal geen leuke, veilige Romeinse of Griekse oudheden had liggen, maar hij kon hen toch moeilijk vragen een paar uur weg te gaan zodat hij een en ander kon regelen?

'Was u in Egypte toen Nelson de Franse vloot versloeg?'

'Ja.'

Juffrouw Gwens staalblauwe ogen keken hem iets al te doordringend aan naar zijn zin. Haastig pakte hij een ketting van een van de lange tafels langs de zijkanten van de ruimte. 'Dit is een ketting van faience, dat wil zeggen geglazuurd...'

'Waar was u dan?'

De ketting bungelde voor Amy's ogen in de lucht in matte tinten rood en blauw, terwijl Lord Richard verward een wenkbrauw optrok. 'Waar was ik wanneer?'

'Ach, laat ook maar.' Juffrouw Gwen wuifde heerszuchtig met haar hand. 'Het doet er niet toe.'

Jane schoot hem te hulp. 'Wat is dit, mijn Heer?' vroeg ze, wijzend op een stuk steen dat tegen de muur stond en dat gegraveerd was met, zo te zien, krabbels en tekeningetjes.

'We denken dat het een stèle[8] is,' legde Lord Richard uit terwijl hij zijn vinger liefkozend over de gravures liet glijden. 'Ziet u die tekeningen, bovenaan? Dat is de farao, daar in het midden, die een offer brengt aan een god; dat is de man daar met hoorns, rechts van hem. Zijn koningin, met die grote hoed, staat aan zijn linkerzij.

'Wie was zij?' vroeg Amy geboeid. Tegen haar voornemens in kwam ze naast hem staan.

'Dat weten we niet.' Met een jongensachtige grijns keek Lord Richard op haar neer. 'Zou u een gokje durven wagen? Misschien een prinses uit een ver land die over zee naar Egypte werd gebracht?'

'En die schipbreuk leed aan de kust,' opperde Amy, 'net als de heldin uit een stuk van Shakespeare, en die gedwongen werd zich te vermommen als een jongen tot haar aangeboren adel door haar nederige kleren heen schijnt. Ze trekt de aandacht van de farao...'

8 Oud-Griekse grafsteen of grafzuil met inscriptie.

'En ze leven nog lang en gelukkig,' maakte Lord Richard het verhaal voor haar af.

'Ik vraag me af wat er echt met haar gebeurd is,' zei Amy, en liet haar blikken over de onleesbare symbolen op de steen glijden. Dat deed haar denken aan de eerste keer dat ze naar de Griekse letters gekeken had op een pagina in een van Papa's boeken en zich niet kon voorstellen dat die raar gevormde inkthalen te herleiden waren tot de liefde van Ariadne en het verraad van Theseus. Verbazingwekkend eigenlijk dat zoveel verhalen gingen over mannen die de vrouwen die van hen hielden afwezen. Theseus en Ariadne, Jason en Medea, Aeneas en Dido. Jammer toch dat ze niet voldoende lering had getrokken uit haar verhalenbundels.

'Denkt u dat ze nog lang en gelukkig leefden?' vroeg Lord Richard zachtjes, en zijn vingers streken langs die van Amy die de contouren van een vogeltje natrokken.

'Dat is een eind voor boeken, niet voor mensen.'

'Boeken gaan toch over mensen?'

Richard gaf toe aan de verleiding om een tikkeltje meer naar Amy over te hellen. De lavendelgeur van haar haar vulde zijn neusgaten. Zijn blik gleed over haar donkere krullen, de zachte welving van haar wangen, het verrukkelijke kuiltje onder aan haar keel.

Amy deinsde terug voor de kracht van Lord Richards blik. 'Waarom vraagt u dat niet aan juffrouw Gwen?' stelde ze voor. 'Zij kan u vast alles vertellen over de personages in haar griezelroman.'

Richard keurde juffrouw Gwen geen blik waardig. Zijn groene ogen knepen zich tot spleetjes en bleven op Amy gericht. Waarom werd ze toch zo zenuwachtig van zijn stem, zijn aanwezigheid, zijn gepraat over een lang en gelukkig leven? Amy voelde een blos opstijgen naar haar wangen bij de aanblik van Lord Richards vingers die over de stenen plaat gleden om de contouren van de voorstellingen te strelen. Ze liet haar blik op Lord Richards gezicht rusten, en zag de lachrimpeltjes bij zijn ooghoeken, de gouden uiteinden van zijn wimpers, de fijne blonde haartjes op de brug van zijn neus.

'Uppington,' kondigde juffrouw Gwen zomaar ineens aan. Lord Richard schrok en stootte zijn hoofd tegen de stèle. Amy liet de adem die ze ingehouden had vrij en begon te giechelen.

'De Markiezen van Selwick van Uppington, van Uppington Hall. In Kent, als ik het wel heb,' vervolgde juffrouw Gwen.

Richard wreef over de bult op zijn hoofd – hij vroeg zich af of hij hieroglifen op zijn schedel zou hebben van de kracht van die klap – en glimlachte spijtig naar juffrouw Gwen. 'U kent uw *Debrett's* goed.'

Juffrouw Gwen snufte. 'Jongeman, ik woon op het platteland, niet in het wilde westen van Amerika. We zijn niet volledig afgesloten van de beschaafde wereld.'

'Neemt u me niet kwalijk.'

'Toen ik debutante was wist ik meer van de adel af dan welk ander meisje in Londen dan ook. Ik kon de pluim op een koets van vijf straten ver herkennen. Het landgoed van de Uppingtons grenst aan dat van de Blakeneys, als ik het wel heb?'

'Dus u kent de Rode Pimpernel?' vroeg Amy met ingehouden adem.

Het gezicht van Lord Richard veranderde in een masker dat even ondoorgrondelijk was als het uit hout gesneden masker van de farao op de stèle. Amy knipperde met haar ogen. Dat had ze zich vast maar verbeeld. Lord Richard schonk juffrouw Gwen een innemende glimlach en antwoordde: 'Ja, ik heb een groot deel van mijn jeugd doorgebracht met het plunderen van de keukens van de Blakeneys. Wilt u een mummy zien?' vroeg hij. 'Die kunt u misschien goed gebruiken in uw roman.'

Richard pakte juffrouw Gwen bij haar benige arm en leidde haar naar het midden van de kamer, weg van Amy.

Amy haastte zich achter hen aan. 'Wat is de Rode Pimpernel voor een man?'

'Percy is een geweldige kerel,' zei Richard warm. 'Hij gaf me zelfs niet op mijn kop als ik alle aardbeien uit zijn aardbeientaart opat.'

Amy glimlachte. Richard glimlachte terug. Ze glimlachten samen. Het was een speciaal moment.

Maar helaas duurde het maar even. Juffrouw Gwen maakte er een einde aan door luid met haar parasol op de plavuizen te stampen. Richard vond dat hij nog geluk had dat het de vloer was, en niet zijn tenen.

'Dank u voor uw gastvrijheid. We zijn u nu lang genoeg tot last geweest.' Juffrouw Gwen schudde Richards arm van zich af en greep die van Amy. 'Ik weet alles wat ik weten wilde (hoorde Richard een veelbetekenende pauze voor haar volgende woorden, of verbeeldde hij zich dat maar?) over Egyptische oudheden. Kom, Jane, Amy, niet treuzelen. Lord Richard heeft vast nog heel veel te doen.'

'Ik zal u naar uw koets brengen,' bood Richard aan, terwijl juffrouw Gwen haar protegeetjes met de punt van haar parasol naar buiten joeg.

Dat stond juffrouw Gwen genadig toe. Richard trakteerde Amy tijdens de wandeling door het paleis op verhalen over zijn jeugdige schelmenstreken en de goedheid van Percy. Amy hing aan zijn lippen en merkte niet eens op dat al zijn verhalen zich afspeelden meer dan een jaar voordat Sir Percy de Rode Pimpernel werd. Zij, op haar beurt, vertelde hem over haar geheime oefeningen om lid te worden van de bende van de Pimpernel, van haar middernachtelijke ontsnappingen uit de kinderkamer en de kostuums die ze bij elkaar scharrelde in de bijkeuken of de kast van haar oom.

'En niet te vergeten de keer dat u de schapen probeerde af te richten om op hol te slaan bij het geluid van een fluit,' deed Jane een duit in het zakje.

Lord Richard trok vragend een wenkbrauw op.

'Ik dacht dat ze misschien nuttig konden zijn bij een aanval,' verweerde Amy zich, met lippen die trilden van een onderdrukte lach. 'We hadden tenslotte geen cavalerie, dus ik moest roeien met de riemen die ik had.'

'Zeg eens eerlijk,' zei hij, en zijn stem daalde tot een zogenaamd vertrouwelijke fluistertoon. 'Hebt u de schapen ook echt *bereden*?'

Amy bloosde; enigszins schaapachtig keek ze hem aan.

'Jazeker, oorlogskreten brullend en zwaaiend met een houten zwaard,' bevestigde Jane.

'Toen was ik pas acht,' verdedigde Amy zich.

'Ja, maar u was twaalf toen u uw haren in brand stak.'

'Laat me eens raden,' zei Richard grijnzend. 'U was aan het experimenteren met dynamiet om de Bastille op te blazen.'

'Nee,' verbeterde Amy hem hooghartig, 'ik wreef as in mijn haar om te kijken of dat me overtuigend oud en grijs maakte. Maar ik had de sintels niet goed genoeg uitgestampt. Ik mocht van Oom Bertrand niet met dynamiet spelen,' voegde ze er spijtig aan toe toen ze naar buiten liepen.

Lord Richard wierp zijn hoofd in zijn nek en bulderde het uit. Zijn lach schalde over het binnenhof van de Tuilerieën. Hij begeleidde de drie dames naar Edouards koets, maakte een buiging voor juffrouw

Gwen en Jane en hielp hen de koets in. Nu stond Amy nog alleen voor de open deur.

Zijn stem daalde tot een intiem gefluister dat de huid van Amy's armen deed tintelen en dat haar chaperonne tot onmiddellijke actie had moeten bewegen. 'Speel niet met dynamiet,' waarschuwde hij en boog zich over Amy's hand. Met een snelle, ondeugende blik in de koets om zich ervan te vergewissen dat juffrouw Gwen in gesprek was met Jane draaide Lord Richard Amy's hand om en drukte een lange kus op de gevoelige huid van haar handpalm.

Amy's geschokte blik vloog van haar hand naar de lachende ogen van Lord Richard. Ze staarde hem aan en haar verwarring stond op haar gezicht te lezen. In het beladen moment voordat ze zich omdraaide om de koets in te klimmen liet hij zijn duim in een intieme liefkozing over haar handpalm glijden. En toen knipoogde hij.

En *hij* waarschuwde *haar* om niet met dynamiet te spelen?

28

IN EEN STAAT van extreme verwarring klom Amy de koets in. Ze leek tegenwoordig voortdurend in verwarring te zijn. Ze probeerde zich te herinneren hoe het was om je zeker te voelen van jezelf en haar plannen en haar meningen en de mensen om haar heen, maar dat lukte haar niet meer. Eerst had de Paarse Gentiaan haar van haar stuk gebracht door haar het idee te geven dat hij om haar gaf en haar vervolgens af te wijzen. En nu Lord Richard! Lord Richard die, telkens als ze dacht dat ze hem kon plaatsen – als een charmante oudheidkundige, als een doortrapte medeplichtige van de Fransen, als de minnaar van Pauline Bonaparte – iets deed waarmee hij dat beeld weer onderuithaalde. Hoe kon hij met zoveel warmte praten over Sir Percy en toch zelf met de Fransen heulen? Hoe flikte hij het toch om haar de ene keer zo opstandig te maken en haar dan weer zo te bekoren?

Misschien, dacht Amy, met haar handen stevig in elkaar geklemd in haar schoot, liet ze zich gewoon te makkelijk inpalmen. Ze moest wel een heel oppervlakkig wezen zijn om de ene dag te denken dat ze verliefd was op de Paarse Gentiaan en de volgende dag als een blok te vallen voor Lord Richard. O, wat was ze zeker geweest van haar gevoelens voor de Gentiaan! En van zijn gevoelens voor haar. Zijn belofte om een ketting van sterren voor haar te plukken had haar een soort goddelijk zegel van goedkeuring toegeschenen, een goddelijk teken dat hij haar officiële, enige ware liefde was.

Het zinnetje fladderde in kringetjes door haar hoofd en knaagde aan haar geheugen. Een ketting van sterren... een ketting van sterren. Ze had de Paarse Gentiaan toch niets verteld over de belofte van haar vader; ze had hem zelfs niet verteld dat haar ouders dood waren. Er was maar één persoon in Frankrijk die wist van die herinnering uit haar jeugd. Eén persoon die opgegroeid was als buurjongen van Percy Bla-keney, die in Egypte was toen Bonapartes vloot verslagen werd. Eén persoon die de vorige middag een strakke geelbruine broek aan had gehad. Eén persoon die altijd naar citrus geurde.

'De ploert!' hijgde Amy.

Jane onderbrak haar gesprek met juffrouw Gwen en legde haar hand op die van Amy. 'Voelt u zich wel goed?'

Amy dacht niet meer aan Jane, aan juffrouw Gwen, aan discretie. Ze rukte haar hand los en gaf er een harde klap mee op de bank. 'Die afschuwelijke armzalige leugenachtige *ploert*!'

'Amy? Wilt u me alstublieft vertellen wat er aan de hand is?' vroeg Jane op veilige afstand voor het geval Amy nogmaals zou slaan. Amy had haar kunnen vertellen dat ze niets te vrezen had – de enige die ze een klap wilde geven, en nog één en nog één en nog één, bevond zich een flink aantal meters van haar af in de Tuilerieën – maar ze was niet in staat iets samenhangends uit te brengen.

'Ploert... walgelijke.. grrr!' mompelde ze.

Haar armen maaiden woest in het rond. Jane schoof een stukje verder van haar af en keek juffrouw Gwen bezorgd aan. 'Moeten we niet...?'

Maar juffrouw Gwen schonk Amy een onbewogen, zij het lichtelijk kwaadaardige glimlach. 'Het heeft u wel een hoop tijd gekost om er-achter te komen, hè?'

'Wist u het dan?' Amy's wenkbrauwen schoten omhoog tot ze bijna haar haargrens raakten. 'Hebt u het al die tijd geweten? En mij er niets van verteld?'

Jane keek opgewekt van Amy's geagiteerde gezicht naar de zelfin-genomen glimlach van juffrouw Gwen. 'Dat Lord Richard de Paarse Gentiaan is, bedoelt u?'

'Grrrrr!' Amy liet zich met haar gezicht in de kussens van de bank vallen.

'Het zal u misschien goed doen om te weten dat ik er ook pas van-ochtend achtergekomen ben,' zei Jane verontschuldigend terwijl ze een punt van haar rok onder Amy's hoofd vandaan trok.

'Geweldig,' sputterde Amy. Ze verhief haar verhitte gezicht van de bank en herhaalde: 'Geweldig. *Iedereen* weet het behalve ik.'

'De Eerste Consul weet het nog niet,' zei Jane fijntjes. 'En het minis-terie van Veiligheid ook niet.'

'Nee, maar die hebben hem niet gezoend,' riep Amy achteloos uit.

'U bedoelt dat u dat wel hebt gedaan?' Juffrouw Gwen wierp Amy de loerende blik toe van een gier die een prooi ontwaart.

'Nou, eh...'

'Ik zal me onthouden van commentaar op uw roekeloze veronacht-zaming van uw reputatie.' Juffrouw Gwens stem schraapte over Amy's gevoelige zenuwen. 'Uw zeden laat ik aan uw eigen geweten over. En aangezien gedane zaken geen keer nemen, kunnen we maar beter het kleine beetje goeds dat deze ongelukkige episode heeft voortgebracht benutten.'

'Bedoelt u dat ik mijn lesje geleerd heb en weet dat ik nooit meer iemand mag zoenen?'

Juffrouw Gwen doorboorde Amy met een blik van opperste min-achting. 'Uw lesje geleerd, ja ja! Doe alsjeblieft niet zotter dan de goede God u gemaakt heeft. Nee. Ik eis een volledige beschrijving van de zoen of zoenen, zodat ik die kan verwerken in mijn roman.'

De hele wereld was gek geworden. Dat was de enige verklaring die Amy kon bedenken. Lord Richard Selwick, Bonapartes oudheidkun-dige, was de Paarse Gentiaan. Juffrouw Gwen gaf haar geen standje voor haar onbetamelijke gedrag maar wilde het in haar roman gebrui-ken. Wat kon ze allemaal nog meer verwachten?

Verbijstering leidde haar even af van Lord Richards bedrog. Maar niet lang. 'Hoe kon hij zo *wreed* zijn?' fluisterde ze bedroefd.

'Waarom gaat u hem niet vertellen dat u weet wie hij is?' stelde Jane voor.

Amy schudde zo heftig haar hoofd dat haar losse krullen tegen het puntje van Janes neus sloegen. 'U begrijpt het niet, Jane. Ik wil hem laten *lijden*.'

Juffrouw Gwen stootte een krakend geluid uit dat moest doorgaan voor een lach. 'Ach. Jonge liefde.'

Amy keek haar woedend aan. 'Waar hebt u het in hemelsnaam over?'

'Ik zou de naam van de hemel maar niet ijdel gebruiken, juffertje. Misschien wilt u er nog wel eens naartoe,' grijnsde juffrouw Gwen. Amy kookte van woede. Toen juffrouw Gwen vond dat Amy lang ge-noeg gekookt had, sprak ze: 'Het is o, zo simpel. U zou hem nooit zo haten als u hem niet liefhad. Hmm. Aardig. Misschien kan ik dat wel gebruiken voor mijn boek.'

'Nou, dan vaart er tenminste *iemand* wel bij deze farce,' beet Amy haar toe.

'Wilt u niet zo'n toon tegen me aanslaan, jongedame? Ik sta aan uw kant, dus u hoeft me niet zo boos aan te kijken. De jongeman heeft op zeer ongepaste wijze met uw gevoelens gespeeld en dient de straf te krijgen die u verkiest.' Juffrouw Gwen dacht even na en voegde er toen aan toe: 'Behalve lichamelijke verminking. We moeten de grenzen van het fatsoen in acht nemen.'

Amy liet een lach horen die verdacht veel klonk als een snik.

'Hoe denkt u wraak te gaan nemen?' vroeg juffrouw Gwen opgewekt.

Opgelucht gaf Amy zich over aan haar favoriete tijdverdrijf: plannen beramen. Haar hele leven was dat al een betrouwbare remedie tegen huilbuien gebleken, maar niets leek haar zo mooi als het beramen van plannen om vernietiging, wraak en chaos over het schuldige gouden hoofd van Lord Richard Selwick uit te storten. Amy wreef de tranen uit haar ogen en ging aan het werk.

De ideale wraak zou zijn om hem een koekje van eigen deeg te bereiden. Misschien kon ze verkleed zijn kamers binnendringen, zwaar gesluierd in zwart, en hem ervan overtuigen dat ze een geheime agent van het ministerie van Oorlog was. Of nee, beter nog, ze kon een Franse spionne zijn die was overgelopen naar de Engelsen. Hij kon haar gezicht niet zien en ze zou spreken met een zwaar accent – een Provençaals dialect, of zo, zuidelijk en exotisch, met de echo's van de troubadours en de hoofse liefde – zodat hij haar stem niet zou herkennen. En als hij dan vreselijk, smartelijk verliefd op haar was, kon ze hem afwijzen in een donkere nacht en hem gebroken bij zijn eigen huis laten staan. Oog om oog, tand om tand, en bedrog om bedrog. Je reinste rechtvaardigheid.

Het was een perfect plan.

En heel onpraktisch. Ze had geen enkele garantie dat hij verliefd op haar zou worden. Trouwens, één ruk aan haar sluier en het hele plan was naar de maan. Amy verzonk weer in gepeins.

Wat was het allerbelangrijkste voor hem? Wat zou hem het meeste pijn doen als het hem werd afgepakt?

'Ik ga zorgen dat ik het Zwitserse goud te pakken krijg. Ik zal de Paarse Gentiaan wel eens laten zien dat hij niet de enige is die Bonaparte een loer kan draaien.'

Juffrouw Gwen keek Amy goedkeurend aan. 'Ik dacht wel dat u pit had.'

Jane en Amy keken juffrouw Gwen allebei met open mond aan.

'Was dat een compliment?' fluisterde Amy tegen Jane.

'Het klonk wel zo,' knikte Jane, met grote ogen van verbazing.

'Laat het u niet naar uw hoofd stijgen,' verstoorde juffrouw Gwen droog hun onderonsje. 'Ik zei alleen maar dat ik het dacht. Misschien blijkt het helemaal niet waar te zijn.'

'Dank u,' zei Amy.

'Ik vind dit een beter plan dan Lord Richard kwellen,' gaf Jane, naar voren leunend op de bank, haar mening.

'O, maar dat ga ik ook nog doen,' antwoordde Amy koppig. 'Juffrouw Gwen heeft gelijk. Hij heeft de 'wat gij niet wilt dat u geschiedt'-regel overtreden, en nu krijgt hij zijn verdiende loon. Wat jammer toch dat *ik* me niet kan uitgeven voor twee mensen, om hem te laten weten hoe dat voelt.'

'Daar hebben we het nu niet meer over,' zei Jane haastig. 'Hoe gaan we het goud onderscheppen?'

'We hadden al een plan.' Met een spijtige grimas op haar gezicht ontvouwde Amy het plan dat zij de afgelopen nacht samen met de Paarse Gentiaan had gesmeed. Juffrouw Gwen luisterde aandachtig. 'Als dat het plan is dat de Paarse Gentiaan gaat gebruiken, moeten wij iets anders bedenken.'

'We hebben er niet genoeg mensen voor,' merkte Jane, praktisch als altijd, op. 'De Paarse Gentiaan heeft een Verbond; wij zijn maar met z'n drieën. Niet dat we samen niet sterk zijn, hoor,' voegde ze er snel aan toe, met een blik op juffrouw Gwen.

'Waarom zouden wij niet ook een verbond oprichten?' wilde juffrouw Gwen weten.

'Dat is het! Amy...' Janes mond vormde een O van plezier. Sprakeloos van vrolijkheid zakte ze terug in de kussens van de bank, met de ene hand tegen haar boezem gedrukt en de andere reikend naar haar nichtje.

'Vooruit met de geit!' zei juffrouw Gwen ongeduldig.

'De Roze Anjer!' riep Jane, happend naar lucht.

Juffrouw Gwen keek haar aan alsof ze haar onmiddellijk naar het gekkenhuis wilde brengen.

'Weet u niet meer, Amy? Voor de Paarse Gentiaan op de proppen kwam, zouden we zelf een verbond oprichten, en dat noemden we dan...'

'De Roze Anjer,' vulde Amy aan, en er gleed een voorzichtige glimlach over haar ongelukkige gezicht. 'Dat vonden we mooier dan de Onzichtbare Orchidee,' besloot ze, met overslaande stem.

'Zullen we het doen?' vroeg Jane ademloos. Een lichte blos verspreidde zich over haar bleke wangen. 'Zullen we de Roze Anjer worden?'

'O Jane!' Amy slingerde zich over de bank om haar nichtje te omhelzen. 'Wat een fantastisch plan! We gaan ervoor zorgen dat Bonaparte al bibbert bij de aanblik van een Anjer!'

'Ik vind de Onzichtbare Orchidee toch beter,' kondigde juffrouw Gwen aan.

Geen van haar twee protegeetjes luisterde. Ze waren al volop bezig plannen te maken voor de carrière van de Roze Anjer.

29

Op weg naar Pammy's feestje raakte ik slechts driemaal de weg kwijt. Dat het niet vaker gebeurde kwam enkel en alleen door de goede aanwijzingen van Pammy, die het niveau hadden van 'een kind kan de was doen'. Zelfs op mijn best ben ik niet bepaald een briljant navigator, maar in mijn huidige verdwaasde toestand was het nog een wonder dat ik niet in Schotland verzeild raakte. Tegen de tijd dat ik de weg had teruggevonden van High Holborn (vraag me niet hoe ik daar gekomen ben) naar Covent Garden, speelde ik met de gedachte de metro terug naar huis te nemen. Slechts een uitgesproken tegenzin om alleen te zijn met mijn gedachten spoorde me aan Pammy's routebeschrijving uit de zak van mijn regenjas te vissen en het nog eens te proberen.

Ik snakte naar een glas champagne.

Zodra Pammy me bij de deur zag staan zwaaide ze een piepklein roze tasje als een lasso boven haar hoofd en riep: 'Ellie!' Ze baande zich een weg door de modellen heen en rende naar me toe om me welkom te heten op mijn vierkante meter koude stoep. Je zou haast zeggen dat we vrijgelaten gevangenen waren in plaats van vriendinnen die afgelopen dinsdag nog samen gegeten hadden, zo uitbundig vielen we elkaar in de armen.

Ondanks de mist in mijn hoofd viel mijn mond open bij de aanblik van Pammy's nieuwste outfit. Ze droeg een knalroze broek van slangenhuid in de stijl van Christian Lacroix, die ondefinieerbare wildeman uit de jungle van de mode, met daarop een topje van Pucci in felle wervelingen van blauw, roze en oranje, dat vreselijk vloekte bij het felroze van de broek en nog erger bij de rode pieken in haar korte blonde haar. Het effect had vreselijk moeten zijn, maar ze zag eruit alsof ze regelrecht van de omslag van de *Cosmo* was gestapt.

Ik had een van mijn lievelingsjurken aan, een beige suède kokerjurkje van BCBG. Van voren zag het er heel zedig uit, maar van achteren was het bloot vanaf de taille, met uitzondering van een asymmetrisch bandje midden over de rug dat eerder diende om de naaktheid te benadrukken dan te bedekken. Het was mijn goed-voor-mijn-ego-jurk. Bij het crème van de jurk leek mijn haar eerder rossig dan rood, en met mijn extravagante rug voelde ik me een schoonheid uit een oude Hollywood-film.

Pammy bekeek me kritisch van top tot teen.

'Nou ja, je hebt in elk geval je parels niet om.'

Ze duwde me een neongroene stok in mijn handen (zij had een roze, waarschijnlijk vanwege haar broek) en trok me langs de rode touwen mee een zaal binnen die al zo vol was dat er mensen op de rand van de draaitafel van de dj zaten om niet in de weg te staan. Aan het andere eind van de zaal was een provisorische catwalk gebouwd, waarop twee vrouwen met modieus verveelde gezichten poseerden met de schouders naar achteren en de heupen naar voren, een zatte vrouw negerend die probeerde op het platform te klauteren. Ik wurmde me uit mijn regenjas en hing die over mijn arm, want de kapstok – *als* die er al gestaan had – was kennelijk allang omvergelopen door de feestvierende hordes.

'Aaaah, bubbeltjes!' riep Pammy uit toen ze op een paar meter afstand een kelner langs zag schuiven. 'Joehoe! Hier!' zong ze.

Ik kreeg een glas in mijn handen geduwd; Pammy stelde me aan iemand voor; we schreeuwden elkaar wat schertsende opmerkingen toe boven het gebonk van de muziek uit en liepen door.

In Pammy's kielzog worstelde ik me door de menigte heen, afwezig knikkend als reactie op haar gefluisterde commentaren ('Roderick, die klootzak! Wil je wel geloven dat...'), maar ik kon er de helft niet van verstaan. En dat was niet de schuld van de muziek, of de vele mensen, of de discolamp die erop uit leek te zijn me te verblinden; ik was met mijn gedachten heel ergens anders, in het jaar 1803.

Mijn kloeke held, mijn toonbeeld van mannelijkheid, mijn geliefde uit met maanlicht overgoten dagdromen was een vrouw.

De Roze Anjer was een vrouw.

Vlak voordat ik naar Pammy's feestje ging had ik in Amy's dagboek de passage gelezen waarin ze de geboorte van de Roze Anjer beschreef. Ik had me al verkleed en zat op het randje van mijn bed, met mijn tas en mijn jas naast me, nog één bladzij te lezen voordat ik echt moest gaan. Ik wilde zo graag weten of Lord Richard door de knieën zou gaan en Amy zou vertellen wie hij was; ik hoopte vurig voor Amy van wel.

Misschien kwam de onthulling daarom wel zo onverwachts. Ik was er niet op voorbereid. Het was geen moment bij me opgekomen dat de Roze Anjer ook wel eens *geen* man zou kunnen zijn. Ik had slechts Miles Dorrington, of misschien ook wel Geoffrey Pinchingdale-Snipe, of zelfs Augustus Whittlesby in gedachten gehad. Ik had de hoop al opgegeven dat ik er iets over zou lezen in Amy's dagboek, dat eigenlijk alleen maar ging over de dingen die haar persoonlijk aangingen. Als ik al iets over de Roze Anjer te weten zou komen, dan zou dat waarschijnlijk in een brief van Miles aan Richard zijn: 'Hallo, ouwe jongen. Het ministerie van Oorlog stuurt mij om jou te vervangen. Afgezien van een rare bloemennaam lijkt het me erg leuk!' Of iets in die trant. Nooit van mijn leven had ik deze ontknoping verwacht.

Daar zat ik dan, als door de bliksem getroffen, met de papieren van het manuscript als een waaier op mijn beige suède schoot, na te denken over alle hints die ik gemist had. Amy's verhalen over de exercities uit haar jeugd, haar vaste voornemen om Napoleon te onttronen, haar vurige wens om zich bij een verbond aan te sluiten. Ik had het kunnen weten. Ik had het kunnen verwachten.

Maar wie had ooit gedacht dat de Roze Anjer een vrouw zou zijn?

Ik klampte me vast aan strohalmen. Ik was er nog niet helemaal zeker van dat de Roze Anjer Amy was. Ze had het tenslotte nog maar net verzonnen. Misschien had ze het idee aan iemand prijsgegeven... maar aan wie? Aan Geoff? Nee, dat lag niet voor de hand. Geoff was Richards vriend, niet die van Amy. Whittlesby? Maar dat vond Amy een halfgare idioot. En waarom zou Amy het in haar hoofd halen haar verbond af te staan aan iemand anders?

Ik kon er niet omheen. De Roze Anjer was een vrouw.

In de metro had ik als een zombie voor me uit zitten staren. Een andere passagier, een oudere dame met een wollen muts en rotte tanden, had me gevraagd of ik ziek was. Ik had mijn hoofd geschud en haar beleefd bedankt, maar mijn hoofd tolde zo dat het nauwelijks tot me doorgedrongen was.

Hoe kon ik het over het hoofd hebben gezien? Hoe kon ik, een wetenschapper, zo onzorgvuldig te werk zijn gegaan? Het stak me dat ik me zo had laten verblinden door mijn vooroordelen. Een mooie geschiedkundige was ik! Verblind door mijn eigen verbeelding had ik maar wat aangemodderd.

Goed, dat deed pijn, maar iets anders deed nog veel meer pijn: het verlies van mijn droom. Ik vroeg me af of Amy zich net zo gevoeld had toen ze tot de ontdekking kwam dat haar Paarse Gentiaan, haar droomprins, Lord Richard Selwick was, en dat ze alles wat ze tot dan toe had aangenomen moest herzien.

Mijn beeld – mijn fantasie, zoals ik inmiddels pijnlijk besefte – van de Roze Anjer was zo echt geweest, zo solide. In mijn hoofd was hij een kruising geweest tussen Zorro en Anthony Andrews als de Rode Pimpernel. Een lichtzinnige grijns, een koket schuin gehouden hoofd, een vaste zwaardarm. Ik kon zo mijn ogen sluiten en hem oproepen, zelfs nu nog. Maar geen van die dingen had ooit echt bestaan. Poef! Alles weg! En in plaats van mijn prachtige Zorro-kloon stond daar een kwieke twintigjarige Engelse in een mousselinen jurk bedrukt met blaadjes en takjes.

En Colin Selwick wist dat! Mijn gezicht werd heet toen ik me mijn felle pleidooi voor de mannelijkheid van de Roze Anjer herinnerde. Wat zal hij me uitgelachen hebben!

'Nou, daar zijn we het dan tenminste over eens,' had hij gezegd, toen ter sprake kwam dat de Roze Anjer geen travestiet was. Die droge zweem van spot in zijn stem. Toen dacht ik nog dat hij spottend lachte bij het idee dat wij het *ergens* over eens konden zijn, maar nu begreep ik pas dat hij me gewoon had uitgelachen. Natuurlijk was de Roze Anjer geen travestiet. Amy droeg jurken en noemde zichzelf naar een roze bloem omdat ze een vrouw was. Geen man dus die zich als vrouw verkleedde met een anjerfixatie, en zelfs geen dandy met een voorliefde voor roze uit de tijd van het regentschap van George, de Prins van Wales. En Colin Selwick wist dat van het begin af aan.

Knikkend en glimlachend naar een van Pammys' talloze kennissen sloeg ik mijn glas champagne achterover en pakte er nog een.

'Pardon?'

Een van Pammy's vrienden probeerde zowaar een praatje met me aan te knopen. Met mijn derde glas champagne in de hand – of was het mijn vierde? – moest ik mijn blik even scherp stellen en zag een vrij lange man met donker, golvend haar voor me staan, beslist niet onknap, als je houdt van donkere, broeierige types als Rufus Sewell.

'Rabarberrabarberrabarber,' herhaalde hij.

'Wat je zegt!' zei ik luchtig. 'Helemaal mee eens!'

Krullenbol keek me vreemd aan en wendde zijn hoofd af.

'Eh, Eloïse?' siste Pammy in mijn oor. 'Hij vroeg hoe je heette.'

'Nou, dat vond ik een hele goede vraag!' siste ik terug.

Dat is het fijne van champagne. Na een paar glazen raak je het vermogen kwijt om je een idioot te voelen.

'O, kijk eens wie daar is!' Pammy keek nog steeds in de richting van Krullenbol, maar haar aandacht was verschoven naar iemand die vlak naast hem stond. Krullenbol negeerde ons allebei straal. Ik besteedde ook niet veel aandacht aan Pammy's uitroep, want ze had het laatste uur niet veel anders geroepen. 'Ik had niet verwacht dat zij ook zou komen. Serena! Joehoe, Serena!'

Krullenbol deed een stapje achteruit, en in de opening zag ik Chique Meid, ook wel bekend als Serena. En achter haar stond Colin Selwick.

Iets kouds en nats drupte in mijn open schoentjes. Oeps. Haastig hield ik mijn champagneglas recht voor ik nog meer drank op mijn voeten morste.

'Joehoe!' Zelfs boven alle herrie uit kon Pammy zich nog verstaanbaar maken. 'Hier ben ik!'

Met een aarzelende glimlach wuifde Serena even terug, zei iets tegen Colin en begon zich tussen de interveniërende lichamen door een weg te banen naar Pammy.

'Ken je haar?' siste ik, toen Serena om Krullenbol heen op ons afstevende, met Colin in haar kielzog.

'Een van de meiden van St. Paul's,' fluisterde Pammy. 'Een beetje verlegen, maar echt een schatje. Hallo!' Ze vloog Serena om de hals en kuste haar op beide wangen. 'En dit is mijn vriendin Eloïse. Eloïse, mag ik je voorstellen aan Serena en haar...'

'Wij kennen elkaar,' viel ik haar in de rede, met een wuif van mijn champagneglas. 'Hallo, Serena.' Ik schonk Serena een lieve glimlach; ze leek inderdaad een schatje, ook al had ze weer een paar laarsjes aan waar ik een moord voor zou doen, ditmaal van zacht, zwart leer, bij een zwart jurkje dat helemaal niets voor een moeder uit Chapin geweest zou zijn.

'Jij daar,' wees ik met mijn champagneglas naar Colin.

Ik had zo'n gevoel dat Pammy me straks op mijn kop zou geven, maar champagne is het leeuwendeel van moed, en ik moest en zou het over de Roze Anjer hebben. De vrouwelijke Roze Anjer.

'Ik moet met je praten.'

Colin trok een wenkbrauw op. 'Waarover?'

'Ja, waarover?' echode Pammy schaamteloos.

Ik keek haar nijdig aan. 'Niet hier. Kom mee. Ik ben zo terug,' stelde ik Serena gerust, pakte haar vriend bij de hand en sleepte hem mee naar het andere eind van de zaal. In één hoek van de catwalk was een plekje waar het betrekkelijk rustig was. De modellen hadden het platform allang verlaten, en twee dronken gasten stonden te zwaaien op de muziek; een van de twee leek net een wandelende kerstboom in haar groene jurk met lovertjes.

Colin liet zich meeslepen, maar maakte zich los zodra we in de hoek stonden. 'Bond, James Bond?' vroeg hij spottend.

'Het is een vrouw!'

Colin keek met een verbaasde frons naar de kerstboomvrouw. 'Dat weet ik zo net nog niet.'

Ik gaf hem een tik met mijn gloeistok, die allang niet meer gloeide. 'Zij niet! Lieve hemel, doe niet zo stom! Je weet best wie ik bedoel. *De Roze Anjer is een vrouw.*'

Nu had ik zijn aandacht. 'Sjjt.'

Ik wierp hem een geërgerde blik toe. 'Denk je nu heus dat iemand hier daarin geïnteresseerd is? Ze zouden waarschijnlijk denken dat ik het over een nieuwe popgroep had.'

Zijn gezicht ontspande zich tot een geamuseerde glimlach. 'Da's waar.'

'Waarom heb je me dat niet verteld?' wilde ik weten.

'Je hebt er niet naar gevraagd.'

'Dat is het kinderachtigste antwoord dat ik ooit gehoord heb.'

Met een smak zette Colin zijn lege champagneglas op de rand van de catwalk. 'Tja, wat kan ik anders zeggen?'

'Je liet me gewoon aanleuteren over de Roze Anjer, terwijl je heel goed wist dat...' Ik beet hard op mijn lip.

'Terwijl ik wat heel goed wist?'

'Dat de Roze Anjer een vrouw was!'

'Dat heeft je wel erg van streek gemaakt, hè?'

'Grrrrr!' Wat een typische mannenopmerking!

Volledig uit het veld geslagen graaide Colin nog twee glazen champagne van een langskomend blad, duwde mij daar een van in de hand en sloot mijn vingers om de steel. 'Hier, drink maar op. Je ziet eruit alsof je het nodig hebt.'

Ondanks het feit dat het van Colin Selwick kwam, was dat een uitstekend advies. Ik dronk.

'Ik weet dat je niet wilde dat ik kwam grasduinen, maar daarom hoefde je me nog niet uit te lachen,' flapte ik eruit.

'Wanneer heb ik je dan uitgelachen?' vroeg hij, met een goede imitatie van verbazing.

Ik keek hem achterdochtig aan. 'Vannacht.'

Colin dacht daarover na. Begrip daagde in zijn lichtbruine ogen. 'Je bedoelt in die nachtjapon? Maar zeg nou zelf, je leek sprekend op Jane Eyre.'

Dat kon ik er niet ook nog eens bij hebben. 'Hou daar nu maar over op.'

'Hè, jammer nou!' Colins lippen trilden. 'Zo vaak sta ik niet in de keuken met een heldin van Brontë...'

'Houd op!' Ik maakte een sprongetje van ergernis. 'Daar had ik het helemaal niet over! Ik bedoelde niet dat je me uitlachte omdat ik eruitzag als een krankzinnige heldin uit een griezelverhaal...'

'Ik heb het woord *krankzinnig* niet in de mond genomen,' viel Colin haar grinnikend in de rede.

'Hou je mond!' brulde ik, hem ongetwijfeld op andere gedachten brengend wat betreft die krankzinnigheid. 'Ik had het over de mannelijkheid van de Roze Anjer, en dat ik het niet aardig van je vind!'

'Zeg dat nog eens?' vroeg Colin.

Ik omklemde de steel van mijn champagneglas, haalde diep adem en begon opnieuw. 'Ik bedoel,' zei ik met nadrukkelijke ernst, 'dat je me rustig in de waan liet dat de Roze Anjer een man was, terwijl je allang wist dat het Amy was.'

'Dus jij denkt dat de Roze Anjer...' Colin zweeg abrupt. 'Nou ja, laat maar. Zullen we even teruggaan naar vannacht? Ten eerste kan ik me helemaal niet herinneren dat je gezegd hebt dat de Roze Anjer een man was.'

Had ik dat dan niet gezegd? Ik pijnigde mijn benevelde hersenen. Hij had iets gezegd over die onderzoeker die dacht dat de Roze Anjer een travestiet was, en ik had gezegd... Wat had ik eigenlijk gezegd? Ik kon het me niet meer herinneren. Verdomme nog aan toe!

'O,' zei ik met een klein stemmetje. Misschien beroofde champagne je toch niet helemaal van het vermogen om je een idioot te voelen.

'En ten tweede,' begon hij, 'heb ik nooit...' maar een tweede klap voor mijn ego bleef me bespaard. Colin stopte midden in zijn zin omdat iemand hem aan zijn mouw trok. Verstoord keken we allebei om. Het was Serena.

'Colin,' zei ze met een heel zielig stemmetje. 'Ik voel me niet goed.'

Er gleed een tedere, bezorgde blik over Colins gezicht. Beschermend legde hij een arm om haar schouder. 'Zal ik je thuisbrengen?'

Ik voelde me als het spreekwoordelijke vijfde wiel en deed een stapje achteruit. Colins aandacht was nu volledig op Serena gericht, zijn blonde hoofd hing zorgzaam boven haar donkere. Ik keek naar zijn bezorgd samengetrokken wenkbrauwen, zijn gebogen lichaam dat haar beschutte tegen de dringende menigte, en ik voelde een leegte in mijn maag die niets te maken had met het feit dat ik nog niets gegeten had.

Ik wist precies wat het was, en ik was te doordrenkt met champagne om mezelf voor de gek te houden.

Ik was jaloers.

Niet omdat ik Colin Selwick wilde, verzekerde ik mezelf. Lieve hemel, nee! Ik wilde wat hij te bieden had. Ik wilde iemand die midden in een zin ophield met praten omdat ik hem nodig had, die bezorgd was als ik zei dat ik me niet lekker voelde, die me volkomen automatisch met zijn lichaam beschermde tegen het gedrang. Het was allang geleden dat er iemand zo voor me gezorgd had.

Je leert daarmee omgaan. Je zorgt dat je niet te veel drinkt zodat je zelf thuis kunt komen. Je zoekt vrienden uit op wie je kunt rekenen. Je programmeert nummers in je gsm, hebt pleisters in je tas en altijd extra geld voor een taxi. Maar het is niet hetzelfde. En daar benijdde ik Serena om.

Op dat moment zag ze er niet erg benijdenswaardig uit. Ze hing tegen Colin aan, met beide armen om haar buik geklemd.

'Wacht maar, ik ga een taxi voor je zoeken,' bood Colin wanhopig aan. 'Ik zal wel even...' Serena schudde haar hoofd. 'Nee, ik...' begon ze en perste toen haar lippen op elkaar. Haar gezicht zag nu niet meer wit maar alarmerend groen. 'Ik geloof dat ik...' Ze klampte haar knokkels over haar mond en slikte als een gek.

'O mijn God. Eh...' Volledig in paniek wierp Colin een blik om zich heen. 'Waar is de wc?'

'Kom maar, ik neem haar wel mee,' zei ik en gaf Serena snel een arm. 'Ik geloof dat het daar is.'

'Dank je,' zei Colin, intens opgelucht. 'Ik wacht voor de deur.'

Met Serena aan de arm baande ik me ruw een weg door de kakelende menigte, en arriveerde nog net op tijd met haar bij de wc. Er stond natuurlijk een rij, maar die negeerden we straal. Serena's grauwe kleur en ineengedoken postuur legden de situatie beter uit dan ik zou kunnen.

Een vrouw in de rij riep geïrriteerd 'Nou nou!', maar ik zag haar als een haas uit de vuurlinie deinzen in haar chique Manolo Blahniksjurk.

Net als vroeger bij dronken kamergenoten, knielde ik achter Serena op de grond, met één arm om haar schouders; met de andere hield ik haar lange, zwarte haren uit haar gezicht, terwijl ik dwaze, troostende dingen zei als 'Goed zo, gooi het er maar uit', en 'Rustig maar, het komt allemaal goed, zo dadelijk voel je je weer een stuk beter, gooi het er maar uit'.

Er was een hoop uit te gooien.

Tussen het spugen door keek ze me met betraande ogen aan. 'O, ik schaam me zo,' mompelde ze. 'Ik begrijp niet... ik had maar één glas op... anders heb ik daar nooit...' en hup, daar slingerde ze zich weer over de porseleinen godin.

'Rustig maar,' fluisterde ik, terwijl ik wat ontsnapte lokken bij elkaar graaide. 'Piek er maar niet over. Misschien heb je iets verkeerds gegeten. Heus, niemand zal het je kwalijk nemen. Je hebt in elk geval de wc nog gehaald,' sprak ik haar moed in. 'Ik heb wel eens de schoenen van een ex-vriendje ondergekotst.'

Gegiechel klonk op uit de krochten van de toiletpot.

Toen ze weer rustig op haar hurken zat drukte ik haar een grote prop wc-papier in de handen. 'Jammer genoeg was het een aardig ex-vriendje, dus ik kan niet eens zeggen dat ik het deed uit wraak.' Ik stak haar nog meer wc-papier toe en praatte luchtig door. 'En hij had nog wel nieuwe schoenen aan, ook.'

Serena snoot haar neus. 'Wa-wat zei hij?' wilde ze weten.

'Hij nam het heel sportief op dat ik hem ondergekotst had,' herinnerde ik me. 'Maar wat hij me moeilijker kon vergeven was dat ik gierend van het lachen op zijn schoenen ging staan wijzen. Ach, nou ja. Voel je je al wat beter?'

Serena knikte weifelend.

Met behulp van de wc-papierhouder hees ik me overeind en stak haar een hand toe. 'Kom, dan gaan we je mond spoelen, ik heb nog wel wat pepermuntjes in mijn tasje...' Gravend in mijn avondtasje duwde ik met één schouder de deur open, waar een rij woedende vrouwenblikken ons wachtte. Ik negeerde ze en verbaasde me er voor de zoveelste keer over hoe lippenstiften, kammen en pepermuntjes allemaal de kans zien te verdwijnen in zo'n minuscuul tasje.

Ik voelde de lichte druk van een hand op mijn arm en keek vragend op.

'Dank je,' zei Serena zachtjes. Haar mascara was uitgelopen en haar neus was rood, maar haar ogen stonden helder en ze had weer wat kleur op haar wangen. 'Dat was heel lief van je.'

Ik schudde mijn hoofd. 'Graag gedaan, hoor. Ik weet zelf hoe het voelt, dus wat wil je? Pepermuntje?' Ik schudde twee pepermuntjes in mijn hand en hield die Serena voor.

'Dank je.' Ze boog zich over de wastafel en spetterde water over haar gezicht. Ik gaf haar een papieren handdoek. 'En ik wil je ook nog,' zei ze aarzelend terwijl ze haar gezicht droog depte, 'mijn excuses aanbieden over gisteren.'

'Jij hoeft nergens je excuses over aan te bieden,' zei ik vastberaden. Behalve voor het feit dat je mooiere laarsjes hebt dan ik, maar dat besloot ik voor me te houden.

'Colin was ongelooflijk onhebbelijk.'

Dat was ik roerend met haar eens. Ik vroeg me af of hij haar verteld had van ons onderonsje in de keuken, vannacht. Ik schonk haar een neutrale glimlach en hield haar mijn mini-mascara voor.

'Zo doet hij anders echt nooit,' vervolgde ze verontrust. Haar grote, lichtbruine ogen volgden de mijne in de spiegel. Ik had onlangs nog net zo'n paar ogen gezien, maar ik wist niet meer waar. 'Hij zat er later vreselijk mee.'

Ik bewonderde haar loyaliteit, maar had nu geen zin in een apologie ten behoeve van Colin Selwick.

'Ik heb het gevoel dat we in de weg staan,' zei ik maar snel. 'Als het weer gaat met je, kunnen we maar beter ruimte maken voor de spiegel.'

Ik zocht mijn spullen bij elkaar en werkte Serena de wc uit. Colin en Pammy stonden voor de deur op ons te wachten. Ik overhandigde Serena aan Colin, die haar in haar jas hielp en de uitsmijter vroeg een taxi te fluiten. Terwijl Serena afscheid nam van Pammy draaide Colin zich zo naar me toe dat de andere twee ons niet konden horen.

'Erg aardig van je om je zo over Serena te ontfermen,' zei hij kalm.

'Af en toe poets ik mijn aureooltje wat op,' verklaarde ik met een diepe buiging die me bijna mijn evenwicht deed verliezen. Twee uur slaap en vier – of was het vijf – glazen champagne eisten hun tol.

Colin greep me bij mijn elleboog. 'Pas op. Weet je zeker dat je niet iemand nodig hebt die zich over *jou* ontfermt?'

Het waren dus vijf glazen champagne geweest. Als hij glimlachte leek Colin sprekend op de foto op de schoorsteenmantel van mevrouw Selwick-Alderly – maar dan zonder paard. Ik kneep mijn ogen even dicht om de wereld te laten ophouden met draaien en schudde mijn hoofd.

'Nee hoor. Ik voel me prima. Zo vast...' ik maaide met mijn armen om in evenwicht te blijven toen hij me losliet, 'als een huis.'

'Houden zo,' zei Colin, openlijk geamuseerd.

Ik deed een verwoede poging nog rechterop te staan.

De lachlijnen bij Colins mondhoeken verdiepten zich.

Hij deed een stap achteruit en sloeg zijn arm om Serena's schouders. 'Klaar, Serena?' Zij knikte en kroop vol vertrouwen tegen zijn schouder aan. 'We kunnen je wel thuis afzetten, als je wilt,' bood hij me aan.

Mijn champagneroes was aan het afnemen; ik voelde me moe en een beetje misselijk.

'Nee, dank je,' wees ik zijn aanbod opgewekt van de hand, terwijl ik een glas champagne van een blad graaide dat ik niet van plan was op te drinken. Ik hief mijn glas. 'Ik blijf bij Pammy. De nacht is nog jong. Hè, Pam?'

Pammy wierp me een blik toe van stomme-idioot-die-je-bent! 'Ja hoor, Ellie.'

'Nou, dan gaan we maar. Goedenacht.' Colin leidde Serena naar de deur.

Waarschijnlijk was hij opgelucht dat hij maar één gammele vrouw te beheren had en vreesde hij dat ik van gedachten zou veranderen.

'Welterusten, Eloïse,' mompelde Serena, om zijn arm heen kijkend. 'En nogmaals bedankt!'

Met het ongewenste glas champagne zwaar in mijn hand zag ik hen achter de rode touwen verdwijnen.

Pammy staarde naar Colins rug toen hij Serena in de taxi hielp. 'Het is me nooit eerder opgevallen wat een stuk Serena's broer is.'

Met een ruk draaide ik me naar haar om. 'Wie?' vroeg ik.

'Serena's broer,' herhaalde Pammy. 'Je weet wel, zo'n lange, blonde kerel met zo'n typische Engelse voornaam: Cedric, of Cecil, of...'

'Colin.'

'Die, ja. Hij is veel knapper geworden.'

'Haar broer.'

'Nee, de paus. *Natuurlijk* bedoel ik haar broer. Die arme Serena,' ratelde Pammy door. 'Vorige maand is haar relatie stukgelopen, en nu houdt haar broer haar een beetje in de gaten. Ze heeft het me verteld toen jullie in een hoekje stonden te smoezen. Waar hadden jullie het eigenlijk over, Ellie? Ellie? Joehoe! Aarde roept Ellie! Gaat het met je? Het is net of je er niet helemaal bij bent.'

Mijn ogen bleven op de deuropening rusten waar Colin en zijn zusje zojuist door verdwenen waren.

'Dat lijkt me wat zwak uitgedrukt,' zei ik grimmig.

30

De paarse gentiaan, in zalige onwetendheid van de schepping van een rivaliserende bloem, sprong vrolijk de trappen van zijn huis op en gooide de voordeur open zonder te wachten tot Stiles hem opendeed. Op weg naar huis had hij voortdurend Amy's gezicht voor zich gezien zoals het stond toen hij een zoen in haar handpalm drukte. Nagenietend van de blije, verwarde blik in haar ogen liep hij fluitend door het park, en grinnikend om haar licht geopende lippen ontdook hij de vunzigheid die een gespierde dienstmaagd uit een bovenraam smeet. Operatie charmeer Amy liep gesmeerd, feliciteerde hij zichzelf. Hij liep de hal binnen en kwakte zijn hoed op de gangtafel.

Maar er was een probleempje.

De gangtafel stond er niet. Of als hij er stond, kon hij hem niet zien. Zijn hal stond tjokvol hoedendozen en zijn...

'Moeder?'

Richard knipperde met zijn ogen, en toen nog eens. Zijn moeder stond er nog steeds.

'O, hallo lieverd.' Zijn moeder wuifde even naar hem en richtte zich toen weer tot de butler. 'Nou, luister goed. Deze twee hoedendozen gaan naar de voorste slaapkamer, en die grote hutkoffer daar moet...'

Stiles stootte een van zijn theatrale kreunen uit. Richard benijdde hem erom.

'Eh, moeder?'

'Ja, lieverd?' Zijn moeder kwakte nog een hoedendoos op de stapel die Stiles al droeg. 'Hou op met jammeren! Je hebt de bouw van een man die de helft jonger is dan jij.'

'Hij *is* de helft jonger,' merkte Richard droog op. 'Moeder, wat komt u hier doen?'

Die vraag had bedaard moeten klinken, maar er klonk puberale frustratie door in het laatste woord.

'Ach, wat dom van me!' Stiles greep Lady Uppingtons tijdelijke afleiding aan om zich te verstoppen achter een berg bagage. De markiezin keek haar zoon stralend aan. 'We komen u helpen, natuurlijk!'

Richards hoofd tolde. Met een plof liet hij zich op een hutkoffer zakken waarin zijn moeder, zo te zien, een heel zilveren servies, twee klerenkasten en een lakei of twee had gestopt. Of op zijn minst haar hele collectie schoenen.

Richard besloot de dringendste vraag eerst te stellen. 'Wie zijn we?'

'Ze waren net nog hier.' Zijn moeder keek naar de berg bagage alsof ze verwachtte dat de helft van de Engelse adel tevoorschijn zou komen. 'Geoff zal ze wel meegenomen hebben naar de salon. Uw vader is er, uiteraard. Wij zijn al zo lang niet meer samen in Parijs geweest.' De markiezin glimlachte mistig. 'Na ons laatste bezoek aan Parijs kwam u, lieverd.'

'Moeder!' jankte Richard.

Welke godheid had hij beledigd? Misschien was het toch waar dat de goden een vloek uitspreken over mensen die de graven van de farao's ontheiligen.

Lady Uppington kreeg medelijden met haar zoon, die nu knalrood zag, en vertelde hem: 'Henriëtta is hier ook. Wat continentale verfijning is precies wat zij nodig heeft om haar klaar te stomen voor het volgende seizoen.'

Lady Uppington wilde nog meer zeggen, maar haar woorden werden abrupt onderbroken door de kakofonie van een aantal luide bonzen, een oorverdovende kreet van woede (die Richard herkende als een deel van Stiles' vertolking van King Lear) en een hartgrondig mannelijk gebrul.

Richard fronste zijn wenkbrauwen. 'Dat klinkt niet als Henriëtta.'

'Nou, nee. Wie we ook bij ons hebben is...'

'Hallo, Richard!' Miles sprong tevoorschijn vanachter de dozen en duwde een steile blonde haarlok uit zijn ogen. 'Waarom haat uw butler mij?'

'Denk maar niet dat u iets bijzonders bent. Hij haat iedereen.' Richard wendde zich tot zijn moeder. 'Hebt u nog meer mensen bij u waarvoor u me waarschuwen wilt? Oudtante Hyacinth? De onderlakei van Uppington House?'

'Leuk u te zien, ouwe jongen.' Miles gaf Richard een klap op zijn schouder. 'Hou nu maar op met mopperen en kom mee. Geoff heeft thee met koekjes voor ons in de salon.'

Richard keek nijdig naar Miles' achterhoofd terwijl hij hem volgde naar de salon.

Henriëtta ging op haar tenen staan om Richard een zoen op zijn voorhoofd te geven. 'Het spijt me, Richard,' fluisterde ze. 'Ik weet dat ik had moeten proberen ze tegen te houden.'

'Dank u, Hen.' Richard kneep zijn zusje in haar schouders.

'Maar, nou ja, ik wilde Parijs zo graag zien dus...' Verontschuldigend haalde Henriëtta haar schouders op.

'Dank u,' herhaalde Richard koeltjes. 'Dank u zeer.'

Hen legde haar hand over haar mond en liep terug naar haar stoel. 'Neem het me niet kwalijk.'

'Hangt dat schilderij niet scheef?' Lady Uppington stormde achter Richard aan de kamer binnen en hing het onnozel lachende herderinnetje van Watteau boven de bank een tikkeltje naar links. 'Richard, ik begrijp niet waarom jongemannen toch altijd in zo'n staat van chaos moeten leven. Vuile kravatten onder de bank, lege cognacglazen op de tafel, en is dat niet een stuk kaas, daar onder Henriëtta's stoel?'

Met ruisende petticoat schoof Henriëtta de bank weer op zijn plaats.

Lady Uppington schudde haar hoofd en hing nog een schilderij recht. 'Na de thee zal ik eens een hartig woordje gaan spreken met de dienstmaagden.'

'Ik mag aannemen dat u niet dit hele eind gereisd hebt om mijn huishouden te superviseren?'

'Nee, dat zou wel dwaas zijn van me, vindt u niet?' antwoordde Lady Uppington zuur. 'Ga toch eens zitten, Richard. U maakt me duizelig met dat kringetjes draaien. Het is net of ik naar de leeuwen in de Tower zit te kijken.'

Richard voelde een golf van medelijden met de dieren in de Tower. Hij plofte neer in een stoel, die natuurlijk meteen een flink stuk naar achteren schoof. Zijn moeder keek hem toegeeflijk aan. Nee, medelijden was niet het juiste woord, het was meer *empathie* die hij voelde voor de leeuwen. Richard hield van zijn moeder; hij zou de laatste zijn om dat te ontkennen. Ze was het toonbeeld van een moeder en hij was heel blij dat hij uit haar geboren was en niet uit een andere vrouw enzovoorts enzovoorts. Maar op zijn zevenentwintigste had iemand toch recht op een zekere mate van privacy, nietwaar? Hij wist zeker dat hij de enige spion in heel Frankrijk – en in Engeland en Rusland en het wilde westen van Amerika – was die een moeder had die zomaar onaangekondigd bij hem kwam logeren. Dat kon gewoonweg niet.

'Zodra u weg was begon ik te denken...' begon Lady Uppington.

'Dat doen ze, vrouwen...' merkte Richards vader op vanuit de veiligheid van zijn leunstoel.

Lady Uppington sloeg naar hem, een gebaar dat eerder symbolisch was dan praktisch, want de markiezin zat zeker een meter van hem af. 'Zoals ik al zei,' vervolgde ze, met een pinnige blik op haar echtgenoot, 'na enig nadenken besloten uw vader en ik dat uw missie veel sneller zou verlopen als wij u kwamen helpen.'

Richard draaide zich om en keek zijn vader woedend aan. Lord Uppington speelde de heilige onschuld en maakte kleine wijzende gebaartjes naar zijn vrouw, maar Richard liet zich niet voor de gek houden. Zijn vader zat al jaren te hengelen naar een uitnodiging om mee te doen. Hij was verdorie nog erger dan zijn moeder. Richard keek hem doordringend aan, maar Lord Uppington, lid van het Hogerhuis, man van waardigheid en standing, meester over vier buitens en honderden afhankelijken, verblikte of verbloosde niet. Wel legde hij plotseling een buitengewone belangstelling aan de dag voor de plooien in zijn kravat.

'Mij helpen?' herhaalde Richard. 'Moeder!' Net toen hij dacht dat er niets ergers kon gebeuren, net toen hij de ramp waarmee hij zich geconfronteerd zag het hoofd wilde bieden, werd hij getroffen door een tweede ramp.

Miles sprong op van zijn stoel naast Geoff en bazuinde rond: 'Richard is verliefd!'

Alle activiteit in de kamer kwam abrupt tot stilstand. Geoffs theekopje bleef schuldig tussen de tafel en zijn mond hangen. Henriëtta liet haar koekje vallen. Zijn moeder staakte het recht hangen van de schilderijen aan de muur. Zijn vader keek op van zijn kravat.

'Verliefd!' Lady Uppingtons mond vormde zich tot een verrukte O. 'O, Richard!'

'Miles, dit zal ik u betaald zetten! Ik ben niet ver... grrr!' Richard klonk alsof hij gewurgd werd.

Miles knikte wijs, een brede, vette, razend makende grijns gleed over zijn gezicht. 'Ja. Duidelijk het slachtoffer van Cupido's liefdespij... oef! Het feit alleen al dat u dat kussen gooit bewijst dat ik gelijk heb. Vindt u ook niet, Henriëtta?'

'Henriëtta,' kondigde Richard op verkillende toon aan, 'vindt helemaal niets, tenzij ze op de eerstvolgende pakketboot naar Dover gezet wil worden.'

Henriëtta deed snel haar mond weer dicht.

Miles, die te groot was om op te tillen en ergens op te zetten, liet zich minder makkelijk de mond snoeren.

'Ik wil dat toonbeeld wel eens ontmoeten,' kondigde Miles aan. Hij nam een zwijmelende houding aan en sloeg een akkoord aan op een denkbeeldige luit. 'Heeft ze een balkon waaronder we kunnen gaan staan roepen? O Amy, Amy, waarom hebt gij...'

'niet lang meer te leven,' siste Richard door opeengeklemde kaken.

Miles verloste zijn hand uit de kwijnende positie op zijn voorhoofd. 'Zo spreekt u toch niet tegen uw geliefde?' klakte hij afkeurend met zijn tong.

'Ik had het tegen u.'

'Maar Richard, ik wist niet dat u zoveel om me gaf.'

'Houd uw mond, Miles.' Henriëtta trapte Miles 'per ongeluk' zo hard op zijn tenen dat het enige geluid dat hij nog voort kon brengen ongearticuleerde pijnkreten waren. 'Als u Richard zo blijft pesten krijgen we nooit een verstandig woord uit hem.'

Miles legde zijn grote handen om Henriëtta's middel, tilde haar van zijn voet en plantte haar neer op de bank. 'Maar verstandig is toch helemaal niet leuk?'

'Daar heeft Miles gelijk in,' mijmerde Lady Uppington.

Met een ruk draaiden vijf hoofden zich naar haar toe. Of liever gezegd, zes hoofden als je Stiles meetelde, die voor de halfopen deur vanaf de gang meeluisterde.

'Mijn lief,' merkte de markies mild op, 'ik ken u langer dan iedereen in deze kamer, en ik moet zeggen dat ik u altijd een uitermate verstandig mens heb gevonden. Ik maak er bezwaar tegen dat u uw karakter op uw leeftijd nog gaat veranderen.'

'Dank u, liefste.' Lady Uppington blies haar echtgenoot een kus toe. 'Ik hecht ook nogal aan uw karakter. Mijn reactie gold dan ook Miles' voorstel om die Amy te ontmoeten. Als we haar na het eten eens een bezoekje brachten...'

'Dat is te laat om nog op bezoek te komen,' probeerde Richard haar enthousiasme te temperen.

'Doe niet zo belachelijk!' antwoordde zijn moeder vrolijk. 'We zijn in Frankrijk. Daar kijken ze niet zo nauw.'

Richard wierp Lord Uppington een smekende blik toe.

'U hoeft mij niet aan te kijken,' zei zijn vader en strekte zijn benen. 'Ik weet zo langzamerhand wel wanneer ik uw moeder niet moet dwarsbomen.'

'Dank u, liefste,' straalde Lady Uppington. 'Dat is een van de dingen die ik zo in u waardeer.'

'Ik zal u begeleiden, Lady Uppington,' bood Miles engelachtig aan.

'Niemand heeft u wat gevraagd,' snauwde Richard.

'Zo praat u toch niet tegen uw oudste vriend?'

'Je bedoelt zeker uw *vroegere* oudste vriend?'

'Ga toch niet zo tegen me tekeer. Doe dat maar tegen Geoff. Die heeft het me verteld, van Amy.'

'Als Miles meegaat, ga ik ook mee!' zei Henriëtta opstandig. 'Want *die* is niet eens familie. Als Amy mijn zusje wordt, hoor ik haar toch het eerst te ontmoeten.'

'Voordat u de kerk gaat boeken,' zei Richard lijzig, op zijn meest aanmatigende Londense man-van-de-wereld-toontje, 'moet ik u eerst nog het een en ander duidelijk maken.'

'Lieverd, u bent toch niet bang dat u zich voor ons moet schamen? Ik beloof u dat we ons keurig zullen gedragen, hoor, zelfs uw vader.' De markiezin trok speels haar neus op naar de markies.

'Moeder, hou nu eens op met dat geflirt met Vader en luister!'

'Ik zal altijd blijven met flirten met uw vader,' zei Lady Uppington zelfgenoegzaam. 'Daarom hebben we zo'n goed huwelijk. En ik hoop dat jullie allemaal ook iemand zullen vinden om de rest van jullie leven mee te kunnen flirten.' Ze wisselde een blik met Lord Uppington die Richard niet anders kon benoemen dan klef.

'Nog een wonder dat we zo normaal geworden zijn, hè?' fluisterde Henriëtta, die achter Richards stoel was komen staan.

'Ik heb u nog niet vergeven,' waarschuwde Richard haar.

'O, maar dat komt wel,' zei Henriëtta opgewekt. Ze boog zich naar hem toe en gaf hem een zoen op zijn wang. 'Ik ben toch uw lievelings-zusje? En bovendien,' voegde ze eraan toe, met een snelle blik door de kamer, 'u hebt me vanavond veel te hard nodig om ze in toom te houden, dat weet u best.'

'Aangenomen dat we ergens heen gaan.'

Henriëtta wierp Richard een medelijdende blik toe die, luider dan woorden, zei: houd uzelf gerust voor de gek, als u dat wilt.

Henriëtta wist verdorie veel te veel voor een meisje van negentien.

31

'Waar is ze? Waar is die kleine heks?' Een buitengewoon vertoornde Georges Marston kwam de deur van de eetkamer binnen tuimelen waar de familie De Balcourt aan het diner zat. Zijn woedende blauwe ogen bleven op Amy rusten. 'U daar!' brulde hij, hinkend langs de rand van de tafel.

'Meneer!' De stem van juffrouw Gwen deed Marston bevriezen. 'Wat is de reden van deze inbreuk op onze privacy?'

'Haar daar.' Schuimbekkend wees Marston op Amy. 'Haar!'

'Zij,' verbeterde juffrouw Gwen pinnig.

'Haar daar!' Marstons lippen krulden zich zo onheilspellend dat Amy wenste dat ze een dringende reden had om naar een andere kamer te gaan en de deur achter zich op slot te doen. Haar armen deden pijn bij de herinnering aan Marstons meedogenloze houdgreep. Ze zou zich niet meer door hem laten aanraken. Ze zou haar wijnglas op zijn hoofd kapotslaan en hem met de scherven van zich afhouden. Ze zou zijn andere teen ook breken – nee, dan moest ze te dicht bij hem komen.

Juffrouw Gwen zuchtte. 'Nee, meneer Marston. Niet haar daar, maar zij daar. Heeft uw vaders familie u dan helemaal geen grammatica bijgebracht? Of heeft het leven in het leger uw verbale vaardigheden zo verminderd dat u alleen nog maar onjuiste eenlettergrepige woorden kunt uitstoten? Met dat gehaspel met naamvallen zondigt u tegen de meest elementaire regels van de grammatica.'

'Ik, zondigen?' herhaalde Marston met een gemene blik in zijn ogen die volgens Amy weinig met grammatica te maken had. 'Zal ik u eens vertellen wie hier zondigt? Haar daar!' Een vlezige vinger wees beschuldigend op Amy.

Amy veerde overeind. 'En ik beschuldig u van wangedrag en eis dat u onmiddellijk mijn huis verlaat!'

'Ik denk dat ik maar ga,' mompelde Edouard en hees zijn zware lijf uit zijn stoel.

'Zit!' commandeerde juffrouw Gwen. Edouard ging zitten. En, zowaar, Georges Marston ook.

'Ik ben altijd goed geweest met honden,' merkte juffrouw Gwen op.

Georges Marston stond prompt weer op.

Juffrouw Gwen trok een wenkbrauw op. 'Sommige moet je langer trainen dan andere.'

Marston negeerde haar en begon weer tegen Amy te praten. 'Hoe bedoelt u, uw huis? Het is *zijn* huis, en hij doet wat ik zeg, of de gevolgen zijn niet te overzien, nietwaar, Edouard?'

'Eh...' Edouard, die niet van tafel mocht, leek zich er nu onder te willen wurmen.

'Waarom gaat u niet zitten, meneer Marston? Ik maak me sterk dat we dit uit kunnen praten,' stelde Jane voor.

Maar Marston had alleen maar oog voor zijn prooi. Hij schonk Jane niet meer aandacht dan de kandelaars op de tafel of de zwijgende lakeien bij het dressoir. Als Marston haar zou aanvallen, vroeg Amy zich af, zou een van de witgepruikte mannen haar dan te hulp schieten?

'Ik ben zo blij dat u er bent, meneer Marston,' zei Jane, op hoge toon om gehoord te worden. Waar had ze het in godsnaam over? Amy was het helemaal niet met haar eens. 'Ik wilde u al zo lang vragen wat u toch gaat doen met die thee en die Indiase mousseline.'

Marston bleef, op twee stoelen afstand van Amy, stokstijf staan; zijn ogen en tong puilden uit als die van een hond wiens eigenaar te hard aan de lijn heeft getrokken.

'Thee,' kreunde hij, zonder zich om te draaien.

'En Indiase mousseline,' wreef Jane hem zachtjes. Amy zou zweren dat ze pretlichtjes zag glimmen in de ogen van haar nichtje, maar Jane zag er heel beheerst uit en haar stem klonk verre van spottend. 'Vertelt u me eens,' vroeg ze, op onschuldig vragende toon, 'weet het gezag iets af van uw handel?'

Caleidoscopische beelden schoven door Amy's hoofd tot een compleet geheel. De vreemde pakketten in de balzaal waarvan Amy gehoopt had dat ze voorraden voor de Paarse Gentiaan bevatten, hetgeen niet zo bleek te zijn. De met modder besmeurde ramen en deuren van de westelijke vleugel. Nu Jane de stukjes in elkaar had gepast was het plaatje net zo duidelijk als Marstons schuldbewuste woede. Edouard had nooit iets met de Paarse Gentiaan te maken gehad, en Marston evenmin.

Haar broer en Marston waren smokkelaars.

Marstons ogen schoten schichtig heen en weer en bleven rusten op Edouard, die alarmerend groen werd en heftig met zijn hoofd schudde.

'Maar... die gewonde man dan?' hoorde Amy zichzelf zeggen.

'Een douanier, Pierre Laroc genaamd,' antwoordde Jane. Haar blikken lieten Marston geen moment los. 'Hoeveel hebt u hem betaald om dat incidentje te vergeten, meneer Marston?'

'Ik weet niet waar u het over hebt,' gromde Marston. Met grote passen beende hij op Jane af.

'Echt niet? En mijn neef zeker ook niet?' voegde ze er zachtjes aan toe, met een blik op Edouard die nog steeds zat te schudden, niet alleen met zijn hoofd maar ook met de rest van zijn gezette lichaam. Zijn kravat huiverde van agitatie. Jane zuchtte. 'Dan zit er weinig anders op dan het gezag te vragen om opheldering over die thee en de mousseline in de balzaal. De *Britse* thee en mousseline.'

Marstons gebroken neus werd knalrood van woede. 'Als u dat maar uit uw hoofd laat!'

'Meneer Marston, u hebt hier niets in te zeggen.'

'U kunt niets bewijzen,' siste Marston. Kloddertjes spuug spetterden in het rond. 'De balzaal is leeg. U hebt geen bewijs.'

'Ik vrees, meneer Marston, dat u dat mis hebt. Want weet u,' zei Jane met een zachte glimlach die de hele kamer in haar ban hield, 'ik heb wel bewijzen. Ik heb uw verslagen en uw correspondentie. Die heb ik gevonden in een holle wereldbol in de studeerkamer van mijn neef. Uw eigen pen getuigt tegen u.'

Marstons grote handen knepen zich dreigend samen. Jane keek hem onverstoorbaar aan.

'Als u nog eens aan juffrouw Balcourt durft te komen,' waarschuwde ze, haar stem zo onbuigzaam als haar ruggengraat, 'hetzij in woede, lust of zelfs maar in begroeting, gaan die papieren onmiddellijk naar het gezag.'

De gespannen stilte werd verbroken door het droge geluid van juffrouw Gwen die in haar handen klapte. En toen stond de hele kamer op zijn kop. Brullend van woede ging Marston Edouard te lijf. Edouard smeekte en gilde en praatte op hem in. Marstons handen sloten zich om zijn keel en smoorden zijn protesten tot gerochel. Porselein viel in scherven op het parket. Amy vloog Jane om de hals. De knechten waren zo slim om ongezien de kamer uit te vluchten. Juffrouw Gwen sloeg Marston tegen zijn achterhoofd met haar soeplepel en schold hem uit voor onbeschaamde zoon van een dolle hond.

En de butler schraapte zijn keel.

'*Ahum!*' Hij moest dit enige malen doen voordat het stil werd, en wel zo hard dat een man van mindere vocale capaciteiten er een maand lang stom van zou zijn geweest. Juffrouw Gwen liet haar lepel boven Marstons hoofd in de lucht hangen. Marston keek op met zijn vingers nog om Edouards keel. En Edouard bleef liggen zoals hij lag, met zijn tong uit zijn mond en ogen die uitpuilden van angst.

De butler bood Edouard een kaartje aan op een zilveren dienblad. Juffrouw Gwen graaide het eraf.

'Lord en Lady Uppington willen u graag hun respect komen betonen,' kondigde de butler aan, met zijn blik gericht op iets boven het bizarre tableau dat zijn meester, Marston en juffrouw Gwen gecreëerd hadden.

'Laat ze maar in de groene salon,' nam juffrouw Gwen de honneurs waar, omdat Edouard daar niet toe in staat leek. De eerlijkheid gebiedt te zeggen dat Marston zijn handen nog altijd om Edouards keel hield geklemd, zodat zijn onvermogen naast gebrek aan temperament ook veroorzaakt kon worden door gebrek aan adem. 'En u!' Ze gaf Marston nog een flinke mep met haar inmiddels gedeukte zilveren soeplepel. 'Staak het wurgen van de heer De Balcourt en maak dat u wegkomt! Ksssjt!'

Marston maakte dat hij wegkwam. Met een snierende blik op Jane en Amy, die met de armen om elkaar heen geslagen stonden, slenterde hij achter de butler aan de kamer uit.

'We moeten maar hopen dat hij de Uppingtons niet tegenkomt,' verklaarde juffrouw Gwen. Met een luid gekletter liet ze haar soeplepel in haar kom vallen.

Uppington. De naam klonk vaag bekend, maar Amy dacht er niet verder over na. Ze wilde zich ervan vergewissen dat de verdwijnende rug van Marston ook echt bleef verdwijnen. 'Wanneer hebt u dat ontdekt, van dat smokkelen?' fluisterde ze tegen Jane.

'Vannacht,' fluisterde Jane terug. 'Ik had het u vanmorgen willen vertellen, maar... Waarom fluisteren we?'

'Weet ik niet.' Amy haalde hulpeloos haar schouders op. 'Dat leek me wel verstandig.'

'Kom mee, meisjes.' Juffrouw Gwen dreef ze de eetkamer uit. 'We moeten onze gasten niet laten wachten.'

'Ik verbaas me erover zo kalm als u dit opneemt,' siste Jane tegen Amy toen ze de drempel van de groene salon naderden.

'Ach, ik vond het wel een beetje eng, maar u hebt hem geweldig goed aangepakt!'

Jane keek haar niet-begrijpend aan. 'O, u bedoelt Marston? Ik had het over...' De lakei, die hen voorging met een kandelaar, zwaaide de deuren van de groene salon open.

'... over Lord Richard,' besloot Jane zwakjes.

Amy's mond viel open, maar er kwam geen geluid uit.

Lord Richard Selwick leunde nonchalant tegen de kist van de mummie, met zijn armen gekruist over zijn borst. Toen Amy binnenkwam liet hij zijn armen langs zijn lichaam vallen en glimlachte haar zo hartelijk toe dat Amy's maag vaker een radslag maakte dan een hele troep acrobaten op een dorpskermis.

Die lippen, gekruld tot een verwoestende glimlach, had ze vannacht zo hartstochtelijk opgeëist. Die hand, die nu zo losjes met zijn monocle speelde, had haar gezicht omvat en haar haren gestreeld en ook haar... nou ja. Amy bloosde tot aan haar haarwortels.

Uppington. Amy had zich wel voor haar hoofd kunnen slaan met de bal van haar hand als er niet zoveel mensen toegekeken hadden. Dat komt ervan als je Grieks en Latijn gaat zitten lezen terwijl je *Debrett's Peerage* uit je hoofd zou moeten leren. Zoals juffrouw Gwen zo behulpzaam had meegedeeld voerde de familie Selwick de titel Uppington.

Een tengere vrouw in een groen met blauwe jurk stond geboeid in een urn te porren, terwijl een iets forsere brunette naast haar protesteerde: 'Maar Mama, wilt u echt weten wat daarin zit?'

Toen Amy en Jane dichterbij kwamen – Jane met een hand op Amy's arm om haar morele steun te verlenen – keken ze beiden op. De vrouw in het groen liet het deksel op de urn vallen en kwam op hen af met een warme glimlach die onthutsend veel leek op die van Richard. 'Ik hoop zo dat we niet storen! Ik kon bijna niet wachten om Richards reisgenoten te ontmoeten. U bent juffrouw Balcourt?'

De brunette wuifde enthousiast boven haar moeders hoofd. 'Als we dan toch onszelf gaan voorstellen: ik ben Henriëtta! U weet wel, Henriëtta! Hen? Het kleine zusje! Heeft Richard u niets over mij verteld?'

Naast Henriëtta stond een breedgeschouderde man met een gekreukte kravat met zijn ogen te rollen. 'Maar mij heeft hij toch zeker wel genoemd, zijn beste vriend?' zei hij met een gemaakt lachje, in een duidelijke imitatie van Henriëtta's enthousiaste begroeting. 'Weet u nog wel, zijn beste vriend? Miles?'

Amy las moordlust in de lichtbruine ogen van de brunette.

'Wat doet u toch kinderachtig soms, Miles!'

'De volgende postboot naar Dover, Henriëtta,' waarschuwde Richard autoritair.

Henriëtta's mond klapte dicht. Ze liet zich er zelfs niet toe verleiden Miles met gelijke munt terug te betalen toen hij zijn tong tegen haar uitstak.

'Ze zijn net gevoederd,' legde Lady Uppington verontschuldigend uit. Tik! Tik! Tik!

'Jongeman!' snauwde juffrouw Gwen, leunend op de parasol waarmee ze net op de vloer getikt had. 'Wilt u zo goed zijn dat voorwerp in uw mond te stoppen!'

Miles' tong verdween achter zijn lippen met de snelheid van een leger dat zich terugtrok in een kasteel en de valbrug neerliet.

'Geweldig!' Lady Uppington stoof op juffrouw Gwen af en legde een vriendelijke hand op haar benige arm. 'U moet me toch eens vertellen hoe u dat doet. En wie u bent,' voegde ze er, met vragende blik, aan toe.

Juffrouw Gwens lichaamstaal sprak boekdelen: zij keurde het informele karakter van deze ontmoeting ten zeerste af, zelfs al werd al deze wanorde veroorzaakt door een markiezin. Ze maakte zich bekend aan Lady Uppington en stelde Jane en Edouard aan haar voor, de laatste nog met lichtelijk uitpuilende ogen en wat paarse plekken op de keel.

Lady Uppington negeerde de afkeuring die juffrouw Gwen uitstraalde en keek Amy breed lachend aan. 'Ik heb me nog helemaal niet voorgesteld. Ik ben Lady Uppington en dit,' met een zwaai van een hand vol groene stof naar de zilverharige man die een eindje verderop geamuseerd stond toe te kijken, 'is Uppington, en dat is... O nee, Henriëtta kent u al.' Henriëtta lachte kuiltjes in haar wangen. 'En die onbehouwen jongeman met de ongekamde haren...'

Miles' hand greep bezorgd naar zijn hoofd. Henriëtta grijnsde.

'... is de hoogedelgeboren heer Miles Dorrington. Even kijken, Richard hebt u allemaal al ontmoet. Ben ik iemand vergeten?'

De brunette, ook wel bekend als 'u weet wel, Henriëtta', stak haar arm door die van Lady Uppington. 'U bent Geoff weer vergeten.'

'Geoff, lieverd!' riep Lady Uppington ontzet. Ze stak de stille jongeman die naast Richard stond een hand toe. 'Ik wilde u echt niet verwaarlozen, hoor.'

'Daar is hij zo zoetjesaan wel aan gewend,' mompelde Henriëtta tegen Amy.

'Dat is niet aardig van u,' zei Lady Uppington, met een vernietigende blik op haar dochter. 'Ik vergeet soms gewoon dat Geoff er is omdat hij zich zoveel netter gedraagt dan jullie.'

'Was dat een compliment?' informeerde Miles bij Geoff.

'Ziet u nu wat ik bedoel?' verzuchtte Lady Uppington tegen Amy.

Amy, die de hele Uppington-invasie met verbijstering gadesloeg, deed het enige wat ze doen kon. Ze glimlachte. Ze was eigenlijk heel blij met de opgewekte spraakwaterval van Lady Uppington, omdat deze een gesprek met Lord Richard onmogelijk maakte. Door haar blikken strak op Lady Uppington en Henriëtta gericht te houden kon ze bijna doen alsof hij er niet was. Bijna. Hoe meer ze zichzelf opdroeg niet te kijken, hoe meer haar ogen zijn kant op dwaalden.

Hoe moest ze zich tegenover hem gedragen, vroeg Amy zich af terwijl de Uppingtons en hun gevolg rustig doorgingen met kibbelen. Ze kon niet gaan schreeuwen of met dingen smijten, want dan had hij natuurlijk meteen in de gaten dat ze af wist van zijn dubbele bestaan. Hem kwellen had in de koets zo'n prachtig idee geleken, maar de aanwezigheid van Lord Richard maakte eenvoudige dingen gecompliceerd. Zoals wraak, toch zo'n aardig, eenvoudig idee. Maar telkens als Lord Richard over het hoofd van zijn moeder heen naar haar glimlachte wilde Amy teruglachen.

Misschien was dat ook wel niet zo erg, fluisterde Amy's verstand haar in. Ze moest hem tenslotte eerst het valse gevoel geven dat hij veilig was voordat ze wraak nam. Ze zou met hem flirten en hem dan afwijzen, en hem vervolgens verslaan met spioneren. Dus het paste toch mooi in haar plan?

Na een hoop gekissebis stelde Lady Uppington eindelijk Geoffrey, Tweede Burggraaf Pinchingdale, Achtste Baron Snipe aan haar voor.

'Zoveel titels, zo weinig Geoff,' zuchtte Miles en rekte zich uit om te benadrukken dat hij een stukje groter was dan de burggraaf.

'Zoveel spieren, zo weinig hersens,' diende Henriëtta hem goedmoedig van repliek.

'Wie heeft wie verslagen met dammen vorige week?'

'Wie was er zo flauw om een zet tegen het bord te geven zodat alle stenen verschoven?'

Miles trok een engelengezicht. 'Ik weet werkelijk niet waar u het over hebt. Zoiets misselijks zou ik nooit doen.'

'Richard speelt nooit vals met dammen,' fluisterde Lady Uppington tegen Amy.

'Nee hoor, alleen maar met croquet,' liet Miles sarcastisch weten. 'Of rolde die bal zomaar uit zichzelf twee poortjes verder?'

'U,' zei Lord Richard lijzig terwijl hij zich bij het groepje rond Lady Uppington voegde, 'hebt alleen maar de pest in omdat ik uw bal in de braamstruiken geslagen heb.'

'Mijn lievelingsbroek zat helemaal onder de doorns,' zei Miles ontstemd.

'O, draagt u hem daarom niet meer!' riep Henriëtta uit.

'Dacht u soms dat Miles plotseling een goede smaak had ontwikkeld?' grinnikte Richard.

'Ik weet niet waarom ik dit allemaal pik van deze familie,' mompelde Miles tegen Amy en Jane.

'Omdat we u te eten geven,' legde Henriëtta uit.

'Dank u, Hen.' Miles woelde haar haren door de war. 'Dat had ik zelf nooit kunnen bedenken.'

'Hij is net een straathond die je naar huis volgt.' Henriëtta kwam nu echt op dreef. 'En als je hem dan wat te eten hebt gegeven blijft hij aan de keukendeur krabbelen en je aankijken met die grote, droevige ogen.'

'Zo is het wel weer genoeg, Hen,' zei Miles.

'Ze zijn niet allemaal gek hoor, in mijn familie,' zei Richard zachtjes tegen Amy. 'Mijn broer Charles is heel normaal, dat kan ik u verzekeren. En Miles is helemaal geen familie.'

'Een achter- achter- achterneef!' wierp Miles tegen.

'Aangetrouwd,' corrigeerde Richard hem. Zijn ogen lieten Amy niet los. 'Hebt u een prettige middag gehad?'

Amy had de rest van de middag op haar buik op bed liggen overpeinzen wat het beste was: hem koken in olie of hem aan zijn voeten ophangen en bewerken met een stok met spijkers.

'Jawel, hoor.' Amy bedacht zich te laat dat ze met hem had willen flirten en voegde eraan toe: 'Ik heb *met name* erg genoten van de oudheden.'

'Aha, dus u houdt van oudheden!' mengde Lady Uppington zich in het gesprek, met een veelzeggende blik naar Richard. 'Wat geweldig! Vertel me eens wat meer...'

Binnen tien minuten had Lady Uppington Amy handig de informatie ontfutseld dat ze geboren was in Frankrijk en opgegroeid in Shropshire, en dat ze niet bijster dol op rapen was. Richard luisterde, sprakeloos van angst, hoe Lady Uppington Amy uithoorde over haar literaire voorkeuren en haar kennis van de politiek. Ze leek op het punt te staan naar haar schoenmaat te informeren toen Henriëtta zich godzijdank in het gesprek mengde.

'Heeft Mama u al verteld over de keer dat Richard de vloer van het theehuis wilde openhakken met een pikhouweel?'

Richard was haar ineens niet zo dankbaar meer. Over het hoofd van Henriëtta heen zag hij Miles doelbewust op hen komen afstappen. De kamer begon hem te benauwen.

'Juffrouw Balcourt,' onderbrak hij het schromelijk overdreven verhaal van zijn moeder over de keer dat hij per ongeluk een tuinman aan zijn lans had geregen toen hij aan het schermen was met een tot ridder gesnoeide struik, 'de standbeelden op het binnenhof lijken mij bijzonder fraai. Zou u mij de eer willen bewijzen ze me te tonen?'

Amy's huid tintelde van opwinding over die uitnodiging. Ieder greintje gezond verstand vertelde haar dat ze die moest afslaan. Maar er liepen toch meer dan genoeg mensen rond om hen te chaperonneren, legde Amy haar verstand het zwijgen op. Dit was een perfecte gelegenheid om haar wraakplannen ten uitvoer te brengen – wat was er romantischer dan een maanovergoten tuin? – en ze zou wel gek zijn als ze die kans liet lopen.

'Ja, graag,' antwoordde Amy na een uiterst korte aarzeling.

'... het bloed spatte alle kanten uit! Wacht even, wat zei u, lieverd?'

'Ik heb juffrouw Balcourt gevraagd of ze een wandelingetje over het binnenhof met me wil maken, en ze heeft ja gezegd. En ik wil u erop wijzen dat hij alleen maar een schrammetje op zijn hand had.'

'Het binnenhof! Wat een goed idee! Ik bedoel, u moet natuurlijk wel een chaperonne mee hebben. Henriëtta, waarom gaat u niet met ze mee?'

'Hoe kan ik nu chaperonne *zijn* als ik zelf nog een chaperonne *heb*?' protesteerde Henriëtta.

Lady Uppington tikte ongeduldig met haar voet op de grond en fluisterde Henriëtta iets in het oor. 'O, dan is het goed!' Henriëtta wiebelde veelbetekenend met haar wenkbrauwen naar haar moeder.

'Zullen we?' vroeg Richard droogjes en stak Amy zijn arm toe.

Broer en zuster wisselden een blik toen ze door de openslaande deuren het bordes op liepen. Henriëtta begon uitvoerig te gapen en plofte neer op een stenen bankje. 'Pfff, wat een lange dag! Ik ga hier lekker een beetje naar de sterren zitten kijken, als jullie dat niet vreselijk ongezellig van me vinden.'

'Dank u,' mimede Richard naar haar.

Hij trok Amy's arm steviger door de zijne en leidde haar de drie smalle treden af naar de maanverlichte tuin.

32

Langzaam wandelden ze over het pad naar de fontein, midden op het binnenhof. Amy pijnigde haar hersens af naar iets wat ze zeggen kon. De gelaarsde voeten van Lord Richard hielden gelijke tred met de hare. Amy dwong zichzelf op te kijken uit haar beschouwing van vier voeten (twee in met linten getooide sandaaltjes, twee in glimmende zwarte laarzen) en haar kwelgeest in de ogen te zien. Iets in de buiging van zijn hoofd als hij op Amy neerkeek deed haar zo aan de Paarse Gentiaan denken dat haar hart kromp. Idioot die je bent, hield ze zichzelf voor, en trotseerde zijn vragende blik met een geforceerde glimlach om haar lippen. Natuurlijk deed hij haar denken aan de Paarse Gentiaan. De kerel *was* verdorie de Paarse Gentiaan. Amy hoopte dat het knerpen van het grind onder haar voeten het knarsen van haar tanden genoeg maskeerde.

'Hebt u werkelijk geduelleerd met heggen?' vroeg Amy. Ze was sterk, herinnerde ze zichzelf. Ze had een hart van steen.

'Alleen omdat mijn vader me wijsgemaakt had dat het draken waren,' antwoordde Lord Richard met een grijns die stenen deed smelten. Amy deed snel wat water bij de wijn: ze had een hart van ijzer. Lord Richard wuifde met zijn linkerhand in de richting van de schimmige groepjes struikgewas. 'Ik verzeker u dat de tuin van uw broer van mij niets te duchten heeft.'

'Een beetje hakken met een zwaard zou sommige van deze planten geen kwaad doen,' merkte Amy op, en ze stak haar hand uit naar een blad van een woekerende roos. 'Au!'

'Prikdingen, hè?' Lord Richard nam de hand die Amy op en neer wapperde en begon het geprikte kussentje van haar vingertop te onderzoeken. Zijn vingers brandden tegen haar pols en handpalm.

'Ze moeten zich toch kunnen beschermen.' Amy wrikte haar hand uit de zijne.

'U klinkt of u met ze meevoelt.'

'Mijn Tante Abigail kweekt rozen; ze weet er heel veel van,' ontweek Amy de impliciete vraag en de geamuseerde blik van Lord Richard; ze keerde de rozenstruik de rug toe en sloeg een grindpaadje in. Ze deed het lang niet slecht, wenste ze zichzelf geluk. Ze hield het gesprek luchtig, en zijn aanraking had haar niets gedaan. Of tenminste, niet veel. O God, als hij maar niet aan haar pols gevoeld had hoe haar hart tekeerging.

'Misschien moet ik haar eens vragen of ze er niet wat doornen af kan kweken.'

Hoezo aanraking? Die vreselijke kerel hoefde haar niet eens aan te raken om haar te doen huiveren.

'Zullen we maar wat standbeelden bekijken?' stelde Amy ademloos voor. 'Want dat heeft u tenslotte tegen uw moeder gezegd.'

'Ach, ik moest toch *wat* zeggen. Het spijt me dat ik u met mijn familie heb overvallen.'

Hij klonk net als een beteuterd schooljongetje, maar dat betekende nog niet dat ze medelijden met hem hoefde te hebben, hield Amy zichzelf voor. Dat deed tenslotte niets af aan het feit dat hij met haar gevoelens had gespeeld. Blauwbaard zou ook wel een moeder gehad hebben.

'Ik vind ze enig,' zei Amy ronduit, en ze meende het.

'Meestal wel, ja,' antwoordde Richard wrang, met een blik over zijn schouder naar het bordes, waar Henriëtta met haar hoofd ostentatief naar de sterrenhemel geheven zat.

'U mag blij zijn dat u ze hebt.'

Richard keek op haar neer met een overdaad aan begrip in zijn groene ogen. 'Ik vind het zo rot voor u, van uw ouders. Echt heel rot.'

Amy haalde verlegen haar schouders op. 'Daar hoeven we het nu niet meer over te hebben.'

'Ik vind van wel.' Richard stond stil bij een dichte struik en greep naar Amy's hand. 'We hebben er een potje van gemaakt op de boot, en ik wil het goedmaken.'

'Dat hoeft echt niet.' Snel trok Amy haar hand weg. Omdat ze niet goed raad wist met haar handen, deed ze beide op haar rug en klemde ze stevig in elkaar. Maar dat had tot ongewenst neveneffect dat haar boezem meer naar voren stak dan anders. Lord Richards blik dook naar beneden, als een havik die zich op zijn prooi stort.

Amy weerstond de neiging om aan haar lijfje te trekken en liet haar handen weer langs haar lichaam vallen. 'U bent heel aardig voor ons geweest. Bijvoorbeeld, dat we uw oudheden mochten komen bekijken,' vervolgde ze een tikkeltje te opgewekt. 'Dat was echt heel, eh, vriendelijk van u. Dus alles is in orde.'

Maar kennelijk was het dat niet. Lord Richard kwam dichterbij. 'Wat kan ik doen om u ervan te overtuigen dat ik geen gemene koningsmoordenaar ben?'

De struik prikte door de dunne stof van Amy's jurk. Wanneer, vroeg ze zich woedend af, was zij de controle over hun gesprek kwijtgeraakt? Ze werd verondersteld met hem te flirten, en hij werd verondersteld voor haar door het stof te gaan, en zij werd verondersteld zijn hoop te vermorzelen onder de sierlijke hak van haar sandaaltje. Maar *niet dit!* Zijn naar citrus geurende reukwater vulde haar neusgaten en overstemde de geuren van de tuin; overvallen door herinneringen stond ze daar, met knikkende knieën van verlangen.

'Ik ben al overtuigd,' kreunde Amy tegen zijn kravat. Hij stond zo dichtbij dat de uiteinden van de gesteven stof bijna tegen het puntje van haar neus kietelden. Nog één stap en zijn knieën zouden de hare raken. 'Heus!'

De kravat week achteruit. 'Mooi zo.'

Amy stond zichzelf toe om naar hem op te kijken. Dat was geen verstandige beslissing van haar.

'Ik wil niet dat u kwaad van me denkt,' zei hij zachtjes, zo zachtjes dat zijn woorden Amy streelden als de avondbries. Zijn hand kwam naar voren en streek een haarlok van haar wang. Langzaam. Teder. Zijn groene ogen zochten de hare in een lange liefkozing terwijl zijn hoofd zich naar het hare boog.

'Nee!'

Amy trok haar hoofd terug met zo'n ruk dat haar haren in de takken van de struik verstrikt raakten. Haar blauwe ogen stonden vol paniek. 'Nee! Ik... ik kan het niet. Ik kan het gewoonweg niet.'

Lord Richard deed een stap achteruit en stopte zijn handen in zijn zakken. 'Waarom niet?' vroeg hij onaangedaan. 'Hebt u dan nog steeds een hekel aan me?'

Een hekel. Mijn God, dat woord was nog veel te slap. Ze wilde hem bij zijn schouders pakken en hem door elkaar schudden tot zijn tanden ratelden en dan haar mond op de zijne drukken tot ze er allebei bij neervielen, en hij vroeg haar of ze een hekel aan hem had? Amy had geen idee wat ze *wel* voor hem voelde – voor de storm van emoties die door haar heen joeg had de taal geen woorden genoeg – maar een *hekel* was beslist niet het juiste woord.

Hoe bestond het dat je iemand tegelijkertijd zo hevig kon begeren en verachten? Was er eigenlijk wel een taal die daar een woord voor had?

'Nee,' kreunde ze. 'Ik heb geen hekel aan u.'

Nauwelijks waarneembaar gleed de spanning van het gezicht van Lord Richard.

'Maar waarom wilt u dan niet dat...?'

Amy kon hem de waarheid vertellen, dacht ze, door het dolle heen. Ze kon hem ter verantwoording roepen voor zijn daden en hem de kans geven zich nader te verklaren. Ze dronk zijn gelaatstrekken in: de rechte helling van zijn neus, de waakzame groene ogen, de strakke lijnen van jukbeenderen en kaken. De Paarse Gentiaan, ontmaskerd.

De kracht van de herinnering aan zijn bedrog versterkte Amy's besluit hem zoveel mogelijk te laten lijden.

Ze keek langs hem heen en verklaarde, met alle overtuiging die ze kon opbrengen: 'Ik hou van een ander.'

Die mogelijkheid ontbrak op Richards lijst van verwachte antwoorden, en Amy had zo verdomd lang getalmd dat hij er genoeg had kunnen bedenken om een encyclopedie mee te vullen.

'Van wie dan?'

'Vraag me dat alstublieft niet.'

Richards hoofd – en zijn maag – tolde. Wie kon het zijn? Wie het ook was, het zou Richard een genoegen zijn een vuist in zijn maag te planten. Marston kon het niet zijn, tenzij Amy stiekeme perverse neigingen had. Maar wie kende ze verder nog in Frankrijk? Of zou ze een geliefde hebben in Engeland? Was dat het? En waarom zoende ze de Paarse Gentiaan als ze... O. O nee! De harde waarheid trof Richard als de klap van een vallende zuil.

Hij was godbetert jaloers op zichzelf.

Was er ooit, in alle annalen van de wereld, zo'n belachelijke situatie opgetekend? Koning Arthur en Koning Menelaos en al die andere kerels waren tenminste nog bedrogen door echte rivalen. Het was verdorie toch te beschamend voor woorden dat je gedwarsboomd werd in de liefde door jezelf. Welke halfgare idioot deed nu zoiets?

Lord Richard Selwick, de Paarse Gentiaan, dus.

Grrrr!

Net als Amy vond Richard dat de taal geen woorden genoeg had om deze situatie te benoemen.

'Vertel me meer over uw volmaakte geliefde,' zei hij kortaf.

'Ik heb nooit gezegd dat hij volmaakt was.'

'Is hij dat dan niet?' Richard was beledigd. Wat was er mis met de Paarse Gentiaan? Hij was een toonbeeld van goedheid, een held, een... Hé, wacht eens even, het was wel zijn rivaal!

Amy's ogen keken hem aan vanonder haar donkere wimpers. 'U hebt juffrouw Gwen gehoord. Een volmaakte man bestaat niet.'

'Wat mankeert er dan aan hem?' Richard bracht de mogelijkheden voor zichzelf in kaart. Was het zijn adem? Die verdomde cape?

'Hij heeft me niet het vertrouwen geschonken dat mij toekomt,' antwoordde Amy prompt, met een boze blik op Richard.

Jezus! Het zou een stuk makkelijker geweest zijn als het zijn cape geweest was.

Dit was belachelijk! Hij wist niet of hij zichzelf moest verdedigen – althans de Paarse Gentiaan-helft – of dat hij met zijn huidige zelf jaloers moest zijn op die Paarse Gentiaan-helft. Verdomme, zelfs zijn gedachten waren een warboel. Er was maar één manier om een eind aan deze verwarrende situatie te maken.

Richard opende zijn mond, maar er kwam geen geluid. Hij had toch gedacht dat hij zich beter zou voelen als hij het aan Deirdre vertelde? En kijk eens wat daarvan gekomen was! Wie zou er ditmaal het loodje leggen? Geoff? Miles?

Richard kneep zijn lippen strak op elkaar.

Amy nam hem aandachtig op. 'Wilde u iets zeggen?'

Richard haalde zijn schouders op. 'Alleen maar dat uw geheime liefde, wie dat dan ook zijn moge, een heel gelukkig mens moet zijn. Zullen we terugkeren naar de anderen?'

De terugweg door de tuin verliep een stuk sneller dan de heenweg; Amy had de grootste moeite Richards grote passen bij te benen. Misschien kwam het omdat ze buiten adem was, maar de overwinning smaakte lang niet zo zoet als ze verwacht had. Trouwens, kon je wel van een overwinning spreken als Lord Richard haar op de terugweg geen blik meer waardig keurde?

Als hij ooit echt om haar gegeven had, dan zou hij het toch niet zo makkelijk opgegeven hebben? Kennelijk was zelfs een verliefdheid een te groot woord geweest, het was niet meer geweest dan een *flirt*.

Henriëtta keek vol verwachting op toen Richard en Amy in zicht kwamen. 'Hebt u een fijne...' begon ze opgewekt, maar haar woorden stierven weg toen ze het starre gezicht van haar broer ontwaarde.

'Ik laat u hier om nader kennis met elkaar te maken.' Richard schudde Amy's vingers min of meer van zijn arm, maakte een buiging in haar richting, knikte naar Jane en liep met grote passen door de openslaande deuren de salon weer in.

'Richard! Psst!' Zijn moeders arm schoot tevoorschijn en sleepte hem achter een namaakkist van een mummie.

'Au.' Richard wreef over zijn pols en keek zijn moeder nijdig aan. Als ze in een koppelbui was, had dit frêle vrouwtje de kracht van tien. Vechtjassen, welteverstaan.

'Het spijt me, lieverd,' zei de markiezin en ze klopte haar zoon afwezig op zijn pols, maar haar bezorgdheid duurde niet lang. 'Wat is er gebeurd? U bent eeuwen met haar in de tuin geweest!'

Richard probeerde haar af te leiden. 'Staat Miles te flirten met Hen?'

Lady Uppington rolde met haar ogen. 'Als Miles flirt met Hen, dan flirt Hen in elk geval vrolijk terug. Bovendien worden ze allebei uitstekend gechaperonneerd door die aardige juffrouw Meadows. Probeer me niet van mijn onderwerp af te brengen, Richard. Ik weet niet waarom jullie altijd maar weer denken dat ik dat niet in de gaten heb.'

'Wanneer hebben we dat dan ooit geprobeerd, Moeder? U bent ons toch altijd veel te slim af.'

'Even denken... nou, bijvoorbeeld die keer dat jij en Charles... O nee! Daar trap ik niet in! Kom op, lieverd, u wilt er toch zeker wel met uw *mammie* over praten?' smeekte Lady Uppington.

Richard kreunde. 'Doe niet zo afschuwelijk, moeder.'

'Sommige kinderen kennen geen dankbaarheid. Wat is er gebeurd, lieverd?'

'Amy denkt dat ze verliefd is op de Paarse Gentiaan.'

'Maar u *bent*...'

'Dat weet ik wel!'

Op dat uiterst verheffende moment dook Miles op achter de kist van de mummie. De markiezin wierp hem een nijdige blik toe.

'Waarom zo somber? Komt het door de mummie?'

Richard keek zijn beste vriend boos aan. 'Houd uw mond.'

'Ik beloof dat ik me zal gedragen als ik hier mag schuilen voor dat kippenhok op het bordes. Ze hebben allemaal de koppen bij elkaar gestoken en toen ik erbij kwam staan wapperde Hen met haar hand en vertelde me dat ik overbodig was. Ik weet niet wat me erger trof, het gevoel of haar woordkeus.'

Miles slaakte een ontevreden zucht. Lady Uppington straalde van moedertrots. Richard merkte het allemaal niet; hij stak zijn hoofd om de rand van de kist en gluurde naar het groepje achter de openslaande deuren op het bordes. Het was net zo angstaanjagend als Miles beschreven had: Janes blonde hoofd, Henriëtta's glanzend kastanjebruine en Amy's krullenkopje bogen zich naar elkaar toe en een monotoon geroezemoes gonsde door de lucht. Richard wilde niet weten waar ze over praatten, hetgeen natuurlijk betekende dat hij dolgraag wilde weten of ze het over hem hadden.

Hij spitste zijn oren, zijn vingers omklemden de kist. 'Nee!' riep Henriëtta uit, opgewonden heen en weer wippend op haar bank. 'Dat meent u niet!' De hoofden bogen zich weer naar elkaar toe. *Bzz bzz bzz...*

Als Richard geweten had wat ze zeiden, daar op het bordes, dan zou hij nog erger geschrokken zijn.

'Hoe bedoelt u, hij heeft u niet verteld wie hij was? Dat is walgelijk!'

Binnen tien minuten, door middel van dubbelzinnige halve verklaringen en strategisch opgetrokken wenkbrauwen, was Amy erachter gekomen dat Henriëtta wist van Richards dubbele identiteit. Zodra ze dat wist, werd het gesprek veel directer.

'Hoe kon hij u laten denken dat hij twee personen was?' vroeg Henriëtta, met een boze blik in de richting van haar broer. 'Dat is...' omdat ze de term *walgelijk* al gebruikt had, zocht ze koortsachtig naar een ander woord, '... schandalig!' besloot ze triomfantelijk.

'Ik voel me een rasechte idioot dat ik het niet in de gaten heb gehad. Als ik er maar niet zo vast van overtuigd was geweest dat hij volledig bij Bonaparte onder de knoet zat...'

'Het is wel een fantastische vermomming, hè?' Henriëtta bedacht te laat dat ze Richard niet aan het prijzen maar aan de schandpaal aan het nagelen waren. 'Maar hij had het u *toch* moeten vertellen.'

'Wat me nog het meest pijn doet is dat hij me niet genoeg vertrouwde om het te vertellen,' vertrouwde Amy hun toe. 'Daarnet, toen ik tegen hem zei dat ik van een ander hield, had hij het nog goed kunnen maken door gewoon te zeggen...'

'Tussen twee haakjes, die ander dat ben ik, ik vergat het u te vertellen?' leefde Henriëtta zich in.

De situatie ten spijt begon Amy te grinniken. 'Zoiets, ja.'

'O nee, dat was veel te makkelijk geweest. Hij is een schat, en een fantastische broer, maar het *blijft* een jongen.' Henriëtta schudde geïrriteerd haar hoofd. 'Hij vindt zichzelf heel wat! Dat doen ze allemaal. Hij denkt dat hij wel weet wat het beste is voor iedereen en dat hij zich rustig mag bemoeien met andermans leven.'

'Precies, dat is het probleem!' Amy wuifde opgewonden met haar handen. 'Hij moet leren dat hij niet altijd alles voor iedereen kan organiseren.'

Henriëtta keek voldaan. 'Net wat u zegt!'

'We moeten iets doen.'

'Helemaal mee eens,' knikte Henriëtta enthousiast. 'We moeten ze af en toe leren een toontje lager te zingen. Voor het welzijn van de vrouw.'

'Amy, gaat u het doen?' mengde Jane zich in het gesprek.

'Hebt u dan al een plan? O, vertel, alsjeblieft!' Henriëtta zwiepte haar lange haren uit haar gezicht en boog zich smekend naar voren. 'Ik zal niets zeggen, ik zweer het!'

'We hebben een plan,' zei Amy opgewonden.

Henriëtta luisterde geboeid. 'Geweldig!' riep ze uit toen Amy en Jane haar het plan uit de doeken hadden gedaan. 'De Roze Anjer! Heerlijk! Vooral die naam,' giechelde ze. 'Wat kan *ik* doen?'

'Sssjt,' siste Jane abrupt. 'Daar komt-ie.'

De drie meisjes schoten alle drie overeind en vouwden hun handen in hun schoot.

Met een achterdochtige blik op zijn zusje kwam Richard het bordes op. Henriëtta glimlachte hem zo onschuldig toe dat hij onmiddellijk wist dat zijn ergste vrees bewaarheid werd.

Richard gaf zijn zusje een zoen op haar wang en boog zich over Janes hand.

Dat deed hij niet bij Amy. Hij knikte haar niet toe. Hij keek haar domweg aan. Alleen was er niets doms aan de manier waarop hij naar haar keek.

Zijn ogen brandden in de hare met een mengeling van verlangen en pijn die Amy biologeerde. Ze retourneerde zijn blik, pijn om pijn, verlangen om verlangen, en bedwong de neiging zijn hand te grijpen. Zelfs als haar trots niet in het geding was geweest zou een hand nog overbodig zijn geweest. Hun ogen verbonden hen inniger dan enige handdruk, enige spraak kon doen.

Richard sloeg het eerst zijn ogen neer.

Met een toonloos 'Goedenacht, juffrouw Balcourt', draaide hij zich op zijn hielen om en verliet het bordes. Zijn onverzettelijke rug schreed de openslaande deuren en de salon door en verdween in de nacht.

Richards zusje liet haar arm door die van Amy glijden en gaf haar een vertrouwelijk kneepje. 'Niet de moed verliezen,' vrolijkte ze haar op. 'Denk aan het welzijn van de vrouw.'

'Juist,' mompelde Amy, met haar ogen nog op de deur gericht waar Richard zojuist door verdwenen was. 'Het welzijn van de vrouw.'

En de rest van de avond kon u haar dat ene zinnetje door opeengeklemde kaken horen mompelen.

33

In een donker huis in een donkere straat brandde in het duister voor het ochtendgloren in het Ile de la Cité één enkele kaars. Het schoorvoetende schijnsel van de kaars verlichtte een kamer zo schraal als het vlammetje zelf. Een smal bed, weinig uitnodigend en onbeslapen, stond tegen een muur, geflankeerd door een kaal nachtkastje. Een paar oude leren slippers stonden schuin op elkaar op de gekraste houten vloer. Op een rechte stoel bij het enige raam zat Gaston Delaroche.

Om halftwee kwam het signaal, het geluid van een uil die kraste in het steegje achter het raam. De onderminister van Politie schoof het raam omhoog en een tengere, zwarte figuur versmolt met de schaduwen onder het scheve overstek van de tweede verdieping van het oude huis. Als er al woorden gefluisterd werden, ging het geluid verloren in de miljoenen nachtelijke geluiden van de drukke straat. Het abrupte gesnuif en gesis van snurkende mannen, het gekraak van touwbedden en het geruis van met veren gevulde tijken zorgden voor een eentonig gehum. Vanaf de bovenverdieping van het pension van Delaroche klonken het bruusk onderdrukte gehuil van een klein kind en het geïrriteerde gegrom van een man. Het raam van Delaroche schoof zachtjes weer dicht. De schaduwen werden weer alleen schaduwen.

De kromgetrokken tafel wankelde toen Delaroche weer op de gammele stoel ging zitten. De kaarsvlam flakkerde, op sterven na dood. Delaroche leek het niet te merken.

Tweemaal. Lord Richard Selwick was tweemaal gesignaleerd in het gezelschap van Mademoiselle Amy Balcourt. Het eerst waren ze gezien op het binnenhof van de Tuilerieën, en later was Selwick met een groter gezelschap de poorten van het huis van De Balcourt binnengegaan. Volgens Delaroches spion bestond het gezelschap uit de familie van de Engelsman.

Wat dreef een man ertoe tweemaal op één dag een vrouw te ontmoeten?

Delaroche verwierp al snel de mogelijkheid dat het Balcourt meisje een spionne was. Haar broer stond bekend als een trouwe bezoeker van het hof van de Eerste Consul. Dat was op zichzelf nog geen garantie dat het meisje onschuldig was. Familiebanden, ha ha! Het hemd mocht dan nader zijn dan de rok op de vloer van de verhoorzaal, maar Delaroche wist inmiddels allang dat familiebanden in het dagelijks leven alleen maar een belemmering waren. Een steuntje in de rug voor de zwakken, een hindernis voor de sterken.

Maar Delaroche zou het toch gehoord hebben als er een nieuwe spion in Parijs aan het werk was? Er zouden rimpelingen en weerkaatsingen zijn geweest in de donkere vijvers van zijn ondergrondse wereld, fluisteringen en geruchten. Dat was niet het geval geweest. Het Balcourt meisje was onschuldig – tenminste, aan spioneren.

En dat bracht Delaroche terug bij zijn aanvankelijke vraag: waarom zou de Paarse Gentiaan zijn kostbare tijd verspillen aan dat jonge ding?

Het was in huize De Balcourt dat Lord Richard twee nachten geleden voor het eerst in een omhelzing met een niet nader genoemde vrouw was gesignaleerd. Delaroche zelf had hen zien flirten in een van de salons van Madame Bonaparte. Een langzame, verachtelijke glimlach gleed over het gezicht van de onderminister van Politie.

Elke man had een zwakte, zelfs de o zo onverschrokken Paarse Gentiaan.

'Eén foutje, Selwick,' kraaide Delaroche zachtjes in het donker. 'Eén fataal foutje is alles wat ik nodig heb.'

Om een man in de val te laten lopen, hoef je alleen maar zijn meisje te pakken.

Delaroche doofde de kaars.

34

Zonder dat de minister van Politie of de Paarse Gentiaan het wisten zat het Verbond van de Roze Anjer in een groot huis aan de andere kant van de stad haar eerste escapade voor te bereiden.

Er werd eindeloos gedelibereerd over de vraag hoe de luisterrijke carrière van de Roze Anjer moest beginnen. Juffrouw Gwen, wier hooggesloten lijfje het soort bloeddorstige inborst verborg dat genoot van de aanblik van gladiatoren die verscheurd werden door leeuwen, was niet bereid met minder genoegen te nemen dan een Fransman aan een lans te rijgen (de keuze van de Fransman liet zij grootmoedig over aan het comité) en die met zijn voeten op te knopen aan het lemmet van de guillotine.

Jane wierp haar een ontzette blik toe en stelde voor wat dossiers te ontvreemden uit het kantoor van Delaroche, een plan dat onmiddellijk werd weggestemd door Amy als niet gewaagd genoeg, en door juffrouw Gwen als te bloedeloos. Amy's plan A om onherkenbaar vermomd de Bastille binnen te dringen en een paar brave gevangenen te bevrijden stuitte op evenveel tegenstand, evenals plan B, plan C en zelfs plan D, dat voorschreef dat ze zich verkleedden in kleren uit het vorige decennium om dan, bestoven met meel, boven Bonapartes bed te gaan fladderen als de geesten van vermoorde aristocraten. 'Net zoals Richard III belaagd werd door zijn slachtoffers!' legde Amy likkebaardend uit. Juffrouw Gwen, die mogelijk voer rook voor haar griezelroman, liet zich meeslepen, maar wees het plan uiteindelijk af omdat het te moeilijk en te morsig zou zijn om gekleed in wijde hoepelrokken en bestoven met meel door de ramen van de Tuilerieën te klauteren.

Janes geschrokken gezicht ontspande zich.

'We hoeven niets spectaculairs te doen,' zei ze haastig, voordat Amy plan E kon ontvouwen. 'Dit is tenslotte niet meer dan een openingsbod, iets om de minister van Politie ervan te doordringen dat hij een nieuwe tegenstander heeft.'

'Een *betere* tegenstander,' corrigeerde juffrouw Gwen haar snuivend.

'We kunnen het maar beter simpel houden,' vervolgde Jane, 'want onze echte missie is het inpikken van het Zwitserse goud.'

'O! Ik heb een idee!' Amy schoot rechtovereind op de bank, haar blauwe ogen glommen ondeugend. 'Als we nu eens zijn slaapkamer binnensluipen en een briefje en een roze anjer op zijn kussen leggen?'

Juffrouw Gwens dunne lippen, die zich al automatisch spottend samen begonnen te knijpen, ontspanden zich tot een speculatieve glimlach.

'Goed idee!' riep Jane goedkeurend uit. Haar stem klonk bijna beledigend verrast.

'We kunnen er een rijmpje van maken,' giechelde Amy. 'Iets in de trant van: *Zoek me sluipend, zoek me in draf / De Roze Anjer is u zeker te slim af.*'

'Dat loopt niet lekker,' zette juffrouw Gwen een domper op haar enthousiasme.

'Nou ja, het kwam ook maar spontaan bij me op.'

Juffrouw Gwens half toegeknepen ogen gaven te kennen dat ze weinig fiducie had in wat er spontaan bij Amy opkwam.

'Misschien is een gewone boodschap toch beter,' opperde Jane tactvol. 'Iets...'

'Ja hoor, iets *eenvoudigs*,' zei Amy met een innige blik op Jane. 'Waarom schrijven we hem dan niet gewoon een briefje dat hij de Roze Anjer kan bedanken voor het verdwijnen van het Zwitserse goud? We leggen het op zijn kussen vlak voordat we het goud inpikken.'

Dat idee werd met algemene stemmen aangenomen door het Verbond van de Roze Anjer. Het leek toen een uitstekend idee, dat zelfs door juffrouw Gwen met een goedkeurend knikje werd ontvangen. Jane, de Anjer met het netste handschrift, schreef het briefje voor Delaroche. Juffrouw Gwen regelde de kostuums, een taak die ze met één snelle overval van de stalknechtverblijven voor elkaar had. Amy moest uitzoeken wat de beste tijd was om Delaroches kamer binnen te sluipen; zij papte daartoe aan met de stalknecht van Delaroche toen ze op een avond stond te wachten op haar koets na een feest in de Tuilerieën. Als de man al overdonderd was door deze onverwachte belangstelling van een dame, dan liet hij het niet merken. Hij bleek zeer bereid haar inlichtingen te verschaffen over de agenda van zijn meester en herhaalde tot driemaal toe dat Delaroche een afspraak buiten de stad had op de avond van de dertigste. Amy had blij moeten zijn dat het allemaal zo makkelijk ging, maar toen er twee dagen verstreken waren wenste ze dat ze een taak gekregen had die een tikkeltje meer actie vereiste. Iets waardoor ze zo in beslag genomen werd dat ze niet aan Lord Richard kon denken.

Dat laatste werd nog bemoeilijkt door het feit dat Lady Uppington zich enthousiast ontfermd had over Jane en Amy en, met veelbetekenende zijdelingse blikken op Amy, aan één stuk door schattige verhalen vertelde over Richard toen hij nog een jongetje was. Amy probeerde er niet te gretig naar te luisteren, maar wat kon ze eraan doen? Ze zag het helemaal voor zich: een miniatuur-Richard die met een zwaard een taxushaag te lijf ging, en van daaraf was het maar een klein stapje naar de onweerstaanbare volwassen Richard die Marston tegen de vlakte sloeg, en van daaraf... Van daaraf bloosde Amy diep bij de herinneringen die helemaal niet in haar hoofd hoorden op te komen in de aanwezigheid van Richards moeder en zuster.

Als ze eerlijk tegenover zichzelf was, moest ze toegeven dat ze niet alleen in gezelschap van Richards familieleden geplaagd werd door herinneringen. Ze kwamen plotseling bij haar op als ze met juffrouw Gwen plannetjes zat uit te broeden, fladderden voor haar ogen als ze haar haren borstelde voor de spiegel en werden een ware kwelling als ze lag te woelen in haar bed. Het was om gek van te worden om aan het ontbijt, starend naar een verkruimelde brioche, de stem van de Paarse Gentiaan in haar oor te horen fluisteren en zijn hand over haar wang te voelen. En telkens als Amy een zwarte cape zag, bonsde haar hart pijnlijk in haar keel.

Waarom liet hij haar niet met rust? Of nee, dat was nu net het probleem: Lord Richard en zijn alter ego, de Paarse Gentiaan, lieten haar met rust. Als zij en Jane op theevisite gingen bij Lady Uppington en Henriëtta, zorgde hij dat hij op zijn studeerkamer was en vertoonde zich niet. Op de recepties van Madame Bonaparte bleef hij krampachtig aan de andere kant van de salon, waar Amy zich omringde met heel lange officieren om de verleiding te weerstaan zijn kant op te kijken om te zien of hij misschien háár kant opkeek. Als ze na haar wekelijkse Engelse les aan Hortense door de gangen van de Tuilerieën slenterde zag ze hem zo snel een hoek omslaan dat ze alleen een glimp opving van een bekend gouden hoofd. Ook had ze geen enkel middernachtelijk bezoek meer gehad van de gemaskerde en in cape gehulde Paarse Gentiaan.

Maar zo was het toch goed? Ze hoefde hem nog maar één keer te zien, één laatste ontmoeting om hem haar triomf in te peperen, en daarna zou hij beschaamd terugkeren naar Engeland en zou ze hem nooit meer zien. Nooit meer Lord Richard Selwick. Nooit meer de Paarse Gentiaan.

Amy keek boos naar haar zoveelste gemutileerde brioche.

Op de dag dat het Zwitserse goud aan zou komen, ijsbeerde Amy voor haar raam op en neer en keek naar het avondrood dat pijnlijk traag de hemel kleurde. Waarom ging de zon niet gewoon alvast *onder*? Al een uur voordat ze zouden vertrekken begon Amy zich aan te kleden en deed daar zo lang over als ze maar kon.

Het bleek veel moeilijker haar borsten plat tegen haar lichaam te binden dan ze verwacht had. Hoe deden al die heldinnen in Shakespeare dat toch als ze zich verkleedden als man? Woest keek Amy naar de lange reep wit linnen die voor de zoveelste keer losgeraakt was. Na nog drie pogingen en een flink aantal kreten van pijn wierp ze de lap op het vuur. Ze moest immers toch een los, ruimvallend hemd aan, dus als ze een beetje voorovergebogen liep zag daar geen mens wat van.

Met opgetrokken neus wurmde ze zich in de smerige broek van onbestemde kleur – het kon alles geweest zijn van zwart tot bruin – en trok het grove beige linnen hemd over haar hoofd. Het rook bedroevend sterk naar staljongen.

Tot slot trok ze een paar modderige bruine laarzen aan. Klaar. Nu had ze weer niks te doen, alleen stonk ze nu ook nog. De volgende keer, bedacht ze grimmig, moesten ze iets verzinnen wat niet zo stonk. Misschien hadden ze zich beter kunnen vermommen als meisjes van plezier die op weg waren naar een klant.

Amy stond nijdig naar een irritante streep oranje te kijken toen Jane op de deur klopte.

'Klaar?' vroeg ze.

'Al uren.'

Janes lippen krulden bij de aanblik van de smoezelige mannenkleren en de zwarte vegen op Amy's gezicht. 'Dat dacht ik al. Ik heb net juffrouw Gwen gesproken en die zei dat ze ons hier om elf uur zou ontmoeten zodat we met z'n drieën naar het pakhuis kunnen gaan.'

'Ze gaat toch niet mee als we het briefje neer gaan leggen?' Amy trok met de ene hand haar haren naar achteren en tastte met de andere haar toilettafel af naar een lint.

'Nee.' Jane pakte het lint van haar af en begon de massa donkere krullen bijeen te binden om ze onder een gebreide muts te verstoppen. 'Zij neemt zich in acht voor de echte missie. Toen ik haar kamer binnenkwam stond ze kussens door te steken met haar parasol.'

'Mooie chaperonne,' mompelde Amy.

'We hadden geen betere kunnen treffen,' zei Jane droog en legde een knoop in het lint. 'Ik ga me verkleden – gaat het wel met u?'

'Een beetje ongeduldig, meer niet.' Amy demonstreerde haar gemoedstoestand door weer te gaan ijsberen; haar laarzen lieten overal kloddertjes gedroogde modder achter op het tapijt. 'Maar morgen, als Lord Richard gefrustreerd met zijn tanden staat te knarsen omdat we hem een loer hebben gedraaid, zal ik *volmaakt* gelukkig zijn.'

'Is het niet de bedoeling dat we Bonaparte een loer draaien?' informeerde Jane fijntjes.

'We slaan twee vliegen in één klap,' verklaarde Amy en wierp het hoofd in de nek.

Jane keek haar hoofdschuddend aan en liep naar de deur. 'Over vijf minuten ben ik klaar om te gaan,' stelde ze haar nichtje gerust.

Amy wierp een blik op de klok. Bijna halfacht. Om acht uur...

Om halfacht, in een huisje aan de andere kant van de stad, stak Geoff zijn hoofd om de deur van Richards studeerkamer.

'Zin in een kop thee?'

'Kom maar binnen, hoor,' zei Richard humeurig vanachter zijn bureau. Hij schoof zijn stoel naar achteren. 'Ik zal u heus niet bijten.'

'Belooft u me dat?' Geoff deed de deur nu wijd open. Richard schopte een stoel zijn richting uit. Aangezien de vloer bedekt was met een Perzisch tapijt kwam de stoel niet ver, maar Geoff begreep de hint en ging zitten. 'Ik dacht vanavond aan het diner dat u Miles aan uw botermesje zou rijgen.'

'Ach... Miles.' Richard haalde zijn schouders op alsof dat alles verklaarde. 'Cognacje?'

'Graag,' nam Geoff zijn aanbod aan. 'Waarom praat u niet gewoon met haar?'

Richard verstarde met de karaf schuin boven Geoffs glas. 'Met wie?'

Geoff keek hem meewarig aan. 'Met de Koningin van Sheba, met wie anders?'

Richard concentreerde zich op het inschenken van de goudbruine vloeistof.

'Met Amy, natuurlijk.'

'O.' Richard deed de stop op de karaf en zakte weg in zijn stoel. 'Spelletje darten?' vroeg hij hoopvol.

Maar Geoff liet zich niet afleiden. 'U gaat zich weer met haar bezighouden na de de missie van vannacht, toch? Het maakt mij allemaal niet uit, maar u bent momenteel een onuitstaanbare huisgenoot.'

'Bedankt voor het compliment.'

'Geen dank. Nou?'

'Ik heb er nog niet zo over nagedacht,' mompelde Richard zonder Geoff aan te kijken. Dat was het probleem met vrienden die je al vanaf de kleuterschool kende. Ze hadden het onmiddellijk in de gaten als je loog – en lieten niet na je daarop te wijzen. Goed dan, Richard had er wel over nagedacht. Hij dacht aan niets anders. Hij had wel twintig variaties bedacht op excuses in de trant van: 'Alleen de noodzaak om Engeland te redden weerhield me ervan u te vertellen...' Nee, die had hij geschrapt, want die klonk te pompeus. En: 'Tussen twee haakjes, ik dacht dat u het misschien wel leuk zou vinden om te weten dat ik de Paarse Gentiaan ben. Wilt u met me trouwen?' Dat leek weer wat al te nonchalant. Om over de rest nog maar te zwijgen.

'Ik was van plan een beetje op verkenning te gaan vóór de grote missie van vannacht,' kondigde Richard luid aan, hoewel Geoff nog geen meter van hem af zat, maar zijn stemverheffing hielp hem zich te verweren tegen de stille scepsis die zijn vriend uitstraalde.

Richard hees zich overeind uit zijn stoel. Hij was niet echt van plan geweest op verkenning te gaan, maar nu hij het gezegd had leek het hem helemaal geen slecht idee. Het zou zijn gedachten afleiden van

Amy en hem bovendien in de stemming brengen voor vanavond. 'Ik denk dat ik eens langsga bij Delaroche om te kijken of er in zijn geheime dossiers iets te vinden is over het goud.'

'De dossiers die hij onder zijn kussen bewaart?' vroeg Geoff, afgeleid. 'Je snapt toch niet hoe zo'n ervaren politieman als hij zulke idiote plaatsen kan kiezen om dingen te verstoppen...'

'Tja, stuitend, hè?' stemde Richard van harte met hem in, dankbaar voor de verandering van onderwerp. Als een haas schoot hij naar de deur, voordat Geoff zich zou herinneren waarvoor hij eigenlijk gekomen was. 'In de la van zijn bureau op zijn werk en onder zijn hoofdkussen. Niets uitdagends meer aan! Nou, ik ga me verkleden. Om een uur of tien zien we elkaar hier weer.'

'Is er nog iets wat ik doen kan?' vroeg Geoff.

'Als mijn moeder van plan was om vanavond mee te komen, praat haar dat dan in godsnaam uit haar hoofd. Verder kan er volgens mij niets misgaan,' zei Richard luchtig en maakte zich uit de voeten om zich te gaan wijden aan de kalmerende, overbekende taak van inbreker in het huis van Delaroche. Hij keek op de klok: iets over halfacht. Hij kon met gemak over een halfuur daar zijn en om tien uur hier weer terug.

Tegen achten was het ineens onverwacht druk in het kale huurvertrek van Delaroche.

Richard, reeds met één been op de legger van het raamkozijn, bevroor toen hij een deur hoorde opengaan. Hij probeerde de tintelingen in zijn beenspieren die voortkwamen uit zijn verkrampte houding te negeren en keek toe hoe de deur in een trage halve cirkel openzwaaide waardoor een donkergeklede figuur de kleine kamer binnenglipte.

Delaroche? Nee. De kamer was weliswaar in duisternis gehuld, maar hij zag in één oogopslag dat de zwarte figuur te tenger was, zelfs voor dat miezerige Fransmannetje van een Delaroche. En bovendien, waarom zou Delaroche stiekem rondsluipen in zijn eigen slaapkamer? Hij was weliswaar vreemd en waarschijnlijk lichtelijk gestoord, maar Richard zag hem er toch niet voor aan dat hij voor de lol in zijn eigen donkere kamer rond zou scharrelen. Hij scharrelde liever voor de lol in andermans donkere kamers rond, een tijdverdrijf waarvan Richard moest toegeven dat hij daar zelf ook wel lol in had.

Heupwiegend sloop de tengere figuur op het bed af. Heup wat? Iets aan de manier waarop de insluiper zich bewoog deed Richard aan iemand denken. Richard vergat voorzichtig te zijn en boog zich een eind naar voren. De binnendringer had alle aandacht nodig bij het op de tenen lopen en merkte niets. Binnendringer? Binnendringster! Mijn God, het was Amy. Geen wonder dat het achterwerk hem zo bekend voorkwam. Hij had er de afgelopen weken vaak genoeg naar gekeken.

De binnendringster *was* Amy.

Wat deed Amy voor de duvel in de slaapkamer van Delaroche?

Met een ruk draaide Amy zich om bij het geluid van het schuifraam dat achter haar openging, en viel over een leren pantoffel die Delaroche weinig attent had laten slingeren op de vloer naast zijn bed. Met een *oef* die het geluid van een lenige sprong verhulde sloeg ze tegen de stoffige grond en krabbelde nog net op tijd overeind om te zien hoe een tweede laars zich naast de eerste zette. Haar blik gleed omhoog van de verweerde zwarte laarzen naar... de zoom van een zwarte cape die in donkere plooien tegen de laarzen aan deinde. O nee!

Amy's handen werden koud.

Of erger nog, haar hele lichaam moest bevroren zijn, want ze bleef, half gebukt, onbeweeglijk zitten met haar ene hand nog op de stoffige planken vloer. Haar panische ogen gleden verder omhoog, langs een strak zittende zwarte broek naar zwarte gehandschoende handen die losjes rustten op de vensterbank.

Het was niet *eerlijk*. Wat deed hij hier, nu, net nu ze op het punt stond haar welverdiende wraak te nemen? Waarom was hij gisteren niet verschenen tijdens de theevisite, of eergisteren in de salon van Madame Bonaparte? Waarom kwam hij haar uitgerekend *nu* lastigvallen? Amy's hele lijf begon te beven bij het zien van de soepele lijn van zijn hals, de bekende hoeken van zijn gezicht onder de beschaduwde cirkel van zijn capuchon. Ze zou zich *niet* in zijn armen storten. Dat was hoe dan ook een slechte gewoonte van haar geweest, en bovendien stond hij daar duidelijk niet op te wachten. Dat was voorbij, voorbij, voorbij. Maar waarom was hij nog steeds bij machte haar te reduceren tot een emotionele kwak gelei? Het was erger dan oneerlijk; het was fout.

'Wat doet u hier?' vroeg ze op gebiedende toon terwijl ze haar stoffige handen afklopte tegen haar knieën. Zijn figuur, met de rug naar het raam, blokkeerde het kleine beetje maanlicht dat er was, zodat ze nauwelijks zijn gezicht kon zien, laat staan de uitdrukking erop.

'Dat kan ik beter aan u vragen,' diende de Gentiaan haar van repliek. In een werveling van zwarte stof verwijderde hij zich van het raam.

Amy deed automatisch een stap achteruit in de richting van het bed, alsof een beetje meer afstand tussen hen zijn aantrekkingskracht zou doen afnemen. Dat was niet het geval. Zijn nabijheid maakte zich kenbaar aan haar huid, bezorgde haar kippenvel onder het grove linnen van haar hemd en prikte langs haar haarwortels. Haar vingers tintelden. In de hoop dat dit een einde zou maken aan het getintel, balde ze haar handen tot vuisten. Het getintel verspreidde zich nu naar haar handpalmen.

De Gentiaan schudde zijn gecapuchonneerde hoofd. Met een stem die warm was van het ingehouden plezier zei hij: 'U geeft het niet makkelijk op, hè?'

Amy kromp ineen onder de onrechtvaardigheid van deze opmerking. Kennelijk vond hij het niet genoeg dat hij haar afgewezen had, hij lachte haar nog uit ook!

'Dingen die belangrijk zijn niet, nee,' beet ze hem toe.

'Ik mag aannemen dat u geen avondwandelingetje aan het maken was?'

Amy voelde de stijve kaart met de boodschap van de Roze Anjer aan Delaroche in haar zak. Wat er ook gebeurde, het was van het allergrootste belang dat hij niet achter het bestaan van de Roze Anjer kwam. Amy klampte zich vast aan die ene gedachte terwijl Richard nog een stap dichterbij kwam. Ze voelde zich slap worden en haar knieholtes sloegen tegen de matras van Delaroche. Godzijdank was het een diepe zak!

'Als u op zoek bent naar de geheime dossiers van Delaroche,' zei de Paarse Gentiaan en hij boog zich naar Amy over, 'dan zal ik u een hint geven. Hij bewaart ze onder zijn kussen.'

'O,' stamelde Amy en leunde zo ver achterover dat haar hoofd ter hoogte van zijn schouders zweefde. 'Dank u.'

'Wilt u ze niet bekijken?'

Wam! In een fractie van een seconde was het gebeurd: de Paarse Gentiaan boog zich over Amy heen naar het kussen, Amy probeerde nog verder achterover te leunen, verloor haar evenwicht en viel met haar rug op het bed. Het was een ramp. Niet alleen lag ze uitgespreid op het bed, met haar billen half ernaast en haar in broek geklede benen wijd, maar de hand van de Paarse Gentiaan zat klem onder haar hoofd.

Amy's grote ogen vlogen naar Richards gezicht. Hij glimlachte nog steeds, maar het was geen plagende glimlach; de curve van zijn lippen was... roofzuchtig. Door de spleetjes van zijn masker zag Amy zijn groene ogen strak op haar lippen gericht. Haar ademhaling werd gejaagd, haar lippen openden zich van schrik – het moest wel schrik zijn – toen de randen van zijn cape langs haar armen streken en de bekende geur van zijn reukwater haar vervulde met verlangende herinneringen. Zijn hand draaide zich om en omvatte haar hoofd, raakte verstrikt in haar haren en masseerde haar schedel.

'Dit gebeurt niet echt,' blaatte Amy.

'Goed,' mompelde de Paarse Gentiaan zachtjes, met zijn gezicht zo dicht bij het hare dat ze de zachte stootjes van zijn ademhaling tegen haar lippen voelde. Hij rook naar cognac en kruidnagelen en nog iets anders, iets onbeschrijflijks van hem alleen. 'Dit gebeurt niet echt.'

35

M<small>AAR HET GEBEURDE</small> wel, en Amy wilde niet dat het ooit zou ophouden. Zijn lippen bereikten de hare en de werkelijkheid verdween in een zwevende mist van smaak en aanraking en geur; zijn tong groef zich diep in haar mond, en zonder erbij na te denken hief Amy haar armen op en klemde ze om zijn hals. Ze zoenden met de woestheid van een lange scheiding; lippen smolten samen, tongen vervlochten zich, lichamen drukten zich tegen elkaar aan. Richards hand gleed onder Amy's rug en drukte haar tegen zich aan, en zijn dij drong zich tussen haar benen.

Amy slaakte een kreetje en duwde haar onderlichaam tegen hem aan; hongerig zoende ze hem terug. Waarom niet nog deze ene keer, dacht ze, in een roes. Eén laatste herinnering om te bewaren voor al die lange, lege nachten die voor haar lagen... Het besef dat dit de laatste keer zou zijn, de allerlaatste keer dat ze zijn lippen voelde, zijn strelingen, zijn sterke lichaam tegen het hare – het feit dat dit niet zou mogen maar dat het toch gebeurde – verhoogde elke sensatie. Zijn kortgeknipte haar dat langs haar gevoelige vingertoppen streek, zijn tong die langs de bogen van haar lippen gleed, de warme druk van zijn hand onder in haar rug. Deze ene keer nog... beloofde ze zichzelf. Het was toch de laatste keer dat ze de kans kreeg... Amy trok hongerig het hemd van de Gentiaan uit de band van zijn broek en liet haar handen langs de gladde huid van zijn rug glijden. Ze gleed langs de contouren van zijn spieren en prentte hun vorm en weefsel in haar gedachten.

De lippen van de Gentiaan lieten die van Amy los en gleden langs haar wang naar de welving van haar kin. Amy slaakte een kreetje van protest en duwde harder tegen zijn rug in een poging zijn mond terug te dwingen op de hare, maar Richard grijnsde gemeen en gleed met zijn tong langs haar hals naar...

Richard snoof. Hij snoof aan Amy's hals. Hij fronste zijn wenkbrauwen. Hij snoof nogmaals. 'Wat,' vroeg hij verdwaasd, 'is dat voor lucht?'

Amy's eigen neus was allang gewend geraakt aan de geur van ongewassen stalknecht waarvan haar geleende kleren doortrokken waren. En bovendien had ze geen zin om te praten. Als ze gingen praten, zou ze na moeten denken.

'Adem maar niet,' adviseerde ze hem hees en trok zijn hoofd weer naar zich toe.

De Paarse Gentiaan leek daar geen bezwaar tegen te hebben. Vol vuur zocht zijn mond de hare weer. Zijn handen gleden de wijde tailleband van Amy's broek in en drukten haar tegen de hardheid van zijn opwinding.

Amy's benen sloten zich instinctief om zijn middel, en ze kreunde met een stem die half protesteerde en half smeekte: 'Richard...'

Plotseling hielden de handen van de Paarse Gentiaan haar in een ijzeren greep bij haar schouders en trokken haar overeind. 'Wat zei u daar?' beet hij haar toe.

'Ik zei... O!' Amy's mond viel open. Haar hoofd duizelde door de kracht waarmee hij haar overeind getrokken had, maar zelfs door haar duizeligheid heen stonden Richards groene open zo onverzoenlijk als de jaden ogen van een klassiek standbeeld. 'U zult me wel niet geloven als ik zeg dat ik het net pas geraden heb?'

Richard schudde haar door elkaar. 'Hoe lang weet u het al?'

Amy overwoog te doen alsof ze hem niet begreep, maar iets in de manier waarop Richards vingers zich in haar schouders groeven en hij haar aankeek waarschuwde haar dat dit geen goed idee zou zijn. 'Sinds de dag na de Seine.'

'Die nacht in de tuin? Wist u het toen?'

Amy knikte moeizaam.

'Verdoemd, Amy!' Hij liet haar zo abrupt los dat ze zich aan de rand van het nachtkastje moest vastklampen om niet weer achterover op de matras te vallen. 'Al die tijd dat ik verteerd werd door jaloezie – jaloezie op mezelf, godbetert! – wist u het al?'

'Ik wilde...' Amy's keel was zo droog dat ze de woorden er bijna niet doorheen kreeg. Ze likte aan haar gezwollen lippen. 'Ik wilde dat u wist hoe het voelde om zo behandeld te worden. Het spijt me.' Ze hoorde haar eigen woorden maar half. Jaloers? Hij was jaloers?

'Het spijt u. *Nu* spijt het u.' Er droop zoveel sarcasme van zijn woorden af dat Amy verbaasd was dat ze niet ter plekke oploste in het niets.

Ze stond op het punt zich nogmaals te verontschuldigen maar sprong op van het bed. 'Ik zou niet eens weten *waarom* ik er spijt van zou moeten hebben. U hebt *mij* afgewezen, en niet andersom. Of bent u dat al vergeten?'

'Ik kon niet anders.' Richard fronste zijn wenkbrauwen onder zijn masker; de wending die het gesprek nu nam zinde hem niet.

Amy deed een stap naar voren en zette haar handen in haar zij. Richard zou van dit schouwspel genoten hebben – het waren tenslotte bijzonder fraaie heupen – als de uitdrukking op haar gezicht niet zo dreigend was geweest.

'En de volgende dag flirtte u met me!'

'Dat leek toen niet onlogisch.'

'Maar ik wist niet beter of u speelde met me, uit een soort kwaadaardige gril!'

'Voor mij bent u nooit een gril geweest.'

'Nou, zo voelde het anders wel! Voor hetzelfde geld was u zo'n ploert geweest die vrouwen gewoon voor de lol het hoofd op hol brengt. U zei zelf dat het een *bevlieging* was.'

'Daar had ik goede redenen voor.'

'Goed. Vertel maar eens op! Wat voor redenen? Of hebt u tijd nodig om er een paar te verzinnen?'

Richard onderdrukte de neiging haar toe te bijten dat het haar geen barst aanging. Het ging haar immers wel degelijk aan, al vanaf het moment dat hij haar gezoend had in de studeerkamer van haar broer. Richard keek neer op Amy's verhitte gezicht en voelde zich eigenaardig schaapachtig. Dat was geen prettig gevoel, een gevoel dat totaal niet paste bij een onverschrokken geheim agent, en Richard deed zijn best het de kop in te drukken. Hij *had* goede redenen gehad, verzekerde hij zichzelf. Deirdre. De missie. Zijn vaderland dat gered moest worden, en de hele rest. Engeland redden telde toch zeker als een goede reden? Als hij Amy daar nu maar van kon overtuigen... dan zou hij zich misschien niet meer zo'n enorme sukkel voelen.

'Ik heb iemand anders gehad, iemand op wie ik meende verliefd te zijn. Lang geleden.'

Amy slikte de neiging in om sarcastisch te informeren of deze naamloze vrouw meer geweest was dan een bevlieging. Ze vroeg zich af of hij haar gezoend had op maanovergoten nachten op de Seine. Of hij haar had meegenomen naar zijn oudheden. Op ze knapper en geestiger was geweest dan Amy. Of ze blond was geweest.

'Wie was ze?'

Richard haalde zijn schouders op. 'De dochter van de markies die naast ons woonde.' Hij zweeg even, dacht na hoe hij verder moest gaan. De beelden van Deirdres verraad en Tony's dood stonden hem in het geheugen gegrift, maar hij had ze nog nooit onder woorden hoeven brengen. Degenen die het wisten, wisten het. Geoff, Miles, Sir Percy, zijn ouders... Geen van hen had hem ooit om uitleg gevraagd. Ze wisten het gewoon, en er werd niet over gepraat.

'Ik dacht dat ik verliefd op haar was,' herhaalde hij, alsof hij door de nadruk te leggen op de verliefde dwaas die hij was geweest dat andere, donkerdere gedeelte af kon schuiven. 'Het is nu bijna zes jaar geleden.'

'Bent u nog verliefd op haar?' kreunde Amy.

Richards hoofd schoot naar Amy toe. 'Verliefd op haar? Grote goden, nee! Het was...'

'Een bevlieging?'

Het sarcasme ontging Richard. 'Een bevlieging, ja,' knikte hij. 'Ze was jong en knap en dichtbij. En ik was snel onder de indruk.'

Amy snoof verachtelijk.

'Ik had een rivaal. Een weduwnaar van middelbare leeftijd. Ik werkte al ruim een jaar voor Percy. Ik dacht dat ze, als ik het haar vertelde... Nou ja, ik stond gewoon te popelen om het haar te vertellen. Ik wilde het wel aan *iedereen* vertellen. Ik was jong en stom, ik wilde erover opscheppen. Zelfs als Baron Jerard er niet bij betrokken was geweest zou ik Deirdre toch vroeg of laat verteld hebben van het Verbond.'

Deirdre. Op de een of andere manier bracht die naam de vrouw meer tot leven. Het was een rotnaam, besloot Amy kwaadaardig, ondanks het feit dat ze het tot nu toe altijd een mooie naam gevonden had en ze op haar tiende haar lievelingspop Deirdre had genoemd.

'Haar meid was een Franse spionne.'

Amy's ogen vlogen verbaasd op naar zijn gezicht.

Met de grimmige blik van een man die spitsroeden loopt ploeterde Richard verder. 'Ik heb de fout gemaakt Deirdre uitgebreid verslag te doen van een missie die we gepland hadden voor de maand daarop. Haar meid waarschuwde het ministerie van Politie. Zij gingen ons voor naar onze ontmoetingsplaats.'

'Raakte u gewond?'

'Ik?' Richard lachte bitter. 'Geen schrammetje. Ze kwamen bij de hut aan net voordat T... een van onze beste mensen kwam aanzetten met een Franse graaf die hij net uit de Bastille had bevrijd. Tegen de tijd dat Geoff en ik er arriveerden hadden ze de graaf alweer gevangengenomen. En Tony was dood. Ik had niks. Het was niet zo moeilijk om de link naar Deirdre te leggen.'

'Dat spijt me voor u.'

'Het speet mij ook.' Richard schudde zijn hoofd. 'Maar daar schoot Tony niets meer mee op.'

De smartelijke herinnering kerfde een diepe lijn aan weerszijden van Richards mond, en beitelde aan Amy's woede. Zonet leek het allemaal nog zo klaar als een klontje: hij had haar onrecht aangedaan. Hij had haar behandeld als een dom gansje. Hij was fout geweest, en dat kon hij met geen *enkel* excuus (behalve geheugenverlies of een boze tweelingbroer) recht breien. Toen hij Deirdre noemde was Amy ontstoken in rechtschapen verontwaardiging. Wat had ze hem graag bespot om het bedrog van zijn geliefde, hem hatelijke opmerkingen in zijn gezicht geslingerd als giftige pijlen.

Zelfs nu ze de rest van het verhaal kende zou Amy hem nog steeds het liefst als een harpij aanvliegen en kermen: 'Dus dat *was* het dan? U speelde een spelletje met *mijn* hart omdat een *andere* vrouw u jaren geleden bedrogen heeft? En daarom maakte u *mijn* leven tot een hel?'

Maar ze kon het niet.

Zijn berouw hing tussen hen in als een levend iets. Of bedoelde ze een dood iets? Tony.

'Maar ik ben Deirdre toch niet,' flapte ze eruit.

'Ik kon het u niet vertellen, Amy,' zei Richard op kalme toon. 'Er stonden te veel levens op het spel.'

Sprakeloos staarde Amy hem aan. U had niet met me hoeven flirten, dacht ze. U had me met rust kunnen laten. Of u had me kunnen vertrouwen. Ik had het heus aan niemand verteld. Wanhopig haalde ze alle grieven op die haar beziggehouden hadden sinds de middag dat ze zijn dubbele identiteit beseft had. Maar ze vielen allemaal in het niet bij die vreselijke, zware woorden: *te veel levens op het spel.*

Amy schudde haar hoofd en deed een stapje achteruit. 'Ik kan niet...' begon ze, maar ze verslikte zich in haar verwarring.

Hoe kon ze zeggen dat ze dat niet accepteerde, terwijl ze wist dat hij gelijk had, dat hij de eerbare weg gekozen had? Haar gekwetste gevoelens waren onbetekenend, afgezet tegen het leven van een man, dat wist ze best. Een regel uit een van haar lievelingsgedichten schoot door haar hoofd: *M'n lief, ik minde u niet zo, minde ik mijn eer niet méér.* Dat had haar altijd zo'n edelmoedig gevoel geleken. Maar nu de belichaming van dat gevoel hier voor haar stond, kon Amy wel gillen. Hoe kon de wereld ineens zo op z'n kop komen te staan? Vijf minuten geleden was hij nog een schurk en een bedrieger, en zij een onheus behandelde maagd. Nu werd Amy geplaagd door het akelige gevoel dat ze eerder onheus *was* dan onheus *behandeld* was.

Maar hij heeft me gekwetst, wierp haar hart tegen.

Waarom was hij niet gewoon de verachtelijke ploert die hij geleken had, zodat ze hem kon haten? Zonder al die afschuwelijke, lastige, verwarrende emoties?

'Ik ga naar huis,' zei ze hees.

Richard kwam onmiddellijk een stap dichterbij. 'Ik zal u helpen.'

'Nee.' Amy schudde haar hoofd en gooide roekeloos haar benen over de rand van het raam. Ze wilde lopen, almaar lopen, alsof ze door snel te lopen de verwarde gedachten die haar achtervolgden en prikten achter zich kon laten.

'Nee,' herhaalde ze, 'ik kan het best al... aaaaah!'

Haar woorden gingen over in een opgewonden kreet toen een paar handen zich om haar middenrif sloten en haar het raam uit trokken.

'Laat me *los!*' Amy gaf een harde por met haar elleboog tegen de arm van haar belager en hoorde een onderdrukt *oef.* Uit wraak klemde de arm zich nog steviger om haar maag. Amy hapte naar lucht en probeerde achteruit te trappen, maar werd onverbiddelijk het steegje ingetrokken achter het huis van Delaroche.

In een werveling van zwarte cape sprong Richard haar achterna, en bleef stokstijf staan toen er een falanx militairen voor hem opdoemde uit de duisternis. De koperen knopen van hun uniformen glommen nauwelijks in het duister, maar een klein beetje maanlicht was genoeg om vast te stellen dat ze hun musketten in de aanslag hielden.

Een korte man met O-benen stapte naar voren door de halve cirkel musketpunten. 'De Paarse Gentiaan, mag ik aannemen?' sneerde Delaroche.

36

'Laat haar los,' snauwde Richard.

De grijns van Delaroche werd breder, en Richard wist dat hij een tactische fout had gemaakt. 'Wat een aandoenlijk onderonsje,' kraaide de kleine man. 'En het komt zo... gelegen.'

Vijftien mannen. Richard nam de situatie bliksemsnel in zich op. Vijftien potige infanteristen stonden opeengepakt in het nauwe steegje achter het huis van Delaroche. Van die vijftien hadden er drie hun handen vol aan Amy. Een sjako rolde door het stof toen Amy een van haar belagers een oplawaai gaf die hem op zijn benen deed wankelen. Een ander probeerde Amy's trappende voeten te ontwijken terwijl hij een touw om haar polsen bond. Een derde hield haar nog steeds vast bij haar middel, maar het bloed stroomde uit zijn neus op zijn witte kruisbanden door een welgemikte kopstoot. Er bleven nog maar twaalf infanteristen over die hun musket op Richard gericht hielden.

'Als u ervandoor gaat, schieten mijn mannen de bevallige juffrouw Balcourt dood.'

Twaalf musketten veranderden haastig van doel.

'Voert u tegenwoordig oorlog tegen vrouwen, Delaroche?' Richard hoefde de afkeer in zijn stem niet te veinzen. 'Had u iemand nodig die kleiner is dan u om af te tuigen?'

'U bevindt zich in een lastig parket, mijn vriend, en beledigingen veranderen daar niks aan,' grijnsde Delaroche. 'Ik wist wel dat u in de val zou lopen.'

'In de val?' hijgde Amy.

'In de val,' herhaalde Delaroche zelfvoldaan. 'Elke man heeft een zwakte, Monsieur de Paarse Gentiaan. Voor sommigen is dat drank, voor anderen kaarten, voor...'

'Moeten we echt naar deze verhandeling over de menselijke natuur luisteren?' onderbrak Richard hem, met een zijdelingse blik op Amy. Het touw zat nu eindelijk om haar armen.

'Voor u,' vervolgde Delaroche, alsof Richard niets gezegd had, 'is dat een vrouw. *Die vrouw*.'

'Zij staat hierbuiten, Delaroche.'

'O nee, Monsieur de Paarse Gentiaan. Zij heeft me naar u toe geleid. Precies zoals de bedoeling was.'

'Nee!' Amy kronkelde in de greep van haar belager. 'Ik zou nooit...' Haar woorden eindigden abrupt toen een zware hand zich over haar mond klemde. Ze beet erin, en met een woeste kreet trok de bewaker zijn hand voor haar mond weg.

Langzaam drong de pijnlijke waarheid tot Amy door. Het was natuurlijk die stalknecht van Delaroche geweest, die grijnzende puistenkop die zo behulpzaam was geweest om haar precies te vertellen wanneer zijn meester niet op zijn kamer zou zijn. Een misselijkheid die niets te maken had met de gespierde arm om haar ribben maakte zich van Amy meester. Ze klapte dubbel.

Richard dwong zijn lichaam ertoe zich te ontspannen en maakte een nonchalant handgebaar in Amy's richting. 'Een niemendalletje.'

'Niemendalletje?'

Richard ontweek bestudeerd Amy's ogen in de hoop dat ze zou begrijpen wat hij probeerde te doen. 'Een scharrel,' verklaarde hij, op het vervelende toontje van de verwende man-van-de-wereld. 'Een flirtpartij, meer niet. Jullie Fransen kunnen daar toch over meepraten? Of zijn jullie amoureuze talenten met de monarchie verloren gegaan?'

'Een flirtpartij, ja ja,' herhaalde Delaroche minachtend. 'Denk maar niet dat wij de waarheid van uw woorden niet kunnen testen. Pierre?'

Een zware hand gaf Amy een volle mep in haar gezicht. Haar hoofd sloeg achterover. Amy hield haar adem in van verbazing en pijn.

'Antoine?'

Metaal glansde bij Amy's keel. Een mes.

'Hij heeft opdracht het te gebruiken,' zei Delaroche zacht. 'Een niemendalletje, zei u?'

Een gesmoorde kreet klonk uit Amy's keel toen het mes tegen haar huid drukte en een dunne rode striem veroorzaakte.

'Wat wilt u van me?' vroeg Richard grimmig.

'Dat is toch wel duidelijk, Monsieur de Gentiaan?'

'Niet voor ons allemaal,' snauwde Richard.

'Dat u bekent en dat u zich overgeeft.'

'Niet doen!' riep Amy uit. 'Niet doen! U hebt het helemaal mis, Monsieur Delaroche! Hij geeft niets om me. Echt niet! Het stelt niets... grr! Haal die verdoemde hand van mijn mond! Au...'

'Op één voorwaarde!' overstemde Richards stem Amy's kreten. De soldaten die haar vasthielden bevroren. 'Laat het meisje met rust. Anders krijgt u niks. Geen bekentenis. Geen overgave. U moet me met uw hand op uw hart beloven dat het meisje hier blijft. *Ongedeerd.*'

Delaroche knikte. 'Ongedeerd.' Het mes gleed weg van Amy's keel en de handen die haar gebonden armen achter haar rug trokken verslapten.

De ogen van de kleine Fransman glommen triomfantelijk. 'Uw masker, Gentiaan.'

Richards handen gingen naar de veters van zijn zwarte masker.

'Nee!' protesteerde Amy toen zijn gehandschoende vingers aan de knoop begonnen te plukken. 'Niet doen!'

Amy rukte koortsachtig aan de armen die haar vasthielden om Richard te bereiken voordat hij voor eens en altijd zijn identiteit zou prijsgeven aan Delaroche. Ze mocht dit niet toestaan! Ze mocht niet toestaan dat hij alles verloor, alles waarvoor hij gewerkt en gevochten had en misschien zijn leven ook nog, en dat allemaal vanwege haar. Als hij het deed... Amy's maag kromp ineen toen de knoop loskwam en de veters verslapten. Als hij dit deed, was zij nog erger dan Deirdre.

Het masker viel op de grond.

Een onsamenhangend gemompel van doffe ellende ontsnapte aan Amy's keel, buitensporig luid in de diepe stilte die over de steeg was neergedaald. Alle ogen waren gericht op het bleke gezicht van Richard in het maanlicht, op de gouden glans van zijn haren na het afzetten van zijn capuchon en de gelaatstrekken die hem vernietigend en onherstelbaar prijsgaven als Lord Richard Selwick, vijand van de Franse Republiek.

'U kunt nog weglopen!' riep Amy wanhopig uit. 'U hoeft dit niet te doen, Richard!'

Een voor een vielen zijn zwarte handschoenen over het masker op de grond. Zijn lange, slanke vingers, nu bloot, gingen naar de knooplussen die zijn cape bijeenhielden. Met een zwaai ontdeed Richard zich van het kledingstuk en maakte een ironische buiging.

'Hier ben ik, Delaroche. Ongemaskerd, ongesluierd en geheel tot uw dienst. Laat nu het meisje vrij.'

Met een knip van Delaroches vingers tuimelde Amy, nog steeds gebonden, in het stof. Haar gebonden polsen als hefboom gebruikend krabbelde ze moeizaam naar Richard toe. Wanhopig probeerde ze een plan te beramen. Als ze de mannen kon afleiden... een vuur, misschien? Maar zelfs als haar handen niet vastgebonden waren had ze niets om een vuur mee te maken. Jane! Waarom deed Jane nu niks? Amy wist dat ze daar achter in de schaduw stond, verstopt, wachtend op haar kans zoals alleen Jane dat kon, maar waarom deed ze dan helemaal niks? Een lucifer gooien, moord roepen, op hen in zwalken alsof ze een dronken bediende was, maakt niet uit wat!

Onder Amy's ontzette blikken wond Delaroche een touw om Richards uitgestoken polsen. Vijftien musketdragende soldaten sloten hen in; hun hoge sjako's belemmerden Amy het zicht op Richard.

'Dit zult u weten!' raasde ze tegen de rij blauwe ruggen terwijl ze zich met ongelijkmatige hupjes over de grond voortsleepte. 'De Roze Anjer zal hem bevrijden en u allemaal aan de galg brengen!'

Iedereen had het zo druk met Richard dat niemand haar ook maar een blik waardig keurde, op één infanterist achteraan na, die terugkeerde en zijn vinger op Amy richtte. 'Wat doen we met haar, chef?'

Zonder zijn ogen van zijn lang verwachte prijs, een gebonden (zij het nog niet murw gekregen) Paarse Gentiaan, af te nemen, haalde Delaroche zijn schouders op. 'Laat haar hier maar liggen rotten.'

Het gestamp van de laarzen verdween in de verte. Amy hoorde Delaroche nog net zeggen: 'Wij hebben heel wat om over te praten, Monsieur Selwick. En praten *zult* u!'

Richard keek niet om.

Amy staarde de verdwijnende soldaten na, haar verontwaardigde kreten bevroren op haar lippen, de ernst van de situatie drong nu pas goed tot haar door. Ze verwachtte nog half de geluiden van een schermutseling te horen en te zien hoe een zwarte figuur losbrak uit de groep en wegvluchtte in de schaduw, maar dat gebeurde niet.

'Amy!' hoorde ze plotseling Jane zeggen, die zich bezorgd over haar heen boog. 'Draai eens op uw zij, dan kan ik u losmaken.'

'Ze hebben Richard te pakken,' fluisterde Amy ongelovig.

'Weet ik.' Jane trok aan het uiteinde van het ruwe stuk touw. 'Ik heb alles gezien.'

'Waarom hebt u dan niks gedaan?' De knoop schoot los, en Amy wendde zich tot Jane, wrijvend over haar pijnlijke polsen.

'Amy, ze waren met z'n vijftienen!' Zuinig als ze was rolde Jane het touw op en hing het om haar arm. 'Ik heb even overwogen om hulp te gaan halen, maar het leek me verstandiger om eerst te zien wat er gebeurde voordat ik ervandoor ging.'

Verstandiger. Het woord proefde zuur op Amy's tong. 'Nou, u hebt het gezien.' Amy krabbelde overeind. 'Kom op, we gaan ze achterna.'

Jane greep haar bij haar pols; Amy kromp ineen toen haar hand zich om de geschaafde huid sloot. 'Niet alleen. We kunnen dit niet alleen af. Dan pakken ze ons gewoon en gebruiken ons tegen hem.'

'Dat hebben ze al gedaan.' Amy's gezicht vertrok. 'Maar we kunnen hem daar toch niet laten! Dat kan niet! Jane, het *ministerie van Politie* heeft hem te pakken! Weet u wel wat die doen met mensen? O God... we hebben geen tijd te verliezen!'

'Hou op!' Jane schudde Amy heftig door elkaar. 'Wat heeft hij eraan als u hem in uw eentje achternagaat?'

Amy staarde Jane met grote, ontstelde ogen aan. 'Wat kan ik anders? Gaan zitten wachten tot hij doodgeschoten wordt? Jane, dat kan ik niet. Dan word ik nog liever gevangengenomen en gemarteld!'

'We gaan hem redden,' zei Jane. Ze haalde diep adem; ook haar gezicht was bleek en somber. 'Echt waar. U wilde toch zo graag de Roze Anjer zijn, Amy? Dit is uw kans. U moet *denken* als de Roze Anjer, en niet als... als de heldin uit een stuiversromannetje die als een kip zonder kop haar noodlot tegemoet rent! Wees toch *verstandig*! We moeten versterking zoeken en een plan maken,' besloot Jane vastberaden.

Amy slaakte een huiverende zucht. Ze wist dat Jane gelijk had, en haatte dat. 'Zijn familie. We gaan naar het huis van Lord Richard. Er zijn vast wel leden van zijn Verbond die ons kunnen helpen.'

Amy wilde geen adem meer verspillen en zette het op een lopen. Ze kenden allebei de reputatie die het ministerie van Politie had waar het wreedheid betrof. Molestatie, martelingen, zelfs geruchten over de duistere kunsten deden de ronde. Verhalen over Engelse spionnen die gepakt en nooit meer teruggezien waren. Of, erger nog – kon het erger? – waren vrijgelaten als ruïnes van hun vroegere zelf, gebroken van lichaam en geest, voortstrompelend op hun verbrijzelde benen en ijlend als dorpsidioten.

Ze renden door kronkelige straten, langs dronkelappen, door plassen vunzigheid. Jane gleed uit over een modderplek en Amy trok haar overeind en sleepte haar voort.

Afschuwelijke gedachten joegen door Amy's hoofd. Richard had dus toch gelijk gekregen, haar bemoeienissen waren hem fataal geworden. Als hij haar nooit ontmoet had zou hij nu nog vrij zijn, zou hij niet in de handen gevallen zijn van een fanatieke maniak die er zowel om professionele als om persoonlijke redenen op gebrand was hem te martelen. Als ze niet zo goedgelovig was geweest... Waarom had ze niet beseft dat de stalknecht van Delaroche haar veel te graag informatie wilde geven? Zelfs een kind had kunnen zien dat het een valstrik was! Maar nee, zij, Amy, had in al haar hoogmoed aangenomen dat ze haar onmiddellijke succes te danken had aan haar aangeboren aanleg voor spionage, terwijl ze niet meer was geweest dan een gewillige pion in de handen van het Franse ministerie van Politie. En alsof dat al niet erg genoeg was, had ze Richard ook nog vastgehouden met haar geruzie. Wat had haar in godsnaam bezield om daar met hem te gaan staan bekvechten in de vertrekken van de onderminister van Politie. Grote genade, ze had hem niet meer kwaad kunnen doen als ze in dienst van Delaroche was geweest!

Het had zo'n geweldig idee geleken om de Roze Anjer te zijn en in één klap een lange neus te maken naar Richard en heel revolutionair Frankrijk. Waarom had ze nooit de consequenties overzien? Ze *was* erger dan Deirdre. Die walgelijke Deirdre was tenminste alleen maar onnadenkend geweest terwijl zij, Amy, wel degelijk had geweten welk risico Richard liep als de Paarse Gentiaan, en er opzettelijk op uit was geweest hem te dwarsbomen. Ze had de gevaren moeten voorzien. Ze had beter moeten weten.

Terwijl haar longen samentrokken en haar benen pijn deden, speelde Amy haar pijnlijke spelletje van had-ik-maar... Had ik me maar niet laten leiden door mijn gekwetste trots... Had ik maar, had ik maar, had ik maar... Had ze hem maar verteld in de tuin dat ze wist wie hij was en dat ze toch van hem hield.

Als ze hem terugkreeg, zou ze hem smeken haar te vergeven. Ze zou nooit meer met hem kibbelen over futiliteiten. Ze zou al genieten van de luxe dat ze naar zijn gezicht kon kijken, en het zou haar niet eens kunnen schelen of hij ook van haar hield, zolang hij maar veilig en gezond was.

Amy klampte zich vast aan een aan flarden gescheurd beeld van Richard: zijn groene ogen die ondeugend glommen, zijn beweeglijke lippen die krulden van pret. Richard met zijn knappe zinswendingen en zijn momenten van ontwapenende jongensachtigheid. Richard die haar hand pakte en grapjes maakte over doorns.

Ze waren pas eenmaal bij Lord Richard thuis geweest om thee te drinken met Lady Uppington, en zelfs Janes uitstekende richting-gevoel kon niet voorkomen dat ze hopeloos verdwaald raakten in de wirwar van Parijse straatjes. Een gevaarlijk lange tijd verstreek voordat de twee de treden naar Lord Richards voordeur beklommen. Amy bonsde gejaagd met de grote metalen klopper op de deur, net zo lang tot de deur openging. Amy tuimelde over de drempel de hal binnen.

De zilverharige butler snoof alsof hij iets vies rook (wat waarschijn-lijk ook het geval was, gezien Amy's kleren van de onderstalknecht) en gaf haar liggende gestalte een por met de gepoetste teen van zijn schoen. 'Neringdoenden achterom,' zei hij vol minachting.

De zware houten deur begon langzaam dicht te vallen.

'Wie is het, Stiles?' klonk Lady Uppingtons stem door de gang, en door de kier van de voordeur kon Amy haar nog net boven aan de trap zien staan, als een wakende engel in haar nachtjapon, met een nacht-mutsje op met linten eraan.

'Amy Balcourt en Jane Wooliston,' riep Amy haar toe terwijl ze over-eind krabbelde.

'Het spijt ons dat we u zo laat nog storen,' voegde Jane er beleefd aan toe.

'Ga weg, Stiles, en laat ze binnen!' sprak Lady Uppington gedeci-deerd terwijl ze snel de trap af kwam lopen. 'Wat is...?' vroeg de mar-kiezin, in een zeldzaam moment van sprakeloosheid bij het zien van de eigenaardige vermomming van Amy en Jane.

'Richard zit in de problemen,' zei Amy dringend en pakte haar bij de hand. 'Ze hebben hem te pakken. Het ministerie van Politie.'

In het schijnsel van haar kaars zagen ze Lady Uppington grauw worden. Bruusk zette ze de kaars op de onderste stijl van de trapleuning en zei: 'Nou, dan zit er maar één ding op. We zullen hem moeten bevrijden.'

'Moeder?' Henriëtta kwam de trap af gestormd in een werveling van witte linnen stroken. 'Is er iets mis? O, hallo Amy. Wat doet u hier?'

Ondertussen waren ook Miles en Geoff komen aanzetten door een deur aan het eind van de hal, en de gestalte van Lord Uppington verscheen boven aan de trap. Lady Uppington trok een vastberaden gezicht dat Amy pijnlijk veel aan Richard deed denken en bekeek de verwachtingsvolle gezichten om haar heen. 'Richard is opgepakt door het ministerie van Politie. Uppington...'

De markies hoefde niet af te wachten wat zijn vrouw hem te vertellen had. 'Ik ga meteen naar Whitworth op de ambassade.'

'Dank u.' De markies en de markiezin wisselden een blik die Amy een brok in haar keel bezorgde.

'Wat is er gebeurd?' Henriëtta kwam door de hal op Amy afgerend. 'Is de missie fout gegaan? En wat deed Richard daar?'

'Missie? Wat voor missie?' De markies nam zijn hoed en zijn jas aan van Stiles en ging er ijlings vandoor, en Lady Uppington richtte haar aandacht weer op Amy. En op Henriëtta. Haar bezorgde groene ogen knipperden van moederlijke schrik toen ze het doorschijnende gewaad van haar dochter opmerkte.

'Henriëtta Anne Selwick, ga onmiddellijk een ochtendjas aandoen!'

Met haar woorden bereikte ze het tegenovergestelde van het gewenste effect, want zowel Miles als Geoff keek onmiddellijk naar Henriëtta. Miles' mond viel open en zijn lippen tuitten zich tot wat een fluittoon had kunnen worden als het meisje in kwestie niet het zusje van zijn beste vriend was geweest. Een ongelovig 'Jeetje, Hen!' kon hij echter niet binnenhouden. Geoff was zo netjes om verlegen zijn blikken neer te slaan.

Henriëtta negeerde hen beiden. 'Maar dan mis ik misschien iets,' wierp ze tegen.

'U bent kennelijk al op de hoogte van deze zogenaamde missie,' zei Lady Uppington dreigend.

'Maar...'

'Ga!'

Henrietta ging.

Lady Uppington liet haar blik over de bezorgde groep in de hal glijden en leek wat tot zichzelf te komen. 'Het heeft weinig zin om hier met z'n allen te blijven staan,' verklaarde ze. 'Laten we in de huiskamer gaan zitten. Geoff, lieverd, vraag Stiles of hij ons thee brengt, we kunnen wel wat versterkends gebruiken voor de activiteiten van vanavond. Amy, wilt u ons uitleggen wat er gebeurd is?'

En zo marcheerden ze met z'n allen, als een klein maar gedisciplineerd legertje, achter Lady Uppington de kamer binnen terwijl Amy het plan om Richard vóór te zijn met het goud uiteenzette. Ze legde niet uit hoe ze daartoe gekomen waren, maar om Lady Uppingtons schrandere ogen verschenen rimpeltjes van iets wat, onder andere omstandigheden, heimelijk vermaak geweest zou zijn.

'Het was een uitstekend plan,' zei Lady Uppington met een nostalgisch knikje van haar hoofd, 'ik had het net zo gedaan.' Ze liet zich in een grote gebrocheerde stoel zakken voor in de kamer en zei kwiek: 'Maar dat doet nu niet ter zake. Het gaat erom dat we Richard vrij krijgen. Geoff?'

'Ja, Lady Uppington?'

'Waar denkt u dat ze hem heen gebracht hebben?'

Geoff aarzelde geen moment. 'Delaroche heeft een zeer speciale verhoorzaal die hij gebruikt voor belangrijke personages. Hij zal Richard wel een paar uur in de cel zetten en hem in zijn sop laten gaarkoken voordat hij hem daarheen laat brengen. Geen van de kamers op die verdieping van het ministerie heeft ramen, dus op die manier kunnen we niet binnenkomen.'

'Kunnen we niet proberen te infiltreren bij de bewaking?' vroeg Amy hoopvol. 'De bewakers in elkaar slaan en dan hun uniformen aantrekken, of zoiets?'

Geoff schudde zijn hoofd. 'Dat zou ik u niet aanraden. Het zijn er veel te veel.'

Henriëtta kwam de kamer binnenstuiven in een haastig aangeschoten donkere, hooggesloten ochtendjas met alle knopen in de verkeerde knoopsgaten. 'Heb ik wat gemist?'

'We gaan proberen uw broer te bevrijden,' antwoordde Lady Uppington.

'O. Zullen we de bewakers in elkaar slaan en dan...'

'Die hebben we al gehad,' snoerde Miles haar de mond. Hij bekeek haar van top tot teen, alsof hij opgelucht was de oude, volledig geklede Henriëtta weer te zien. Hij ontspande zich en voegde eraan toe: 'Daar kwam juffrouw Balcourt al mee aanzetten.'

'Hebt u dan een beter idee?' vroeg Henriëtta uitdagend. Ze ging naast Amy zitten.

'Het is er nu het moment niet naar om te gaan zitten bekvechten,' wees Lady Uppington hen terecht. 'Aha, daar is de thee. Henriëtta, schenkt u even in?'

'Ik heb wel een idee, ja,' zei Miles, met een hooghartige blik op Henriëtta, die zich nijdig over het theeblad boog. 'Geoff en ik kunnen naar het ministerie gaan en net doen of we onszelf komen aangeven. En dan nemen we de bewakers te grazen en...'

'Slaan ze in elkaar?' maakte Henriëtta zijn zin voor hem af terwijl ze hem een kop thee overhandigde.

'Precies. U leert snel, mijn kind.'

'Dat klinkt me te onzeker in de oren,' zei Jane bedachtzaam. Zelfs in haar smerige mannenkleren en met potlood getekende snor speelde ze het nog klaar om er netjes en bedaard uit te zien. 'De kans is groot dat ze u dan ook pakken, en dan moeten wij drie mensen bevrijden in plaats van één. Laten we dat hele idee van mensen in elkaar slaan vergeten en iets subtielers bedenken.'

'Infiltreren!' flapte Amy eruit. Het beleefde gedoe alsof ze op theevisite waren begon haar op haar zenuwen te werken. Onrustig schoof ze heen en weer op haar vergulde stoel. 'Als wie kunnen we ons nu eens vermommen?'

'Geoff kan heel goed Joseph Fouché nadoen,' opperde Miles.

Vijf verontwaardigde paar ogen keken hem aan. 'Maar ik meen het!' protesteerde Miles. 'Dat kan hij echt! En als wie kun je je nu beter vermommen om vrij toegang te hebben tot het ministerie van Politie dan als de minister van Politie? Denk u eens in!'

Jane schudde spijtig haar hoofd. 'Helaas lijkt meneer Pinchingdale-Snipe totaal niet op Monsieur Fouché.'

'Met een grote hoed?'

'Juffrouw Wooliston heeft gelijk,' wierp ook Geoff tegen, terwijl hij zijn derde kop thee in even zovele minuten achteroversloeg. 'Zelfs een grote hoed kan ons verschil in lengte niet verhullen, en de wachten daar zien hem vaak genoeg om heel goed te weten hoe hij eruitziet.'

Amy stond abrupt op. 'Laten we nu in vredesnaam met een plan komen. Heeft u dan nooit eerder mensen bevrijd?'

Geoff staarde even naar het plafond en schudde toen zijn hoofd. 'Alleen uit de Bastille. We hebben nog nooit geprobeerd om iemand uit het hol van Delaroche te krijgen.'

Hij had zijn ontmoedigende woorden nog niet gesproken of Lord Uppington kwam binnen. Uit diens verslagen houding viel op te maken dat ook zijn pogingen vruchteloos waren geweest.

'Whitworth kon me niet helpen,' zei hij vermoeid. 'Hij heeft gisteravond ruzie met Bonaparte gehad. Over Malta, zei hij. Hij dacht er net zo'n beetje zelf over om zijn biezen te gaan pakken toen ik langskwam. Hij kan niets doen voor Richard.'

'Dus zullen we het alleen moeten doen,' zei Lady Uppington, 'zoals we al dachten.'

De markies nam haar hand en kneep erin. 'Zoals we al dachten, lieve.' Hij wierp Geoff een peilende blik toe. 'Ik neem aan dat die Delaroche niet omkoopbaar is?'

'Geen schijn van kans.'

'Daar was ik al bang voor. Niets is erger dan een onomkoopbare gek.'

Jane sloeg haar wimpers op en keek hem aan met haar heldere grijze ogen. 'Misschien weet ik een andere oplossing, meneer. Amy, herinnert u zich nog het roet op onze tanden?' vroeg ze met die tot waanzin drijvende raadselachtigheid die ze altijd aan de dag legde als ze echt een goed idee had.

Amy knikte aarzelend en probeerde te bedenken waar Jane naartoe wilde. 'Ja, natuurlijk. Dat deden we altijd als we... O! Bediendes! Dat is het!'

'Mogen wij misschien ook weten waar u het over hebt?'

'Wilt u bediendes inzetten om het ministerie te bestormen en Richard te bevrijden?' Henriëtta keek geïnteresseerd op van haar kopje thee. 'Dat lijkt me prachtig!'

'Nee,' zei Amy en ze schudde zo heftig met haar hoofd dat haar muts afviel. 'We willen bediendes *zijn*. Het ministerie moet toch regelmatig schoongemaakt worden? En wie let er nu ooit op een schoonmaakster met een emmer? Jane, u bent briljant!'

'Een uitstekend idee!' vond ook Lady Uppington. 'Het is waar. Geen mens besteedt ooit aandacht aan schoonmaaksters. Geoff, lieverd, jij kunt toch zeker wel een pas voor ons vervalsen?'

'Ik heb wel een kopie van het zegel van Delaroche,' gaf Geoff toe. 'Maar u bent toch niet van plan om zelf te gaan?'

Een alarmerend kabaal barstte los. Lord Uppington, Geoff en Miles probeerden Lady Uppington en Amy tot rede te brengen, maar Amy liet weten dat de enige manier om haar tegen te houden was haar op te sluiten in een toren zonder deuren en ramen, en daar waren er niet zoveel van in de omgeving. Miles hield vol dat hij echt degene was die gaan moest, als Richards beste vriend; de markies eiste met zijn vuist op tafel zijn vaderlijke privileges op, en Geoff, die normaal altijd zo stil was, verhief zijn stem nu tot een ongekend niveau en herinnerde iedereen eraan dat hij de enige was die wist waar Richard zat.

'U kunt geen van allen voor vrouwen doorgaan,' legde Lady Uppington iedereen krachtig het zwijgen op. 'En als Amy en ik gepakt worden – ja, ik geef toe dat die mogelijkheid bestaat! – zullen ze ons vast en zeker milder behandelen dan ze dat bij u zouden doen.'

'En bovendien,' merkte Jane koeltjes op, 'moet er ook nog steeds iemand het Zwitserse goud onderscheppen.'

'O God,' kreunde Miles. 'Het Zwitserse goud.'

'De Roze Anjer zal het goud stelen, precies zoals we het gepland hadden,' zei Jane vastberaden. 'Nu de Paarse Gentiaan vastzit, is de Roze Anjer des te harder nodig. Maar als Amy Lord Richard gaat bevrijden, moeten we een vervanging hebben voor haar.'

Miles knikte, zijn sluike haar floepte heen en weer over zijn voorhoofd. 'Ik doe mee.'

'En ik ook!' riep Henriëtta enthousiast.

'U,' zei Lady Uppington kort, 'blijft thuis. Eén kind in handen van de Fransen is meer dan genoeg voor een moeder. Dus dat is dan afgesproken,' zei ze, zonder Henriëtta de ruimte te geven om te protesteren. 'Amy en ik gaan Richard bevrijden; Geoff, ik vind dat u mee moet, als onze gids; Miles, Jane en Uppington gaan het Zwitserse goud onderscheppen. Zullen we dan maar?'

Als één man kwam iedereen overeind; theekopjes werden op het blad geschoven en er werd gekibbeld over details. Amy meldde dat ze kleren ging zoeken in de vertrekken van de bediendes; Jane stuurde een lakei met een briefje naar juffrouw Gwen om haar naar het huis van Lord Richard te sommeren en Henriëtta verhief haar stem in opgewonden protest.

'Maar Mama...'

'Geen gemaar, Henriëtta!'

Henriëtta perste haar lippen op elkaar in opperste irritatie. 'Ik zal geen tijd verspillen met zeuren en zaniken, maar ik wil u er allen op wijzen dat u iets vergeten bent. Hoe krijgen we Richard de stad uit?'

Miles liet zijn theekopje vallen. Het was zo'n simpel probleem, en zo wezenlijk, dat Amy niet kon geloven dat Jane en zij daar niet aan gedacht hadden. En aan de verbijsterde blikken op de gezichten van Richards familie en vrienden te zien hadden zij dat evenmin. Misschien, dacht Amy gejaagd, konden ze Richard verstoppen in huize De Balcourt tot de rust was weergekeerd en de Franse agenten een andere arme held op de hielen zaten.

Jane zei, met een onverwachte glimlach: 'O, maar ik denk dat we daar een antwoord op hebben. Een zekere heer die wij kennen bezit zowel een koets als een boot, die hij ons vast heel graag ter beschikking stelt.'

'Marston!' riep Amy uit.

'Precies,' knikte Jane. 'Als iemand zo goed wil zijn hem eraan te herinneren dat ik bepaalde papieren van hem in mijn bezit heb, twijfel ik er niet aan dat hij zal meewerken.'

'Vertel me waar hij woont, en ik zoek hem op.' Lord Uppington kwam met grote passen op Jane afgelopen.

Jane knikte hem dankbaar toe. 'Het is misschien verstandig om uit voorzorg de koetsiers van Marston te vervangen en een paar van onze eigen mannen vooruit te sturen naar Calais om te zorgen dat de boot klaarligt. Ik zou meneer Marston niet op zijn woord geloven.'

Miles, voor de verandering doodserieus, gaf een ruk aan het schellenkoord. 'Richards koetsier kan de koets mennen, en Stiles kan met vijf lakeien vooruitrijden naar Calais. Ik zal het personeel meteen instructies geven.'

'Zullen we nu dan maar gaan?' vroeg Amy ongeduldig en was al half verdwenen.

Lady Uppington liep haar achterna, en stak nog eenmaal haar hoofd om de deur van de huiskamer.

'Laat de koets naar huize De Balcourt brengen,' instrueerde ze de achterblijvers. 'Als de Fransen ook maar een greintje gezond verstand hebben, zullen ze ons huis in de gaten houden. Ik schat ze wat dat betreft niet al te hoog in, maar we kunnen het risico niet nemen. We zien u daar tegen enen. Als we er niet zijn...'

Amy liep voor Lady Uppington uit naar de vertrekken van de bediendes om haar laatste woorden niet te hoeven horen. Ze wilde er niet aan denken dat het plan kon mislukken. En ze wilde er al helemaal niet aan denken wat Delaroche op dit moment wellicht met Richard uitspookte.

37

RICHARD DUWDE ZICH omhoog op zijn vastgebonden polsen en werkte zich op tot staande positie. Gelaarsde voeten hielden halt voor de deur van zijn cel, waar de bewakers hem een paar uur tevoren met onnodig veel geweld in hadden gesmeten. Hij had ze verteld dat hun krachtsvertoon onnodig was en een verspilling van hun energie, maar ze hadden alleen maar gegromd als antwoord op zijn vriendelijke professionele advies. De lomperiken hadden hem bovendien niet eens de kans gegeven zijn ontsnappingsplan – hun een oplawaai verkopen met zijn gebonden polsen als ze zich over hem heen bogen om hem los te maken en dan hun kleren stelen – uit te voeren. Jammer, hoor. In 1801 was dat zo goed gelukt. Misschien hadden ze ervan gehoord. Hoe dan ook, ze waren dat vooruitzicht uit de weg gegaan door domweg te weigeren hem los te maken. Dus had Richard de afgelopen paar uur met gebonden polsen op de met stro bezaaide vloer liggen piekeren, niet over Delaroche en de martelingen die dat gestoorde mannetje voor hem aan het bekokstoven was, maar over Amy, die hij vastgebonden en hulpeloos op de keien bij het huis van Delaroche had achtergelaten.

Een sleutel piepte in het slot. De deur schudde. 'Maak open, stelletje idioten!' donderde een stem.

'Eh, hij klemt, meneer,' zei iemand op onzekere toon.

Er klonk een keiharde vloek, en de deur schudde nogmaals en vloog open. Twee wachten tuimelden naar binnen. Achter hen stond... Delaroche. Wat een komische figuur was het eigenlijk, dacht Richard, dat kleine, magere mannetje, helemaal in het zwart als de genadeloze Oliver Cromwell, rondparaderend op laarzen die wel een lik schoenpoets konden gebruiken. Richard hupte naar voren op zijn vastgebonden benen en voerde een spottende buiging uit.

'Zo,' snierde Delaroche, 'eindelijk ontmoeten wij elkaar.'

'Als ik me goed herinner,' antwoordde Richard minzaam, 'hebben we elkaar al eens ontmoet, in de salon van Madame Bonaparte.'

'Uw machtige vrienden kunnen u hier niet helpen. U bevindt zich nu op *mijn* domein.' Delaroche lachte kwaadaardig.

'U moet toch echt eens laten kijken naar die akelige ratel in uw keel,' zei Richard, met een ernstige blik op Delaroche. 'Dat krijg je als je altijd maar in vochtige kerkers rondhangt. Dat is heel slecht voor de gezondheid.'

'Maakt u zich nu maar druk om *uw* gezondheid.' Zijn gemene lach begon Richard op zijn zenuwen te werken, en bovendien kreeg hij pijn in zijn nek van zijn poging Delaroche met zijn ogen te volgen, aangezien die almaar in kringetjes om hem heen liep. Zijn laarzen knarsten tegen het stro en de rommel op de vloer.

Delaroche stapte op zijn O-benen naar de deur, klapte in zijn handen en brulde: 'Maak de verhoorzaal klaar!'

'De gewone verhoorzaal, chef?' waagde een bewaker hem te vragen vanaf de andere kant van de stenen deurlijst.

'Nee, zeker niet!' Delaroche liet weer een humorloze lach schallen en zei: 'Breng hem naar de extraspeciale verhoorzaal!'

Het deed Richard niet bepaald goed om te zien dat de bewaker zelf verbleekte bij dat voorstel.

Een aantal trappen af, weggeborgen in een catacombe van ondergrondse cellen, gooide Delaroche met de trots van een pronte huisvrouw de deur van zijn extraspeciale verhoorzaal open.

'Kijk!' kraaide Delaroche. De bewakers gaven Richard een duwtje naar het midden van de zaal en vluchtten terug naar de gang.

Richard glibberde wat over het stro dat op de vloer lag, en keek. Geoff en hij hadden geruchten opgevangen over de extraspeciale verhoorzaal – het was een van die dingen waar spionnen over smoezen – en hadden zelfs wel eens overwogen een poging te doen om er in te breken, als onderdeel van hun wat-kunnen-we-doen-om-het-ministerie-van-Politie-te-pesten-campagne. Maar ze waren er nooit toe gekomen. En Richard had altijd, in zijn achterhoofd, aangenomen dat die hele extraspeciale verhoorzaal niet meer was dan een gerucht dat in omloop was gebracht om de vijanden van de Republiek schrik aan te jagen. Natuurlijk had Delaroche heus wel ergens een kamertje waar hij zijn onfortuinlijke slachtoffers ondervroeg; misschien bezat hij zelfs wel een paar duimschroeven. Maar een heuse martelkamer? Het hele idee was domweg te middeleeuws voor woorden, te melodramatisch, te... Delaroche.

Verdoemd. Hij had beter moeten weten.

'Vrienden van u?' informeerde hij met een wuivend gebaar naar de schedels die op staken langs de muur hingen.

'Nee,' beet Delaroche hem toe. 'Maar wel van u, binnenkort.'

Dat klonk Richard weinig aanlokkelijk in de oren. Ook zijn voorraad gevatte opmerkingen begon uitgeput te raken bij het vooruitzicht van een in toenemende mate troosteloze situatie. Delaroche was nog veel gestoorder dan zelfs hij had kunnen denken. De schedels waren dan misschien wat stoffig, maar de uitgebreide collectie martelwerktuigen die her en der gerangschikt lagen, zagen er scherp en blinkend uit. Delaroche moest de kerkers van kastelen in heel Europa hebben afgeschuimd om zijn speeltjes te verwerven. Zo te zien bezat hij niet alleen de volledige verzameling van de Markies de Sade, maar ook een representatieve steekproef van het beste wat de Inquisitie te bieden had. In zijn vluchtige blik door de zaal – hij moest Delaroche geen seconde langer uit het oog verliezen dan nodig was – signaleerde Richard niet minder dan twee IJzeren Maagden[9], duimschroeven in alle soorten en maten, en een heuse pijnbank. Delaroche begroette elk instrument persoonlijk; voorzover Richard kon zien had hij ze nog net geen troetelnaampje gegeven, maar hij streelde ze stuk voor stuk, met een macabere tederheid over hun pieken en handels en schroeven.

Aan de andere kant van de zaal liet Delaroche voorzichtig een tweekoppige bijl neerkomen op een speciaal daartoe ontworpen standaard die beide koppen op z'n voordeligst deed uitkomen. 'Waar zullen we eens beginnen?' vroeg Delaroche peinzend, terwijl hij zijn handen over zijn borst vouwde en op Richard afkwam. Richard had gehoopt dat dit stadium nog even niet zou aanbreken. Moest hij niet eerst nog wat martelinstrumenten liefkozen? 'Iets toepasselijks, iets smaakvols. Martelen is een kunst, weet u,' sprak Delaroche belerend. 'Een vaar-

---

9 *Iron Maiden*: Metalen kist in de vorm van een vrouw, aan de binnenkant bezet met scherpe ijzeren pinnen.

digheid die beoefend moet worden met zorg en finesse. Wat gebruikt men daartoe in de Engelse gevangenissen? De pijnbank? Of gewoon de vuisten?'

'Om u de waarheid te zeggen,' zei Richard lijzig, 'gebruiken wij een dingetje dat het gepaste protocol heet.'

Delaroche leek even geïntrigeerd maar haalde toen zijn schouders op. 'Ik weet niet wat dat is, maar alleen amateurs gebruiken één en hetzelfde instrument voor alle misdrijven! Hier stemmen we zorgvuldig de straf op het misdrijf af.'

'Wat een verfijning!'

'Uw complimenten zullen u niet helpen, Selwick. Ik zou een pijnlijk gif kunnen doen in de thee waar jullie Engelsen zo dol op zijn. Natuurlijk niet iets waar u dood aan gaat – o, nee! – maar iets waarvan u zult kronkelen van de pijn tot u om genade smeekt. Of ik kan ook een aanhangsel afhakken voor elk lid van de staat dat u Madame de Guillotine ontnomen hebt...'

'Waarom begint u niet met mijn hoofd?' stelde Richard voor.

Terwijl Delaroche aarzelend tussen zijn speelgoed door liep, draaide Richard nogmaals met zijn polsen om te zien hoeveel speling er in zijn touwen zat. Geen enkele! Maar het had nog erger gekund. Ze hadden zijn polsen in elk geval op zijn buik vastgebonden en niet op zijn rug. Als Delaroche dichterbij kwam, zou hij misschien kans zien om genoeg kracht te verzamelen en hem een klap op zijn hoofd te geven, iets wat de onderminister van Politie allerminst leek te verwachten. Het zou hem goed uitkomen als hij hem dan een trap na kon geven, maar zijn voeten waren zo strak vastgebonden dat hij daarmee waarschijnlijk eerder zichzelf dan zijn tegenstander ten val zou brengen.

'Aha, ik weet het al!' Richard was al vier suggesties tevoren opgehouden met luisteren, maar het leedvermaak in de stem van Delaroche leidde hem af van zijn ontsnappingsplannen. 'Aangezien u nogal dol bent op de andere sekse,' sneerde Delaroche, 'zal ik u eerst maar eens voorstellen aan de dame in de hoek.'

Hij maakte een gebaar naar de IJzeren Maagd, en Richards ogen volgden onwillekeurig. Het was beslist de meest luxueuze IJzeren Maagd die hij zich voor kon stellen. Net als de mummiekisten die Richard in Egypte gezien had, was het omhulsel zo geschilderd dat het op een vrouw leek. De kennis van wat zich er binnenin bevond gaf de rode mond een bloeddorstige uitdrukking en de geschilderde ogen een hongerige glans.

Delaroche greep de hendel die knap verborgen zat tussen de rood-met-gouden rokken van de dame; centimeter voor centimeter schokte de opzichtige façade van de IJzeren Maagd open en onthulde haar puntige ingewanden.

Voor de eerste keer in een lange en succesvolle carrière kwam het idee bij Richard op dat dit wel eens zijn dood zou kunnen worden, een uitermate pijnlijke dood, en dat hij er weinig aan kon doen om dat te voorkomen.

Natuurlijk had hij in het verleden wel vaker rekening gehouden met de mogelijkheid dat hij iets niet zou overleven. Percy had hen daar heel nadrukkelijk op gewezen toen ze lid werden van het Verbond van de Rode Pimpernel. Op dat moment had zijn sterfelijkheid hem niet veel kunnen schelen, maar na Tony's dood was Richard ervan overtuigd geraakt dat het ook elk moment zijn beurt kon zijn, zijn leven als boete voor dat van Tony. Gezien de suïcidale roekeloosheid waarmee hij zich vanaf dat moment op zijn missies had gestort was zijn dood een voor de hand liggend, of zelfs een onvermijdelijk gegeven geworden. Maar hij had het overleefd. Het lot was grillig.

Al die keren dat hij had stilgestaan bij zijn eventuele overlijden – in de momenten voordat hij door een raampje in de Bastille klauterde, of zich op een groep gewapende Franse agenten stortte – had hij zich getroost met de gedachte dat hij een erfenis naliet waarop hij trots kon zijn. Hoeveel mensen konden hetzelfde zeggen?

Waarom was dat nu dan verdomme niet genoeg? Glorie, herinnerde hij zichzelf. Denk aan Ajax, of aan Achilles. Roem en glorie.

Maar het enige waaraan hij kon denken was Amy.

Toen hij probeerde Hendrik v voor zich te zien die zich in het krijgs-gewoel stortte bij Honfleur zag hij alleen maar Amy die vanonder een bureau tevoorschijn kroop. In plaats van Achilles die onder de muren van Troje stond te brullen verkocht Amy Georges Marston een stomp. Het was Amy, Amy, waar hij maar keek, en dan vooral op plekken waar ze niets te maken had, dacht Richard met iets wat had kunnen uitgroeien tot een grijns als Delaroche niet net een van de scherpe punten van de IJzeren Maagd getest had en met een bloedende vinger in zijn zakdoek achteruitgedeinsd was.

Verduiveld, hij wilde niet dood. Niet dat hij dat eerder *wel* had gewild, zelfs na Tony, maar nu... Hoe kon hij Amy in godsnaam vertellen dat hij van haar hield als hij dood was?

Delaroche liet zijn bebloede zakdoek vallen en kwam op Richard af.

'Selwieck,' hijgde hij triomfantelijk, 'u bent er geweest!'

Richard hoopte vurig dat Miles en Geoff een plan hadden bedacht om hem te verlossen.

* * *

'Ik had niet verwacht dat het er zoveel zouden zijn,' fluisterde Amy.

De ongelijke stenen van de muur raspten tegen Amy's rug toen ze voorzichtig haar hoofd om de hoek van de gang stak om nogmaals te kijken. Stik. Ze stonden er nog. Drie schildwachten in donkerblauwe jassen, met musketten langs hun zij, stonden voor een grote houten deur, zwaar beslagen met ijzer. De gang telde nog vijf andere deuren, waarvan er vier uit hekken bestonden waardoor de cel erachter zichtbaar was. Als ze haar nek uitstak kon Amy in één ervan iets van beweging ontwaren, en in een andere iets wat leek op een knokige arm. De vijfde deur was een kleinere versie van de deur die de schildwachter bewaakten, een zwaar eiken geval, eveneens met ijzerbeslag, en op ooghoogte een raampje met een luikje ervoor. Amy's blik gleed terug naar de grootste deur. Het raampje was dicht, het dikke hout van de deur en de massieve stenen lieten geen enkel geluid van binnen door. Maar Amy twijfelde er niet aan dat ze eindelijk bij de speciale verhoorzaal van Delaroche beland waren. En bij Richard.

En drie gewapende schildwachten.

Ze had het gebouw binnen zien te komen al zenuwslopend gevonden! Zoals dat moment dat de bewaker voor de ingang van het ministerie van Politie hun om hun pasjes had gevraagd. Hij had zo ingespannen naar het stempel getuurd dat Geoff van Delaroche had gegapt dat hij óf achterdochtig óf bijziend moest zijn. Amy en Lady Uppington hadden elkaar niet aangekeken om niet met een schuldige blik hun angst te verraden. Maar na uren turen (in werkelijkheid hoogstens dertig seconden) had de bewaker Amy de papieren toegeschoven en gegromd: 'In orde.'

Desalniettemin had hij verlangd de inhoud van hun emmers te zien. 'De minister verwacht problemen, vanavond,' had hij bij wijze van uitleg gemompeld, terwijl het water over Amy's emmer klotste en de dweil die ze over de rand had gehangen met een trage plop in het sop gleed. Amy had geprobeerd opgewekt te kijken, maar de onwennige vorm van de schede van haar dolk brandde tegen haar dij. Ze probeerde de houding aan te nemen van een schoonmaakster, een beetje krom onder het gewicht van de emmer.

Ze wierp een blik op Lady Uppington en voelde bewondering voor de manier waarop Jane haar had uitgedost en voor het acteertalent van de oudere dame. Er was niets terug te vinden van de Engelse markiezin in de vrouw die naast haar stond. Lady Uppingtons zilverblonde haren waren rijkelijk besmeurd met as om ze een ruige, vaalgrijze tint te geven en vervolgens bedekt met een al even smerige hoofddoek, die eruitzag alsof hij eerst als dweil en als zakdoek had dienstgedaan voordat hij de taak van hoofddoek kreeg toebedeeld. Haar gerafelde bruine jurk hing vormeloos om haar naar voren gebogen figuur, onzegbaar verouderd, met twee dikke sjaals om haar schouders geklemd om haar oude botten te verwarmen en de gescheurde en verstelde staat van haar mouwen te compenseren. Zelfs haar gezicht zag er heel anders uit. Jane had haar kraaienpootjes aangezet met een zorgvuldig web van met houtskool getekende lijntjes, maar het was meer dan dat, en dat lag ongetwijfeld aan de slappe manier waarop ze haar mond liet hangen en het vermoeide zakken van haar oogleden.

Na de eerste hindernis hadden Lady Uppington en Amy zich een weg geschrobd door de middernachtelijke gangen van het ministerie van Politie. Fakkels langs de muren wierpen flikkerende reflecties in het water in hun emmers terwijl ze door de gangen doolden op zoek naar de trap die hen naar de kerkers en naar Richard zou voeren. Ze zorgden ervoor dat ze in de poelen van licht bleven. 'Dat is minder verdacht dan in de schaduw,' had Miles hen geadviseerd. 'De enige reden die een schoonmaakster heeft om zich te verstoppen is dat zij geen schoonmaakster is.'

De plavuizen van het ministerie weergalmden waarschuwend het geluid van naderende personen, behalve wanneer deze, zoals Amy en Lady Uppington, hun schoenen uitgedaan hadden. Maar tot nu toe waren de enigen die langskwamen soldaten geweest, en hun gespoorde laarzen galmden zo ruim van tevoren dat ze alle tijd hadden om zich op hun knieën te laten zakken en te doen alsof ze volledig opgingen in hun schoonmaakwerk.

Al hun eerdere pogingen verbleekten bij het vooruitzicht dat ze langs de drie schildwachten moesten zien te komen met – Amy gaf het in stilte toe – tamelijk magere attributen. In haar dromen over spionage was ze altijd gewapend geweest met een floret en een pistool (al had ze van geen van beide geleerd ermee om te gaan) en een escorte van gespierde leden van het Verbond van de Paarse Gentiaan, die vast wel wisten hoe ze zwaarden en vuurwapens moesten hanteren. Ze had nooit verwacht dat ze door de kerkers van het best bewaakte gebouw in Parijs zou zwerven met een Engelse edelvrouwe op leeftijd en een wapentuig bestaande uit één degen, tegen haar dij gegespt, één oud duelleerpistool (haar geschonken door Lord Uppington, die het voor het laatst gebruikt had in 1772) en een fles gedrogeerde cognac. Daar had Jane op gestaan, ondanks de tegenwerpingen van Miles dat opiaten weinig nut hadden in gevechten van man tot man. Amy had bedacht dat ze de fles altijd nog als knuppel kon gebruiken.

Een degen, een pistool en een fles tegen drie grote mannen met musketten.

'Denkt u dat hij binnen nog meer mannen bij zich zal hebben?' fluisterde Amy tegen Lady Uppington, terwijl ze zich naar voren boog om te voelen of haar degen nog veilig in zijn schede zat.

'We zullen wel eens zien. Of liever gezegd,' antwoordde Lady Uppington met een klopje op het duelleerpistool onder haar volumineuze sjaal, '*zij* zullen wel eens zien. Klaar, lieve kind?'

Amy trok de linten van haar lijfje wat losser en schoof haar halslijn naar beneden tot op de grens van de onbetamelijkheid. Vier wapens, dacht ze met een golf van optimisme. Tenslotte konden zelfs revolutionaire bewakers de mannelijke neiging zo week als boter te worden bij het zien van een welgeschapen vrouwenlichaam vast niet volledig bedwingen. Jane had haar daar dan ook speciaal toe uitgerust. Ze had net zo lang in de kasten van Richards dienstmaagden gescharreld tot ze een laag uitgesneden blouse vond die van voren dichtgeregen werd, en een wijde wollen rok die tot net boven Amy's enkels kwam en haar wiegende heupen accentueerde.

'Klaar,' fluisterde Amy.

De twee vrouwen lieten zich op handen en voeten vallen en kropen al dweilend over de plavuizen de hoek om. Slosj, swisj, slosj, swisj, deden de vuile dweilen. Twee meter dichter bij de bewaakte deur... nog een veeg van de vuile dweil en weer verdween er een meter onder een glibberige film van water. Amy vroeg zich af of het de drie bewakers, waarvan ze alleen drie paar laarzen en drie paar zwarte slobkousen kon zien, niet zou opvallen dat hun schoonmaaksters wel erg nonchalant te werk gingen en hele stukken vloer oversloegen. Hoewel, aan de staat van de plavuizen te zien waren de kerkers al in eeuwen niet geschrobd. Jakkes, wat was dat voor klont bloed? Amy dweilde haastig om een bijzonder smerige bruine vlek heen en trok haar wollen rokken uit de weg.

'Hé! Jij daar!' Eén paar laarzen maakte zich los uit de rij en stampte op Amy af.

Amy's blikken vlogen omhoog, langs zwarte slobkousen en een donkerblauwe broek, waarna haar nek weigerde zich verder te buigen. Ze ging op haar knieën zitten en hief haar hoofd op naar een breed gezicht met een stoppelbaard van drie dagen. De bewaker die voor haar stond was de grootste van de drie en kennelijk hun leider, een bonkige Goliath met hangwangen om gespierde kaken en een bos lichte haren van een onbestemde kleur. Die zou niet makkelijk klein te krijgen zijn, dacht Amy grimmig. Achter hem, aan weerszijden van de deur, stonden de anderen. Als de eerste bewaker Goliath was, dan moest de tweede, een heel stuk kleiner dan zijn kompanen, David zijn. Amy betrapte hem op een gaap. De derde was lenig en donker; een dun snorretje, ongeveer zoiets als Amy eerder die avond op Janes gezicht getekend had, lag als een schaduw op zijn lip. Hij stond vervaarlijk stil, alsof hij zich schrap zette om op haar af te springen, als een aangespannen katapult, vond Amy. *Hem* moest ze goed in de gaten houden!

'Hé, Jij daar!' blafte de grote soldaat weer.

'Ja, meneer?'

'Wat kom je hier doen?'

Amy keek naar haar emmer, toen naar Lady Uppington, die gewoon doorging met het beschrijven van trage cirkels met haar vuile dweil, steeds maar weer om dezelfde plavuizen. 'Dweilen, meneer,' antwoordde ze.

'Ja, dat zie ik ook wel.' De bewaker raspte met zijn hand over de stoppels op zijn kin. 'Heeft niemand je verteld dat je hier niet schoon hoeft te maken?'

Hij klonk geïrriteerd, maar niet achterdochtig. Amy haalde opgelucht adem en deed net of ze er niets van begreep. 'Nee, meneer,' zei ze gretig en krabbelde met veel misbaar overeind en veegde haar handen af aan haar lapjesrok. 'We mosten gewoon komme schrobbe. Hoor u da, ma?'

'Ja, ja,' kraste Lady Uppington met gebarsten stem het enige woord dat ze veilig kon uitbrengen zonder een luisteraar opmerkzaam te maken op haar Engelse accent.

De bewaker knikte. 'Ik begrijp best dat jullie je vergist hebben. Het is hier ook zo groot...'

Amy knikte enthousiast; de bewaker leek niet te merken dat ze bij die beweging een stukje dichter naar de deur toe kroop. 'Da val nog es effe lekker mee, da deze vloer niet gedweild hoef te worre. Wij dagge da we niet voor morgenoggend in bed soue ligge, emme ma heb nog een andere baan ook, bij de sjiek in de Faubourg Saint Germaine.' Amy sprak die naam uit met de minachtig van een doorgewinterde revolutionair.

'Een lange nacht dus,' knikte de bewaker begrijpend.

'Ja, ja,' kraste Lady Uppington weer met haar kakelende oudewijvenstem.

Tot Amy's verbazing begon de bewaker zowaar te glimlachen. 'Aardig mens, die ma van jou.'

Lady Uppington schonk hem een brede grijns, waarbij ze een mond vol zwarte tanden vertoonde. Amy had altijd geweten dat die truc met roet en gom nog eens van pas zou komen. 'Ja, ja.'

Amy was misschien in de verleiding gekomen om te lachen als ze niet vanachter de deur een vaag geluid had gehoord. Elke eventuele vrolijkheid over het toneelspel van Lady Uppington ebde onmiddellijk weg. Richard bevond zich achter die deur, hij werd ondervraagd en misschien – nee, waarschijnlijk – gemarteld. Genoeg geklessebest.

Met haar schouders naar achteren boog ze zich voorover, zodat haar losse lijfje openviel. Net als de mond van de kleine bewaker. Vol waardering gluurde hij naar haar boezem; zijn musket zakte naar de grond.

Amy buitte haar voordeel onmiddellijk uit. Ze wond een donkere krul om haar vinger en fleemde: 'Lange nag voor jullie allemaal, nie?'

'Ach, dat valt wel mee,' babbelde David en deed een paar passen voorwaarts om Amy's charmes beter te kunnen bewonderen. Pech, dacht ze. Lady Uppington duwde haar emmer met kleine stootjes steeds dichter naar de deur.

Amy deed een stapje achteruit om David verder van de deur te lokken en begon toen Goliath met haar glimlach te bewerken. 'Lijk me wel saai om hier de hele nag mar zo'n bietje te staan,' zei ze vol vertoon van medelijden. 'Ik sou 't nie volhouwe. Maar ja, ik ben ook nie so'n grote sterke kerel as jou.'

Een gesnuif ontsnapte aan de in een sjaal gehulde figuur van Lady Uppington, maar Goliath stak zijn borst vooruit. 'Daar hoef je niet groot en sterk voor te zijn,' zei hij bars.

'Uithoudingsvermogen, daar gaat het om,' deed de kleine een duit in het zakje, terwijl hij suggestief met zijn wenkbrauw op en neer ging.

Amy begreep niet goed wat hij bedoelde, maar aan zijn liederlijke grijns te zien was het vast en zeker iets schunnigs, dus ze grijnsde terug alsof ze het begreep. Ze ging ook maar lustig met haar wenkbrauwen op en neer en boog zich nog dieper voorover om hem de meest gunstige inkijk te bieden.

De enige die niet leek te vallen voor Amy's charme of haar boezem was Katapult, die nog net zo ferm op zijn post stond als vijf minuten geleden, met zijn handen vastberaden om de kolf van zijn geweer geklemd. Hij bekeek Amy's potsen met een onmiskenbaar vijandige blik. Stik! Die vent was ofwel verslaafd aan zijn werk, of hij was slimmer dan de anderen en rook, al net zo onwelkom, onraad.

Onraad. Onraad? *Een rat!* Bijna brak er een oprechte grijns door op Amy's gezicht bij het idee dat in haar opkwam. Zo zou ze Katapult ontwapenen! Goliath stond nog bescheiden zijn extra stavermogen af te wijzen. Amy slaakte een opgewonden kreet – niet zo luid dat de mensen in de kamer het zouden horen, maar net schel genoeg om de aandacht van alle drie de bewakers te trekken.

'Raaaaaaaat!' schreeuwde ze. Ze trok haar rok op om haar enkels en hupte van de ene voet op de andere. 'Ooooooo! Ooooooo! Een raaaaat! Red me!'

Ze wierp zich tegen Katapult aan. Volkomen verrast tuimelde de bewaker opzij, weg van de deur. 'Daaro, daar sag ik 'm! Pikswart, met een bonte vaggie en kleine scherpe tandjes. Oooo!' Ze sloeg haar armen om Katapult heen en hield hem stevig vast, midden in de gang. Door de kromming van haar arm zag ze Lady Uppington op haar knieën voor de zware deur zitten. Maar ze deed hem niet open. Amy maakte flapperende gebaren met haar handen. Lady Uppington schudde haar hoofd. Stik! Waar wachtte ze nou toch op?

Amy fronste haar wenkbrauwen. Lady Uppington deed alsof ze een fles leegdronk en boog zich haastig weer naar de vloer toen David haar kant opkeek. Natuurlijk. De cognac. Goliath klopte Amy lomp op haar schouder. 'Rustig maar, rustig maar, juffrouw. Hij is al weg.'

Amy wendde zich van Katapult af, met haar ene arm nog stevig door de zijne, en keek met grote, angstige ogen op naar Goliath. 'Weet u da seker? Hij was wel *sooo* groot,' schetste ze met één hand. 'Ik *foelde* em langs me bene straike.'

Amy trok haar rokken op en staarde naar de ledematen in kwestie. Drie paar mannenogen volgden.

'Ik hou die grote, boze rat wel van je benen af, hoor,' bood de kleine met een geile blik aan.

'Ik geloof...' Amy liet zich artistiek tegen Katapult aanzakken. Hij had dan wel samen met de anderen naar haar enkels gestaard, maar ze had nog steeds het gevoel dat hij terug zou springen op zijn post als ze hem losliet. 'Ik geloof dat ik een slokkie kejak nodig heb.' Ze haalde de fles tevoorschijn uit de grote zak van haar volumineuze rok, trok de kurk eraf, draaide haar hoofd opzij en deed net alsof ze een diepe teug nam.

'Kleine slokop die ik 'r ben!' giechelde ze en veegde zwierig de druppels van haar kin. 'Een van de heren een slokkie?'

'Wij mogen niet...' begon Goliath, met een verlangende blik op de fles.

Amy stak hem de fles toe en knipperde als een gek met haar oogleden. 'Ach, doe toch. Ik seg niks, hoor.'

'Ja, doe maar,' drong David aan. 'En laat wat over voor mij!'

Goliath nam een lange teug en gaf de fles door aan David, die de drank gretig naar binnen klokte en de fles toen aan Katapult gaf. De donkere man schudde zijn hoofd. 'We hebben dienst,' waarschuwde hij boos.

'Wat kan dat nou voor kw...'

Boem!

David brak zijn zin af toen de deur van de kerker openvloog en tegen de muur sloeg. De in lompen gehulde gestalte van Lady Uppington schoot erdoorheen. Katapult probeerde Amy nog te grijpen toen ze haastig haar arm uit de zijne trok en achter Lady Uppington naar binnen rende. De andere twee bewakers keken met stomheid geslagen toe hoe de oude schoonmaakster een elegant, in goud gevat duelleerpistool uit de plooien van haar smoezelige sjaal tevoorschijn trok.

Lady Uppington richtte het pistool van haar echtgenoot op Delaroche met de bedrevenheid van de doorgewinterde duellist.

'Laat die duimschroeven vallen en ga bij mijn zoon vandaan!'

38

'Moeder?' riep Richard, en zijn mond viel open van verbazing. Mijn God, Delaroche was nog niet eens begonnen met zijn martelpraktijken en hij stond nu al te hallucineren. Maar dat leek toch echt zijn moeder, met in haar kielzog... Amy?

Richard knipperde met zijn ogen. Het was ontegenzeglijk Amy, en er viel heel wat van haar te zien dankzij haar losgeregen lijfje.

'En haal het niet in je hoofd je te verroeren,' beet Lady Uppington Delaroche toe.

Amy schoot langs haar heen en liep recht op Richard af. Achter haar persten haar drie bewakers, de vette, de kleine en de lange magere, zich door de deuropening en kwamen tuimelend tot stilstand vlak bij Lady Uppington en haar pistool.

'Heeft hij u pijn gedaan?' Amy pakte Richards gebonden handen en begon de lastige knopen los te peuteren. 'Ik zie geen bloed.'

Ze concentreerde zich op haar taak en probeerde vooral niet naar de IJzeren Maagd te kijken die wijd open stond in de hoek van de zaal. Het stro prikte onder haar blote voeten, en de muffe stank van nooit geluchte ruimtes met de vage, benauwende geur van bloed en angst, deed haar maag ineenkrimpen. Ze zette haar nagels in het touw.

Over Amy's hoofd heen zag Richard zijn moeder voorzichtig ronddraaien om zowel de bewakers als Delaroche in het oog te kunnen houden.

'Laat die musketten vallen! Laat vallen, zei ik!' Lady Uppington schraapte geërgerd haar keel. Drie doffe ploffen volgden.

Boos keek Lady Uppington over haar pistool heen. 'Als iemand ook maar één beweging durft te maken, dan knal ik Monsieur Delaroche neer, begrepen?'

371

Veel voetengeschuifel en gemompel klonken op onder de bewakers.

'Geen gepraat!' waarschuwde Lady Uppington met een zwaai van haar sierlijke pistool die Delaroche ineen deed duiken. 'Laf, miezerig mannetje dat u bent. Ik kan u wel vertellen dat ik een eersteklas scherpschutter ben, dus ik raak u alleen als het mijn *bedoeling* is om u te raken.'

Voorzover Richard wist had zijn moeder nog nooit van haar leven een pistool aangeraakt. Maar wie wist er precies wat vrouwen uitspookten in hun vrije tijd? Wat een angstaanjagende gedachte was dat. Maar nog niet half zo angstaanjagend als de aanblik van Amy die met haar hand onder haar rokken gleed en daar een degen vandaan haalde.

'Het touw zit helemaal in de knoop,' legde ze uit toen ze zijn ontstelde blik zag. 'Ik krijg het niet los.'

'Hoe bent u hier in godsnaam binnengekomen?' vroeg Richard beduusd, terwijl hij probeerde zijn ogen van het lemmet af te houden dat tussen een paar zeer vitale aderen heen en weer zaagde. Eén streng knapte, en hij voelde dat het touw wat losser schoot.

'Dat leg ik later wel uit.' Amy wierp een snelle, bezorgde blik op de drie buitengewoon onrustige bewakers. Richard kromp ineen toen het mes bijna in zijn hand sneed.

Hoe lang zou het duren voordat het slaapmiddel ging werken? Jane had minstens tien zakjes van de witte poeder in de cognac gedaan, en dat was genoeg om een olifant een week te laten slapen, had Jane gezegd. Goliath mocht dan wat op een olifant lijken, hij noch David vertoonde ook maar de minste tekenen van slaap, en Amy betwijfelde of Lady Uppington hen nog veel langer onder bedwang kon houden. Zou Jane zich vergist hebben met de dosering? David gaapte, maar dat had hij al eerder gedaan en het was tenslotte al diep in de nacht. Goed, de bewegingen van de grote en de kleine man leken wat trager te worden, maar dat kon ook best komen door het pistool van Lady Uppington.

'Au!' kermde Richard.

'Neem me niet kwalijk,' mompelde Amy en concentreerde zich weer op zijn handen.

Er knapte nog een streng, en nog een. Met een ferme draai van zijn polsen ontdeed Richard zich van het touw.

Amy viel op haar knieën en begon koortsachtig te zagen aan de touwen om Richards benen. De manier waarop Katapult naar Lady Uppington keek beviel haar allerminst, evenmin als het voorzichtige geschuifel van Delaroche in de richting van een vervaarlijk ogende tweekoppige bijl op een met paars fluweel beklede standaard.

'Laat mij maar.' Richard boog zich voorover en wuifde Amy weg bij zijn benen. Hij begon zich behoorlijk onbehaaglijk te voelen tussen zijn moeder die een pistool op Delaroche gericht hield en Amy die aan de touwen om zijn benen zat te peuteren, net alsof hij helemaal niets in te brengen had. Wat zou Miles hem daarmee pesten! God, hij zou zich nooit meer kunnen vertonen in mannelijk gezelschap. Hij kon het lidmaatschap van zijn herenclubs maar beter opzeggen en lid worden van een naaikransje. Het leek verdorie wel alsof zijn moeder het enig vond om Delaroche zo in zijn ribben te porren met haar pistool.

'Sta stil!' snauwde Lady Uppington toen de kleine bewaker een paar passen opzij deed in de richting van de stapel musketten. Zwaaiend op zijn benen stond de man stil.

'Slaaaperig,' gaapte de kleine man en liet zich tegen de muur zakken.

Richard rukte aan de knopen om zijn benen en trok met een tevreden grom een streng touw los. Bijna vrij.

Plof.

Stro en stof verspreidden zich in alle richtingen toen de forse bewaker zwaar op zijn knieën zakte en met zijn gezicht naar beneden op de vloer viel. Zijn kleinere collega gaapte nogmaals en viel toen snurkend over hem heen. Delaroche verdraaide ontzet zijn hoofd. Ook Lady Uppington wierp een blik opzij, geschrokken maar opgetogen. Haar pistool hing even vergeten in haar hand toen ze stralend naar het hoopje slapende mannen keek.

Dat was het moment waarop Katapult gewacht had. Met de opgekropte energie die Amy hem al had toegedicht sloeg hij Lady Uppington het pistool uit handen en greep haar van achteren vast, met zijn armen zo stevig om haar heen geslagen dat haar voeten van de grond kwamen. Het pistool schoot weg tussen het stro op de vloer.

Met veel gekletter liet Amy haar degen vallen en dook naar het pistool – net als Delaroche. Gehinderd door haar wijde rokken wierp Amy zich op het pistool op het moment dat de benige hand van Delaroche het van de plavuizen griste. Haar hand omklemde slechts lucht en wat strootjes. In haar duik was haar linkerarm pijnlijk tegen de plavuizen geknald; Amy hapte naar lucht, maar haar adem stokte haar in de keel toen ze in de lange loop van een met zilver en goud ingelegd duelleerpistool keek.

Ze krabbelde haastig over de vuile vloer naar achteren, gevolgd door Delaroche, met een zelfingenomen grijns op zijn hoekige gezicht.

Schoppend maakte ze haar benen vrij uit de plooien van haar rokken en sprong overeind. Delaroche volgde haar bewegingen met zijn pistool. Achter Delaroche hoorde Amy de geluiden van Lady Uppingtons schermutseling met Katapult, maar haar ogen durfden de glimmende loop van het pistool die pal op haar hart gericht was niet los te laten. Links van haar hoorde ze de zware ademhaling van Richard en het wanhopige schuren van de degen tegen de touwen om zijn benen.

'U, Mademoiselle,' zei Delaroche. Hij liep met grote stappen op Amy af en dwong haar met het pistool achteruit. 'U hebt uw nut gehad.'

'U bent... hoe zeggen jullie dat ook weer in dat barbaarse taaltje van jullie? O ja, een lastpost. U bent een lastpost geworden. Maar dat blijft u niet lang meer, zou ik zo denken,' zei Delaroche en hij dreef Amy nog verder achteruit.

Amy keek geschrokken toe hoe een onrustbarende glimlach het gezicht van Delaroche misvormde. Ze bleef staan, draaide haar hoofd om en bevroor toen haar onthutste blik viel op de stekelige omhelzing van de IJzeren Maagd, een halve meter achter haar. Onwillekeurig slaakte ze een kreet van angst. Dat... hij zou toch niet...

'Gevaarlijke gek!' hijgde ze.

'Zoals u wilt,' antwoordde hij grijnzend. 'Ziezo. Gaat uw gang!' Delaroche maakte een zwierig gebaar met het pistool naar de IJzeren Maagd, in een macabere parodie op hoffelijkheid.

In paniek wierp Amy een snelle blik om zich heen. Rechts van haar maakte het geopende deksel van de IJzeren Maagd een zijwaartse sprong onmogelijk. Links van haar... Amy's adem joeg haar longen uit in een dankbare snik toen Richard naast haar opdook. Met één vloeiende beweging trok hij haar uit de baan van de IJzeren Maagd en sprong tussen Amy en Delaroche in. Een gerafeld stuk touw hing nog aan zijn linkerbeen.

'Zo, nu is het wel weer leuk geweest voor vanavond, Delaroche,' zei hij grimmig, zwaaiend met Amy's degen. 'Het wordt tijd dat u eens gaat vechten als een man.'

Delaroche gromde.

'Richard,' fluisterde Amy, 'hij heeft nog een pistool.'

'Moeder!' Richards ogen lieten Delaroche niet los. 'Is dat ding geladen?'

'Dat w... grrr!' Katapult probeerde zijn hand over de mond van Lady Uppington te leggen, maar ze gaf hem een por in zijn ribben met haar elleboog. '... weet ik niet, lieverd!'

'Geweldig!' mompelde Richard terwijl hij om Delaroche heen liep om zo ver mogelijk van de IJzeren Maagd af te blijven. Weer typisch iets voor zijn moeder, om de kerkers van het ministerie van Politie binnen te dringen met een wellicht ongeladen pistool.

'Er is maar één manier om daarachter te komen,' grinnikte Delaroche. Hij richtte het pistool op Richards hart. 'Vaarwel, Selwieck.'

Zijn vinger kromde zich om de trekker. Vliegensvlug sloeg Amy zijn arm opzij. Het pistool ging af en schoot een stuk steen uit de muur. Geladen dus, concludeerde Richard en maakte zich klaar voor de aanval.

De kracht van de terugslag wierp Delaroche een paar passen achteruit, en de scherpe zwarte rook die van het pistool af kringelde bezorgde Amy een onbedaarlijke niesbui.

Delaroche staarde geschrokken naar het rokende vuurwapen. Met een ruw gebaar wierp hij het nutteloze pistool op de grond en vloog op de tweekoppige bijl af.

'Richard!' gilde Amy. Ze greep naar een slagzwaard dat tussen twee grijnzende schedels aan de muur hing en wankelde achteruit onder het gewicht ervan. Richard schoot haar te hulp en nam het zwaard van haar over, precies op het moment dat Delaroche de bijl te pakken had. 'Pak aan,' beval Richard en drukte Amy de degen in haar hand. 'Bevrijd moeder.'

Delaroche stortte zich op Richard; de tweekoppige bijl zwaaide in een dodelijke cirkel door het licht van de fakkel. Richard sprong achteruit; onder een regen van vonken ketste de ijzeren rand af tegen de stenen muur. Richard probeerde zijn zwaard met één hand op te tillen, als een floret; zijn pols brak bijna onder het gewicht. Haastig pakte hij het heft weer met beide handen beet en hief het wapen zacht vloekend met veel moeite in de lucht. Hier hadden de schermlessen van Angelo hem niet op voorbereid. Dit was verdorie het soort zwaard waarmee zijn voorvaderen de vijand bij Agincourt te lijf waren gegaan, gemaakt voor knoestige barbaren in harnas op bonkige krijgspaarden, en niet voor beschaafde heren uit de negentiende eeuw die gewend waren aan de edele vechtkunst met de floret. Godallemachtig! Richard zette alles op alles maar kwam niet verder dan een onhandige slag die Delaroche ruimschoots miste.

Klabang! De bijl kletterde tegen het slagzwaard aan en sloeg er een stukje uit. Richards armen trilden na van de enorme klap.

Wie had verwacht dat Delaroche zo sterk zou zijn?

Richard trok zich terug en probeerde zich alles te herinneren wat hij als nieuwsgierig jongetje gelezen had over middeleeuwse oorlogsvoering. Veel was het niet. Alleen dacht hij zich te herinneren dat slagzwaarden niet bedoeld waren om mee te steken maar om van bovenaf mee te slaan, en zelfs dat wist hij niet zeker.

De bijl van Delaroche daalde weer fluitend op hem neer; Richard sprong achteruit en het blad zoefde rakelings langs zijn buik. Delaroche wankelde onder de kracht van zijn haal.

Richard begon zijn wapen nu onder controle te krijgen en haalde weer uit naar Delaroche in de hoop dat hij zijn evenwicht nog niet hervonden had. Hij miste, maar de beweging werd al soepeler en zijn tegenstander deinsde onzeker achteruit, de bijl met zich meeslepend. Richards lippen kromden zich tot een roofzuchtige grijns.

Amy's oren tuitten van het woeste wapengekletter terwijl ze Lady Uppington te hulp schoot, die aan de andere kant van de zaal nog met haar belager aan het vechten was. Lady Uppington had haar hoofddoek verloren en haar beroete haren hingen in een warboel om haar gezicht. De huid om één oog begon al paars en dik te worden, maar Lady Uppington vocht onverschrokken door. Ze schopte haar aanvaller met haar blote voeten tegen zijn benen terwijl hij probeerde haar woest zwaaiende armen onder controle te krijgen. Straaltjes bloed sijpelden over Katapults gezicht, dat van zijn oog tot aan zijn kaak vol venijnige krassen zat.

'Laat me los, akelige kerel!' hijgde ze. 'Heeft uw moeder u dan,' *schop*, 'helemaal geen manieren bijgebracht?'

'Laat mijn moeder erbuiten, mens!' Met een grom gleden Katapults handen van Lady Uppingtons armen naar haar keel. Hij begon te knijpen en Lady Uppington klonk alsof ze elk moment kon stikken.

'Neeeeee!' Gillend wierp Amy zich op de bewaker. Haar degen reet zijn mouw open en kerfde een lange, bloedende snee in zijn bovenarm. Brullend van de pijn liet hij Lady Uppington los, die naar adem snakkend achterover tuimelde. Woedend stortte hij zich op Amy. Amy keek met stomheid geslagen naar het bloed dat het blinkende metaal van haar degen besmeurde. O help! Ze had een man gestoken. En te oordelen naar de uitdrukking op het gezicht van de bewaker moest ze dat misschien nog wel een keer doen. Haastig bracht Amy haar bebloede degen weer in de aanslag.

Lady Uppington racete op de gevallen musketten af en grist er eentje van de stapel.

'Ik doe het nog een keer, hoor!' dreigde Amy op schelle toon toen de bewaker op haar afkwam, zijn gezicht vlekkerig van woede en bloed.

Maar dat was niet nodig. Achter de bewaker hief Lady Uppington strijdlustig haar musket op.

Met een klap daalde de zware houten kolf neer op zijn hoofd. Katapult stortte bewusteloos neer.

'Ha!' riep Lady Uppington rauw. 'Dat werd tijd!'

De verhoorzaal, die nu bezaaid lag met lichamen, begon op de laatste scène van *Hamlet* te lijken. In het midden van de ruimte hakten Richard en Delaroche onverminderd op elkaar in met wapens die al oud waren toen Shakespeare nog jong was. Hun gevecht leek op geen van de duels die Amy ooit aan haar geestesoog voorbij had zien trekken: geen elegante interacties van schermwapens, geen temperamentvolle afweermanoeuvres, geen razendsnel voetenwerk. Integendeel, de strijders slingerden ongecontroleerd voor- en achterwaarts onder het gewicht van hun wapentuig, allebei zwaar hijgend, zich vastklampend aan wapens die inmiddels glibberig waren van het zweet. Richard trok met het been dat net boven de knie door de bijl van Delaroche geraakt was. Delaroche moest zijn linkerarm ontzien waar Richard met volle kracht de platte kant van zijn zwaard tegenaan gemept had.

'We moeten tussenbeide komen,' hijgde Amy toen een roekeloze zwaai van de bijl vervaarlijk dicht langs Richards linkerarm scheerde.

Lady Uppingtons wangen waren rood en haar ogen stonden even fel als die van haar zoon. 'Niet doen, lieve kind. U loopt ze maar voor de voeten.'

Delaroche haalde uit; Richard sloeg de bijl weg. 'Tsj, tsj, tsj,' schold hij, zwaar ademend. 'Dat was niet netjes van u.'

'Ik heb van u geen lessen in etiquette nodig, Selwieck!' gromde Delaroche op ruwe toon.

'Gezien de manier waarop u met uw gasten omspringt, weet ik dat zo net nog niet.'

Delaroche gromde van woede en zwaaide wild met zijn bijl – te wild. 'Onze eerste les zal gaan over de regels van de overgave.' Met een forse zwieper liet Richard zijn zwaard neerkomen tegen het handvat van de bijl en sloeg Delaroche zijn wapen uit handen.

Delaroche vloog achteruit. 'Wacht maar, Selwieck! Ik krijg je nog wel!'

Richard liep op hem af. 'Je wapen, Delaroche, of ik rijg je aan mijn zwaard!'

'Arrogante...' sputterde Delaroche. 'Engelse...' Hij keerde zich om en rende naar de deur van de kerker. Richard liet zijn slagzwaard vallen en vloog hem achterna.

'Bewakers!' brulde Delaroche.

Maar verder dan een gesmoord 'Bewa...' kwam hij niet, want hij struikelde over een gevallen musket en sloeg met een doffe klap tegen de vloer.

Richard kon nog net op tijd remmen om niet over zijn uitgestrekte gestalte heen te vallen. Amy greep haar kans, pakte het dichtstbijzijnde voorwerp – de in de steek gelaten emmer van Lady Uppington – en smeet de inhoud ervan over het hoofd van Delaroche, die net zijn mond opendeed om nogmaals te gaan roepen. Een plens smerig water veranderde zijn kreet in een verontwaardigd gesputter. Een doorweekte dweil hing aan één van zijn oren.

'Vlug!' Lady Uppington pakte de dweil en propte hem in zijn mond, voor het geval hij nog een keer op het idee zou komen om versterking in te roepen. Als een haas bond ze zijn benen vast; Richard nam zijn maaiende armen voor zijn rekening. Met zijn gebonden benen en zijn uitpuilende ogen en de bal stof in zijn mond zag Delaroche eruit als een bijzonder onsmakelijk speenvarken.

Lady Uppington deed een stapje achteruit en keek woedend op hun tegenstander neer. 'Ik stel voor dat we hem in de IJzeren Maagd stoppen.'

Wammes! Het hoofd van Delaroche zakte naar voren toen Richard hem een welgemikte klap gaf met de loop van een musket. Richard pakte eerst zijn moeder bij een arm, en toen Amy. 'En ik stel voor dat we ervandoor gaan – en wel nu!'

Amy en Lady Uppington stemden daar maar al te graag mee in.

39

HET GROEPJE OP het binnenhof van huize De Balcourt ademde een sfeer uit van onderdrukte opwinding. Zelfs de paarden voor de eenvoudige zwarte koets die op het plaatsje stond te wachten leken de spanning te voelen; ze trappelden onrustig en zwiepten hun bruine manen op en neer.

Drie haveloos uitziende figuren glipten door de poorten naar binnen, en een opgeluchte juichkreet steeg op.

'U hebt het gered! Ik wist wel dat het u zou lukken!' Henriëtta viel haar moeder en haar broer om de hals.

'Waarom heeft het zo lang geduurd?' informeerde Miles, met een forse klap op de rug van zijn beste vriend.

Amy keek vanachter Lady Uppingtons rug toe hoe Richard overstelpt werd met opgetogen begroetingen. Henriëtta hing aan Richards arm en haar mond stond geen ogenblik stil; Geoff mompelde hoofdschuddend 'Godzijdank'; Miles week, als een trouwe jachthond, niet van Richards zijde en Lord Uppington schudde zijn zoon zo plechtig de hand dat de tranen je in de ogen sprongen. Zelfs juffrouw Gwen liet zich ontvallen dat ze blij was hem ongedeerd terug te zien, en dat was voor haar doen een buitensporig vertoon van emotie.

Het binnenhof weergalmde van de uitbundigheid. Alleen Amy deed niet mee; het liefst had ze zich plompverloren op de kasseien laten zakken, want het was tenslotte een lange, angstige nacht geweest, met al die opwinding omtrent het beramen van de overval op het Zwitserse goud, en de ruzie met Richard en die hele hachelijke onderneming om hem te bevrijden... Om het nog maar niet te hebben over het gejakker door de nachtelijke straten van Parijs. Wie zou er na al die vermoeienissen niet bekaf zijn geweest?

Amy probeerde te delen in de feestvreugde. Ze hadden tenslotte Richard bevrijd. Hoezee! Zelfs dit *hoezee* klonk niet echt vrolijk in Amy's hoofd. Ze had Richard dan wel bevrijd – met veel hulp van Lady Uppington en haar antieke pistool – maar zijn hele gevangenneming bleef natuurlijk een uitermate netelige kwestie. Wat moest hij haar haten! Op de terugweg had hij geen woord tegen haar gezegd – Lady Uppington had genoeg gepraat voor hen alle drie – maar ja, hij hoefde natuurlijk ook niets te zeggen. Ze wist best wat hij dacht. Ze had zijn gebrek aan vertrouwen dubbel en dwars gerechtvaardigd; ze had gedaan wat zelfs de verdorven Deirdre niet gelukt was: ze had een eind gemaakt aan zijn carrière als de Paarse Gentiaan.

Het was voorbij. Niet alleen Delaroche, maar vijftien – vijftien! – van zijn mannen waren getuige geweest van de ontmaskering van Richard, door zijn eigen hand, als de Paarse Gentiaan. Vandaag zou heel Parijs erover praten, en morgenmiddag zouden ook alle geïllustreerde dagbladen in Londen er bol van staan. Richard kon nooit meer terugkomen in Parijs. Hij was misschien niet dood, maar de Paarse Gentiaan wel. Delaroche zou wel trots zijn, dacht Amy bitter.

Ze wilde het huis binnensluipen en haar hoofd onder een kussen begraven om zich te verstoppen.

'Amy!' Henriëtta vloog op Amy af en trok haar de kring in. 'U bent een heldin! Vertel eens hoe de martelkamer eruitzag?'

'Martelkamers zijn zo afgezaagd,' snufte juffrouw Gwen.

Henriëtta negeerde haar. 'Was het heel erg afschuwelijk?'

Amy hoorde nauwelijks wat ze zei, want Richard wierp haar weer zo'n zijdelingse blik toe die ze niet kon duiden. De hele terugweg naar huize De Balcourt had hij geen woord tegen haar gezegd, alleen maar zo *gekeken*.

Amy knikte afwezig. 'Afschuwelijk,' echode ze. Ze wou maar dat hij gewoon tegen haar uitviel, dan hadden ze dat tenminste gehad. Dat hij zei dat hij haar haatte, dat ze zijn leven kapot had gemaakt. Dat ze...

'Ooo, heerlijk! Je moet me dat later allemaal vertellen. Maar eerst,' maakte Henriëtta een pirouette in een spontane overwinningsdans, 'eerst moet je raden wat we in de koets hebben!'

'We?' Miles wiebelde met zijn rossige wenkbrauwen naar Henriëtta. 'Wie heeft deze missie eigenlijk uitgevoerd?'

Richard greep hun gekibbel aan om zich ongemerkt in de richting van Amy te begeven, in stilte dit circus dat hij zijn familie noemde verwensend. Op de terugweg van het ministerie van Politie naar huis had hij aan één stuk door geprobeerd met haar in gesprek te komen, maar zijn moeder had hen zo opgejaagd door de straten van Parijs dat ze geen woord hadden kunnen wisselen.

Geoff zei iets tegen hem, maar Richard negeerde hem; vanuit zijn oog-hoeken hield hij Amy in de gaten, die zich min of meer verschanst had achter zijn moeder. Richard had al drie keer geprobeerd Amy te bena-deren. De eerste keer had Miles hem in een hoekje gedreven en een ge-detailleerd verslag van zijn ontsnapping geëist. Henriëtta, niet van plan de tweede viool te spelen, verlangde een volledige beschrijving van de martelkamer. En zijn vader had hen, op zijn eigen bedaarde wijze, ver-gast op een eindeloos verslag van zijn bemoeienissen met het Zwitserse goud. Lord Uppington, die de heldendaden van zijn zoon zeven jaar lang gevolgd had vanuit zijn lievelingsstoel in de bibliotheek van Uppington House, kon zijn geluk niet op dat hij nu eindelijk zelf had deelgenomen aan een missie. Richard luisterde met een half oor naar zijn verhaal over de barricade die ze hadden opgeworpen om de koets met het goud tegen te houden. Toen deze ook nog begon te vertellen hoe hij de paarden ge-kalmeerd had terwijl Miles met de koetsiers vocht, haakte hij af. Tegen de tijd dat Lord Uppington begon te vertellen hoe juffrouw Gwen een bewaker ontwapend had en een andere met haar ouwe getrouwe parasol in zijn buik had geramd, hield Richard niet eens meer de schijn op dat hij luisterde en liet zijn vader midden in een zin staan.

Hij wilde Amy vragen waarom ze er zo droevig uitzag. Hij wilde van haar horen dat ze wist dat hij het niet gemeend had toen hij haar een niemendalletje noemde. Of een scharrel, of een flirt. Hij wilde... ver-dorie nog aan toe, hij wilde Amy. Die holbewoners hadden het begre-pen, dacht Richard vol walging. Geef een meisje gewoon een klap op haar kop en sleep haar mee naar je hol. Niet dat gezanik over mannen die gevoelens moeten uiten. Dat gedoe bezorgde elke man een sensatie alsof zijn nog kloppende hart uit zijn ribbenkast werd gerukt en tot ieders vermaak op een staak werd gestoken.

Goed. Hij begroef zijn handen in zijn zakken en wiegde achterover op zijn hielen. Hij zou haar gewoon vertellen dat hij van haar hield en dat was het dan. Punt uit.

'Het spijt me zo,' flapte Amy er diep ongelukkig uit voordat Richard een woord had kunnen uitbrengen. 'Ik weet dat ik alles kapotgemaakt heb, en ik wou maar dat er een manier was om het goed te maken.'

'Alles kapotgemaakt?'

'De Paarse Gentiaan.' Amy schoof onzeker heen en weer op haar vieze blote voeten. 'Uw missie. Alles.'

'Niet alles, hoor,' kwam juffrouw Gwen tussenbeide. 'We hebben het goud, en over een paar uur hebben we Lord Richard Parijs uitgesmokkeld.'

'Er ligt een boot voor u klaar,' riep Miles en posteerde zich naast juffrouw Gwen. Als Richard al gehoopt had Amy alleen te spreken, dan kon hij dat nu wel *helemaal* op zijn buik schrijven.

'De boot behoorde vroeger toe aan Georges Marston,' liet Geoff, die zich nu ook bij het groepje voegde, zelfingenomen weten.

'Maar maak u niet druk,' voegde Miles eraan toe, 'we hebben Stiles vooruitgestuurd om de boot voor u schoon te maken.'

'Over een paar dagen pakken we uw koffers en komen u achterna,' deed Lady Uppington een duit in het zakje. 'Alles is geregeld, lieverd. U hoeft zich nergens zorgen om te maken.'

'U lijkt overal aan gedacht te hebben,' zei Richard kalm.

Ga niet weg, wilde Amy hem smeken. Maar ze kon het niet. Delaroche kende Richards identiteit; in Parijs blijven was flirten met de galg, of nog erger. Juffrouw Gwen had gelijk. Hij moest weg, en snel ook.

Amy's hele lijf deed pijn van de inspanning die het haar kostte om haar tranen te bedwingen. Ze probeerde zich te troosten met het vooruitzicht dat ze het Verbond van de Roze Anjer kon voortzetten, want daar was ze tenslotte voor naar Parijs gekomen. Maar op de een of andere manier had de gedachte aan spionage alle glans verloren. Voor haar bestond er toch geen Parijs zonder Richard? Ze zou overal zijn schim zien, in de hoeken van Madame Bonapartes gele salon en in de gangen van de Tuilerieën, aan de Seine... in de boot... en in de koets... ja, zelfs in het huis van haar broer. Er was geen plekje van de stad dat niet het stempel droeg van de herinnering aan Richard.

Zelfs de schitterende sterren aan de nachtelijke hemel boven haar behoorden Richard toe.

'Mag ik met u mee?'

Henriëtta's mond viel midden in een zin dicht; juffrouw Gwen hield op Miles te porren met haar parasol; het hele binnenhof viel stil, alle ogen waren gericht op Amy. Het was alsof ze zich in het kasteel van Doornroosje bevond, omgeven door bevroren figuren die getroffen waren door een toverformule.

'Ik wil met u mee,' herhaalde Amy, en haar stem klonk onnatuurlijk luid in de stilte. 'Tenminste, als u me mee wilt hebben?'

'Of *ik* dat wil?' herhaalde Richard ongelovig? 'Of *ik u* wil?'

Amy was zich onbehaaglijk bewust van zeven paar ogen die op haar rustten, en haar gezicht kreeg een vuurrode kleur. 'Ja,' mompelde ze, 'dat was de vraag.'

'*Of ik u wil!*' juichte Richard. Met een zwaai tilde hij Amy van de grond en draaide haar in de rondte tot haar hoofd tolde. 'O nee, nee! U zit er helemaal naast! De vraag is,' zei hij plechtig terwijl hij haar heel, heel langzaam weer op haar benen zette, 'of *u mij* wilt? *Ik* ben degene die er een potje van heeft gemaakt door u niet de waarheid te vertellen...'

'Maar *ik* ben er schuldig aan dat u uw geheime identiteit moest prijsgeven,' zei Amy ademloos.

Richard keek grinnikend op haar neer. 'Die had ik u al dagen geleden moeten onthullen!'

Kon een mens uit elkaar klappen van pure vreugde? Als dat zo was, had Amy nog maar weinig tijd. Haar hart bonsde zo hard dat haar ribbenkast op springen stond; er gleed een glimlach over haar gezicht die haar wangen bijna in tweeën spleet, en haar hoofd was zo licht dat het haast van haar schouders af zweefde. 'Haat u me dan niet omdat ik u in handen van Delaroche heb laten vallen?'

'Niet als u mij niet haat omdat ik u een scharrel heb genoemd.'

'Dat niemendalletje vond ik eerlijk gezegd nog erger,' diende Amy hem plagend van repliek, genietend van de druk van Richards handen op haar stuitje en van de lachrimpeltjes om zijn groene ogen die glimlachend op haar neerkeken.

'Geef me een halve eeuw, dan zal ik het goedmaken.'

'Dat was een huwelijksaanzoek, als je het mij vraagt,' interrumpeerde Henriëtta hen opgetogen.

'Moet u niet toevallig ergens anders heen?' vroeg Richard boos.

'U doet het helemaal verkeerd,' zei Henriëtta onverstoorbaar. 'U moet een knieval voor haar maken en dan... grrr!' Henriëtta slaakte een gesmoorde kreet toen Lady Uppington een hand over haar dochters mond legde.

'Onderbreek ze toch niet, dadelijk verpest u het nog!' siste Lady Uppington op luide fluistertoon.

'Waarom gaat u niet allemaal *weg*?' bulderde Richard.

Amy had hem gelijk gegeven als ze op dat moment niet de hele wereld in haar armen had kunnen sluiten, inclusief Bonaparte en zijn ministerie van Politie.

'Dat is allemaal heel leuk en aardig,' kondigde juffrouw Gwen aan, 'maar volgens mij bent u degene die weg moet gaan, mijn Heer, voordat iemand van het ministerie van Politie de poortwachters van de stad alarmeert.'

Richard wierp juffrouw Gwen een nijdige blik toe en wendde zich weer tot Amy. Hij pakte haar hand en zei zachtjes maar gejaagd (de verzamelde menigte kwam als één man naar voren): 'Amy, ik hou van u. Ik wil met u trouwen. Ik zal net zoveel knievallen voor u maken als u van me verlangt, zodra dit hele zootje hier is opgekrast.' En toen, nog zachter: 'Gaat u met me mee?'

'Naar het einde van de wereld,' antwoordde Amy. 'Of naar Calais – wat het dichtste bij is.'

Richard grinnikte. 'Dat wordt dan Calais. Bedoelt u dat u van me houdt?' vroeg hij zo zachtjes dat alleen Amy het kon verstaan.

'Ja, ja, *ja*!'

'Aha, u bent gezwicht voor mijn voortreffelijke verleidingskunsten...'

'Ha!' kefte Miles op de achtergrond.

'Zwijg!' voer Henriëtta tegen hem uit, want ze wilde maar al te graag meer te weten komen over verleidingskunsten, zelfs die van haar broer.

Amy beet op haar lip. 'Vindt u het wel zo'n goed idee om ten overstaan van uw hele familie over verleiden te praten?'

Ze zag er zo schattig uit in haar verwarring dat het Richard weinig uitmaakte of zijn familieleden hem in zijn nek stonden te blazen of dat ze zich in het verste land van de tegenvoeters bevonden. Hij moest haar gewoonweg kussen, en wel nu meteen.

'Maakt niet uit,' mompelde hij terwijl hij zich naar haar over boog. 'We gaan toch trouwen.'

'O, in *dat* geval...'

'Sjjjt!' Door de nevel in zijn hoofd heen hoorde Richard hoe Henriëtta Miles, die op het punt stond een spottende opmerking te maken, het zwijgen oplegde. 'Ze gaan zoenen!'

Richards gezicht verstrakte op een haar afstand van dat van Amy. Hij klemde zijn kaken op elkaar. Amy, die weer knalrood was geworden, drukte haar voorhoofd tegen Richards borst volgens de aloude theorie dat als zij niemand zag, ze haar ook niet konden zien.

'En nou ben ik het zat,' siste Richard door samengeknepen lippen. 'Kom op, we gaan.'

'Nog even, we willen uw techniek bewonderen!' sarde Miles. 'Au!' Juffrouw Gwen had haar parasol ingezet, met onmiddellijk resultaat. 'Aaaau...'

'U kunt Amy toch niet zomaar meenemen!' protesteerde Lady Uppington, voor haar doen nogal verontrust. 'Ik weet dat ik een toegeeflijke moeder ben geweest,' Henriëtta maakte een geluid dat ze snel omzette in een kuch, 'maar ik kan echt niet toestaan dat u alleen met een jongedame van goeden huize op pad gaat. 's Nachts, nog wel! Nee, Richard, u zult moeten wachten tot we Amy mee terugnemen, en dan kunnen we het allemaal keurig regelen. De koffietafel zal plaatsvinden in Uppington House, lieve kind, tenzij u denkt dat uw oom en tante dat liever niet hebben. Hmm, ik vraag me af of die lieve aartsbisschop...'

Amy stak haar arm vastberaden door die van Richard. 'En als we nu eens een chaperonne meenamen?' Ze keek haar nichtje smekend aan. 'Jane?'

Jane fronste haar wenkbrauwen. Ze vouwde haar handen in elkaar tegen haar middel. 'Amy, ik ga niet terug.'

'Waarom niet?' vroeg Amy.

Roze kringetjes brandden op Janes bleke wangen. 'Ik weet dat het altijd uw droom was, Amy, maar als u het niet erg vindt zou ik graag willen blijven als de Roze Anjer.'

'O. Natuurlijk vind ik dat niet erg. Maar weet u wel zeker dat u dat wilt, Jane?'

'Zo zeker als wat,' zei Jane eenvoudig.

'Wat is de Roze Anjer?' fluisterde Richard Amy toe.

'Dat leg ik later wel uit,' fluisterde Amy terug.

Juffrouw Gwen stampte met haar parasol op de grond. 'En ik blijf bij haar, dus mij kunt u ook schrappen als chaperonne, jongedame.'

'Dat komt dan mooi uit,' mompelde Richard.

'Ik zou best uw chaperonne willen zijn,' bood Henriëtta aan, 'maar dat vindt Mama nooit goed.'

'En bovendien,' waarschuwde Miles, de onheilspellende blik op het gezicht van zijn beste vriend negerend, 'hoe meer mensen er meegaan, hoe moeilijker we u het land uit kunnen smokkelen. Dus kus uw verloofde maar vaarwel, ouwe jongen. Ik wens u een goede reis naar huis.'

'Genoeg!' zei Amy stampvoetend; haar stevige laars zorgde voor een behoorlijke weerkaatsing tegen de kasseien. Wie had er toestemming voor gegeven dat haar toekomst, die van haar en Richard, beslist werd door een comité? Het was tijd om in te grijpen. Ze nam Richards handen in de hare en verkondigde luid: 'Richard, ik geef u mijn volledige toestemming om over mijn deugdzaamheid te waken.'

'Bofferd die u bent!' zuchtte Miles in de geschokte stilte.

'Amy, dat meent u niet,' zei Lady Uppington ontsteld.

'Ik hoop toch van wel,' ademde Richard in Amy's oor.

'Reken maar,' fluisterde Amy ondeugend terug. Tot haar voldoening voelde ze hoe zijn handen begonnen te trillen in de hare.

'Uw reputatie...' vervolgde Lady Uppington.

'Als iemand hoort dat ik alleen was met Richard, kunnen we toch gewoon het praatje rondstrooien dat we al stiekem in Frankrijk getrouwd zijn? Alleen wij zullen weten dat dat niet zo is.' Amy wierp de groep op het binnenhof een smekende blik toe. Henriëtta leek op het punt te staan om te gaan klappen. Juffrouw Gwen keek Amy koeltjes aan. 'Hè toe? Ik wil niet weer van hem gescheiden worden.'

'Mee eens,' zei Richard, met een bezitterig kneepje in Amy's schouders.

De steun kwam uit een volledig onverwachte hoek. Vanaf de rand van de groep klonk een volle lach. 'Wie zijn wij om jonge geliefden in de weg te staan, Honoria?' zei de markies opgewekt. 'Denk eens terug aan hoe we zelf...'

De markiezin werd knalrood.

Met een brede grijns gaf de markies zijn vrouw een klopje op haar hand. 'Ik wist het wel, lieve.'

Vol afschuw keek Richard van zijn vader naar zijn moeder. 'Ik wil het niet weten. Ik wil het domweg niet weten,' mompelde hij.

'Als u uw invloed aanwendt om juffrouw Balcourts reputatie te beschermen, zal niemand iets tegen haar in durven te brengen.'

Amy begon Lord Uppington met de minuut aardiger te vinden. Stralend keek ze naar de markiezin en liet Richards hand bijna vallen van schrik toen Richards keurige vader een ooglid liet zakken in een kleine maar onmiskenbare knipoog. 'Welkom in de familie, lieve kind. Wordt het niet eens tijd om te vertrekken?'

40

'U WEET TOCH wel dat ik u geen bevlieging of een scharrel of een niemendalletje vond?' vroeg Richard voor minstens de tiende keer sinds
ze Parijs hadden verlaten.

Amy nestelde zich in de kromming van zijn armen en voelde zich
gelukkiger dan ze sinds... nou ja, ooit geweest was. Tijdens de woeste
rit van Parijs naar Calais hadden zij en Richard, nogal ongemakkelijk,
verstopt gezeten in grote wijnvaten. Maar Amy had niets gevoeld van
de tintelingen in haar benen of de kramp in haar armen, omdat Richard haar steeds door het spongat in zijn vat verzekerde van zijn diepe, oprechte gevoelens voor haar. Eindelijk begreep Amy wat Hamlet
bedoelde toen hij zei dat hij zich zelfs in een notendop de koning van
een oneindige ruimte kon voelen. Dat was een volmaakte beschrijving
van wat zij voor Richard voelde. Ze bevond zich in een soort reusach-
tige walnoot, maar telkens als Richard iets zei in de trant van 'Ik heb de
hele week niet geslapen omdat ik aldoor aan u lag te denken', maakte
haar geest een sprong tot achter het oneindige.

Natuurlijk was ze wel blij toen ze uit het vat gelaten werd, oneindige
ruimte of niet. Haar pogingen Richard te zoenen door het spongat
hadden geresulteerd in een splinter in haar lip.

Amy buitte haar vrijheid uit door een kus op de hand te drukken die
door haar haren streek. 'Daar mag u me de komende zestig jaar of zo
van blijven proberen te overtuigen.'

Richard dacht daarover na. Het leek hem een mooie deal, vooral als
hij dacht aan de vele manieren die hij kon aanwenden om Amy van de
mate en de duurzaamheid van zijn liefde te overtuigen. De meeste ervan
waren gekoppeld aan het uittrekken van nogal wat kledingstukken.

'Dat klinkt me redelijk in de oren.'

Ze stonden op het dek van Marstons boot en keken naar de breder wordende strook water die hen scheidde van Calais, Frankrijk, en de helse dienaren van het ministerie van Politie. Marstons bemanning had zich vrolijk met een handjevol goudstukken naar de taveerne laten sturen en was vervangen door Richards staf. Richard hoopte nu maar dat er op z'n minst één of twee mannen bij waren die iets van zeilen af wisten, anders kon het wel eens een natte zwemtocht naar huis worden. Aan de andere kant, dacht Richard, Amy zou er wel aantrekkelijk uitzien als ze nat was. Hij dacht daar nog wat dieper over na en besloot dat hetzelfde plezierige effect bereikt kon worden met veel minder risico voor hun leven in de beslotenheid van hun eigen hut, met behulp van een tobbe en wat lekkere zachte handdoeken. En misschien wat olie...

Richard kreunde.

'Gaat het?' vroeg Amy slaperig, want haar slapeloze nacht in een ton begon zijn tol te eisen. Traag draaide ze zich zo in Richards armen dat ze zijn gezicht kon zien, waardoor haar borsten in contact kwamen met zijn zij.

Richard knarsetandde. Over een week of wat zouden ze getrouwd zijn, dacht hij. Het was bijna zover! Zo lang kon hij toch zeker wel wachten?

Bepaalde delen van zijn anatomie protesteerden heftig.

'Moeder zal er wel op staan dat de Aartsbisschop van Canterbury het doet,' mompelde hij. 'En hoe lang is er nodig om een koffietafel te bereiden voor vijfhonderd mensen?'

'Vijfhonderd mensen? Hmmm?' gaapte Amy.

Richard pakte Amy bij de schouders. Ze sloeg haar wimpers op. 'Scheepskapiteins mogen toch ook huwelijken voltrekken? Dat is toch legaal?'

'Ik kan je niet meer volgen.' Amy wreef met haar vuisten in haar ogen. 'Het spijt me, ik denk dat ik even ingedommeld was. Vijfhonderd kapiteins...?'

'Laten we gaan trouwen!'

'Ik dacht dat we dat al van plan waren?'

'Nee, ik bedoel nu. Hier. We kunnen de kapitein vragen ons te trouwen, wie dat dan ook zijn moge.'

'Maar waarom?' begon Amy verbijsterd. Richard duwde haar achterover tegen de reling van het schip voor een lange, hartstochtelijke zoen. Gelukkig verkeerde Marstons boot in veel betere staat dan de pakketboot die ze op de heenweg hadden genomen, anders hadden ze allebei in het water van Het Kanaal liggen spartelen.

Amy's gezicht zag er een stuk minder slaperig uit toen ze begreep waar hij heen wilde. 'Wat een briljant idee!'

'Mooi zo!' Richard greep Amy bij de hand en trok haar weg van de reling. 'Wie doet hier dienst als kapitein?' bulderde Richard over het dek.

'Ik!'

Stiles kwam met grote passen aan lopen over het dek, alleen... Richard knipperde met zijn ogen. Hij wist niet of het haar van Stiles nog steeds grijs geverfd was, want hij had een knalrode bandana om zijn hoofd geknoopt. In het oor van de butler hing een zilveren oorring. Een wit hemd hing over een broek met beslist opzettelijk gerafelde zomen. En om het geheel te completeren zat er een opgezette papegaai op Stiles' schouder.

'Krauw!' kraste de papegaai.

Niks opgezette papegaai, dus.

'Aiai, ik ben de kaptein,' gromde Stiles.

'Amy, herinnert u zich mijn butler, Stiles, nog?'

'Er is geen tijd om te butleren op de hoge zeeën, kerel,' gromde Stiles somber. 'Ik heb het druk genoeg met mijn gevecht tegen de zeeslangen en de kolkende golven, golven die een schip kunnen begraven zonder dat een mens er wat van weet.'

'Aha. Maar kun je wel een huwelijk voltrekken?'

Met een heleboel ge-aiai en andere uitingen van nautische onbegrijpelijkheid liet Stiles weten dat hij dat wel kon, en ging op zoek naar het gebedenboek. Aangezien de bemanning van Marston niet opengestaan had voor spontane religieuze plechtigheden, bleek de zoektocht tevergeefs. Dus moest Stiles improviseren.

Amy had nooit kunnen denken dat ze op deze manier in het huwelijk zou treden. Het ochtendzonnetje scheen op hen neer als een zegening. De lucht rook naar vis en zilt; de muziek werd verzorgd door de golven die tegen de romp kabbelden; de bruiloftsgasten, Richards lakeien, wankelden van de ene kant naar de andere met het schommelen van de boot. Amy's sluier was een lap zeil, en de dominee was een acteur die van butler piraat werd en wiens interpretatie van de huwelijksplechtigheid de Aartsbisschop van Canterbury het bed ingejaagd zou hebben. Amy genoot van elke seconde, want als ze in de Westminster Abbey voor het altaar hadden gestaan, had Richard nooit zijn arm om haar middel en zijn hoofd op haar hoofd mogen leggen. En ook had hij de bruid geen zoen mogen geven van meer dan vijf minuten, en dat was, zo besloot de bruid, toch een heel verlies geweest.

'Ja! Krauw! Ja!' kraste de papegaai, die kennelijk vond dat hij een centralere rol in de plechtigheid moest spelen.

Amy's ogen knipperden open toen de lange kus afliep. 'Ik weet niet of dit wel helemaal legaal is, maar het kan me geen lor schelen.'

Richard grinnikte, tilde zijn net – zij het misschien niet helemaal legaal – verworven vrouw op in zijn armen en kuste het puntje van haar opgetrokken neus. 'Ik aanbid u, Amy. Echt waar.'

Amy wierp hem een kus toe. 'Ondanks mijn dubieuze moraal omdat ik u zomaar over mijn deugdzaamheid laat waken?'

Richard drukte haar nog dichter tegen zich aan terwijl hij de smalle trap afliep naar Marstons hut. 'Ik kan u vertellen, juffie,' zei hij met dik aangezette wellust, 'dat ik daar allerminst bezwaar tegen heb.' Met zijn schouder duwde hij de deur van Marstons hut open.

In de gauwigheid zag Amy een reep zonlicht die over verweerde houten planken streek, een zware tafel met een stoel en een enorm bed. Typisch Marston om een sprei te hebben van zware rode zijde.

'Uw drempel, schone vrouwe,' kondigde Richard aan toen hij Amy eroverheen droeg.

Amy wreef met haar hoofd tegen zijn schouder en begon vreselijk te lachen. 'Typisch iets voor ons!' hijgde ze, tussen het gieren door. 'Wij doen helemaal niets zoals het moet! We hebben niet eens een huwelijksnacht; we hebben een huwelijks*middag*!' En ze kromp weer in elkaar van het lachen.

Richard manoeuvreerde Amy naar binnen, schopte de deur achter zich dicht en zei, terwijl hij haar voorzichtig op Marstons opzichtige rode zijde legde: 'U kunt het ook zo bekijken: we hebben een huwelijksmiddag *en* een huwelijksnacht.'

'Wat een bof,' zei Amy buiten adem, terwijl Richards lippen over de hare streken in een tedere, hunkerende kus.

'Het is zo heerlijk u te zoenen en te weten dat u het bent,' zei Amy een paar lange zoenen later, en ze klemde haar armen steviger om Richards nek.

'Mist u de Paarse Gentiaan dan niet?' vroeg Richard, terwijl hij een van haar donkere lokken om zijn vinger wond.

Daar dacht Amy even over na, met haar hoofd achterover op het kussen zodat de blote witte boog van haar hals naar voren stak. Richard kon de verleiding niet weerstaan en liet een vinger langs haar keel glijden, die hij volgde met zijn lippen.

'Oooo. Weet u, het valt niet mee om na te denken als u dat doet. Nee. Nee, ik mis de Paarse Gentiaan niet. Hij was een heerlijk romantische droom, maar ik heb veel liever... oef!' De kracht van Richards armen om haar heen maakte het haar onmogelijk haar zin af te maken.

'Het juiste antwoord.'

'Het *oprechte* antwoord. Trouwens,' voegde Amy er buiten adem aan toe, met een brede grijns, 'uw masker schuurde.'

Als hij ooit de tijd had genomen zich zijn huwelijksnacht voor te stellen – of, in dit geval, zijn huwelijksmiddag – zou bulderen van het lachen niet op de agenda hebben gestaan. En toch was dat precies wat hij deed. Het was alsof alle vreugde die in hem opwelde een uitlaatklep zocht. Er waren ook andere dingen die een uitlaatklep zochten, maar Richard wilde die zo lang mogelijk onder controle houden, want Amy verdiende de mooiste huwelijksmiddag die iemand ooit gehad had.

Hij streek haar haren uit haar gezicht. 'Ik hou van u.'

'Zeg dat nog eens,' smeekte Amy, en haar blauwe ogen straalden. 'Ik kan het u niet vaak genoeg horen zeggen.'

'Ik hou van u.' Richard kuste het puntje van Amy's neus, en ze giechelde.

'Ik hou van u.' Amy's gegiechel ging over in gehijg toen zijn lippen het gevoelige kuiltje boven haar sleutelbeen beroerden.

'Ik hou van u.' Zijn lippen daalden af naar de diepe spleet van haar lijfje. 'Van alles aan u,' verbeterde hij zichzelf. Hij leunde achterover op zijn hielen en liet zijn blikken over Amy's lichaam glijden, vanaf de losse hals van haar blouse tot waar de grove wollen stof van haar rok zich om haar benen plooide. 'En ik zou nog meer van u houden,' zei hij, rukkend aan de veters van haar lijfje, 'als al die kleren uit waren.'

'Wacht eens,' zei Amy hees, en ze hield zijn hand aan de veters van haar lijfje stil. 'Krijg ik u niet te zien?'

Hoewel Richard liever door was gegaan met het losmaken van Amy's lijfje, dat al zover gezakt was dat er een zinnenprikkelende hoeveelheid fraaie welvingen zichtbaar werd, had Richard niet al te veel aansporing nodig. Amy hees zich op een elleboog en keek toe hoe hij zijn hemd over zijn hoofd trok. Hoe had ze ooit kunnen vinden dat hij op een tekening van Perseus leek? Apollo de Zonnegod kwam dichter in de buurt. Richard glansde. De gouden krulletjes op zijn borst weerkaatsten het zonlicht en maakten hem tot een voorwerp van aanbidding. En hij was van haar. Helemaal volkomen van haar. Die gedachte wond haar op.

Amy, die nieuwe speeltjes nooit de kans had gegeven om stoffig te worden, strekte haar handen naar Richard uit en streek voorzichtig over de gladde huid van zijn buik; ze genoot van de manier waarop zijn spieren zich aanspanden onder haar vingers. Ze liet ze omhoog glijden, gefascineerd door de hitte die van zijn huid afstraalde, de onbekende sensatie van haartjes tegen haar vingers.

Richards handen omklemden Amy's polsen en pootten haar handen stevig op de opzichtige zijden sprei. 'Uw beurt,' kondigde hij met trillende stem aan.

'Maar u hebt nog uw...' Amy's woorden werden abrupt gesmoord toen Richard met een ferme ruk haar hemd en onderjurk over haar hoofd trok.

'Dat is beter,' stelde hij vast en gooide ze met een wijde boog op de grond. 'Veel beter. U weet niet half hoe ik naar dit moment verlangd heb,' mompelde hij en legde teder een hand om elke borst.

'Ik dacht,' zei Amy, en ze hield even haar adem in toen Richard met zijn handpalm langs het gerimpelde knopje van haar tepel streek, 'dat u me nooit meer zo zou aanraken.'

Richard keek haar oprecht verschrikt aan, en zijn handen sloten zich bezitterig om haar borsten. 'Wat een afschuwelijk idee! Ik ben van plan u weer zo aan te raken...' zijn mond streek zachtjes langs een tepel, 'en weer,' hij bezocht de andere, 'en weer.' Zijn mond omsloot de eerste tepel en Amy verging nu elke lust tot praten. Ze kreunde zachtjes toen hij zijn mond terugtrok en de hard geworden tepel plagend met het puntje van zijn tong bewerkte. Ze kromde haar rug en trok hem bij zijn haren tegen zich aan.

'Er begint iemand ongeduldig te worden,' mompelde hij en liet zijn hand langs Amy's bovenlichaam naar de koorden van haar rok glijden.

'Geduld,' zei Amy trots en vlocht haar vingers door zijn gouden haren en trok zijn mond naar de hare, 'is niet een van mijn deugden.'

Ze kon niet precies zeggen waar ze naar verlangde, maar de sensatie Richards lenige gespierde lichaam tegen het hare te voelen, de krulhaartjes op zijn borst die langs haar pijnlijke borsten streken maakten dat zij zich in onverklaarbare opwinding tegen hem aan drukte. Ze liet haar handen over zijn schouders glijden en voelde zijn spieren samentrekken toen hij haar rok over haar heupen trok. Hij maakte zijn mond los van de hare en gleed naar beneden om de baan van haar rok te volgen en een kus te drukken op elke centimeter die ontbloot werd: haar inspringende middel, haar dijen, haar kuiten, de topjes van haar tenen.

Richard slingerde haar rok en onderbroekje in een verre hoek – hoe verder hoe beter, wat hem betrof – kwam overeind en staarde haar aan. Hij had haar natuurlijk naakt gezien in zijn verbeelding. Welke warmbloedige man doet dat niet? Maar zijn dagdromen waren niets vergeleken bij de werkelijkheid van Amy's melkbleke huid tegen de rode zijden sprei. Richard keek met open mond naar de perfectie van haar lichaam, haar volmaakt geproportioneerde armen en benen, de zachte heuvel van haar buik, de welvingen van haar heupen.

'U bent zo klein,' verwonderde hij zich. 'Zo klein en zo volmaakt.'

Amy veerde overeind en sloeg haar armen om zijn nek. 'U ook,' verkondigde ze. Zijn handen omsloten haar middel en gleden omhoog langs haar ribbenkast naar haar borsten.

'O ja?' Hij trok zijn handen terug alsof hij beledigd was.

Amy bloosde. 'Niet klein. Volmaakt, bedoel ik. Tenminste, ik denk dat ik dat...'

Ze leek zo heerlijk in de war dat Richard besloot dat hij maar één ding kon doen. Hij snoerde haar de mond met een lange, hartstochtelijke zoen.

Armen, benen en lippen verstrengelden zich, en ze gleden opzij naar het kussen. Richards handen zwierven over Amy's lichaam en ontketenden vurige prikkels waar hij haar maar raakte. Hij liet zijn tong over het randje van haar oor glijden en Amy begon te kronkelen en mompelde onsamenhangend. Ze trok hem nog steviger tegen zich aan, klampte zich vast aan de warme huid van zijn schouderbladen en drukte haar lichaam zo dicht tegen hem aan dat ze het gekreun in zijn borst voelde opwellen. Ze stak haar eigen tong zachtjes in zijn oor en werd beloond met een huivering die door zijn hele lijf ging. Ze hoorde het scherpe gesis van ingehouden adem en toen...

Amy fronste verbaasd haar voorhoofd. 'Waarom telt u in het Grieks?' vroeg ze.

'Omdat ik anders,' Richards hand gleed omhoog langs de binnenkant van haar dij en speelde met de donkere wirwar van krulletjes op haar schaamheuvel, 'ontplof.'

'O,' zei Amy, die dit niet helemaal begreep, maar het kon haar niet schelen, want een van Richards vaardige vingers was langs de krulletjes haar vochtige holletje binnengegleden, en o lieve hemel, hoe *bestond* het dat iemand zich zo voelde? Hij raakte haar aan zoals hij dat die nacht op de Seine gedaan had, alleen voelde het nu tienmaal zo goed vanwege Richards naakte lichaam dat ze tegen het hare voelde en zijn ongemaskerde gezicht, gespannen van hartstocht, boven het hare. Amy was er niet zeker van dat ze deze ervaring zou overleven. Ze slaakte een kreet toen hij een vinger in haar glibberige schede liet glijden.

'O grote goden,' kreunde Richard. Hij liet zich op zijn zij rollen en begon aan de knopen van zijn broek te rukken. Eentje vloog eraf en kaatste tegen de muur. Amy maakte geluidjes tussen giechelen en snikken in; haar handen hielpen gretig bij het uittrekken van zijn strakke gemzenleren broek. 'Verdoemd!' vloekte Richard toen zijn broek om zijn enkels bleef hangen. Woest trapte hij hem van zich af en rolde terug naar Amy, nam haar in zijn armen en zoende haar met een passie die niet meer door hinderlijke kledingstukken werd afgeremd.

'Waar waren we gebleven?'

Amy pakte zijn hand en leidde hem erheen. Richards bloed raakte binnen een seconde van oververhit aan de kook. Hij zou weer in het Grieks zijn gaan tellen als hij gedacht had dat dit wat zou uithalen. Toen hij voelde hoe zij onder hem begon te kronkelen, haalde hij langzaam zijn hand weg en verving die door de top van zijn roede; hij beet uit alle macht op zijn lip in een poging zich in te houden.

Amy huiverde toen ze de onbekende volheid in zich voelde glijden. Ze duwde haar lichaam omhoog, snakkend naar meer. 'Toe maar...' smeekte ze met omfloerste stem.

'Dit... zal u... pijn doen.' Richards woorden kwamen hijgend.

Amy's nagels begroeven zich in de harde spieren van zijn bovenarmen, de druk van zijn stijve lid tegen haar gevoelige knopje maakte haar halfgek van onvervuld verlangen. 'O, Richard...'

Het was meer dan vlees en bloed konden verdragen. Met de klank van zijn eigen naam fluitend in zijn oren dook Richard in haar en hield ternauwernood in toen hij de barrière van haar maagdelijkheid voelde wijken. Amy verstijfde onder hem. 'Moet ik ophouden?' vroeg Richard, zich vermannend.

Amy beet op haar onderlip en schudde haar hoofd. 'Nee.' Ze tilde haar gezicht op naar het zijne. '*Alstublieft*, ga door!'

Richard wist niet of hij had kunnen ophouden als dat had gemoeten, maar hij probeerde langzamer te gaan, terwijl Amy's lichaam zich instelde op het zijne; zijn tong gleed door haar lippen naar binnen, in een onbewuste imitatie van de beweging van hun lichamen. Langzaam, onhandig begon ze haar heupen in kringetjes tegen de zijne te wiegen, zacht kreunend, terwijl haar hartstocht zich opbouwde tot een crescendo. Ze sloot haar benen om zijn rug en trok hem dieper in zich, duwend, zwoegend, smekend om meer.

Richard liet alle pogingen om zich in te houden varen. Met een oerkreet stortte hij zich diep in haar. Met haar mond hongerig op de zijne en haar nagels als klauwen in zijn rug bokte Amy tegen hem aan. Ze schreeuwde haar plezier uit toen duizend vonken van diamanten tegen de achterkant van haar ogen explodeerden en haar lichaam baadden in bruisende pracht. Even later, terwijl ze nog nahuiverde onder hem, stootte Richard een schorre kreet uit en zakte boven op haar in elkaar.

Nog niet in staat om te spreken rolde Richard Amy naar zich toe, zodat ze half op hem kwam te liggen.

Amy genoot van Richards warme, heerlijk mannelijke lichaam onder het hare. Haar benen nestelden zich tussen zijn dijen en haar borsten drukten tegen zijn zij. Ze sloeg een arm over zijn borst en wreef haar hoofd tegen de volmaakte holte tussen zijn schouder en zijn hals, een plekje dat gemaakt leek te zijn voor Amy's hoofd.

'Mmm,' mompelde ze en liet haar vingers door de vochtige haartjes op zijn borst glijden. 'Zoooo gelukkig.'

'Mmm,' stemde Richard in en blies een donkere lok weg die besloten had zijn neus binnen te dringen. 'Ik zal niet weten hoe ik van u af moet blijven als we weer terug zijn in Londen.'

'Moet dat dan?' Amy tilde haar hoofd op, met een vleiend ontsteld gezicht.

'Tot we officieel getrouwd zijn.'

'Maar dat duurt toch niet zo lang?'

'Weken! Maanden!' brulde Richard. 'Al die... *dingen* die geregeld moeten worden,' voegde hij er vol walging aan toe.

'Stik,' zei Amy. 'Misschien moeten we maar gewoon op de boot blijven.'

'Geen gek idee.'

'Denkt u dat het gaat stormen?' De woorden riepen een herinnering op bij Amy; glimlachend dacht ze aan de laatste keer dat ze zoiets gezegd had, op een andere kleine boot over Het Kanaal.

Richards blikken ontmoetten de hare. 'Ik kan me een bijzonder ruwe overtocht herinneren die wel vier dagen duurde.'

Amy hees zich op één elleboog en keek neer op Richards gezicht. 'Hebt u wellicht een déjà vu?' vroeg ze gemoedelijk.

'Hmm. Er zijn wel wat cruciale verschillen,' peinsde Richard zogenaamd serieus.

'Zoals?'

'De laatste keer,' zei Richard en zijn handen gleden over Amy's ribben naar haar borsten, 'had u al uw kleren aan.'

'Dat is maar één verschil.'

'Maar wel cruciaal, vindt u niet?'

'Ik weet er nog een,' zei Amy toen ze weer kon spreken.

Richard dacht na. 'Ik kom niet verder dan dat u ditmaal geen kleren aan hebt.'

Amy schudde haar hoofd. 'Denk nog eens na.'

'Ik geef het op.'

'*Ditmaal* hou ik van u.'

41

ONSLOW SQUARE ZAG er veel mooier uit in het zonlicht.

Of althans, het zou er mooier uitgezien hebben als ik geen enorme kater had gehad, waardoor het zonlicht dat afketste tegen de ijzeren leuningen en de autoramen me pijn aan de ogen deed. Ik dook weg in de hal van mevrouw Selwick-Alderly en staarde naar de zoemer, spelend met het idee om nog twee pijnstillers te nemen en mevrouw Selwick-Alderly te bellen met een gruwelijk verhaal over builenpest. Daarna zou ik me kunnen verschansen in mijn donkere appartement.

Maar dat zou inhouden dat ik weer de metro in moest, de laatste plek waar je zijn wilt als je misselijk bent.

Als die misselijkheid het enige probleem geweest was, had ik het misschien nog wel aangedurfd. Maar het pakket in mijn armen dwong me te blijven waar ik was. In de ruime tas van de boekhandel bevond zich het dikke, in plastic gewikkelde pak manuscripten dat ik mevrouw Selwick-Alderly beloofd had vandaag terug te brengen, dus er zat niets anders op: het pak moest terug.

Wat was ik stom geweest, gisteravond! Ik weerstond de verleiding om met mijn hoofd tegen de intercom te beuken. Ik had me volkomen belachelijk gemaakt bij Colin Selwick. O mijn God! Ik had toch niet lopen lallen, hoop ik? En ik zou toch niet gevallen zijn? Wanhopig zocht ik mijn mentale archieven af en kromp ineen toen ik door mijn verzameling van gênante momenten van gisteravond bladerde. Geen geval en geen gelal. Voor de zekerheid zou ik Pammy vanavond even bellen. Ik dacht niet dat er grote zwarte gaten in mijn geheugen zaten, maar dat is nu net het probleem met zwarte gaten, je kunt niet weten dat ze er niet zijn omdat je ze je niet kunt herinneren. Grrr.

Wat ik me *wel* herinnerde was al erg genoeg. Waarom had ik hem in godsnaam geslagen met die gloeistok? En dat was nog niets vergeleken bij het feit dat ik hem in zijn kladden had gegrepen en had meegesleurd naar de andere kant van de kamer. Niet dat het er iets toe deed, wreef ik mezelf voor de vijftigste keer onder de neus. Als iemand zich zou moeten schamen, was het Colin Selwick wel. Waar haalde hij het lef vandaan me te laten denken dat zijn zusje zijn vriendin was? Nou ja, dat was niet helemaal eerlijk tegenover hem, want die conclusie had ik zelf getrokken. Maar hij had me best van die gedachte af kunnen helpen. De enige reden die ik kon bedenken waarom hij me in die waan had gelaten, was dat hij vreesde dat ik me aan hem op zou dringen als ik wist dat hij geen vriendinnetje had. Niet bepaald vleiend. Zag ik er zo wanhopig uit?

Ik had echt gehoopt dat Colin Selwick terug was gegaan naar Selwick Hall. Of dat hij naar de bioscoop was. Of waar dan ook! Het maakte niet uit, zolang het maar niet naar Onslow Square 43 was.

Goed. Genoeg gedraald. Ik ging het manuscript terugbrengen, een kopje thee drinken met mevrouw Selwick-Alderly en dan naar huis. Waar maakte ik me toch druk om? Ik drukte op de zoemer.

'Ja?'

'Ik ben het, Elo...'

'Kom maar boven, Eloïse,' riep mevrouw Selwick-Alderly me toe, alleen vervormde de zoemer het tot een 'Grrr grrr grrr rrrr'. Het metalige geknars weergalmde door mijn schedel.

Ik hees me met mijn pijnlijke hoofd naar de eerste verdieping en was net bezig mijn gezicht in de gepast vriendelijke plooi te brengen toen ik zag dat de deur openstond. En in de deuropening stond hij.

Daar ging mijn poging om te glimlachen.

'Een beetje katterig?' informeerde Colin Selwick vanaf zijn plaats tegen de deurpost.

'Hoe kom je daar nou bij?' mompelde ik. Dit was niet eerlijk. Hij was vannacht ook stevig aan de champagne geweest en hij had nog niet eens donkere kringen om zijn ogen. Goed, ik liep vier glazen op hem voor, maar toch. Hij had het recht niet er zo kwiek en alert en uitgerust uit te zien.

Omdat ik dat allemaal niet kon zeggen, luchtte ik mijn ontevreden gemoed door hem het in plastic gewikkelde pakket in zijn handen te duwen. 'Hier zijn de paperassen van je tante terug.'

Te oordelen naar de blik op zijn gezicht bij het aannemen ervan had zijn tante hem nog helemaal niet verteld dat ze me de manuscripten had uitgeleend. Hij keek in één woord beduusd. Gelukkig kwam mevrouw Selwick-Alderly opduiken voordat Colin zijn spraakvermogen herwonnen had.

'Eloïse! Welkom!'

'Ik kom de paperassen terugbrengen,' herhaalde ik, bij gebrek aan een betere opmerking. Colin leek gelukkig van schrik naar berusting te zijn gegaan zonder een tussenfase van woede; of als hij al boos was, hield hij in elk geval zijn mond toen hij zijn tante de manuscripten overhandigde. 'Ze zijn helemaal compleet,' voegde ik eraan toe, om Colin gerust te stellen.

'Daar twijfel ik niet aan,' zei mevrouw Selwick-Alderly en loodste me de huiskamer binnen. Colin kwam zwijgend achter ons aan. Verdomme, ik had zo gehoopt dat hij weg zou gaan. Hoe kon ik in vredesnaam vrijuit met mevrouw Selwick-Alderly praten als hij erbij zat? Ik kreeg al kippenvel als ik alleen maar naar hem keek.

De huiskamer zag er precies zo uit als eergisteren, tot en met het theeblad toe, alleen was de haard niet aan. En er stonden drie kopjes op het blad, in plaats van twee. Verdomme, verdomme, verdomme. Ik ging op dezelfde hoek van de bank zitten als tijdens mijn vorige bezoek, met mevrouw Selwick-Alderly links van mij. Colin plofte neer in de stoel vol kussens aan mijn kant van de bank.

'Hoe gaat het met je zusje?' informeerde ik zonder omwegen.

Colin had zijn antwoord al klaar. 'Veel beter,' zei hij meteen. 'Vermoedelijk kwam het door een broodje bedorven garnaal tijdens de lunch.'

'Waar hebben jullie het over?' Mevrouw Selwick-Alderly keek bezorgd op van haar theeblad. 'Is Serena ziek?'

Colin legde het uit terwijl ik een kop thee aannam van zijn tante en tussen de koekjes naar een droog kaakje zocht. 'Je hebt jezelf een bewonderaar voor het leven verworven, Eloïse,' besloot hij, en strekte zijn lange benen behaaglijk voor zich uit. 'In de taxi naar huis prees ze je de hemel in.'

Dat was het laatste wat ik verwacht had. Ik wierp hem een achterdochtige blik toe.

'Wat aardig van je, liefje,' zei mevrouw Selwick-Alderly goedkeurend. 'Een koekje, Colin?'

Colin nam er drie.

Aangezien hij er kennelijk niet over peinsde om weg te gaan, besloot ik maar net te doen alsof hij er niet was. Ik zette mijn theekopje op de salontafel en boog me over naar mevrouw Selwick-Alderly, waarmee ik Colin bewust buitensloot van het gesprek.

'Wat gebeurde er toen Richard en Amy terug waren in Engeland?'

Mevrouw Selwick-Alderly hield nadenkend haar hoofd schuin. 'Ze trouwden, natuurlijk. Zowel Jane als juffrouw Gwen kwam even over uit Frankrijk voor de bruiloft, en Edouard ook. De Bisschop van Londen voltrok het huwelijk in Uppington House, en de Prins van Wales was in hoogsteigen persoon aanwezig bij de koffietafel.'

'Die goeie ouwe prins,' leverde Colin commentaar. 'Waarschijnlijk hoopte hij het *droit du seigneur* nieuw leven in te blazen.'

Ik negeerde hem. Mevrouw Selwick-Alderly had doeltreffender tactieken. 'Colin, zou jij zo lief willen zijn om de miniatuurtjes even te halen?' vroeg ze.

Colin liep met grote passen door de kamer en lichtte voorzichtig de twee miniatuurportretjes die boven de kist hingen van hun haakjes en bracht ze naar zijn tante.

'Deze zijn kort na de bruiloft genomen,' vertelde mevrouw Selwick-Alderly me, terwijl Colin zijn stoel dichterbij trok. Hij legde een arm op de leuning van de bank en boog zich over mijn schouder om naar de miniatuurtjes te kijken. Ik schoof dichter naar mevrouw Selwick-Alderly toe. 'Dit,' zei ze en overhandigde me het eerste schilderijtje, van een man met een hoge kraag en een kunstig geknoopte kravat, 'is Richard.'

Ik had verwacht dat hij op Colin zou lijken. Ik had het mis.

Het gezicht van Lord Richard was smaller, zijn jukbeenderen waren hoger en zijn neus was langer. Ze hadden wel dezelfde teint, maar Lord Richards haren waren wat lichter en zijn ogen waren, zelfs op het kleine portretje, onmiskenbaar groen. Het zal wel niet verwonderlijk zijn dat een familiegelijkenis na tweehonderd jaar verdwenen is. Amy's opmerkingen over blond haar en een verwaande uitdrukking hadden me op een dwaalspoor gezet. Ik dacht na over dat laatste. Hmm, misschien was de familiegelijkenis toch niet helemaal verdwenen.

'En dit,' zei mevrouw Selwick-Alderly, 'is Amy.' Ik legde Lord Richard voorzichtig op mijn schoot en pakte het tweede miniatuurtje van haar aan.

Amy's donkere haren waren opzij getrokken tot krulletjes aan weerszijden van haar gezicht, net als bij Lizzie in *Pride and Prejudice* van de BBC, en ze droeg een eenvoudige, witte mousselinen jurk met een hoge taille. In haar hand, die ze uitstrekte alsof ze reikte naar de figuur op het andere miniatuurtje, hield ze een blauw bloempje vast dat leek op een grasklokje, maar voller van kleur was. Meer paars. Hoewel mijn kennis van plantkunde minimaal is, dacht ik wel te weten wat voor bloempje Amy in haar hand had. Snoezig. Heel snoezig.

Amy zelf was eerder snoezig dan knap, met haar dansende krullen en haar rozenknoplipjes samengeknepen tot een nauwelijks onderdrukte grijns. Ze zag eruit als het soort meisje dat op een pyjamafeestje een middernachtelijke overval op de keuken organiseert. Of dat inbreekt in de studeerkamer van Napoleon.

Ik legde Amy naast Richard op mijn schoot. Ze leken heel blij herenigd te zijn; Amy's ogen glommen ondeugend over de rand van haar ovalen lijstje naar Richard, en Richards uitdrukking leek minder hooghartig. Hij had meer een blik van *wacht maar, ik krijg jou nog wel.*

'Waren ze... gelukkig?' vroeg ik.

'Bedoel je of ze nog lang en gelukkig leefden?' wilde mevrouw Selwick-Alderly weten.

Een verdacht gesnuif klonk op uit de stoel aan mijn rechterkant.

'Ze waren zo gelukkig als twee mensen met veel temperament kunnen worden,' vervolgde mevrouw Selwick-Alderly. 'Er zit nog een vlek op de bekleding van een van de eetkamerstoelen die afkomstig is van een karaf rode wijn die Amy eens over Richards hoofd goot.'

'Hij klaagde dat ze geen beter jaar had uitgekozen,' mengde Colin zich met een mond vol chocoladebiscuit in het gesprek.

'Niet zo slim van hem om haar op dat moment de mantel uit te vegen,' opperde ik.

'Misschien deed hij het wel met opzet, om van de slechte wijn af te komen,' zei Colin ad rem.

Ik had sterk het gevoel dat dit een kromme redenatie was, maar mijn hoofd zat te vol watten om uit te leggen waarom. 'Hij had hem toch gewoon op kunnen drinken?'

'Zoals gisteravond?' mompelde Colin, met een glimlach die me uitnodigde zijn plezier met hem te delen.

Nadrukkelijk richtte ik mijn aandacht op de thee.

Colin legde beide ellebogen op de leuning van zijn stoel en draaide zijn hoofd naar me toe. 'Ga je, nu je gevonden hebt waarnaar je zocht, terug naar de Verenigde Staten?'

'Vergeet het maar!' Hij kon wel wat minder duidelijk laten merken dat hij van me af wilde, dacht ik verontwaardigd. 'Ik heb nog honderden vragen waar ik een antwoord op wil: Jane Wooliston, bijvoorbeeld. Is zij de Roze Anjer gebleven?'

Ik keek Colin scherp aan; ik was zijn voortijdig beëindigde conclusie 'Dus jij denkt dat Amy...?' niet vergeten. Hij had me toch gewoon kunnen vertellen dat het Jane was die uiteindelijk de Roze Anjer werd, in plaats van me daar zelf pas vanochtend achter te laten komen toen ik de laatste manuscripten doorworstelde. Maar nee, dat zou te behulpzaam zijn geweest.

Ditmaal nam ik geen enkel risico. 'Is het Jane die de Ierse opstand tot staan brengt en Wellington naar Portugal helpt, of is het iemand anders die dezelfde naam gebruikt?'

'Jazeker, dat is Jane,' liet Colin me minzaam weten.

'Wat wil je nog meer weten, liefje?' vroeg mevrouw Selwick-Alderly.

Er was nog een kleinigheidje in de laatste brief die ik gelezen had, een brief van Amy aan Jane (Jane was toen alweer terug in Parijs), gedateerd vlak na Amy's bruiloft. Amy stelde daarin voor om, in plaats van hun spionagevaardigheden verloren te laten gaan, een opleiding op te zetten voor geheim agenten op het buiten van Lord Richard in Essex. Maar dat werd slechts terloops genoemd, en het was best mogelijk dat er, zoals met zoveel van Amy's plannen, nooit iets van gekomen was. Maar het kon toch geen kwaad ernaar te informeren...

'Die spionnenschool,' vroeg ik gretig, 'is die er ook echt gekomen?'

Colin schoot overeind en zei verstoord: 'Hoor eens hier, dit is allemaal heel leuk en aardig, maar...'

'De beste beschrijving van de spionnenschool wordt gegeven door Henriëtta,' liet mevrouw Selwick-Alderly rustig weten.

'Het kleine zusje van Lord Richard?'

'Het kleine zusje, ja. Richard was razend op haar, en stond erop dat ze het zouden beperken tot Selwick Hall. Ze moesten ervoor zorgen dat het nieuwtje van de spionnenschool niet uitlekte, zie je.'

'Is het hier?' Er zaten tenslotte nog zoveel andere papieren in de kist. De manuscripten die ik had gekregen waren maar een fractie van alle mappen en dozen die ik twee dagen geleden in de kist had zien liggen. Het konden natuurlijk best de negentiende-eeuwse waslijsten zijn, maar...

'Alle papieren die gaan over de spionnenschool,' zei mevrouw Selwick-Alderly, met een zijdelingse blik op Colin, 'bevinden zich nog in Selwick Hall.'

'In zeer slechte conditie,' stribbelde Colin tegen.

'Ik zal de geijkte bibliotheekprocedure in acht nemen,' beloofde ik. 'Ik zal handschoenen dragen en gewichten gebruiken en uit het zonlicht blijven.'

Als hij dat wilde zou ik een compleet veiligheidspak aandoen, mijn wimpers desinfecteren en een dansje maken tegen de klok in rond een houtvuur bij volle maan. Als ik maar toegang kreeg tot die manuscripten. Dan zou ik hem later wel overhalen om me te laten publiceren wat ik te weten gekomen was.

'Onze archieven,' zei Colin, en hij liet zijn theelepeltje met een vastberaden gekletter op zijn schoteltje neerkomen, 'zijn nooit opengesteld geweest voor het publiek.'

Ik trok mijn neus naar hem op. 'Hebben we dit gesprek niet al eens eerder gevoerd?'

Colins lippen krulden zich met tegenzin tot een vage echo van een glimlach. 'Ik geloof eigenlijk dat het een brief was. Maar hoe dan ook,' voegde hij er op een veel menselijker toon aan toe, 'Selwick Hall is heel lastig te bereiken vanuit Londen. We zitten op kilometers afstand van het dichtstbijzijnde station, en een taxi is er bijna niet te krijgen.'

'Dan moet je er maar blijven slapen,' zei mevrouw Selwick-Alderly, alsof dat een uitgemaakte zaak was.

Colin keek zijn tante streng aan.

Mevrouw Selwick-Alderly keek onschuldig terug.

Ik zette voorzichtig mijn kopje op mijn schoteltje. 'Ik wil je niet tot last zijn.'

'In dat geval...'

'Maar als het niet al te veel moeite is,' ging ik haastig door, 'zou ik heel dankbaar zijn als je me de kans gaf die papieren in te zien. Je hoeft me echt niet bezig te houden. Als je me gewoon even wijst waar de archieven zijn zul je niet eens meer merken dat ik er ben.'

Colins gehum gaf overduidelijk aan wat hij daarvan vond.

Ik kon het hem niet kwalijk nemen. Zelf ben ik ook nogal gesteld op mijn privacy, en ik zou het net zomin prettig vinden om opgezadeld te worden met een weekendgast.

'Ik zal zelfs mijn eigen afwas doen. En die van jou erbij,' gooide ik nog een argument in de ring.

'Dat hoeft niet,' antwoordde Colin droogjes. 'Ik ben er dit weekend,' vervolgde hij, 'maar jij hebt vast al andere plannen. Laten we volgende week samen ergens wat gaan drinken, dan vat ik wel voor je samen wat er...'

Ja ja, mij een beetje afschepen met een drankje! Daar kwam niks van in.

'Ik heb helemaal geen plannen,' wierp ik opgewekt tegen. Pammy zou er vast wel begrip voor hebben dat ik ons wekelijkse middagje winkelen zomaar opofferde, tenminste, als ik als argument Serena's verrassend knappe broer aanvoerde, en niet een negentiende-eeuws manuscript. 'Dank je zeer voor de uitnodiging.'

Eigenlijk was het helemaal geen uitnodiging geweest. Hij wist dat, en ik wist dat. En mevrouw Selwick-Alderly en de miniatuurportretjes in mijn schoot wisten het ongetwijfeld ook. Maar toen de woorden eenmaal uitgesproken waren, was er weinig wat hij doen kon zonder onbeleefd te lijken. De hemel zij gedankt en geprezen voor sociale conventies.

Colin gooide het over een andere boeg. 'Ik was van plan vanmiddag al te gaan, maar ik denk niet dat jij al zo snel...'

'Geef me een uur, dan ben ik gepakt en gezakt.'

'Oké.' Colin perste zijn lippen op elkaar en hees zich uit zijn stoel. 'Dan ga ik nu het een en ander regelen. Kun je om vier uur klaar zijn voor vertrek?'

Het antwoord waar hij duidelijk op hoopte was 'nee'.

'Geen enkel probleem,' zei ik opgewekt.

Ik gaf hem mijn adres. Tweemaal. Zodat hij niet kon zeggen dat hij voor het verkeerde gebouw had staan wachten, of zoiets.

'Oké,' herhaalde hij. 'Om vier uur sta ik voor je deur.'

'Tot dan!' riep ik zijn verdwijnende rug achterna. Wonderbaarlijk hoe het vooruitzicht van een schat aan historische documenten je kan genezen van een kater. Ik had nog steeds hoofdpijn, maar het kon me niet meer schelen.

In de gang sloeg een deur dicht.

Dat was geen goed voorteken voor ons weekend.

Mevrouw Selwick-Alderly stond op en begon de theeboel op het blad te zetten. Ik sprong op om haar te helpen, maar ze wuifde me weg.

'Jij,' zei ze, dreigend schuddend met een theelepel, 'moet gaan pakken.'

Ze negeerde mijn tegenwerpingen en dreef me naar de deur.

'Ik verheug me erop de resultaten van je onderzoek te horen als je terug bent,' zei ze ferm.

Ik mompelde de geëigende reacties en liep naar de trap.

'En Eloïse?' Ik bleef staan op de bovenste trede en keek om. 'Let maar niet op Colin.'

'Zal ik niet doen,' verzekerde ik haar op luchtige toon, en ik wuifde en ging ervandoor.

Manuscripten, manuscripten, manuscripten, jubelde ik in mezelf. Maar ondanks mijn nonchalante woorden tegen mevrouw Selwick-Alderly was ik benieuwd hoe dit af zou lopen. Een rit van twee uur naar Sussex – zouden we zo lang een beleefd gesprek op gang kunnen houden? En dan twee nachten onder hetzelfde dak, twee dagen in hetzelfde huis.

Het werd een interessant weekend, dat stond vast.

HISTORISCH VERSLAG

Aan het eind van een historische roman vraag ik me altijd af welke stukjes echt gebeurd zijn, en welke niet. De heldendaden van Richard en Amy zijn helaas volledig gefingeerd, evenals de hele schare spionnen met bloemennamen. Napoleons plannen om Engeland binnen te vallen daarentegen zijn echt. Al in 1797 had hij een oogje op de kustlijn van de buren. 'Onze regering moet de Britse monarchie vernietigen... Als dat gebeurd is, ligt Europa aan onze voeten,' plande Napoleon. Zelfs gedurende de korte Vrede van Amiens (de wapenstilstand die het Amy mogelijk maakte zich bij haar broer in Frankrijk te voegen) ging Napoleon door met het vergaren van platbodems om zijn troepen over te zetten naar Engeland. In april 1803, vlak voor het instorten van de vrede, verkocht Napoleon Louisiana aan de Verenigde Staten om geld te krijgen voor de invasie – een betrouwbaarder methode om aan geld te komen dan het tiranniseren van Zwitserse bankiers.

Wat de Bonapartes en hun aanhangers betreft, die zijn in grote lijnen ontleend aan de werkelijkheid, al heb ik er hier en daar karikaturen van gemaakt (iets wat Amy's geliefde nieuwsbladen zeker goedgekeurd zouden hebben). Het hof van Napoleon kan bogen op een rijke verzameling van contemporaine memoires en een ontzagwekkend assortiment van moderne biografieën. De extravaganties van Josephine, de abrupte manier waarop Napoleon de salons van zijn echtgenote placht te betreden, Paulines nooit aflatende reeks affaires, zij waren gemeenplaatsen in het Napoleontische Parijs. De drinkebroer van Georges Marston, Joachim Burat, had een tumultueus huwelijk met Napoleons zuster, Caroline; Josephines dochter Hortense nam Engelse les in de Tuilerieën tot haar leraar ontslagen werd omdat hij ervan verdacht werd te spioneren voor de Engelsen; en Beau Brummel was werkelijk zo geïnteresseerd in mode.

In het belang van het verhaal heb ik me een paar fikse historische vrijheden veroorloofd. Napoleon was zo onnadenkend om Joseph Fouché te ontslaan en het ministerie van Politie in 1802 af te schaffen. Zowel Fouché als het ministerie werd in ere hersteld in 1804 – een jaar te laat voor mijn verhaal. Maar een boek over spionage in het Napoleontische Parijs is niet compleet zonder Fouché, de man die het spionagenetwerk van Napoleon opzette en een hele generatie Franse en Engelse spionnen de stuipen op het lijf joeg. Behalve dat ik Fouché een jaar te vroeg heb laten terugkeren, heb ik hem ook een indrukwekkend nieuw ministerie van Politie toebedeeld op het Ile de la Cité. Geen van de bestaande gebouwen bezat een speciale martelkamer die afschuwelijk genoeg was voor Gaston Delaroche.

Ook de Engelse geheime dienst heb ik wat gereorganiseerd. Tijdens de Napoleontische oorlogen werd spionage gecoördineerd door een onderafdeling van het ministerie van Binnenlandse Zaken, het ministerie van Aliens[10] genaamd – niet het ministerie van Oorlog. Gezien de sterke traditie in fictie om kloeke spionnen toe te schrijven aan het ministerie van Oorlog kon ik het niet over mijn hart verkrijgen Richard en Miles verslag te laten uitbrengen aan het ministerie van Aliens. Ik kon me de gefronste voorhoofden en de opgetrokken wenkbrauwen voorstellen bij de verbaasde uitroep: 'Hij moet toch zeker naar het ministerie van Oorlog! Wat heeft dit met aliens te maken? Ik wist niet dat het *zo'n* soort boek was!' Als tussenoplossing heb ik daarom gekozen voor het ministerie van Oorlog, maar al het personeel, de gebouwen en de praktijken die beschreven worden in verband met het werk van Richard en Miles behoren wel degelijk tot het ministerie van Aliens. De weinig bekende gegevens over het ministerie van Aliens en nog veel meer, dank ik aan het prachtige boek van Elizabeth Sparrow: *Secret Service: British Agents in France 1792-1815*, dat in wezen Eloïses dissertatie is. Eloïse is daar echter niet jaloers op, omdat zij ten eerste dat fantastische primeurtje heeft van de Roze Anjer en ten tweede het boek fictie is.

---

10 *Alien Office*: in die tijd betekende *alien* gewoon 'vreemdeling', maar de schrijfster refereert hier aan de huidige betekenis van 'buitenaards wezen'.

EEN WOORD VAN DANK

Net als mensen die voor het eerst een Oscar winnen en dan iedereen, van hun kleuterjuf tot en met die toffe chiropracticus die hen vorige maand behandelde, gaan bedanken tot ze aan de pandjes van hun smoking achter de coulissen getrokken moeten worden, zijn er heel veel mensen aan wie ik mijn nederige dank verschuldigd ben voor het tot stand komen van dit boek. In tegenstelling tot Oscar-winnaars staat er geen orkest klaar om in te zetten als ik te lang praat. Zeg dus niet dat ik u niet gewaarschuwd heb.

En mijn woorden van dank gaan naar…

Brooke, mijn kleine zusje en lievelingsheldin-in-opleiding, die me voorzag van ideeën voor de plot, giechelde bij stukjes waar gegiecheld moest worden en er grootmoedig vanaf zag me door elkaar te rammelen als ik voor de zoveelste keer kermde: 'Oh! Ik heb toch weer zo'n mooie dialoog geschreven! Kom eens kijken!' Het volgende boek is van jou, Brookepoek!

Nancy Flynn, mijn geestverwante, die me haar onuitputtelijke adviezen gaf omtrent de uitgave, haar nog onuitputtelijker morele steun en die de naam 'de Paarse Gentiaan' bedacht.

Abby Vietor, die de rol van weldoenster van de Roze Anjer op zich nam vanaf de dag dat ze de eerste hoofdstukken las tot aan het moment dat ze het afgeronde manuscript doorschoof naar Joe (zie onder Agent, Super) – dit boek zou er niet geweest zijn zonder jou.

Claudia Brittenham, die mijn personages beter kende dan ik, die pakken vol gekonfijte viooltjes aansleepte en mijn gevoel voor humor terugvond als ik dat kwijt was.

411

Eric Friedman, die het drie jaar lang opbracht mijn geleuter over de Paarse Gentiaan aan te horen – zelfs al wilde hij het boek *De Weinig Bereisde Schelm* noemen.

De prachtvrouwen van de historische faculteit van Harvard, Jenny Davis, Liz Mellyn, Rebecca Goetsz en Sara Byala, die altijd voor me klaarstonden met een koffie of een *Cosmo*.

Joe Veltre, oftewel Super Agent, die van een bonte mengeling van grappen over schapen, Franse knokpartijen en hier en daar een zwoegende boezem een heuse roman wist te kneden.

Laurie Chittenden, mijn fantastische uitgever, die de schapen verjaagde en zorgde dat het manuscript niet de proporties van *Oorlog en Vrede* aannam.

En tot slot de briljante dames van het *Beau Monde and Writing Regency*-Genootschap, die zo ongeveer alles wisten, van Napoleons politieke daden tot aan de snit van Beau Brummels vest toe, en die zich verwaardigden dat met mij te delen, ondanks mijn (mis)stap naar de moderne tijd.

Heel hartelijk dank, allemaal!

Genoten van *De verborgen geschiedenis van de Roze Anjer*?

In 2007 verschijnt *Het masker van de Zwarte Tulp*!

De zoektocht naar ware liefde was nog nooit zo gevaarlijk…

Tweehonderd jaar geleden werd een aantal geheime documenten die de loop van de geschiedenis zouden kunnen veranderen, gestolen van de koerier van het Britse ministerie van Oorlog. Op de borst van de vermoorde koerier werd een mysterieus briefje aangetroffen met slechts een klein, zwart symbool erop. De autoriteiten stonden perplex. Pas twee eeuwen later lukt het de jonge Amerikaanse student geschiedenis Eloise Kelly om het mysterie te ontrafelen...

Wanneer ze zich verdiept in een aantal geheimzinnige, oude stukken ontdekt Eloise dat Napoleons gevaarlijkste spion, de Zwarte Tulp, met een gruwelijke missie naar Engeland is teruggekeerd. Het enige wat hem in de weg stond, was een verliefd stel dat erop uit is hem te ontmaskeren. Maar hun liefde lijkt gedoemd; zou het dwarsbomen van de Zwarte Tulp hen het leven kosten of, erger nog, hun liefde?

De pers over *Het masker van de Zwarte Tulp*:

'Een heerlijk verhaal met aantrekkelijke personages. Als ze zo doorgaat, komt Lauren Willig nooit toe aan haar afstuderen!' *Kirkus Reviews*

'Velen zullen ervan genieten en meteen uitkijken naar het volgende boek.' *Publishers Weekly*

'Slim en vol humor; een aanrader!' *Library Journal*